LECHNER'S VORNAMEN

LECHNER VERLAG

Zur Geschichte der Vornamen

Wer einmal über seine eigenen Namen nachdenkt, kommt bald darauf, daß er Namen trägt, deren Auswahl er selbst nicht mitbestimmen konnte. Oft übt aber ein Name auf seinen Träger einen bestimmten Einfluß aus, sei es positiver oder negativer Art. Wünsche und vielleicht auch Träume der Eltern werden darin manifestiert, und nicht immer wird dies von den Kindern und späteren Erwachsenen akzeptiert. Sucht man Namen für die eigenen Kinder, so ist dies ein wichtiger Grund, die Namenwahl sehr sorgfältig zu betreiben, denn der Name haftet uns ein Leben lang an.

Daß Namen Wünsche beinhalten, Vorbild- und Schutzfunktionen ausüben können und vielleicht sogar Glücksboten sein sollen, ist allerdings keine Erscheinung der modernen Zeit, sondern schon seit Jahrtausenden so. Die Beweggründe der Eltern haben sich bei der Namensuche für ihre Kinder im Lauf der Zeiten nicht wesentlich verändert. So vergaben die Inder vor dreitausend Jahren Namen wie (in der Übersetzung) „Allen Menschen gefallend“ oder „Der Gerechte“, bei den Etruskern kam häufig vor „Herme“ (der Starke) und so fort.

Natürlich gab es bei den verschiedenen Völkern aufgrund ihrer geographischen Lage, aufgrund ihrer kulturellen und sprachlichen Eigenheiten bevorzugte Namen, die anderswo gar nicht oder nur selten vorkamen. Andererseits waren auch Parallelentwicklungen festzustellen wie zum Beispiel der Hinweis auf die Abstammung: „Sohn des...“, im Hebräischen, Arabischen, Griechischen, Spanischen, Nordischen, Irischen, Russischen usw.

Germanische und indogermanische Namen bestanden in der Regel aus zwei Teilen, die meist sehr bedeutungsvoll waren wie Bernhard(t): stark, hart, kühn wie ein Bär (ber), Volkwin: der Freund des Volkes oder Wolfgang: der Wolfsbezwinger.

Bis ins 12. Jahrhundert waren in unseren Breiten, trotz Christianisierung, die germanischen Namen vorherrschend. Dann kamen jedoch mehr und mehr christliche Namen dazu, Namen von Gestalten aus der Bibel und der Heiligenverehrung: Adam, Eva, Andreas, Johannes, Michael, Stephan, Elisabeth, Ursula usw. Seltene Namen gab es meist nur an Fürstenhöfen und bei adeligen Familien, die aber für das einfache Volk keine größere Bedeutung hatten.

Im 16. Jahrhundert traten, geradezu als Modeerscheinung, die Doppelnamen auf: Gotthold Ephraim (Lessing), Johann Wolfgang (Goethe), Wolfgang Amadeus (Mozart) usw. Da es in vielen Gegenden üblich war, dem Kind den Namen des Taufpaten zu geben, erwies sich die Methode als recht praktisch. Man konnte so dem Kind den Namen des Taufpaten geben, ohne daß es diesen auch als Rufnamen tragen mußte!

Eine weitere Erscheinung in vorwiegend protestantischen Gegenden war, daß seit der Reformation die Heiligennamen an Bedeutung verlo-

ren, während sie in der Zeit der Gegenreformation eine neue Blüte erlebten.
Zur Zeit des Pietismus (17. und 18. Jahrhundert) kamen dann Namen wie Christlieb, Gottlieb, Fürchtegott, Traugott etc. auf.
In der Folgezeit standen in Mitteleuropa eine Vielzahl von Namen griechischer, lateinischer, biblischer und altdeutscher Herkunft zur Verfügung. Dazu kamen in verstärktem Maß englische, französische, italienische, spanische und skandinavische Namen, die sowohl durch politische Ereignisse als auch durch Literatur, Musik und andere kulturelle Erscheinungen an Bedeutung gewannen.
Auch landschaftliche Besonderheiten spielten eine Rolle, denn nicht alle Namen waren im deutschen Sprachraum gleich stark gebräuchlich. In den stark katholisch geprägten Gebieten des Südens und Westens überwiegen die Heiligennamen, während man Joseph, Therese, Alois u. a. im Hannoverschen oder in Brandenburg nicht so schnell finden wird, dafür Gustav, Christian, Joachim etc. In Norddeutschland haben sich typische Kurzformen erhalten wie Enno, Herma, Hilke, Heike, Silke, Björn, Niels, Olaf, Sven und weitere. Zusätzlich macht sich, nicht nur in den Randgebieten des deutschen Sprachgebiets, der Einfluß ausländischer Namen bemerkbar. Dominierend sind hierbei die Namen aus dem anglo-amerikanischen Sprachbereich wie Patrik, Roger, Mike, Carolin, Jennifer usw.

Motive für die Namenwahl

Die Motive, einen bestimmten Namen für ein Kind auszusuchen, sind heutzutage wie schon in alten Zeiten mannigfaltig. Da sind Menschen im Verwandten- und Freundeskreis der Eltern, die geliebt werden, die Vorbild, die angesehen sind. Es gibt traditionelle Gründe innerhalb von Familien, kirchlich bestimmte Namen, von Literatur, Musik, Malerei und Politik beeinflußte Namengebungen, desgleichen von Idolen aus Film, Funk, Fernsehen und Sport.
Manche bevorzugen sehr schön klingende Namen, wobei man beachten sollte, daß der Vorname in der Kombination mit dem Nachnamen auch noch gut klingt. Bei seltenen, ausgefallenen Namen sollte man das Umfeld des Kindes und der Familie nicht vergessen, denn der Name soll für das heranwachsende Kind und den späteren Erwachsenen zu keiner Belastung werden.
Die nun folgenden Namen (in alphabetischer Reihenfolge) sollen dazu dienen., Eltern und anderen Namensuchern eine große Auswahl anzubieten. Gleichzeitig werden Herkunft und Bedeutung der einzelnen Namen kurz dargestellt und berühmte Namensträger genannt. Auch dies ist eine Hilfe zu einer erfolgreichen Namenfindung.

Brunhilde Thauer

A

Aaron *(m)* hebräisch: *a'aron* = der Erleuchtete; Nebenform: *Aron.*
Persönlichkeit der Geschichte:
Aaron, im Alten Testament der ältere Bruder des Mose; er war der erste Hohepriester in Israel.

Abel *(m)* hebräisch: *hebel* = Hauch, Wind; im Mittelalter auch Kurzform für Albrecht; Nebenform: *Abilo.*

Abelina *(w)* die weibliche Form zu Abel; Nebenform: *Abeline;* auch Kurzform für Adalberta.

Abeline *(w)* Nebenform zu Abelina.

Abelke *(w)* niederdeutsche Koseform für Alberta und Adalberta.

Abraham *(m)* hebräisch: Vater der Menge; ursprünglich *Abram* (= erhabener Vater), arab. Ibrahim.
Persönlichkeiten der Geschichte:
Abraham, im Alten Testament Stammvater der Israeliten und anderer Semiten; wanderte aus seiner Heimat Ur in Chaldäa nach Kanaan, in das »Gelobte Land« (Genesis 11,26 bis 25,11).
Abraham a San(c)ta Clara 1644 bis 1709, deutscher Kanzelredner und Volksschriftsteller.
Abraham Lincoln, 1809 bis 1865; amerikanischer Politiker; war 1861 bis 1865 der 16. Präsident der Vereinigten Staaten von Nordamerika (Republikaner).

Absalom *(m)* hebräisch: *ab'schalom* = Vater des Friedens; Nebenform: *Absalon; schwedische* Kurzform: *Axel.*
Persönlichkeit der Geschichte:
Absalom, im Alten Testament der dritte Sohn des Königs David, gegen den er sich empörte, aber erlag.

Absalon *(m)* Absalom.
Persönlichkeit der Geschichte:
Absalon, 1128 bis 1201; Bischof von Roskilde und später Erzbischof von Lund; gründete Klöster und berief und beriet die Dänenkönige Waldemar I. und Knut VI.; Gründer der Stadt Kopenhagen.

Achatius *(m)* latinisiert aus Achaz; Nebenformen: *Acacius, Achatus, Akazius.*
Persönlichkeit der Geschichte:
Achatius von Konstantinopel, Märtyrer unter Diokletian Achatius Agathangelus, Bischof; unter Decius um 250 gefangengenommen.

Achaz *(m)* hebräisch: Gott hält; Nebenformen: *Achatius, Achatus, Acacius, Akazius.*

Achille *(m)* französische Form von Achilleus.

Achilles *(m)* lateinische Form von Achilleus.

Achilleus *(m)* griechisch; Kurzform: *Achill;* lateinische Form: *Achilles;* französisch: *Achille.*
Persönlichkeiten der Geschichte:
Achilleus, in der griechischen Sage Held des Trojanischen Kriegs.
Achilleus, mit Nereus römischer Märtyrer des 4. Jahrhunderts unter Diokletian.

Achim *(m)* Kurzform für Joachim.
Persönlichkeit der Geschichte:
Achim von Arnim, 1781 bis 1831; deutscher Dichter der jüngeren Romantik; bekannt durch die mit Clemens von Brentano zusammen herausgegebene Volksliedersammlung »Des Knaben Wunderhorn«.

Achmed *(m)* arabisch: der Preiswürdige; Nebenform: *Ahmed.*
Persönlichkeiten der Geschichte:
Achmed Sukarno, 1901 bis 1970; indonesischer Politiker; Mitgründer der unabhängigen Republik Indonesien.

Ackel *(w)* Koseform für Adelgunde.

Ada *(w)* Kurz- und Koseform für die mit Adal- oder Adel- (althochdeutsch = edel, vornehm) gebildeten weiblichen Vornamen, zum Beispiel für Adelgunde, Adelheid, Adula; Nebenformen: *Adda, Adele, Adeli, Adeline, Alda.*

Adalar *(m)* althochdeutsch: *adal* = edel, vornehm; *aro* = Adler; ältere Form: *Udelar;* Nebenformen: *Adalher, Adelher, Adolar;* Kurzform: *Ado.*

Persönlichkeit der Geschichte:

Adalar (Adelher), Priester, mit Soban Begleiter des Bonifatius zur Missionierung Frieslands; mit diesen in Dokkum 754 Märtyrer.

Adalberga *(w)* althochdeutsch: *adal* = edel, vornehm; *berga* = Schutz, Zuflucht; Nebenformen: *Adelberga, Adelburga, Adelburg, Edelburga, Edelburg.*

Adalbero *(m)* althochdeutsch: *adal* = edel, vornehm; *bero* = Bär; Kurzform: *Albero.*

Persönlichkeit der Geschichte:

Adalbero, um 1010 bis 1090; Bischof von Würzburg, wo er Dom und Neumünster erbauen ließ; gründete Klöster; stand im Investiturstreit zu Papst Gregor VII.

Adalbert *(m)* althochdeutsch: *adal* = edel, vornehm; *beraht* = glänzend; Nebenformen: *Adalbrecht, Adelbert, Adelbrecht, Albrecht, Aldebert;* Kurzformen: *Abbe, Abbo, Abo, Albert;* englische Form: *Ethelbert;* tschechisch: *Vojtěch;* polnisch: *Woitech.*

Persönlichkeiten der Geschichte:

Adalbert von Bremen, um 1000 bis 1072; Erzbischof von Hamburg und Bremen; war Vormund des deutschen Königs Heinrich IV.

Adalbert von Chamisso, 1781 bis 1838, französisch-deutscher Dichter und Naturforscher.

Adalbert Stifter, 1805 bis 1868; österreichischer Dichter und Maler; schrieb Erzählungen und Romane.

Adalberta *(w)* die weibliche Form zu Adalbert; Nebenformen: *Adelberta, Adelberte, Alberta.*

Adalbod *(m)* althochdeutsch: *adal* = edel, vornehm; *bod* = Bote, Gebieter; Kurzformen: *Bodo, Bod.*

Adalbrand *(m)* althochdeutsch: *adal* = edel, vornehm; *brand* = Schwert; Nebenformen: *Aldebrand, Alebrand;* italienische Kurzform: *Aldo.*

Adalbrecht *(m)* Nebenform zu Adalbert.

Adalburg *(w)* althochdeutsch: *adal* = edel, vornehm; *burg* = Schutz; Nebenformen: *Adalburg, Adelburg, Alburg.*

Adaldag *(m)* althochdeutsch: *adal* = edel, vornehm; *dag* = Tag; Nebenform: *Adeldag;* Kurzform: *Aldag.*

Persönlichkeit der Geschichte:

Adaldag, um 900 bis 988; Erzbischof von Bremen-Hamburg; Gründer mehrerer nordischer Bistümer, auch des von Oldenburg für die Missionierung der Wenden.

Adalfried *(m)* althochdeutsch: *adal* = edel, vornehm; *fridu* = Friede; Kurzformen: *Alfried, Altfried;* ältere Form: *Aldefried.*

Adalgar *(m)* Nebenform zu Adalger.

Persönlichkeit der Geschichte:

Adalgar, gestorben 909; Erzbischof von Bremen-Hamburg.

Adalgard *(w)* althochdeutsch: *adal* = edel, vornehm; *gard* = Zaun, Schutz; Nebenformen: *Adelgard, Edelgard.*

Adalger *(m)* althochdeutsch: *adal* = edel, vornehm; *ger* = Speer; Nebenformen: *Adelger, Aldeger, Aldiger;* friesische Form: *Jelger;* jüngere Kurzform: *Elger.*

Adalgot *(m)* althochdeutsch: *adal* = edel, vornehm; *got* = Gott.

Adalhard *(m)* althochdeutsch: *adal* = edel, vornehm; *harti* = fest, stark; Nebenform: *Adelhard;* Kurzformen: *Alard, Alhard.*

Adalher *(m)* Nebenform zu Adalar.

Adalmar *(m)* althochdeutsch: *adal* = edel, vornehm; *mari* = berühmt; Nebenform: *Adelmar;* Kurzform: *Almar.*

Adalram *(m)* althochdeutsch: *adal* = edel, vornehm; *hraban* = Rabe; Nebenform: *Alram.*

Adalrich *(m)* althochdeutsch: *adal* = edel, vornehm; *rihhi* = reich, mächtig; Nebenformen: *Adelrich, Aldrich, Alderich, Alrich, Alrik, Oldrik, Olrik;* niederdeutsch: *Adalrik;* friesisch: *Aalderk, Alderk;* jüngere friesische Form: *Jeldrik.*

Adalrik *(m)* Nebenform zu Adalrich.

Adalwig *(m)* althochdeutsch: *adal* = edel, vornehm; *wig* = Kampf; Nebenform: *Oldwig.*

Adalwin *(m)* althochdeutsch: *adal* = edel, vornehm; *wini* = Freund; Nebenform: *Adelwin;* Kurzform: *Alwin.*

Adam *(m)* hebräisch: *adam, adama* = Mensch aus (roter) Erde.

Persönlichkeiten der Geschichte:

Adam, im Alten Testament der erste Mensch, den Gott selbst erschuf (Genesis 4,25).

Adam Krafft, etwa 1460 bis 1508/09; Nürnberger Steinbildhauer der deutschen Spätgotik und beginnenden Renaissance.

Adam Opel, 1837 bis 1895, deutscher Automobilproduzent.

Adam Riese, um 1492 bis 1559; deutscher Rechenmeister; schuf mehrere deutsche Rechenbücher.

Adam Smith, 1723 bis 1790; schottischer Nationalökonom und Moralphilosoph; begründete, ausgehend von der Arbeitswerttheorie, die klassische Nationalökonomie.

Adauktus *(m)* lateinisch: *adauctus* = vermehrt, gewachsen.

Persönlichkeit der Geschichte:

Adauktus, vermutlich mit Felix um 303 Märtyrer der diokletianischen Verfolgung in Rom.

Addi *(m)* Kurzform für Adolf.

Adela *(w)* Kurzform für Adelheid; Nebenform zu Adele.

Adelaide *(w)* französisch: *Adélaēde,* Nebenform zu Adelheid.

Adelar *(m)* Nebenform zu Adalar.

Adelberga *(w)* Nebenform zu Adalberga.

Adelbert *(m)* Nebenform zu Adalbert.

Persönlichkeit der Geschichte:

Adelbert, 11. Jahrhundert; nach schuldlos erlittener Blendung Einsiedler und Inkluse der Abtei Mönchengladbach.

Adelberta *(w) Adelberte,* Nebenformen zu Adalberta.

Adelbrecht *(m)* Nebenform zu Adalbert.

Adelburg *(w)* Nebenform zu Adalburg.

Adelburga *(w)* Nebenform zu Adalburg.

Adeldag *(m)* Nebenform zu Adaldag.

Adele *(w)* Koseform für Adelheid; ältere Form: *Udele;* Nebenformen: *Adely, Dela, Della, Dele, Adula;* schwedische Form: *Delan.*

Persönlichkeit der Geschichte:

Adele Sandrock, 1864 bis 1937; deutsch-niederl. Schauspielerin.

Adelfrieda *(w)* die weibliche Form zu Adelfried; Nebenformen: *Adelfriede, Edelfriede.*

Adelgund *(w)* Nebenform zu Adelgunde.

Persönlichkeit der Geschichte:

Adelgund (Aldegund), um 630 bis vor 700; leitete als Äbtissin das von ihr gegründete französische Doppelkloster Maubeuge.

Adelgunde *(w)* althochdeutsch: *adal* = edel, vornehm; *gund* = Kampf; Nebenformen: *Adelgund, Aldegunde, Aldegund, Algunde;* niederländisch: *Aldegonde, Allegonde;* Kurz- und

Koseformen: *Alda, Ackel;* niederländisch: *Alkje, Gundel, Gonde.*

Adelheid *(w)* althochdeutsch: *adal* = edel, vornehm; *heit* = Wesen, Art; Kurz- und Koseformen: *Adele, Ada, Heidi, Aleide, Aleit, Alheid, Alida, Deik, Lei, Lidda, Liddi, Liddy, Lida, Lide;* friesisch: *Aletta, Tale, Talida, Talika;* Nebenform: *Adelaide,* nach französisch: Adélaēde.

Persönlichkeit der Geschichte:

Adelheid, 931 bis 999; erst Gattin König Lothars von Italien, 951 des Kaisers Otto I., später Regentin für Otto II. und Otto III.

Adelhild *(w)* althochdeutsch: *adal* = edel, vornehm; *hiltja* = Kampf; Nebenform: *Adelhilde;* Kurzform: *Alhild.*

Adelhilde *(w)* Nebenform zu Adelhild.

Adelinde *(w)* althochdeutsch: *adal* = edel, vornehm; *lind* = mild, weise oder *lint* = Schild (aus Lindenholz); Nebenform: *Adelind;* Kurzform: *Alinde.*

Adeline *(w)* althochdeutsch, verkleinernde Fortbildung von Adele; auch Nebenform zu Ada; Nebenform: *Adelina.*

Adelmut *(w)* althochdeutsch: *adal* = edel, vornehm; *muot* = Geist, Sinn; Nebenformen: *Adelmute, Almudis, Almoda, Almodis, Almud, Almut.*

Adelphus *(m)* latinisiert aus griechisch: *adelphos* = Bruder.

Adelrich *(m)* Nebenform zu Adalrich.

Persönlichkeit der Geschichte:

Adelrich (Adalrich), 10. Jahrhundert; Mönch aus Einsiedeln; lebte auf der Insel Ufenau im Zürichsee.

Adelrune *(w)* althochdeutsch: *adal* = edel, vornehm; *runa* = Geheimnis, Zauber; Nebenform: *Adelrun;* Kurz- und Koseformen: *Alrun, Alruna, Alrune, Alraune.*

Adeltraud *(w)* althochdeutsch: *adal* = edel, vornehm; *trud* = Kraft; Nebenformen: *Adeltrud, Altraud, Altrud, Edeltraud, Edeltrud;* englisch: *Audrey.*

Adeltrud *(w)* Nebenform zu Adeltraud.

Persönlichkeit der Geschichte:

Adeltrud (Adeltrudis, Aldetrudis), gestorben um 696; ab 684 Äbtissin des französischen Klosters Maubeuge

Adeodatus *(m)* lateinisch: von Gott geschenkt, Gottesgabe.

Adhelm *(m)* Nebenform zu Adalhelm.

Adi *(m)* Kurzform für Adolf.

Adje *(m)* Kurzform für Adolf.

Ado *(m)* Kurzform für Adalar und für Adolf.

Persönlichkeit der Geschichte:

Ado, um 800 bis 875; seit 860 Erzbischof von Vienne; verfaßte unter anderem ein »Martyrologium« (Verzeichnis der Märtyrer.

Adolf *(m)* althochdeutsch: *adal* = edel, vornehm; *wolf* = Wolf; ältere Schreibweise: *Adolph;* westgotisch: *Athaulf;* Kurzformen: *Addi, Adi, Adje, Addo, Ado,* auch *Dolf;* Koseform: *Dölfi.*

Persönlichkeiten der Geschichte:

Adolf IV. von Schauenburg, gestorben 1261; Graf; siegte bei Bornhöved 1227 gegen die Dänen; gründete zwei Klöster und wurde 1239 in Hamburg in einem derselben Franziskaner.

Adolf Hitler, 1889 bis 1945 (Selbstmord); nationalsozialistischer »Führer und Reichskanzler« des Dritten Reichs; löste den grausamen Rassenkampf gegen das jüdische Volk sowie den zweiten Weltkrieg aus.

Adolf Kolping, 1813 bis 1865; deutscher katholischer Priester und Theologe; Gründer der katholischen Gesellenvereine.

Adolf von Menzel, 1815 bis 1905; deutscher Maler und Graphiker mit Buchillustrationen, Landschaften, Historienbildern im Vorfeld des Impressionismus.

Adolfa *(w)* die weibliche Form zu Adolf; Nebenformen: *Adolfe, Adolfina, Adolfine;* frühere Schreibweise: *Adolpha.*

Adonija *(m)* hebräisch: *adoni'jahu* = Herr ist Jahwe (Gott); ist die ökumenische Form; Nebenform: *Adonai;* griechisch: *Adonis.*

Adonis *(m)* griechische Form von Adonija.

Adrian *(m)* deutsche Form von Adrianus; niederländisch: *Adriaen;* russisch: *Andrijan.*

Adriana *(w)* die weibliche Form zu Adrianus; Nebenform: *Adriane;* Kurzform: *Ariane;* französische Form: *Adrienne.*

Adriane *(w)* Nebenform zu Adriana.

Adrianus *(m)* lateinisch: *Hadrianus:* Bewohner der Stadt Hadria (Adria); Nebenformen: *Adrian, Hadrian.*

Adrienne *(w)* französische Form von Adriana.

Adula *(w)* Nebenform zu Adele.

Persönlichkeit der Geschichte:

Adula von Bayern, gestorben um 1020; Pfalzgräfin; gründete um 1000 das Stift Größ in der Steiermark.

Afra *(w)* lateinisch: Afrikanerin.

Persönlichkeit der Geschichte:

Afra, Märtyrin der diokletianischen Verfolgung um 304 in Augsburg.

Agatha *(w)* griechisch: *agathe* = die Gute; Nebenform: *Agathe;* Kurz- und Koseformen: *Aget, Eget, Egle, Gate, Gatty;* schwedisch: *Agda;* englisch: *Aggi, Aggie, Aggy.*

Persönlichkeit der Geschichte:

Agatha Christie, 1891 bis 1976; englische Schriftstellerin; bekannt durch ihre Kriminalromane.

Agathe *(w)* Nebenform zu Agatha.

Ägidius *(m)* von griechisch: *aigiochos* = Schildträger, Schirmherr; Nebenformen: *Ägid, Egidius, Egid;* Kurz- und Koseformen: *Gidi, Gilg, Ilg, Illo, Till;* französische Form: *Gilles;* spanisch: *Egidio, Gil.*

Persönlichkeit der Geschichte:

Ägidius, gestorben um 720; Einsiedler in der Provence; Abt des von ihm gegründeten Klosters Saint-Gilles; einer der 14 Nothelfer.

Agilbert *(m)* althochdeutsch: *agil* = *ecke* = Schwertspitze, Schwert; *beraht* = glänzend; Nebenform: *Egilbert, Gilbert;* Kurzformen: *Agilo, Egilo.*

Agilolf *(m)* althochdeutsch: *agil* = *ecke* = Schwertspitze, Schwert; *wolf* = Wolf; Nebenformen: *Agilulf, Aigolf, Egilolf;* Kurzformen: *Age, Agge.*

Persönlichkeit der Geschichte:

Agilolf, gestorben 752; seit 746/747 Bischof von Köln.

Agimar *(m)* althochdeutsch: *agi* = *ecke* = Schwert; *mari* = berühmt; Nebenform: *Agemar.*

Agimund *(m)* althochdeutsch: *agil* = Schwert; *munt* = Schutz; Fortbildung: *Egmont.*

Aglaia *(w)* griechisch: *aglaia* = Glanz, Schönheit, heiter; Nebenform: *Aglaja.*

Agnes *(w) griechisch: hagne* = die Reine, Keusche, Heilige; oder lateinisch: *agna* = Lämmchen; Nebenformen: *Agnese, Agneta, Agnete, Agnita;* Kurz- und Koseformen: *Nata, Natta, Nesa, Nese, Neisa, Netee, Anesli, Nesi, Nees, Nies, Niesa, Neeske;* italienische Form: *Agnese;* französisch: *Agnès;* spanisch: *Inés;* dänisch und schwedisch: *Inga.*

Persönlichkeiten der Geschichte:

Agnes vom Rom, Heilige, 2./3. Jahrh., Märtyrerin.

Agnes Fink, deutsche Schauspielerin, geb. 1919.

Agnes Günther, 1863 bis 1911, deutsche Schriftstellerin.

Agnes Miegel, 1879 bis 1964, deutsche Dichterin.

Agricola *(m)* lateinisch: *agricola* = Landmann, Bauer.

Agrippa *(m)* lateinisch: der verkehrt Geborene; Weiterbildung: *Agrippinus.*

Persönlichkeit der Geschichte:

Agrippa, 63 bis 12 v. Chr.; römischer Feldherr; 31 v. Chr. Sieger über Antonius bei Actium; Erbauer des Pantheons in Rom.

Agrippina *(w)* die weibliche Form zu Agrippinus (Agrippa).

Persönlichkeiten der Geschichte:

Agrippina, Mutter Kaiser Nero, 59 n. Chr. von ihrem Sohn ermordet.

Ahmed *(m)* Nebenform zu Achmed.

Aichard *(m)* Nebenform zu Eckart.

Aida *(w)* arabisch-italienisch; Bedeutung unklar; altgriechisch: *aithiopis* = Ähtiopierin (?).

Aimée *(w)* französische Form von Amata.

Aischa *(w)* türkisch.

Persönlichkeit der Geschichte:

Aischa, um 614 bis 678; die dritte Gattin Mohammeds; politisch einflußreich.

Aischylos *(m)* griechisch: *aischyne* = Sehen, Ehrfurcht; latinisiert *Äschylus.*

Persönlichkeit der Geschichte:

Aischylos etwa 525 bis 456; griechischer Schriftsteller, der »Vater« des athenischen Dramas.

Aiwalt *(m)* Nebenform zu Eginald.

Akazius *(m)* Nebenform zu Achatius.

Akim *(m)* russische Form von Joachim.

Alain *(m)* französische Form von Alan.

Persönlichkeit:

Alain Delon, geboren 1935; französischer Filmschauspieler.

Alan *(m)* keltisch-englisch; Nebenformen: *Allan, Allen;* latinisiert: Alanus, französisch: Alain.

Alanus *(m)* lateinisch: Alane = Angehöriger des germanischen Stamms der Alanen; französisch: *Alain.*

Alard *(m)* Kurzform für Adalhard.

Alarich *(m)* althochdeutsch: *al* und *ríche* = über alles reich oder mächtig, Allherrscher; schwedisch: *Alrick.*

Persönlichkeiten der Geschichte:

Alarich I., um 370 bis 410; Westgotenkönig; zog nach Italien und eroberte 410 Rom.

Alarich II., †507; Westgotenkönig; von ihm stammt die »Lex Romana Visigothorum«.

Alba *(w)* lateinisch: *albus* = weiß, rein.

Alban *(m)* lateinisch: *Albanus* = Albaner, aus der mittelitalienischen Stadt Alba Longa stammend, der ältesten Hauptstadt des Latinerbunds; Nebenform: *Albin.*

Persönlichkeit der Geschichte:

Alban Berg, 1885 bis 1935; österreichischer Komponist, Schüler von A. Schönberg; Vertreter der Zwölftonmusik und des musikalischen Expressionismus.

Alberich *(m)* althochdeutsch: *alb* oder *alp* = Elfe; *rihhi* = reich, mächtig; Nebenformen: *Elberich, Helferich, Olberich;* angelsächsische Form: *Aelfric;* englisch: *Aubrey;* französisch: *Auberon, Oberon.*

Persönlichkeit der Geschichte:

Alberich, gestorben 1109; der 2. Abt von Citeaux, das er 1098 mit Robert gründete.

Albert *(m)* Kurzform für Adalbert; Nebenformen: *Bert, Bertel, Berti.*

Persönlichkeiten der Geschichte:

Albert der Große oder *Albertus Magnus,* 1193(?) bis 1280; Dominikaner; deutscher universaler Gelehrter (Theologe, Philosoph, Naturwissenschaftler) der Hochscholastik; Kirchenlehrer; Lehrer des

Thomas von Aquin; 1160 bis 1162 Bischof von Regensburg.
Albert Camus, 1913 bis 1960; französischer Schriftsteller; existentialistische Romane, Essays und Bühnenstücke.
Albert Einstein, 1879 bis 1955; deutsch-amerikanischer Physiker; entwickelte 1905 die spezielle und 1914 bis 1916 die allgemeine Relativitätstheorie.
Albert Schweitzer, 1875 bis 1965; elsässischer evangelischer Theologe, Philosoph und Arzt; auch Organist; gründete und leitete seit 1913 das Tropenhospital Lambarene in der Afrikanischen Republik Gabun.

Alberta *(w)* die weibliche Form zu Albert, verkürzte Nebenform zu Adalberta; Kurzform: *Berta;* Koseform: *Abelke.*

Albertina *(w)* erweiterte Form von Alberta; Nebenform: *Albertine;* Kurzform: *Tina.*

Albertine *(w)* Nebenform zu Albertina; Kurzform: *Tine.*

Alberto *(m)* italienische Form von Albert.

Albertus *(m)* lateinische Form von Albert (Adalbert).
Persönlichkeit der Geschichte:
Albertus Magnus, s. Albert der Große.

Albhard *(m)* Nebenform zu Alfhard.

Albhilde *(m)* Nebenform zu Alfhild.

Albin *(m)* Kurzform für Albinus; Nebenform zu Albwin.
Persönlichkeit der Geschichte:
Albin von Angers, 496 bis 550; Klosterabt; ab etwa 529 Bischof von Angers

Albina *(w)* die weibliche Form zu Albinus.

Albinus *(m)* lateinisch: *albus* = weiß; deutsche Kurzform: *Albin.*

Alboin *(m)* latinisierte Form von Albwin; Nebenform: *Albuin.*

Albrada *(w)* althochdeutsch: *alb* = *alp* = Elfe; *rat* = Rat, Berater; Nebenform: *Alfrada.*

Albrecht *(m)* ursprünglich *Adelbrecht* (Adalbert); Kurzform: *Brecht,* im Mittelalter auch *Abel;* Abwandlung: *Ulbrecht.*
Persönlichkeiten der Geschichte:
Albrecht Altdorfer, um 1480 bis 1538, deutscher Maler und Grafiker.
Albrecht von Preußen, 1490 bis 1568; Herzog von Brandenburg; Reformator des deutschen Ordenslandes.
Albrecht Dürer, 1471 bis 1528; deutscher Maler und Graphiker im Übergang von der Spätgotik zur Renaissance
Albrecht von Wallenstein, 1583 — 1634 (ermordet); kaiserlicher Feldherr im Dreißigjährigen Krieg; besiegte 1632 bei Lützen Gustaf Adolf.

Albrun *(w)* althochdeutsch: *alb* = *alp* = Elf; *runa* = Geheimnis, Zauber; Nebenformen: *Albruna, Alfrun, Elfrun.*

Alda *(w)* Kurzform für weibliche Vornamen mit Adal-, Adel-; zum Beispiel für Adelgunde; erweiterte Form: *Aldina.*

Aldegonde *(w)* niederländische Form von Adelgunde.

Aldegund *(w)* Nebenform zu Adelgunde.

Aldegunde *(w)* Nebenform zu Adelgunde.

Alderich *(m)* Nebenform zu Adalrich.
Persönlichkeit der Geschichte:
Alderich, gestorben um 1200; Laienbruder und Hirt im Frauenkloster Füssenich bei Zülpich.

Aldo *(m)* italienische Kurzform für Adalbrand; englisch: *Aldous.*
Persönlichkeit der Geschichte:
Aldo Moro, 1916 bis 1978; italienischer Politiker der Democrazia Cristiana; ermordet.

Aldous *(m)* englische Form von Aldo.
Persönlichkeit:
Aldous Huxley, 1894 bis 1963; engli-

scher satirisch-realistischer Schriftsteller und Kulturkritiker.

Aldrich *(m)* Nebenform zu Adalrich.

Persönlichkeit der Geschichte:

Aldrich von Le Mans, gestorben 857; wurde 832 Bischof von Le Mans.

Alec *(m)* englische Kurzform für Alexander.

Persönlichkeit:

Alec Guinness, geboren 1914; englischer Schauspieler der Bühne und des Films; Charakterdarsteller von Shakespeare-Rollen.

Aleide *(w)* Kurzform für Adelheid; Nebenformen: *Aleidis, Aleydis.*

Aleidis *(w)* Nebenform zu Aleide.

Persönlichkeiten der Geschichte:

Aleidis, 12. Jahrhundert; »die Büßerin«; Ordensfrau im Prämonstratenserinnenkloster Langwaden bei Neuß

Aleidis Gräfin von Oldenburg, 12. Jahrhundert; Prämonstratenserin in Cappenberg.

Alessandro *(m)* italienische Form von Alexander.

Persönlichkeit der Geschichte:

Alessandro Graf Volta, 1745 bis 1827; italienischer Physiker; wichtige Entdeckungen in der Elektrizitätslehre.

Aletta *(w)* friesische Form von Adelheid.

Alex *(m)* Kurzform für Alexander.

Alexa *(w)* Kurzform für Alexandra.

Alexander *(m)* griechisch *Alexandros* = ein Männer Abwehrender; Kurz- und Koseformen: *Alexis, Alex, Lex, Xander, Sander, Zander;* englische Form: *Alexander,* Kurzform dazu: *Alec;* Koseform: *Sandy;* französisch: *Alexandre;* italienisch: *Alessandro;* latinisiert: *Alexius;* russisch: *Aleksandr, Alexei, Alexej, Aleksej, Sanja;* polnisch: *Leszek.*

Persönlichkeiten der Geschichte:

Alexander der Große, 356 bis 323 v. Chr.; König von Makedonien; Schüler des Aristoteles; Sieger über Griechen und den Stadtstaat Theben; Eroberer Persiens, Palästinas and Ägyptens; überbrachte als »König von Asien« den besiegten Völkern die griechische Kultur; gründete die Alexandrinische Bibliothek.

Alexander Dubček, 1921 bis 1992; tschechoslowakischer kommunistischer Politiker; sein Reformversuch mißlang (Einmarsch von Warschauer Paktstaaten).

Alexander Fleming, 1881 bis 1955; englischer Entdecker des Penicillins.

Alexander von Humboldt, 1769 bis 1859; deutscher Naturwissenschaftler und Forschungsreisender.

Alexander Puschkin, 1799 bis 1837; russischer Schriftsteller; schuf neue russische Literatursprache und fand zu psychologischem Realismus.

Alexander Solschenizyn, geboren 1918; russischer realistisch-kritischer Schriftsteller; 1974 ausgebürgert, 1994 wieder zurückgekehrt.

Alexandra *(w)* die weibliche Form zu Alexander; Weiterbildungen: *Alexandrina, Alexandrine;* Kurz- und Koseformen: *Alexa, Alexe, Alexia, Alix, Allix, Xandra;* englische Kurzform: *Alice, Lizzi, Lizzy, Sandy;* italienisch: *Alessandra; Sandra;* russische Kurzformen: *Sanj, Sascha.*

Persönlichkeit der Geschichte:

Alexandra Feodorowna, 1872 bis 1918; die letzte Zarin von Rußland.

Alexandre *(m)* französische Form von Alexander.

Persönlichkeiten der Geschichte:

Alexandre Dumas, Vater, 1802 bis 1870; französischer Schriftsteller; Dramen und Romane.

Alexandre Dumas, Sohn, 1824 bis 1895; moderne Gesellschaftsdramen und zeitkritische Romane.

Alexej *(m)* russische Form von

Alexander; Nebenformen: *Alexei, Aleksej.*

Persönlichkeit der Geschichte:

Alexej Kossygin, 1904 bis 1980; sowjetischer Politiker.

Alexia *(w)* Kurzform für Alexandra.

Alexis *(m)* griechisch: *alexein* = abwehren, helfen; latinisiert: *Alexius.*

Alf *(m)* Kurzform für Adolf und Alfred und sonstige mit Alf- beginnende männliche Vornamen.

Alfa *(w)* Kurzform für mit Alf- beginnende weibliche Vornamen.

Alfard *(m)* Nebenform zu Alfhard.

Alfäus *(m)* ökumenische Form von Alphäus.

Alfhard *(m)* althochdeutsch: *alf* = *alb* = Elf, Naturgeist; *harti* = stark, fest; Nebenformen: *Alfard, Alphart, Albhard.*

Alfhelm *(m)* althochdeutsch: *alf* = *alb* = Elf, Naturgeist; *helm* = Helm, Schutz.

Alfhild *(w)* althochdeutsch: *alf* = *alb* = Elf; *hiltja* = Kampf; Nebenform: *Alfhilde, Albhilde.*

Alffhilde *(w)* Nebenform zu Alfhild.

Alfons *(m)* romanisch-althochdeutsch: *adal* = edel, vornehm; *fons* = *funs* = bereit; Nebenform: *Alphons;* französische Form: *Alphonse;* spanisch: *Alfonso, Alonso;* italienisch: *Alfonso;* portugiesisch: *Affonso.*

Alfonsa *(w)* die weibliche Form zu Alfons; Nebenform: *Alphonsa.*

Alfonso *(m)* italienische und spanische Form von Alfons.

Alfrad *(m)* althochdeutsch: *alf* = *alb* = Elf, Naturgeist; *rat* = Rat, Berater, Beratung.

Alfrada *(w)* Nebenform zu Albrada; auch *Alfreda;* weibliche Form zu Alfred.

Alfred *(m)* englisch, aus altenglisch: *Aelfred* = *aelf* = *alf* = Elf, Naturgeist; *raed* = Rat; althochdeutsch: *alf* und *red* = *rat.*

Persönlichkeiten der Geschichte:

Alfred Adler, 1870 bis 1937; österreichischer Psychologe und Nervenarzt; Schüler Sigmund Freuds; begründete die Individualpsychologie.

Alfred Brehm, 1829 bis 1884; deutscher Zoologe; bekannt sein sechsbändiges »Tierleben«.

Alfred Dreyfus, 1859 bis 1935; jüdischer französischer Hauptmann; 1894 unschuldig zu lebenslanger Deportation verurteilt; 1906 rehabilitiert.

Alfred Hitchcock, 1899 bis 1980; englischer Filmregisseur und Autor; Meister des psychologischen Thrillers.

Alfred Kinsey, 1894 bis 1956; amerikanischer Zoologe und Sexualforscher.

Alfred Kubin, 1877 bis 1959; österreichischer Zeichner und Schriftsteller; Mitglied des »Blauen Reiter«.

Alfred Nobel, 1833 bis 1896; schwedischer Chemiker; erfand unter anderem 1863 das Dynamit; gründete die Nobelstiftung.

Alfred Graf von Schlieffen, 1833 bis 1913; preußischer Generalfeldmarschall; entwarf den Schlieffenplan für Zweifrontenkrieg.

Alfred von Tirpitz, 1849 bis 1930; deutscher Großadmiral und deutschnationaler Politiker; schuf die deutsche Hochseeflotte.

Alfreda *(w)* die weibliche Form zu Alfred; Nebenform: *Alfrada.*

Alfrida *(w)* althochdeutsch: *alf* = *alb* = Elf; *fridu* = Friede; Nebenform: *Elfrida.*

Alger *(m)* westfriesisch; althochdeutsch: *adal* = edel, vornehm; *ger* = Speer; Nebenform: *Alker.*

Alhard *(m)* Kurzform für Adalhard; Nebenform: *Allard.*

Ali *(m)* arabisch: hoch, erhaben; auch Kurz- oder Koseform für mit Al- beginnende männliche Vornamen.

Alice *(w)* englisch und französisch; Kurzform für Adelheid, Alexandra und Elisabeth; englische und französische Koseform: *Alison;* schwedische: *Alla.*

Aline *(w)* slawisch für Helene; oder nach dem arabischen Ali: die Erhabene; Nebenform: *Alina.*

Alison *(w)* englisch-französische Koseform für Alice.

Alice *(w)* Kurzform für Alexandra.

Alja *(w)* Kurzform für Alexandra.

Persönlichkeit der Geschichte:

Alja Rachmanowa, geboren 1898; russische Schriftstellerin; emigrierte 1926; veröffentlichte Tagebücher und biographische Romane.

Aljoscha *(m)* russische Koseform für Aleksandr (Alexander).

Alke *(w)* niederdeutsche und niederländische Koseform für mit Adel- beginnende weibliche Vornamen, so für Adelgunde, Adelheid; Nebenform: *Alkje.*

Alkuin *(m)* althochdeutsch: *alah* = Elch (?), Heiligtum (?); *wini* = Freund; Nebenform: *Alkwin.*

Persönlichkeit der Geschichte:

Alkuin, um 730 bis 804; Benediktiner; Domschüler aus York; von Karl dem Großen als Abt in Tours eingesetzt; Lehrer der Franken.

Alkwin *(m)* Nebenform zu Alkuin.

Alla *(w)* schwedische Kurzform für Alexandra, Alice und andere; auch russischer Vorname.

Allard *(m)* Nebenform zu Alhard.

Allegonde *(w)* niederländische Form von Adelgunde.

Allegra *(w)* italienisch-amerikanisch: die Frohe, Muntere.

Allen *(m)* Nebenform zu Alan.

Persönlichkeit der Geschichte:

Allen Ginsberg, geboren 1926; amerikanischer Protestlyriker der Beatgeneration.

Allvar *(m)* schwedische Form von Ernst.

Alma *(w)* lateinisch-spanisch: *alma* = Nährende, Fruchtbare; auch Kurz- und Koseform für mit Amal- beginnende weibliche Vornamen, so für Amalia.

Persönlichkeit der Geschichte:

Alma Mahler-Werfel, 1879 bis 1964; Gattin Gustav Mahlers; verfaßte dessen Biographie.

Almaberga *(w)* Nebenform zu Amalberga.

Almar *(m)* Kurzform für Adalmar.

Almarich *(m)* Nebenform zu Amalrich; auch: *Almerich.*

Almerich *(m)* Nebenform zu Almarich (Amalrich).

Almodis *(w)* Kurzform für Adelmut; Nebenformen: *Almoda, Almode, Almudis.*

Almud *(w)* Kurzform für Adelmut.

Persönlichkeit der Geschichte:

Almud (Almudis), um 1000; Stifterin und Äbtissin des Kanonissenstifts Wetter bei Marburg.

Almut *(w)* Kurzform für Adelmut; Nebenformen: *Almuth, Almute.*

Alois *(m)* latinisiert oder romanisiert aus althochdeutsch *Alwis, Alwisi:* sehr weise, klug; *Aloisius;* Nebenformen: *Aloys, Aloysius;* bayerische Koseformen: *Lois, Loisl;* italienisch: *Aloisio* und *Luigi.*

Persönlichkeiten der Geschichte:

Alois Andricki, 1914 bis 1942; deutscher katholischer Priester; starb im Konzentrationslager Dachau.

Alois Hába, 1893 bis 1973; tschechischer Komponist und Musikschriftsteller.

Alois Scholze, deutscher katholischer Priester des Bistums Meißen; Pfarrer von Leutersdorf; starb im Konzentrationslager Dachau.

Alois Senefelder, 1771 bis 1834; österreichischer Erfinder, unter anderem der Lithographie.

Aloisa *(w)* Nebenform zu Aloisia.

Aloisia *(w)* die weibliche Form zu Alois; Nebenformen: *Aloisa, Aloysia, Alwissa;* Koseformen: *Wisa, Wissia, Loisa, Illa.*

Aloisius *(m)* latinisierte Form von Alois.

Persönlichkeit der Geschichte:

Aloisius von Gonzaga, 1568 bis 1591; italienischer Jesuit; im Dienst an Kranken starb er selbst an pestartiger Erkrankung.

Alon *(m)* hebräisch: *allon* = Eiche; Nebenformen: *Allon, Elon.*

Alonso *(m)* spanische Form von Alfons.

Alphäus *(m)* latinisiert aus griechisch: Alphaios; ökumenische Form: *Alfäus.*

Persönlichkeit der Geschichte:

Alfäus, im Neuen Testament Vater des Apostels Jakobus des Jüngeren.

Alphonse *(m)* französische Form von Alfons.

Persönlichkeit der Geschichte:

Alphonse Daudet, 1840 bis 1897; französischer humorvoll-satirischer Romanschriftsteller und Erzähler.

Alram *(m)* Nebenform zu Adalram.

Persönlichkeit der Geschichte:

Alram, gestorben 1123; Mönch in Niederaltaich, später Abt von Kremsmünster.

Alraune *(w)* Nebenform zu Alrun (Adelrune).

Aelred *(m)* althochdeutsch: *adal* = edel; *red* = *rat* = Rat; Nebenform: *Ethelred.*

Alrich *(m)* niederdeutsch und schwedisch; Kurzform für Adalrich; Nebenform: *Alrik.*

Alrick *(m)* schwedische Form von Alarich.

Alrik *(m)* Nebenform zu Alrich (Adalrich).

Alrun *(w)* althochdeutsch: *adal* = edel, vornehm; *runa* = geheime Beratung, Zauber; Kurzform für Adelrune; Nebenformen: *Alruna, Alrune, Alraune.*

Alruna *(w)* Nebenform zu Alrun.

Persönlichkeit der Geschichte:

Alruna, gestorben 1045; wohltätige Markgräfin von Cham.

Altfrid *(m)* Nebenform zu Altfried.

Persönlichkeit der Geschichte:

Altfrid, gestorben 874; Bischof von Hildesheim; stiftete die Benediktinerinnenabtei Essen und das Benediktinerkloster Saleghenstad.

Altfried *(m)* Kurzform für Adalfried; Nebenformen: *Altfrid, Aldefried.*

Althäe *(w)* Nebenform zu Althea.

Althea *(w)* griechisch: die Heilende; Nebenformen: *Althäe, Althee.*

Althee *(w)* Nebenform zu Althea.

Altje *(w)* Koseform für Adelheid; Nebenform: *Aaltje* und *Eltje.*

Altmann *(m)* althochdeutsch: *adal* = edel, vornehm; *man* = Mann; friesisch: *Oldmann;* Koseform: *Alto.*

Alto *(m)* Kurz- und Koseform für mit Adal- oder Alde- beginnende männliche Vornamen.

Persönlichkeit der Geschichte:

Alto, gestorben etwa 760; iroschottischer oder eher deutscher Glaubensbote in Oberbayern; Einsiedler; gründete nach der Überlieferung das Kloster Altomünster.

Altraut *(w)* Kurzform für Adeltraud; Nebenform: *Altrud.*

Altrud *(w)* Kurzform für Adeltraud.

Alva *(w)* lateinisch. die Weise.

Persönlichkeit der Geschichte:

Alva Myrdal, geboren 1902; schwedische Politikerin, Soziologin und Friedensforscherin.

Alvar *(m)* schwedisch: Elf und Heer.

Persönlichkeit der Geschichte:

Alvar Aalto, 1898 bis 1976; finnischer Architekt des modernen Städteplanens und Bauens.

Alvaro *(m)* spanisch: aus germanisch Alwart.

Alwara *(w)* die weibliche Form zu Alwart; Nebenform zu Elvira.

Alwart *(m)* althochdeutsch: *al* = ganz; *wart* = Wärter, Hüter; spanische Form: *Alvaro.*

Alwera *(w)* Nebenform zu Elvira.

Alwin *(m)* Kurzform für Adalwin; Nebenform zu Albwin.

Alwine *(w)* die weibliche Form zu Alwin (Adalwin); Nebenformen: *Alwina, Elwine.*

Alwis *(m)* althochdeutsch: *al* = alles, ganz; *wisi* = weise; Vorform von romanisch Alois.

Alwissa *(w)* Nebenform zu Aloisia (Alois).

Ama *(w)* Koseform für mit Amal- beginnende weibliche Vornamen.

Amabel *(w)* englische Form von Amabella.

Amabella *(w)* lateinisch: *amabilis* = liebenswert; erweiterte Form: *Amabilia;* englisch: *Amabel;* Koseformen: *Mabel, Mab.*

Amabilia *(w)* erweiterte Form von Amabella.

Amadea *(w)* lateinisch: *ama* = liebe; *dea* = Göttin; die weibliche Form zu Amadeus; Nebenform: *Amedea.*

Amadeo *(m)* italicnische Form von Amadeus; Nebenform: *Amedeo.*

Persönlichkeit der Geschichte:

Amadeo Avogadro, 1776 bis 1856; italienischer Physiker; fand 1811 das nach ihm benannte Avogadrosche Gesetz.

Amadeus *(m)* lateinisch: *ama* = liebe; *deus* = Gott; italienischee Form: *Amadeo* und *Amedeo;* französisch: *Amadé* und *Amédé;* entspricht griechisch: *Theophil;* slawisch-russisch: *Bogumil;* deutsch: *Gottlieb;* polnische Form: *Madej.*

Persönlichkeit der Geschichte:

Amadeus, etwa 1110 bis 1159; Bischof von Lausanne; vorher Abt des Zisterzienserklosters Hautecombe; Reichsfürst Friedrichs I. Barbarossa in Burgund.

Amalasuntha *(w)* Nebenform zu Amalaswintha.

Amalaswintha *(w)* germanisch: *amal* = in Bezug zu den Amalern, dem ostgotischen Königsgeschlecht; *wintha* = erfolgreich; Nebenform: *Amalasuntha.*

Amalberga *(w)* althochdeutsch: *amal* = in Bezug zu den Amalern (Amelungen), dem ostgotischen Königsgeschlecht; *berga* = Schutz, Zuflucht; Nebenformen: *Amalburga, Amalberg, Almaberga;* Kurzformen: *Amala, Amalie, Amelie.*

Amalbert *(m)* althochdeutsch: *amal* = in Bezug zu den Amalern (Amelungen), dem ostgotischen Königsgeschlecht; *beraht* = glänzend.

Amalberta *(w)* die weibliche Form zu Amalbert; Kurzform: *Malberta.*

Amalburga *(w)* Nebenform zu Amalberga.

Amalfried *(m)* althochdeutsch: *amal* = in Bezug zu den Amalern (Amelungen); *fridu* = Friede.

Amalfrieda *(w)* die weibliche Form zu Amalfried.

Amalgard *(w)* althochdeutsch: *amal* = in Bezug zu den Amalern (Amelungen), dem ostgotischen Königsgeschlecht; *gard* = Zaun, Schutz, Schützerin.

Amalgund *(w)* Nebenform zu Amalgunda.

Amalgunda *(w)* althochdeutsch: *amal* = in Bezug zu den Amalern (Amelungen), dem ostgotischen Königsgeschlecht; *gund* = Kampf; Nebenformen: *Amalgunde, Amalgund, Amalgundis.*

Amalgunde *(w)* Nebenform zu Amalgunda.

Amalgundis *(w)* Nebenform zu Amalgunde.
Amalhilde *(w)* althochdeutsch: *amal* = in Bezug zu den Amalern (Amelungen), dem ostgotischen Königsgeschlecht; *hiltja* = Kampf.
Amalia *(w)* mittelhochdeutsch; Kurzform für Amalberga oder Amalinde; Nebenformen: *Amalie, Ameile;* Koseformen: *Alma, Male, Mali, Malchen;* französische Form: *Amélie;* englisch: *Amelia, Amely, Emily, Emmy* und *Milly;* tschechisch: *Milada.*
Amalie *(w)* Nebenform zu Amalia; Kurzform für Amalberga; Nebenformen: *Amelia, Amelie.*
Persönlichkeit der Geschichte:
Amalie Sieveking, 1794 bis 1859; gründete evangelischen Frauenverein für Armen- und Krankenpflege; Wohltäterin der Armen in Hamburg.
Amalinde *(w)* althochdeutsch: *amal* = in Bezug zu den Amalern (Amelungen), dem ostgotischen Königsgeschlecht; *linta* = Lindenholzschild; Nebenform: *Amalindis;* Kurzformen: *Amelina, Ameline, Amalie.*
Amalrich *(m)* althochdeutsch: *amal* = in Bezug zu den Amalern (Amelungen), dem ostgotischen Königsgeschlecht; *rihhi* = reich, mächtig; Nebenformen: *Amelrich, Almarich, Emmelrich, Emelrich, Emmerich, Emrich;* italienisch: *Amalrigo,* danach *Americo* und *Amerigo.*
Amalrigo *(m)* italienische Form von Amalrich.
Amaltrud *(w)* althochdeutsch: *amal* = in Bezug zu den Amalern (Amelungen), dem ostgotischen Königsgeschlecht; *trud* = Stärke, Kraft.
Amanda *(w)* die weibliche Form zu Amandus.
Amandus *(m)* lateinisch: *amandus* = liebenswert; Kurzformen: *Mand, Mandes, Mandus, Mandy.*
Persönlichkeiten der Geschichte:
Amandus, gestorben um 679; christlicher Glaubensbote an Maas und Schelde, Apostel der Belgier.
Amandus, im 4. Jahrhundert; erster namentlich bekannter Bischof von Straßburg; Teilnehmer der Synoden von Sardica (343) und Köln (346)
Amarante *(w)* griechisch: nie Verwelkende; nach der Pflanze Amarant.
Amarin *(m)* lateinisch: *marinus* = das Meer betreffend; Nebenform: latinisiert *Amarinus.*
Persönlichkeit der Geschichte:
Amarin, gestorben 674; Abt; mit Bischof Prikt und Akolyth Elid ermordet; Märtyrer.
Amaryllis *(w)* griechisch: *amaryssein* = funkeln; nach der Pflanze Amaryllis.
Amata *(w)* die weibliche Form zu Amatus; französische Form: *Aimée;* englisch: *Amy.*
Persönlichkeit der Geschichte:
Amata, etwa 1200 bis 1254; durch Klara von Assissi bekehrte Klarissin.
Amatus *(m)* lateinisch: *amare* = lieben; französische Form: *Aimé.*
Persönlichkeit der Geschichte:
Amatus, etwa 565 bis 625; erst Einsiedler, dann Mönch in Luxeuil; Abt des von ihm und Romarich gegründeten Doppelklosters Remiremont in den Vogesen.
Amber *(w)* englisch, von arabisch: *anbar* = Moschusart Amber oder nach dem gelben Amber (Bernstein); niederländische Form: *Amber;* französisch: *Ambre;* italienisch: *Ambra.*
Ambra *(w)* italienische Form von Amber.
Ambre *(w)* französische Form von Amber.
Ambrogio *(m)* italienische Form von Ambrosius; Kurzform: *Brogio.*
Ambroise *(m)* französische Form von Ambrosius.

Ambros *(m)* Kurzform für Ambrosius.

Ambrosia *(w)* die weibliche Form zu Ambrosius.

Ambrosius *(m)* griechisch-lateinisch: der Götterspeise Ambrosia; Kurz- und Koseformen: *Ambros, Amber, Broos, Bros, Broß, Bröse, Bröseke, Brus, Brüs;* italienische Formen: *Ambrogio, Brogio;* französisch: *Ambroise;* slawisch: *Broz, Mros.*

Persönlichkeit der Geschichte:

Ambrosius von Mailand, um 340 bis 397; Bischof von Mailand, einer der vier großen abendländischen Kirchenlehrer (Kirchenvater), Hymnendichter und theologischer Schriftsteller, Seelsorger und Vertreter des Selbstbestimmungsrechts der Kirche in Glaubenssachen.

Amedeo *(m)* Nebenform zum italienischen Amadeo.

Persönlichkeit der Geschichte:

Amedeo Modigliano, 1884 bis 1920; italienischer expressionistischer Maler und Bildhauer.

Ameile *(w)* Koseform für Amalia.

Amelia *(w)* Nebenform zu Amalia; Kurzform für Amalberga.

Amelie *(w)* Nebenform zu Amalie; Kurzform für Amalberga; auch Verdeutschung des französischen Amélie.

Amélie *(w)* französische Form für Amalie (Amalberga).

Ameline *(w)* Kurzform für Amalinde.

Amelios *(m)* griechisch: *ameles* = sorgenfrei; latinisiert: *Amelius.*

Amelius *(m)* latinisierte Form von Amelios.

Amelrich *(m)* Nebenform zu Amalrich.

Amelung *(m)* althochdeutsch: *amal* = in Bezug zu den Amalern; *ung* = zugehörig, Nachkomme.

Amerigo *(m)* italienische Form von Amalrich; ursprünglich *Amalrigo;* Nebenform: *Americo.*

Persönlichkeit der Geschichte:

Amerigo Vespucci, 1451 bis 1512; italienischer Seefahrer; Entdeckungsreisen im Dienst Spaniens und Portugals führten ihn 1497 bis 1504 vor südamerikanische Nord- und Ostküste; nach ihm Amerika benannt.

Amery *(m)* englische Form von Emmerich; Amalrich.

Ämilia *(w)* lateinische Form von Emilie.

Ämilian *(m)* lateinisch: *Aemilianus,* Weiterbildung von Aemilius.

Ämiliana *(w)* lateinisch: *Aemiliana;* deutsch: *Emilie;* Nebenformen: *Ämiliane, Ämilie.*

Ämilius *(m)* lateinisch: *Aemilius;* deutsch: Emil.

Amon *(m)* griechische Form für den ägyptischen Gott von Theben, dann dem Sonnengott Re gleichgesetzt; Nebenformen: *Ammon, Amun.*

Amöna *(w)* lateinisch: *Amoena,* die Anmutige; Nebenform: *Amöne;* Kurzformen: *Mena, Meina.*

Amor *(m)* lateinisch: *amor* = die Liebe.

Persönlichkeiten der Geschichte:

Amor, im 9. Jahrhundert; legendärer Missionar in den Niederlanden aus Aquitanien.

Amor, legendärer Glaubensbote, Gründer und erster Abt von Amorbach, das aber nicht nach ihm benannt ist.

Amos *(m)* hebräisch: *amos* = der Rüstige, Tragende, Beladene.

Amrei *(w)* Koseform für Annemarie; namentlich in Süddeutschland und der Schweiz.

Amun *(m)* koptische Form für Amon.

Amy *(w)* englische Kurz- und Koseform für Annemarie und für Amata.

Ana *(w)* spanische Form von Anna; auch Koseform für auf -ana oder -ia- na endigende weibliche Vornamen.

Anabel *(w)* Koseform und englische Form für Annabella.

Ananias *(m)* griechisch, von hebräisch: *Chananja.*

Persönlichkeit der Geschichte:

Ananias, im Neuen Testament (Aposteelgeschichte) ein Jerusalemer Christ, mit seiner Frau Saphira zusammen wegen Betrugs bestraft.

Anastas *(m)* griechisch: der Auferstandene; lateinisch: *Anastasius;* Kurzformen: *Anstatt, Stase, Stasi;* italienisch: Anastasio.

Anastasia *(w)* die weibliche Form zu Anastas(ius); Kurzformen: *Stasia, Stasi, Stase, Asta;* russisch: *Anastasija;* Koseformen: *Nastja, Nastjenka, Nanja.*

Persönlichkeit der Geschichte:

Anastasia, 1901 bis 1918 (?); die jüngste Tochter des russischen Zaren Nikolaus II.; vermutlich mit der Familie umgebracht; eine Frau Anna Anderson gab sich seit 1920 vergeblich als die Zarentochter aus.

Anastasija *(w)* russische Form von Anastasia.

Anastasio *(m)* italienische Form von Anastas(ius).

Anastasius *(m)* lateinische Form von Anastas.

Anatol *(m)* griechisch: aus Anatolien, wo die Sonne »aufgeht«, also aus dem Morgenland; lateinische Form: *Anatolius;* französisch: *Anatole;* russisch: *Anatolij.*

Anatole *(m)* französische Form von Anatol.

Persönlichkeiten der Geschichte:

Anatole France, 1844 bis 1924; französischer skeptisch-ironischer Schriftsteller und Kritiker des Fin-de-Siècle.

Anatole Litvak, 1902 bis 1974; russisch-amerikanischer Filmregisseur.

Anatolij *(m)* russische Form von Anatol.

Anaxagoras *(m)* griechisch: *anax* = Herrscher; *agora* = Markt.

Persönlichkeit der Geschichte:

Anaxagoras, um 500 v. Chr. bis 428 v. Chr., griechischer Philosoph und Lehrer in Athen.

Anaximander *(m)* griechisch: *anax* = Herrscher; *aner* = Mann.

Persönlichkeit der Geschichte:

Anaximander, etwa 611 bis 545 v Chr.; griechischer Naturphilosoph; forschte nach der Ursache aller Dinge und erklärte das »Apeiron« (Unerfahrbare) als deren Urprinzip.

Andel *(w)* süddeutsche Kose- und Kurzform für Anna und Johanna, auch slawische Form von Angelus.

Anderl *(m)* Kurz- und Koseform für Andreas.

Anders *(m)* dänische, schwedische und niederdeutsche Form sowie deutsche Kurzform für Andreas.

Persönlichkeiten der Geschichte:

Anders Angström, 1814 bis 1874; schwedischer Physiker; erforschte das Sonnenspektrum und schuf die Spektralanalyse.

Anders Celsius, 1701 bis 1744; schwedischer Astronom; führte die nach ihm benannte Temperaturskala (Celsiusskala) ein.

Andor *(m)* ungarische Form von Andreas.

André *(m)* französische Form von Andreas.

Persönlichkeiten der Geschichte:

André Marie Ampère, 1775 bis 1836; französischer Physiker; Mitbegründer der Elektrodynamik; führte den Magnetismus auf atomare Ringströme zurück.

André Derain, 1880 bis 1954; französischer Maler des Fauvismus.

Andrea *(w)* die weibliche Form zu Andreas; Kurzform: *Dea;* französisch: *Andrée.*

Andrea *(m)* italienische Form von Andreas.

Andreas *(m)* griechisch: der Mannhafte, Tapfere; Kurz- und Koseformen: *Andres, Anderl, Andrä, Endres, Endris, Drees, Dries, Änder;* niederdeutsche Formen: *Anders, Enders;* italienisch: *Andrea;* französisch: *André;* englisch: *Andrew, Andy, Dandy;* nordisch: *Anders;* slawisch: *Andrzei,* russisch: *Andrei, Andrej;* ungarisch: *Andrassy, Andras, Andor.*

Persönlichkeiten der Geschichte:

Andreas, Apostel; im Neuen Testament Bruder des Apostels Petrus; erst Jünger Johannes' des Täufers, dann Jesu; Märtyrer.

Andreas Hofer, 1767 bis 1810; Tiroler Freiheitskämpfer gegen die Franzosen.

Andreas Schlüter, 1600 bis 1714, deutscher Bildhauer und Baumeister. Ging 1713 zu Peter d. Großen nach Petersburg.

Andree *(w)* eingedeutschte Form des französischen Andrée.

Andrée *(w)* französische Form für den weiblichen Vornamen Andrea.

Andrees *(m)* Nebenform zu Andres.

Andrei *(m) Andrej,* russische Form von Andreas.

Persönlichkeit:

Andrei Sacharow, 1921 bis 1989; sowjetischer Atomphysiker und Regimekritiker; wurde 1980 nach Gorki verbannt; 1994 begnadigt.

Andrejana *(w)* südslawische Weiterbildung von Andrea; Nebenform: *Andrijana.*

Andres *(m)* Kurzform für Andreas; Nebenformen: *Andrees, Andries.*

Andrew *(m)* englische Form von Andreas; Kurz- und Koseformen: *Andy, Dandy.*

Andromachus *(m)* latinisiert aus griechisch: *Andromachos: aner* = Mann; *machesthai* = kämpfen; französische Form: *Andromaque.*

Andromaque *(m)* französische Form von Andromachus.

Andronikus *(m)* latinisiert aus griechisch: *Andronikos: aner* = Mann; *nikan* = siegen.

Andruschka *(m)* russische Koseform für Andrej.

Andy *(m)* englische Kurzform für Andrew (Andreas).

Persönlichkeit der Geschichte:

Andy Warhol, 1928 bis 1987; amerikanischer Maler der Pop Art und Filmregisseur.

Äneas *(m)* griechisch: lobenswert; italienische Form: *Enea;* französisch: *Énée;* englisch: *Eneas.*

Anesli *(w)* Koseform für Agnes.

Anette *(w)* Nebenform zu Annette.

Ange *(w)* französisch: Engel.

Angel *(w)* Koseform für Angela; auch slawische Form von Angelus.

Angela *(w)* die weibliche Form zu Angelus; Nebenform: *Angelia;* erweiterte Formen: *Angelika, Angelina;* Koseformen: *Angeli, Angel, Engeli, Gela, Geli;* italienische Form: *Angela;* erweitert: *Angelina;* französisch: *Ange, Angèle;* polnisch: *Aniela.*

Angèle *(w)* französische Form von Angela.

Angeli *(w)* Koseform für Angela.

Angelia *(w)* Nebenform zu Angela.

Angelica *(w)* Nebenform zu Angelika.

Angelico *(m)* italienische Form von Angelikus.

Angelicus *(m)* Nebenform zu Angelikus.

Angelika *(w)* die weibliche Form zu Angelikus, Weiterbildung von Angela; Nebenform: *Angelica;* französische Form: *Angélique.*

Angelikus *(m)* griechisch-lateinisch: engelhaft; erweiterte Form von Angelus; Nebenform: *Angelicus;* italienische Form: *Angelico.*

Angelina *(w)* erweiterte Form von Angela; auch italienisch: die Engelgleiche; Nebenform: *Angeline;* russische Koseform: *Gelja.*

Angelino *(m)* italienische Verkleinerungsform von Angelo (Angelus).

Angélique *(w)* französische Form von Angelika.

Angelo *(m)* italienische Form von Angelus; verkleinernde Nebenform: *Angelino.*

Angelus *(m)* lateinisch nach griechisch: *angelos* = Bote (Gottes), Engel; italienische Formen: *Angelo, Angelico, Angelino;* englisch: *Angelo;* slawisch: *Angel, Andel;* bulgarisch: *Anjo.*

Persönlichkeiten der Geschichte:

Angelus der Karmelit, 1185 bis 1220; einer der ersten Mitglieder des Karmeliterordens; Missionar in Süditalien und Sizilien; ermordet.

Angelus Slesius, 1624 bis 1677, deutscher Barockdichter: „Der cherubinische Wandersmann".

Angilbert *(m)* ältere Nebenform zu Engelbert.

Angrit *(w)* Koseform für Annagret.

Angus *(m)* altirisch.

Persönlichkeit der Geschichte:

Angus Wilson, geboren 1913; englischer Schriftsteller in Erzählungen und Romanen.

Anianus *(m)* griechisch-lateinisch.

Persönlichkeit der Geschichte:

Anianus, 7./8. Jahrhundert; legendärer irischer Wandermönch; mit Marinus in Bayern gemartert.

Anicet *(m)* Nebenform zu Anicetus.

Anicetus *(m)* latinisiert aus griechisch: *aniketos* = unbesiegt; Nebenform: *Anicet.*

Anita *(w)* Verkleinerungsform von spanisch Ana (Anna) und spanisch Juanita (Johanna); auch italienische Koseform für Anna.

Anja *(w)* Nebenform beziehungsweise russische Koseform für Anna.

Anjuschka *(w)* slawische Koseform für Anna und Juliana; Nebenform: *Anjuscha.*

Anjuška *(w)* tschechische Verkleinerungs- und Koseform für Anna.

Anka *(w)* niederdeutsche, slawische und ungarische Koseform für Anna.

Anke *(w)* niederdeutsche Koseform für Anna.

Ann *(w)* englische und skandinavische Form von Anna.

Anna *(w)* hebräisch: die Begnadete; ökumenisch: *Hanna;* weibliche Form zu Anno (Arnold); Nebenformen: *Anne, Annie, Änne, Andel;* Koseformen: *Annele, Anneli, Annerl, Antje, Anke, Nane, Nandel, Nannerl, Netta, Netti;* französisch: *Anne, Annette, Nannette, Nanine, Nanon, Ninon;* englisch: *Ann, Anne, Nanny, Nancy, Nan;* italienisch und spanisch: *Ana, Anita;* slawisch: *Anika;* polnisch: *Anka, Anuschka;* tschechisch: *Anjuška, Anja;* russisch: *Anja.*

Persönlichkeiten der Geschichte:

Anna Magnani, 1908 bis 1973; italienische Schauspielerin der Bühne und des Films.

Anna Pawlowa, 1882 bis 1931; klassische russische Ballettänzerin.

Anna Seghers, 1900 bis 1983, Präsidentin des Schriftstellerverbandes der ehemaligen DDR.

Annabarbara *(w)* Doppelname aus Anna und Barbara; Koseform: *Annebärbel.*

Annabella *(w)* Doppelname aus Anna und Bella (italienisch-spanisch: die Schöne, Liebliche); Koseform und englische Form: *Anabel.*

Annalisa *(w)* Nebenform zu Anneliese.

Anne *(w)* Neben- und englisch-französische Form von Anna.
Persönlichkeiten der Geschichte:
Anne Stuart, 1665 bis 1714; Königin von England und Schottland, die sie zu Großbritannien vereinigte.
Anne Frank, 1928 bis 1945; jüdisches Mädchen; starb im Konzentrationslager Bergen-Belsen; ihr Tagebuch von 1942 bis 1945 erschien 1946.

Annebärbel *(w)* Koseform für Annabarbara.

Annedore *(w)* Doppelname aus Anna und Dorothea oder Theodora.

Annegret *(w)* Doppelname aus Anna und Margarete.

Anneke *(w)* niederdeutsche Koseform für Anna.

Annele *(w)* Koseform für Anna.

Anneli *(w)* Koseform für Anna; Nebenform: *Annelie.*

Annelie *(w)* Koseform für Anna.

Anneliese *(w)* Doppelname aus Anna und Elisabeth oder Luise; Nebenformen: *Annalisa, Annelisee, Annelis.*

Annelise *(w)* Nebenform zu Anneliese; auch *Annelis.*

Annemarie *(w)* Doppelname aus Anna und Maria; Nebenformen: *Annamarie, Annemarei, Annemie.*
Persönlichkeit:
Annemarie Renger, geboren 1919; deutsche sozialdemokratische Politikerin; 1972 bis 1976 Präsidentin des Bundestags.

Annemie *(w)* Nebenform zu Annemarie.

Annerl *(w)* Koseform für Anna.

Annerose *(w)* Doppelname aus Anna und Rosa.

Annetraud *(w)* Doppelname aus Anna und althochdeutsch: *-traud, -trud* = Stärke; Nebenformen: *Annetraude, Annetrud.*

Annetraude *(w)* Nebenform zu Annetraud.

Annette *(w)* ursprünglich französische Koseform für Anne (Anna); Nebenformen: *Anette, Annett.*

Anno *(m)* Kurzform für Arnold und andere mit An- oder Arn- beginnende männliche Vornamen.

Annunciata *(w)* lateinisch-italienisch: die Angekündigte; eigentlich: Maria Annunciata nach dem Fest Mariä Verkündigung (25. März); Nebenform: *Annunziata.*

Annunziata *(w)* Nebenform zu Annunciata.

Anny *(w)* Koseform für Anna.

Ansas *(m)* litauische Form von Hans.

Ansbald *(m)* althochdeutsch: *ans = ase* = Gott; *bald* = kühn.

Ansberga *(w)* althochdeutsch. *ans = ase* = Gott; *berga* = Schutz.

Ansbert *(m)* althochdeutsch: *ans = ase* = Gott; *beraht* = glänzend; Nebenform: *Osbert.*

Ansel *(m)* Nebenform zu Anselm.

Anselm *(m)* althochdeutsch: *ans = ase* = Gott; *helm* = Helm, Schutz; Nebenformen: *Anshelm, Ansem, Ansel, Anzo;* latinisiert: *Anselmus;* italienische Form: *Anselmo.*
Persönlichkeiten der Geschichte:
Anselm von Canterbury, 1033/1034 bis 1109; namhafter philosophischer und theologischer Schriftsteller der Scholastik; Kirchenlehrer; wurde 1078 Abt des Benediktinerklosters Bec, 1093 Erzbischof von Canterbury
Anselm Feuerbach, 1829 bis 1880; deutscher neuklassizistischer und neuromantischer Maler; einer der Deutschrömer.

Anselma *(w)* die weibliche Form zu Anselm; erweitert: *Anselmina;* Koseform: *Selma.*

Anselmina *(w)* erweiterte Form von Anselma.

Anselmo *(m)* italienische Form von Anselm.

Anselmus *(m)* lateinische Form von Anselm.

Ansem *(m)* Nebenform zu Anselm.

Ansfried *(m)* althochdeutsch: *ans* = *ase* = Gott; *gar* = *ger* = Speer; daraus neuere Nebenform: Oskar.

Ansgard *(m)* althochdeutsch: *ans* = *ase* = Gott; *gard* = Zaun, Schutz.

Answald *(m)* althochdeutsch: *ans* = *ase* = Gott; *waltan* = walten, gebieten; dem entspricht das neuere *Oswald.*

Answin *(m)* althocchdeutsch: *ans* = *ase* = Gott; *wini* = Freund; neuere Nebenform: *Oswin.*

Antek *(m)* slawische Form von Anton.

Anthea *(w)* griechisch: die Blühende; auch englische Form: *Anthea.*

Anthelm *(m)* althochdeutsch: *ans* = *ase* = Gott; *helm* = Helm, Schutz.

Persönlichkeit der Geschichte:

Anthelm von Chignin, um 1107 bis 1178; der erste General des Kartäuserordens; seit 1162 Bischof von Belley; vermittelte 1169 zwischen Heinrich II. von England und Thomas Becket

Anthonis *(m)* flämische Form von Anton.

Persönlichkeit der Geschichte:

Anthonis van Dyck, 1599 bis 1641; flämischer Meister der Barockmalerei, Radierer, bedeutender Porträtist, besonders als Londoner Hofmaler.

Anthony *(m)* englische Form von Anton.

Persönlichkeiten:

Anthony Eden, 1897 bis 1977; englischer konservativer Politiker.

Anthony Quinn, geboren 1915; amerikanischer Filmschauspieler.

Antiochus *(m)* latinisiert aus griechisch: *Antiochos:* Gegner.

Antipater *(m)* griechisch: *anti* = gegen; *pater* = Vater.

Antje *(w)* niederdeutsche und niederländische Koseform für Anna.

Antka *(w)* polnische Koseform für Antonia und Antonina.

Antoine *(m)* französische Form von Anton.

Persönlichkeiten der Geschichte:

Antoine Marquis de Condorcet, 1743 bis 1794; französischer Mathematiker, Geschichtsphilosoph und Politiker.

Antoine Court, 1696 bis 1760; französischer Hugenotte; »Prediger der Wüste« in Frankreich.

Antoine de Saint-Exupéry, 1900 bis 1944, französischer Schriftsteller und Aufklärungsflieger (Der kleine Prinz).

Antoinette *(w)* französische verkleinernde Koseform für Antonia (Anton).

Anton *(m)* lateinisch: Antonius, altrömischer Geschlechtername der Antonier; erweiterte Form: *Antonin, Antoninus;* Kurz- und Koseformen: *Toni, Tonies, Tonis, Tones, Tönnies, Tony, Dönjes, Thüne, Tünnes;* niederländische Formen: *Antoon, Toon, Teunis;* italienisch und spanisch: *Antonio, Tonio;* französisch: *Antoine;* englisch: *Anthony;* slawisch: *Antos, Antusch;* ungarisch: *Antal.*

Persönlichkeiten der Geschichte:

Anton Bruckner, 1824 bis 1896; österreichischer Komponist namentlich von Orchestermessen und Sinfonien; beeinflußt von Bach, Beethoven, Schubert und Wagner.

Anton Dvořák, 1841 bis 1904; tschechischer Komponist von Sinfonien, Opern, Tänzen, Rhapsodien und Konzerten.

Anton Tschechow, 1860 bis 1904; russischer kritisch-realistischer Schriftsteller in Erzählungen und Dramen.

Anton von Webern, 1883 bis 1945; österreichischer Komponist des Wiener Expressionismus; Zwölftonmusiker.

Antonella *(w)* italienische erweiternde und Koseform für Antonia.

Antonello *(m)* italienische erweiternde und Koseform für Anton.

Antonia *(w)* die weibliche Form zu Anton; Nebenformen: *Antonie, Antonette;* Kurz- und Koseformen: *Toni, Toneli, Tony;* Verkleinerungsform: *Antonietta;* italienische Formen: *Antonia, Antonina;* französisch: *Antoinette;* slawisch: *Antonina;* deren Kurzformen: *Tonia, Tonja, Toni.*

Antonie *(w)* Nebenform zu Antonia.

Antonin *(m)* lateinisch: *Antoninus;* Erweiterungsform von Anton; auch romanische und tschechische Form von Anton und Antoninus.

Antonina *(w)* slawische Form von Antonia; italienische Koseform für Antonia.

Antoninus *(m)* Erweiterungsform von Antonius (Anton); lateinische Form von Antonin.

Antonio *(m)* italienische Form von Anton.

Persönlichkeiten der Geschichte:

Antonio Stradivari, 1644 bis 1737; der bedeutendste Geigenbauer der Familie Stradivari; ein Schüler Amatis.

Antonio Vivaldi, 1678 bis 1741; italienischer Komponist, Geiger und Organist; maßgeblich für die Entwicklung des Solokonzerts.

Antonita *(w)* Erweiterungsform zu Antonia.

Antonius *(m)* lateinische Form von Anton.

Persönlichkeiten der Geschichte:

Antonius der Große, etwa 251 bis 350; Einsiedler in Ägypten; Mönchsvater; schuf die Einsiedlergemeinde, aus der die Mönchsgemeinde (Orden) entstand; Patron der Antoniter.

Antonius von Padua, 1195 bis 1231; erst Augustiner-Chorherr, dann Franziskaner; begabter Prediger; von Franziskus als erster Lehrer der Theologie für den Orden eingesetzt; Kirchenlehrer.

Anuschka *(w)* Nebenform zu Anuscha.

Anusia *(w)* polnische Koseform für Johanna.

Anwar *(m)* arabisch.

Persönlichkeit der Geschichte:

Anwar As-Sadat, 1918 bis 1981; ägyptischer Politiker; erreichte als Staatspräsident 1979 mit Israel den Frieden; wurde ermordet.

Anzo *(m)* Nebenform zu Anselm.

Aonio *(m)* italienisch.

Apoll *(m)* griechisch; Nebenformen: *Apollo, Apollon.*

Persönlichkeit der Geschichte:

Apoll, Gott der griechischen Mythologie; Sohn des Zeus und der Leto; Zwillingsbruder der Artemis; Gott des Lichts, der Weissagung, Poesie und Heilkunde.

Apollinaris *(m)* griechisch-lateinisch: dem Gott Apollo geweiht; Nebenform: *Apollinarius;* Nebenform zu Apollonius.

Apolline *(w)* englische und Nebenform zu Apollonia.

Apollonia *(w)* die weibliche Form zu Apollonius; Nebenform: *Apolline;* Kurzformen: *Appel, Ploni, Plönn, Loni;* englisch: *Apolline, Polly, Lonny;* dänisch: *Abelone.*

Apollonius *(m)* lateinisch aus griechisch: *Apollonios* = dem Gott Apollon geweiht; Nebenform: *Amplonius;* Kurz- und Koseformen: *Plonnies, Plönes, Löns, Polle.*

Aquilin *(m)* lateinisch: *aquila* = Adler; Nebenform: *Aquilinus.*

Arabella *(w)* lateinisch-romanisch: die Braune (?), Araberin (?); spanisch: *Arabela;* englisch: *Arabel* mit Koseform: *Bell.*

Arbgast *(m)* Nebenform zu Arbogast.

Arcangelo *(m)* italienisch; griechisch-lateinisch: *archangelus* = Erzengel.

Archelaus *(m)* griechisch: *archein* = herrschen; *laos* = Volk.

Archibald *(m)* Nebenform zu Erkenbald.

Archimedes *(m)* griechisch: *archein* = herrschen; *medos* = Ratschlag, Entwurf.

Persönlichkeit der Geschichte:

Archimedes, etwa 287 bis 212 v. Chr.; griechischer Mathematiker und Mechaniker aus Syrakus.

Arduin *(m)* Nebenform zu Hartwin.

Arend *(m)* Nebenform zu Arnold; Nebenformen: *Arendt, Arent.*

Arendt *(m)* Nebenform zu Arnold.

Arent *(m)* Nebenform zu Arnold.

Ariadne *(w)* griechisch: Bedeutung ungeklärt; französisch: *Ariane;* italienisch: *Arianna.*

Persönlichkeiten der Geschichte:

Ariadne, in der griechischen Mythologie Tochter des Minos; half Theseus aus dem Labyrinth mit dem »Ariadnefaden«.

Ariadne, frühchristliche Märtyrin; als Sklavin eines Tertullus, der Christen Zuflucht gewährte, getötet.

Arian *(m)* französische Nebenform zu Adrian; auch niederländisch und ungarisch.

Ariane *(w)* französische Form von Ariadne und Adriane.

Ariel *(m)* hebräisch: *ara* = Held, *el* = *elohim* = Gott.

Ariella *(w)* die weibliche Form zu Ariel; Nebenformen: *Arielle, Ariela;* französische Form: *Arielle;* italienisch: *Ariele.*

Arielle *(w)* französische und Nebenform zu Ariella.

Arietta *(w)* italienische Verkleinerungsform von Aria (= das kleine Lied).

Arik *(m)* Kurzform verschiedener russischer Vornamen; entspricht: Erich.

Persönlichkeit der Geschichte:

Arik Brauer, geboren 1929; österreichischer Maler; Vertreter des Wiener Phantastischen Realismus.

Arilt *(m)* dänische Form von Arnold.

Ariovist *(m)* germanisch: hehr (?); latinisiert: *Ariovistus.*

Arist *(m)* griechisch: *aristos* = der Beste; Kurzform für mit Arist- beginnende männliche Vornamen; Koseform für Aristid.

Arista *(w)* weibliche Form zu Arist.

Aristarch *(m)* griechisch: *aristos* = der Beste; *archos* = Gebieter; Nebenform: *Aristarchos;* italienisch: *Aristarco.*

Persönlichkeit der Geschichte:

Aristarch von Samos, etwa 310 bis 230 v. Chr.; griechischer Astronom; gilt als erster Vertreter des heliozentrischen Weltsystems.

Aristid *(m)* griechisch: *aristos* = der Beste mit der patronymen Endung *id(es)* = Sohn (des); französisch: *Aristide;* so auch deutsche Nebenform; italienisch. *Aristeo;* Koseform: Arist.

Aristide *(m)* Nebenform und französische Form von Aristid.

Persönlichkeit der Geschichte:

Aristide Briand, 1862 bis 1932, bedeutender französischer Politiker: Locarno-Verträge von 1925.

Aristides *(m)* griechisch: *aristos* = der Beste, Vornehmste, *ides* = Sohn.

Persönlichkeit der Geschichte:

Aristides, etwa 550 bis 467 v. Chr.; als athenischer Feldherr siegreich bei Marathon, Salamis und Plataä; gründete den Attischen Seebund.

Aristipp *(m)* Kurzform für Aristippos.

Aristippos *(m)* griechisch: *aristos* = Bester; *hippos* = Pferd; Kurzform: *Aristipp.*

Aristobulos *(m)* griechisch: *aristos* = Bester; *bule* = Rat.

Aristophanes *(m)* griechisch: *aristos* = der Beste; *phanos* = Leuchte.

Aristote *(m)* französische Form von Aristoteles.

Aristoteles *(m)* griechisch: *aristos* = der Beste; *telos* = Ziel; französische Form: *Aristote;* italienisch: *Aristotile.*

Persönlichkeit der Geschichte:

Aristoteles, um 384 bis 322 v. Chr.; griechischer Philosoph; einer der bedeutendsten und nachhaltig wirkenden europäischen Denker; begründete die wissenschaftliche Philosophie; systematisierte deren Einzelwissenschaften: Metaphysik, Logik und Ethik.

Aristotile *(m)* italienische Form von Aristoteles.

Arka *(w)* Kurzform für mit Arn- beginnende weibliche Vornamen; Nebenform: *Arke.*

Arkadius *(m)* lateinisch: Arkadier, aus Arkadien stammend.

Arlene *(w)* englisch: Bedeutung nicht klar; weibliche Form zu ursprünglich männlichem Vornamen *Arlen.*

Arlette *(w)* französisch-normannisch; Verkleinerungsform zu Arlene; Nebenform: *Arlett.*

Armand *(m)* französische Form von Hermann und Hartmann.

Persönlichkeit der Geschichte:

Armand-Jean du Plessis de Richelieu, 1585 bis 1642; Kardinal und französischer Politiker; stärkte unter Ludwig XIII. den Absolutismus unter Auschaltung von Adel und Hugenotten; im Dreißigjährigen Krieg auf seiten Schwedens und des Protestantismus.

Armanda *(w)* italienische weibliche Form zu Armand.

Armande *(w)* französische weibliche Form zu Armand.

Armando *(m)* italienische und spanische Form von Hermann.

Armgard *(w)* Nebenform zu Irmgard.

Armida *(w)* italienisch: bewaffnet (?); mit Armanda zusammeenhängend (?); Nebenform: *Armide.*

Armin *(m)* althochdeutsch; *ermin* = *irmin* = Erde, Welt (?); auch Kurzform für Arminius.

Persönlichkeit der Geschichte:

Armin, Märtyrer.

Arminius *(m)* latinisierte Form von Armin.

Persönlichkeit der Geschichte:

Arminius, der Cherusker, um 16 v. Chr. bis um 21 n. Chr. Schlug 9 n. Chr. die Römer vernichtend im Teutoburger Wald.

Arn *(m)* althochdeutsch: *arn (m)* = Adler; Kurz- und Koseform für Arnold; häufig Anfangssilbe männlicher Vornamen.

Arnaldo *(m)* italienische Form von Arnold.

Arnaud *(m)* französische Form von Arnold.

Arnd *(m)* Kurzform für Arnold; Nebenformen; *Arndt, Arne.*

Arndt *(m)* Kurzform für Arnold.

Arne *(m)* Kurzform für Arnold und andere mit Arn- beginnende männliche Vornamen; so auch dänisch und schwedisch.

Arnfred *(m)* Doppelname aus Arnfried und Alfred.

Arnfried *(m)* althochdeutsch: *arn* = Adler; *fridu* = Friede.

Arnfrieda *(w)* Nebenform zu Arnfriede.

Arnfriede *(w)* die weibliche Form von Arnfried; Nebenformen: *Arnfrieda, Ernfriede.*

Arngard *(w)* althochdeutsch: *arn* = Adler; *gard* = Zaun, Schutz.

Arnhelm *(m)* althochdeutsch: *arn* = Adler; *helm* = Helm, Schutz.

Arnhild *(w)* althochdeutsch: *arn* = Adler; *hiltja* = Kampf; Nebenform: *Arnhilde.*

Arnhilde *(w)* Nebenform zu Arnhild.

Arnika *(w)* ungarische Koseform für Arnolde.

Arniko *(m)* Koseform für mit Arn- beginnende männliche Vornamen.

Arnim *(m)* ursprünglich Familienname; wohl aus Armin etwickelt.

Arnke *(m)* Koseform für Arnold und andere mit Arn- beginnende männliche Vornamen.

Arno *(m)* Koseform für mit Arn- beginnende männliche Vornamen, so für Arnold; Nebenformen: *Arnd, Arnt, Arend, Arnke, Erno.*

Arnold *(m)* althochdeutsch, Herkunft Arnwald; Nebenformen: *Arnhold, Arnolt, Arend, Arendt, Arent;* Kurz- und Koseformen: *Arnd, Arndt, Arneth, Arno, Arnke, Arne, Anno, Erni, Nolde, Nolte, Onno;* französische Form: *Arnaud;* italienisch: *Arnaldo, Arnoldo;* dänisch: *Arilt.*

Persönlichkeiten der Geschichte:

Arnold Schönberg, 1874 bis 1951; österreichischer Komponist und Musiktheoretiker; Begründer der atonalen und der Zwölftonmusik.

Arnold Sommerfeld, 1868 bis 1951; deutscher Physiker mit wichtigen Beiträgen zur Kreisel-, Quanten- und Atomtheorie.

Arnold Zweig, 1887 bis 1968; deutscher zeit- und sozialkritischer Schriftsteller; ab 1948 in der DDR.

Arnolde *(w)* die weibliche Form von Arnold; Nebenformen: *Arnolda, Arnalde;* Erweiterungsform: *Arnoldine;* Kurz- und Koseformen: *Arna, Nolda.*

Arnoldine *(w)* erweiterte Form von Arnolde.

Arnoldo *(m)* italienische Form von Arnold.

Arnolfo *(m)* italienische Form von Arnulf.

Arnolt *(m)* Nebenform zu Arnold.

Arnošt *(m)* tschechische Form für Ernst.

Arnoul *(m)* französische Form von Arnulf; Nebenform: *Arnoulf.*

Arnoulf *(m)* Nebenform zu Arnoul.

Arntraud *(w)* althochdeutsch: *arm* = Adler; *trud* = Kraft, Stärke; Nebenformen: *Arntrud, Ehrentraud, Ehrentrud, Erentraud, Erentrud, Erindrud.*

Arnulf *(m)* althochdeutsch: *arm* = Adler; *wulf* = Wolf; französische Formen: *Arnoul* und *Arnoulf;* italienisch: *Arnolfo.*

Arnwald *(m)* althochdeutsch: *arm* = Adler; *waltan* = walten, herrschen; wurde zu Arnold.

Aron *(m)* Nebenform zu Aaron; arabisch: *Harun.*

Arp *(m)* Kurzform für Arbogast.

Arpad *(m)* hebräisch; ungarische Form: *Arpád.*

Arsen *(m)* Kurzform für Arsenius.

Arsène *(m)* französische Form von Arsenius.

Arsenij *(m)* russische Form von Arsenius.

Arsenio *(m)* italienische Form von Arsenius.

Arsenius *(m)* lateinisch, aus griechisch: *Arsenios* = kraftvoll, männlich; Kurzform: *Arsen;* französische Form: *Arsène;* italienisch: *Arsenio;* russisch: *Arsenij.*

Artemis *(w)* griechisch; Nebenform: *Artemisia.*

Persönlichkeit der Geschichte:

Artemis, Göttin der griechischen Mythologie, die Zwillingsschwester Apollos; Göttin der Jagd.

Arthur *(m)* keltisch: *arth* = Bär (?); Nebenform: *Artur;* französische und englische Form: *Arthur;* italienisch: *Arturo.*

Persönlichkeiten der Geschichte:

Arthur Chamberlain, 1869 bis 1940; englischer konservativer Politiker; versuchte bis 1939 den Frieden mit Hitler-Deutschland zu erhalten.

Arthur Compton, 1892 bis 1962; amerikanischer Atomphysiker; Entdecker des Comptoneffekts.

Arthur Doyle, 1859 bis 1930; schottischer Schriftsteller von Kriminalromanen mit seinem Sherlock Holmes als Meisterdetektiv.

Arthur Korn, 1870 bis 1945; deutscher Physiker; erfand die Bildtelegraphie.

Arthur Miller, geboren 1915; amerikanischer Schriftsteller, vor allem realistischer Dramatiker.

Arthur Nikisch, 1855 bis 1922; deutsch-österreichischer Dirigent.

Arthur Rubinstein, 1887 bis 1982; polnisch-amerikanischer Pianist.

Arthur Schnitzler, 1862 bis 1931; österreichischer Schriftsteller; in Dramen und Novellen Hauptvertreter des Wiener Impressionismus.

Arthur Schopenhauer, 1788 bis 1860; deutscher Philosoph, dessen Hauptwerkstitel »Die Welt als Wille und Vorstellung« seine Philosophie programmatisch formuliert; von starkem Einfluß auf Philosophen, Künstler und Schriftsteller.

Arthur Wellington, 1769 bis 1852; englischer Feldherr und Politiker; 1815 auf dem Wiener Kongreß Vertreter Englands; mit Blücher und Gneisenau 1815 Sieger über Napoleon I. bei Waterloo.

Artur *(m)* Nebenform zu Arthur.

Artura *(w)* die weibliche Form von Artur (Arthur).

Arturo *(m)* itelienische Form von Arthur.

Persönlichkeit der Geschichte:

Arturo Toscanini, 1867 bis 1957; italienischer Violoncellist; dann internationaler Dirigent als Interpret von Oper und klassischem Konzert.

Arved *(m)* Nebenform zu Arwed.

Arvid *(m)* schwedische und norwegische Form von Arwed.

Arwed *(m)* schwedisch: *örn* = Adler; *ved* = Wald; Nebenformen: *Arved, Arvid;* norwegisch: *Arvid.*

Arwin *(m)* althochdeutsch: *arn* = Adler; *wini* = Freund.

Asam *(m)* Kurzform für Erasmus.

Asbjörn *(m)* skandinavisch: *))s* = Gott; *björn* = Bär.

Ascanius *(m)* latinisiert aus *Askan, Askwin,* Aschwin.

Aschwin *(m)* althochdeutsch: *ask* = Esche; *wini* = Freund; Nebenformen: *Askwin, Aswin;* lateinisch: *Ascanius.*

Aser *(m)* Koseform für Erasmus.

Asgard *(w)* die weibliche Form von Ansgard.

Asja *(w)* russische Koseform für Anastasia und Anna; Nebenform: *Assja.*

Askan *(m)* neuere Form von Aschwin (Ascanius).

Asmus *(m)* Kurzform für Erasmus.

Äsop *(m)* griechisch: *Aisopos.*

Aspasia *(w)* griechisch: willkommen, erwünscht; französische Form: *Aspasie.*

Aßmann *(m)* Kurzform für Erasmus.

Assuerus *(m)* latinisiert; althochdeutsch: *åse* = Ase = Gott; *wêr* = *wâr* = wahr.

Assunta *(w)* italienisch: die' (in den Himmel) Aufgenommene; eigentlich: Maria Assunta vom Fest der Aufnahme Marias (Gedenktag: 15. August).

Asta *(w)* Kurz- und Koseform für Anastasia, Astrid und Augusta.

Persönlichkeit der Geschichte:

Asta Nielsen, 1881 bis 1972; dänische Schauspielerin der Stummfilmzeit.

Asteria *(w)* Nebenform zu Astrid.

Astri *(w)* Nebenform zu Astrid.

Astrid *(w)* altnordisch; schwedisch: *))s* = *ans* = Gott; *fridhr* = schön; Nebenformen: *Estrid, Asteria, Astri;* Kurzformen: *Asta, Atta, Atti.*

Aswina *(w)* die weibliche Form zu Aswin (Aschwin).

Atalja *(w)* ökumenische Form von Athalia.

Athalia *(w)* hebräisch: *athal* = erhaben; *jahwe* = Gott; ökumenische Form: *Atalja;* Nebenform: *Attalia;* französische Form: *Athalie.*

Athanasia *(w)* die weibliche Form zu Athanasius; russische Form: *Afanassija.*

Athanasius *(m)* latinisiert aus griechisch: *athanasios* = unsterblich; russische Form: *Afanassij.*

Attala *(m)* gotisch: *atta;* althochdeutsch: *atto* = Vater.

Attala *(w)* die gleichlautende weibliche Form zu Attala.

Attalia *(w)* Nebenform zu Athalia.

Atti *(w)* Kurzform für Astrid.

Attila *(m)* indogermanisch: *atha, ata;* gotisch: *atta* = Vater, Väterchen; Nebenformen: *Atli;* mittelhochdeutsch dann: *Etzel;* italienisch: *Attilo, Attilio.*

Persönlichkeiten der Geschichte:

Attila, gestorben um 453; seit 434 König der Hunnen; ab 443 Alleinherrscher vom Kaukasus bis zum Rhein; 451 bei Troyes von Germanen unter Aetius besiegt; der *Etzel* der deutschen Sage.

Attila Hörbiger, geboren 1896; österreichischer Schauspieler der Bühne, des Films und Fernsehens; verheiratet mit Paula Wessely.

Attilio *(m)* italienische Form von Attila.

Attilo *(m)* italienische Form von Attila.

Aubert *(m)* französische Form von Adalbert.

Aubrey *(m)* englische und französische Form von Alberich.

Aubry *(m)* französische Form von Alberich; Nebenform: *Aubrey.*

Auctor *(m)* lateinisch: Vermehrer; Nebenform: *Auktor.*

Aud *(w)* altnordisch: *aud* = Glück; Nebenform: *Auda.*

Auda *(w)* Nebenform zu Aud.

Audifax *(m)* Bedeutung unklar.

Persönlichkeit der Geschichte:

Audifax, gestorben um 300; Märtyrer in Rom mit Abachum und Marius.

Audomar *(m)* Nebenform zu Otmar.

Audrey *(w)* altenglische Koseform für Adeltraud.

Persönlichkeit der Geschichte:

Audrey Hepburn, 1929 bis 1993; amerikanische Schauspielerin niederländisch-englischer Herkunft.

August *(m)* lateinisch: *augustus* = erhaben; Nebenform daher: *Augustus;* Kurzformen: *Gustl, Gust;* französische Form: *Auguste;* italienisch: *Agosto;* spanisch: *Augusto;* russische Koseform: *Ava.*

Persönlichkeiten der Geschichte:

August der Starke, 1670 bis 1733; Kurfürst von Sachsen und König von Polen; im Nordischen Krieg von Schweden besiegt.

August Bebel, 1840 bis 1913; deutscher Politiker; Mitbegründer der Sozialdemokratischen Arbeiterpartei.

August Borsig, 1804 bis 1854; Erbauer der ersten deutschen Lokomotive.

August Euler, 1868 bis 1957; deutscher Flugzeugkonstrukteur; baute das erste deutsche Motorflugzeug.

August Graf von Platen, 1796 bis 1835, deutscher Dichter.

August Horch, 1868 bis 1951; deutscher Automobilkonstrukteur.

August W. Iffland, 1759 bis 1814; deutscher Bühnenschriftsteller und Schauspieler.

August Karolus, 1893 bis 1972; deutscher Physiker; nutzte die nach ihm benannte Karoluszelle für Bildfunk-, Film- und Fernsehtechnik.

August von Kotzebue, 1761 bis 1819;

deutscher Dramatiker (über 200 Bühnenstücke).
August Macke, 1887 bis 1914; deutscher Maler des »Blauen Reiter«.
August Oetker, 1862 bis 1918, deutscher Unternehmer: Backpulver.
August Thyssen, 1842 bis 1926, Gründer der Thyssen-Konzerns.

Augusta *(w)* die weibliche Form zu Augustus (August); Nebenform: *Auguste;* erweiterte Form: *Augustine;* Kurzformen: *Gustl, Asta.*

Auguste *(m)* französische Form für August.
Persönlichkeiten der Geschichte:
Auguste Piccard, 1884 bis 1962; schweizerischer Physiker; unternahm Ballonflüge in die Stratosphäre (bis 16 203 m), und mit seinem Tiefseetauchgerät erreichte er 3150 m Tiefe.
Auguste Renoir, 1841 bis 1919; französischer Maler, Zeichner und Bildhauer des Impressionismus mit eigenem Stil in der Freilichtmalerei.
Auguste Rodin, 1840 bis 1917; französischer impressionistischer Bildhauer und Graphiker in Gegensatz zum Klassizismus.

Augustin *(m)* erweiterte Form aus August(us); lateinisch Augustinus; Kurzform: *Austen;* französische Form: *Augustin;* englische Form: *Augustine, Augsten, Austin.*
Persönlichkeit der Geschichte:
Augustin, gestorben um 604; Benediktiner; Apostel Englands; von Papst Gregor dem Großen mit anderen Mönchen als Abt nach England gesandt; wurde Bischof; gründete als Primas die Kirchenprovinzen London und York.

Augustina *(w)* die weibliche Form zu Augustinus; Nebenformen: *Gustine, Austine;* Erweiterungsform zu Augusta.

Augustinus *(m)* lateinische Form von August.
Persönlichkeit der Geschichte:
Augustinus, 354 bis 430; einer der vier großen abendländischen Kirchenlehrer; wurde Bischof von Hippo Regius; durch seine »Confessiones«, philosophischen, historischen und theologischen Werke von größtem Einfluß auf das vormittelalterliche Denken des abendländischen Christentums.

Augustus *(m)* lateinisch: erhaben; Beiname römischer Kaiser.
Persönlichkeit der Geschichte:
Augustus, 63 v. Chr.-14 n. Chr.; römischer Prätor, dann Konsul; machte sich 31 v. Chr. zum Alleinherrscher (erster römischer Kaiser); seinen Ehrentitel Augustus erhielt er 27 v. Chr.; rundete das Reich durch Kriege; schuf Ehegesetz, baute Straßen und Befestigungsanlagen und förderte Kunst und Wissenschafteen.

Auktor *(m)* Nebenform zu Auctor.

Aurea *(w)* lateinisch: *aureus* = golden.
Persönlichkeit der Geschichte:
Aurea, gestorben um 665; Äbtissin eines Frauenklosters in Paris.

Aurel *(m)* Kurzform für Aurelius.

Aurèle *(m)* französische Form von Aurelius.

Aurelia *(w)* die weibliche Form zu Aurelius; Nebenform: *Aurelie;* französische Form: *Aurélie.*
Persönlichkeiten der Geschichte:
Aurelia von Regensburg, gestorben 1027; legendäre Reklusin bei Sankt Emmeram.
Aurelia von Straßburg, legendäre Heilige, Gefährtin der Kölner Ursula.

Aurelian *(m)* Nebenform zu Aurelianus.

Aurelianus *(m)* lateinische Erweiterung von Aurelius; Nebenform: *Aurelian.*

Aurelius *(m)* lateinisch: *aureus* = golden; Name nach dem altrömischen

Geschlecht der Aurelier; Nebenform: *Orell;* französisch: *Aurèle.*

Aureus *(m)* lateinisch: *aureus* = golden; Nebenform: *Auräus.*

Aurica *(w)* von lateinisch: *aureus* = golden; rumänische Form von Aurelia.

Aurora *(w)* lateinisch: *aurora* = Morgenröte; altrömische Göttin der Morgenröte; französische Form: *Aurore.*

Aurore *(w)* französische Form von Aurora.

Austen *(m)* niederdeutsche Kurzform für Augustin.

Austin *(m)* englische Form für Augustin.

Austine *(w)* Nebenform zu Augustina.

Autbert *(m)* Nebenform zu Otbert.

Auxilia *(w)* vom lateinischen: *auxilium* = Hilfe, nach dem Fest »Maria Hilfe der Christen« (24. Mai) entstanden.

Ava *(m)* russische Koseform für August.

Ava *(w)* althochdeutsch: *awa* = Wasser; Nebenformen: *Awa, Awe;* erweiterte Form: *Avila.*

Avia *(w)* lateinisch: *avia* = Großmutter.

Avila *(w)* Erweiterungsform von Ava.

Awa *(m)* ostfriesisch: *awa* = Wasser; Nebenformen: *Awe, Awo.*

Axel *(m)* skandinavische Kurzform für Absalom.

Persönlichkeiten der Geschichte:

Axel Graf von Oxenstierna, 1583 bis 1654; schwedischer Politiker; Reichskanzler Gustaf Adolfs und als Vormund der Königin Christine Regent.

Axel Munthe, 1857 bis 1949; schwedischer Arzt und Schriftsteller.

Axinja *(w)* russischer Vorname.

Aya *(w)* Nebenform: *Agia.*

Persönlichkeit der Geschichte:

Aya, gestorben um 708; fränkische Klosterfrau in Mons.

Aye *(m)* Nebenform zu Ayko.

Ayke *(m)* Nebenform zu Ayko.

Ayko *(m)* Kurz- und Koseform für mit Agi- oder Adel- beginnende männliche Vornamen; Nebenformen: *Ayke* und *Aye.*

Ayold *(m)* Nebenform zu Eginald.

Azo *(m)* Nebenform zu Azzo.

Azzing *(m)* Nebenform zu Azzo.

Azzo *(m)* Kurz- und Koseform für Adolf und mit Ad- oder Adal- beginnende männliche Vornamen; Nebenformen: *Azo, Azzing.*

Azzurra *(w)* italiensch: *azzurra* = azurblau.

B

Bäbel *(w)* Kurz- und Koseform für Barbara.

Babett *(w)* Kurzform für Babette.

Babetta *(w)* Nebenform zu Babette.

Babette *(w)* Verkleinerungsform von Barbara, auch von Elisabeth; Nebenform: *Babetta;* Kurz- und Koseformen: *Babett, Betti, Betty;* französische Form: *Babette.*

Babichon *(w)* französische Koseform für Barbara.

Bado *(m)* nordisch: *badu* = Kämpfer; Nebenformen: *Batho, Patto, Pado.*

Badulf *(m)* Nebenform zu Bardolf.

Bahn *(m)* Koseform für Urban; Nebenformen: *Bahne, Bahnes, Bohn.*

Bahne *(m)* Nebenform zu Bahn (Urban).

Bahnes *(m)* Nebenform zu Bahn (Urban).

Balbina *(w)* die weibliche Form zu Balbinus.

Balbinus *(m)* lateinisch *balbus* = Stammler; Nebenform: *Balbus.*

Balbus *(m)* Nebenform zu Balbinus.

Balcer *(m)* polnische Form für Balthasar.

Balda *(w)* Kurz- und Koseform für mit Bald- beginnende weibliche Vornamen.

Balde *(m)* Kurz- und Koseform für Reimbald und Willibald.

Baldebert *(m)* althochdeutsch: *bald* = mutig; *beraht* = glänzend.

Baldegund *(w)* althochdeutsch: *bald* = mutig; *gund* = Kampf.

Baldemar *(m)* althochdeutsch: *bald* = *baldo* = mutig; *mari* = berühmt.

Balder *(m)* Nebenform zu Baldur; auch Kurzform für mit Bald- beginnende männliche Vornamen.

Balderich *(m)* althochdeutsch: *bald* = *baldo* = mutig, kühn; *rihhi* = reich, mächtig.

Baldewin *(m)* Nebenform zu Balduin.

Baldfried *(m)* althochdeutsch: *bald* = *baldo* = mutig; *fridu* = Friede; Nebenform: *Baltfried.*

Baldo *(m)* althochdeutsch: *baldo* = kühn; Kurzform für mit Bald- beginnende männliche Vornamen; auch italienische Kurzform für auf -baldo endigende männliche Vornamen; so für Ubaldo (Hugbald); latinisiert: *Baldus;* Nebenformen: *Balto, Walto.*

Baldomar *(m)* althochdeutsch: *bald* = *baldo* = mutig; *mari* = berühmt.

Balduin *(m)* althochdeutsch: *bald* = *baldo* = mutig; *wini* = Freund; Nebenformen: *Baldwin, Baldewin, Baltwin;* Kurzform: *Balko;* englische Form: *Baldwin;* niederländisch: *Boudewijnß* französisch: *Baudouin.*

Persönlichkeit der Geschichte:

Balduin, gestorben 1140; Zisterzienser; Abt von San Matteo sul Lago bei Rieti.

Baldur *(m)* isländisch: Herr, nach dem nordischen Lichtgott *Baldr;* Nebenform: *Balder.*

Baldus *(m)* Kurzform für Sebaldus und Balthasar; auch latinisierte Form von Baldo.

Baldwin *(m)* Nebenform und englische Form von Balduin.

Baltfried *(m)* Nebenform zu Baldfried

Balthard *(m)* althochdeutsch: *bald* = *baldo* = mutig; *harti* = fest.

Balthasar *(m)* babylonisch-hebräisch: *Belsazar* = Bel (Gott) schütze sein Leben (den König); Nebenformen: *Balthassar;* ökumenische Form: *Belschazzar;* Kurzformen: *Balster, Baltes, Balzer, Balz, Baldus;* italienische Form: *Baltassare;* polnisch: *Balcer;* ungarisch: *Boldisár.*

Persönlichkeiten der Geschichte:

Balthasar, im Neuen Testament einer der drei Magier aus dem Morgenland, die bei Matthäus ohne Namen durch den Stern nach Bethlehem gewiesen wurden; den Namen erhielt er wie Kaspar und Melchior erst im 6. Jahrhundert.

Balthasar Neumann, 1687 bis 1753; bedeutender deutscher Baumeister des Spätbarock im Kirchen- und Schloßbau.

Balthassar *(m)* Nebenform zu Balthasar.

Baptist *(m)* griechisch: *baptistes* = Täufer; Nebenform: *Battist;* Kurzformen: *Bapper, Bopp, Boppel, Bisch, Bischle;* englische und französische Form: *Baptiste,* italienisch: *Battista;* meist in der Form *Johann Baptist,* französisch *Jean-Baptiste,* nach Johannes dem Täufer im Neuen Testament.

Barbara *(w)* griechisch: = Barbarin, Ausländerin, Fremde; erweiterte Form: *Barberina;* Kurz- und Koseformen: *Barbel(e), Bärbel(e), Barbe(li), Barbra, Berbe, Bäbe, Bäbi, Bab(e), Babel(e), Bäbel(e), Bärmel, Bäll(e), Bella, Waberl, Wawerl, Wetti, Betti, Bärb(chen), Bärber, Bäpp, Babette:* französische Formen: *Barbe, Barbey;* Koseform: *Babichon;* englisch: *Barbara;* Koseform: *Bab;* schwedisch: *Barbro;* russisch: *Warwara;* Koseformen: *Varinka, Warenka.*

Persönlichkeiten:

Barbara, gestorben 306 als Märtyrin in Nikomedien unter Maximinus Daza; eine der 14 Nothelfer.

Barbara Blomberg, 1527 bis 1597, Regensburg Bürgerstochter, Geliebte Kaiser Karls V., Mutter des Don Juan d'Austria.

Barbara Streisand, geboren 1942; amerikanische Sängerin und Filmschauspielerin.

Bärbel *(w)* Kurzform für Barbara.

Bardolf *(m)* althochdeutsch: *barta* = Streitaxt; *wulf* = Wolf; Nebenformen: *Bardulf, Badulf;* Kurzform: *Bardo.*

Bardulf *(m)* Nebenform zu Bardolf.

Bärmel *(w)* Kurz- und Koseform für Barbara.

Barnabas *(m)* aramäisch-hebräisch-griechisch: Sohn der Prophezeiung oder des Trostes (?); Kurzformen: *Barnas, Barnes* und *Bas;* englische Form: *Barnaby.*

Persönlichkeit der Geschichte:

Barnabas, Zeitgenosse Jesu; eigentlich Joseph von Zypern; Vermittler zwischen Paulus und den Uraposteln; Begleiter des Paulus auf dessen erster Missionsreise; Vertreter der Heidenchristen.

Barnaby *(m)* englische Form von Barnabas.

Barnald *(m)* Nebenform zu Bernold.

Barnard *(m)* niederdeutsch für Bernhard.

Barnas *(m)* Kurzform für Barnabas.

Barnd *(m)* friesische Kurzform für Bernhard.

Barnes *(m)* Kurzform für Barnabas.

Barnet *(m)* englische Kurzform für Bernhard.

Barthel *(m)* Kurzform für Bartholomäus.

Barthelmä *(m)* Nebenform zu Bartholomäus.

Barthold *(m)* niederdeutsche Form von Berthold; Kurz- und Koseformen: *Barthel, Barth;* französische Form: *Barthou;* niederländisch: *Bartout.*

Bartholomäus *(m)* aramäisch: Sohn des Tolmai; ökumenische Form: *Bartolomäus;* Nebenformen: *Borromäus, Barthelmä;* Kurzformen: *Barthel, Bartsch, Mawe, Mees, Meus, Mies;* niederdeutsch: *Mew, Mewes;* englische Form: *Bartholomew;* französische Form: *Barthélemy;* italienisch:

Bartolommeo; Koseform: *Bartolo;* spanisch: *Bartolomé* und *Bartolo;* portugiesisch: *BartholomĔu;* ungarisch: *Bartosch.*

Persönlichkeit der Geschichte:

Bartholomäus, Zeitgenosse Jesu; Apostel; nur in den Apostelverzeichnissen des Neuen Testaments genannt; vermutlich identisch mit Nathanael

Bartholomea *(w)* die weibliche Form zu Bartholomäus.

Bartholomëu *(m)* portugiesische Form von Bartholomäus.

Persönlichkeit der Geschichte:

Bartholomëu Diaz, um 1450 bis 1500; portugiesischer Seefahrer; umsegelte als erster Europäer die afrikanische Südspitze.

Bartholomew *(m)* englische Form von Bartholomäus.

Barthou *(m)* französische Form von Barthold.

Bartolo *(m)* italienische Koseform und spanische Form von Bartholomäus.

Bartolomäus *(m)* ökumenische Form von Bartholomäus.

Bartolomé *(m)* spanische Form von Bartholomäus.

Bartolommeo *(m)* italienische Form von Bartholomäus.

Persönlichkeit der Geschichte:

Bartolommeo, Fra, 1472 bis 1517; italienischer Meister der Hochrenaissancemalerei.

Bartos *(m)* Nebenform zu Bartosch.

Bartosch *(m) Bartos,* ungarische Form von Bartholomäus.

Bartout *(m)* niederländische Form von Barthold.

Bartram *(m)* Nebenform zu Bertram.

Bartsch *(m)* Kurzform für Bartholomäus.

Baruch *(m)* hebräisch: gesegnet; entspricht dem lateinischen Benedikt.

Persönlichkeit der Geschichte:

Baruch, im Alten Testament Freund und Begleiter des Propheten Jeremia; schrieb dessen Prophetien nieder; Verfasser des alttestamentlichen Buches Baruch.

Basil *(m)* Kurzform für Basilius; auch englische Form für Basilius.

Basilea *(w)* die weibliche Form zu Basilius; Nebenform: *Basilia;* Weiterbildung: *Basilissa.*

Basilia *(w)* Nebenform zur Basilea.

Basilides *(m)* griechisch: *basileios* = königlich.

Basilissa *(w)* Weiterbildung von Basilea.

Basilius *(m)* griechisch: *basileios* = königlich; Kurzform: *Basil;* englische Form: *Basil;* rumänisch: *Vasile;* russisch: *Wassilij, Wasil.*

Persönlichkeit der Geschichte:

Basilius der Große, um 330 bis 379; einer der drei großen ökumenischen Theologen der Ostkirche; Vater des morgenländischen Mönchtums; seit 370 Erzbischof von Cäsarea; durch sein umfangreiches dogmatisches, asketisches, homiletisches und liturgisches Schrifttum einer der wichtigsten Kirchenlehrer.

Bast *(m)* Kurzform für Sebastian.

Bästel *(m)* Kurz- und Koseform für Sebastian.

Bastian *(m)* Kurzform für Sebastian; Nebenformen: *Bast, Bastle, Basch;* französische Form: *Bastien.*

Bastien *(m)* französische Form von Sebastian.

Bastienne *(w)* französische weibliche Form zur Kurzform Bastien.

Battist *(m)* Nebenform zu Baptist.

Baetze *(w)* Koseform für Beatrix.

Baudouin *(m)* französische Form von Balduin.

Persönlichkeit:

Baudouin I., geboren 1930; seit 1951 König der Belgier; heiratete 1960 Doña Fabiola de Mora y Aragón.

Baue *(m)* westfriesisch; Nebenformen: *Bauwe, Bauwen;* auch: *Bouw* und *Bouwe.*

Beata *(w)* die weibliche Form zu Beatus; Nebenform: *Beate;* Kurzform: *Bea;* italienische Form: *Beatrice;* französisch: *Béatrice* und *Béatrix.*

Beate *(w)* Nebenform zu Beata.

Beatrice *(w)* italienische Form von Beata.

Béatrice *(w)* französische Form von Beata.

Beatrix *(w)* Weiterbildung von Beata; lateinisch: die Beglückende; Nebenform und italienische Form: *Beatrice;* französisch: *Béatrix* und *Béatrice;* Kurz- und Koseformen: *Bea, Trix, Atke, Patze, Paitza, Paische, Baetze, Beke.*

Persönlichkeiten:

Beatrix von Burgund, 12. Jahrhundert; zweite Gattin Friedrich Barbarossas.

Beatrix Wilhelmina Armgard, geboren 1938; seit 1980 Königin der Niederlande; heiratete 1966 Claus von Amsberg.

Béatrix *(w)* französische Form von Beata oder Beatrix.

Beatus *(m)* lateinisch: *beatus* = glücklich; Kurzformen: *Beat, Bates;* schweizerisch: *Batt.*

Bechtel *(m)* Kurzform für Berchtold; Berthold.

Bechthold *(m)* Nebenform zu Berthold.

Bedřich *(m)* tschechische Form von Friedrich.

Persönlichkeit der Geschichte:

Bedřich Smetana, 1834 bis 1884; tschechischer Komponist; begründete die tschechische Nationalmusik.

Beeke *(w)* Nebenform zu Beke.

Beele *(w)* Koseform für Sibylle.

Bega *(w)* althochdeutsch: zu Bert-, *beraht* = glänzend; Nebenform: *Begga.*

Begonia *(w)* Vorname nach der Pflanze Begonie.

Beilgen *(w)* Koseform für Sibylle.

Beke *(w)* niederdeutsche Kurz- und Koseform für Beatrix, Berta und Elisabeth; Nebenform: *Beeke.*

Bela *(m)* nach dem ungarischen Béla.

Bela *(w)* Koseform für Berta, Sibylle.

Béla *(m)* ungarisccher Kurz- oder Koseform für Abel oder Adalbert.

Persönlichkeit der Geschichte:

Béla Bartók, 1881 bis 1945; ungarischer Komponist, Pianist und Volksliedforscher; Wegbereiter der neuen Musik.

Bele *(w)* Kurz- oder Koseform für Berta, Elisabeth, Gabriele, Sibylle.

Beleke *(w)* Koseform für Sibylle.

Beli *(w)* Koseform für Elisabeth.

Bélin *(m)* französische Bildung nach Benignus.

Belina *(w)* nach dem französischen Béline.

Belinda *(w)* englisch; ursprünglich germanisch *Betlindis* (?); Nebenform: *Belinde.*

Belinde *(w)* Nebenform zu Belinda und Berlind.

Béline *(w)* französische weibliche Form zu Bélin.

Bella *(w)* romanisch: die Schöne; Kurz- und Koseform für Arabella, Mirabella und andere auf -bella endende weibliche Vornamen; auch für Barbara und Elisabeth.

Belsazar *(m)* Nebenform zu Balthasar.

Belschazzar *(m)* hebräisch; die ökumenische Form für Balthasar.

Ben *(m)* hebräisch: *ben* = Sohn; Kurzform für Benjamin

Bendele *(m)* Koseform für Pantaleon.

Bendicht *(m)* schweizerische Nebenform zu Benedikt; Nebenform: *Benedicht.*

Bendikt *(m)* Nebenform zu Benedikt.

Bendine *(w)* Koseform für Bernharda.

Bene *(m)* Kurzform für Benedikt.

Benedetta *(w)* italienische Form von Benedikta.

Benedetto *(m)* italienische Form von Benedikt.

Benedicta *(w)* Nebenform zu Benedikta.

Benedictus *(m)* lateinisch: *benedictus,* gesegnet.

Persönlichkeit der Geschichte:

Benedictus Spinoza, 1632 bis 1677; niederländischer Philosoph aus portugiesisch-jüdischer Familie; Vertreter eines antidualistischen Monismus.

Benedikt *(m)* lateinisch: *Benedictus* = der Gesegnete; Nebenformen: *Benediktus, Bendicht, Bendikt, Bendix, Benedicht, Benzing;* Kurzformen: *Benz, Dix, Beni, Beneke, Bene;* englische Form: *Benedict;* Kurzform: *Bennet;* schwedisch: *Bengt;* französisch: *Benoît;* italienisch: *Benito;* tschechisch: *Beneš.*

Persönlichkeiten der Geschichte:

Benedikt von Nursia, um 480 bis um 547, Ordensgründer, Abt des Stammklosters Montecassino.

Benedikt XII., gestorben 1342; Reformpapst; war Zisterzienserabt von Fontfroide; erbaute den Avignoner Papstpalast.

Benedikt XV., 1854 bis 1922; seit 1914 Papst; bemühte sich während und nach dem Ersten Weltkrieg um Wiederherstellung des Friedens und Verständigung und leistete vielfache Hilfe den Notleidenden und Opfern des Kriegs; sein konkreter Friedensvorschlag 1917 blieb ohne Erfolg.

Benedikta *(w)* die weibliche Form von Benedikt; Nebenform: *Benedicta;* Abwandlung: *Bettina;* italienische Form: *Benedetta, Benita;* spanisch: *Benita.*

Beneke *(m)* niederdeutsche Kurzform für mit Bern- beginnende männliche Vornamen; auch für Benedikt.

Beneš *(m)* tschechische Form von Benedikt.

Bengt *(m)* schwedische Form von Benedikt; auch Kurzform für Bernhard.

Benigna *(w)* die weiblicke Form von Benignus; Kurzform: *Binke.*

Namensträgerin:

Benigna, 13. Jahrhundert; Zisterzienserin; Märtyrin.

Bénigne *(m)* französische Form von Benignus.

Benignus *(m)* lateinisch: *benignus* = gütig; französische Formen: *Bénigne, Bénin.*

Benito *(m)* italienische und spanische Form von Benedikt.

Persönlichkeit der Geschichte:

Benito Mussolini, 1883 bis 1945; italienischer Politiker; Begründer des Faschismus; als solcher der diktatorische italienische »Duce«; schuf mit Hitler 1936 »Achse Berlin-Rom«; 1943 abgesetzt; auf der Flucht erschossen.

Benjamin *(m)* hebräisch: *benjamin* = Sohn meiner Rechten (der Glücksseite); Kurzform: *Ben;* englische und französische Form: *Benjamin;* italienisch: *Benjamino;* bulgarische Kurzform: *Beno.*

Persönlichkeiten der Geschichte:

Benjamin; im Alten Testament der jüngste Sohn Jakobs.

Benjamin Britten, 1913 bis 1976; englischer Komponist (Opern, Konzerte, Chorwerke), Pianist und Dirigent.

Benjamin Franklin, 1706 bis 1790; amerikanischer Politiker und Schriftsteller, erfand als Naturforscher den Blitzableiter; beteiligt an der amerikanischen Unabhängigkeitserklärung.

Benjamino *(m)* italienische Form von Benjamin.
Persönlichkeit der Geschichte:
Benjamino Gigli, 1890 bis 1957; italienischer Opern- und Konzertsänger; lyrischer Tenor.
Bennet *(m)* englische Kurzform für Benedikt; Nebenform: *Bennett.*
Bennett *(m)* Nebenform zu Bennet.
Benno *(m)* Kurzform für Benedikt, Benjamin und Bernhard.
Benny *(m)* englische Kurz- und Koseform für Benjamin.
Persönlichkeit der Geschichte:
Benny Goodman, 1909 bis 1986; amerikanischer Klarinettist und Jazzmusiker.
Beno *(m)* Nebenform zu Benno; auch slawische Form von Benno; bugarische Kurzform für Benjamin.
Benz *(m)* Kurzform für Benedikt und Bernhard.
Benzing *(m)* Nebenform zu Benedikt.
Beowulf *(m)* angelsächsisch: Bienenwolf.
Beppa *(w)* Kurz- und Koseform für Josefine; italienisch für Giuseppina.
Beppe *(m)* Koseform für Josef; auch italienische Koseform für Giuseppe (Josef).
Beppi *(m)* Koseform für Josef.
Beppo *(m)* Koseform für Josef.
Berbe *(w)* Koseform für Barbara.
Berchthold *(m)* Nebenform zu Berthold.
Berchtold *(m)* Nebenform zu Berchthold (Berthold).
Berenike *(m)* mazedonisch-griechisch: Siegbringerin; entspricht dem weiblichen Vornamen Veronika; Nebenform: *Berenice.*
Berit *(w)* dänische und schwedische Nebenform zu Birgit.
Berlind *(w)* althochdeutsch: *bero* = Bär; *linta* = Lindenholzschild; Nebenform: *Belinde.*
Berna *(w)* Kurzform für mit Bern- beginnende weibliche Vornamen.
Bernadette *(w)* französische Verkleinerungsform für Bernarde und Bernhardine.
Persönlichkeit der Geschichte:
Bernadette Soubirous, 1844 bis 1879; erlebte 1858 in der Grotte von Massabielle 18 Marienerscheinungen, was Lourdes zum Wallfahrtsort machte; seit 1866 war sie Caritasschwester in Nevers.
Bernald *(m)* Nebenform zu Bernold.
Bernalda *(w)* Nebenform zu Bernalde.
Bernalde *(w)* die weibliche Form von Bernald (Bernold); Nebenform: *Bernalda* und *Bernolde.*
Bernard *(m)* englische und französische Form von Bernhard.
Bernarda *(w)* romanische Form von Bernharda; Nebenform: *Bernarde.*
Bernarde *(w)* Nebenform zu Bernarda.
Bernardin *(m)* Nebenform zu Bernhardin; latinisiert: *Bernardinus.*
Bernardina *(w)* romanische, niederländische und schwedische Form von Bernhardine.
Bernardino *(m)* italienische Form von Bernhardin.
Bernardinus *(m)* lateinische Form von Bernardin.
Bernardo *(m)* italienische Form von Bernhard.
Persönlichkeit:
Bernardo Bertolucci, geboren 1941; italienischer Filmregisseur und Schriftsteller.
Bernd *(m)* Kurz- und Koseform für Bernhard; Nebenform: *Bernt.*
Bernetta *(m)* Nebenform für mit Bern- beginnende weibliche Vornamen; Nebenform: *Bernette.*
Bernette *(w)* Nebenform zu Bernetta.
Bernfried *(m)* althochdeutsch: *bero* = Bär; *fridu* = Friede.
Bernfriede *(w)* die weibliche Form zu Bernfried; Nebenform: *Bernfrieda.*

Berngard *(w)* althochdeutsch: *bero* = Bär; *gard* = Schutz.

Bernhard *(m)* althochdeutsch: *bero* = Bär; *harti* = hart, stark; Nebenform: *Bernhardt;* Weiterbildungen: *Bernhardin, Bernhardinus;* Kurzformen: *Berno, Benno, Beno, Bero, Bern, Bernd, Benz, Betz, Petz, Barnd;* englische und französische Form: *Bernard;* englische Koseform: *Bernie;* italienisch: *Bernardo, Bento.*

Persönlichkeiten der Geschichte:

Bernhard von Clairvaux, 1091 bis 1153, Kirchenlehrer und Gründer des Zisterzienserordens.

Bernhard Grzimek, 1909 bis 1987; deutscher Zoologe, Tierarzt und Forschungsreisender.

Bernhard Paumgartner, 1887 bis 1971; österreichischer Komponist und Dirigent; die Salzburger Festspiele gehen mit auf ihn zurück.

Bernhard Shaw, 1856 bis 1950, englischer Dramatiker und Nobelpreisträger (1925).

Bernhard Wicki, geboren 1919; österreichischeer Regisseur und Schauspieler der Bühne und des Films.

Bernharda *(w)* die weibliche Form zu Bernhard; Nebenform: *Bernharde;* Weiterbildung: *Bernhardine;* Kurz- und Koseformen: *Bernadette, Berna, Bernie, Bendine, Dina, Dinah;* französische Form: *Bernadette.*

Bernharde *(w)* Nebenform zu Bernharda.

Bernhardin *(m)* Weiterbildung von Bernhard; Nebenformen: *Bernhardinus, Bernardin, Bernardinus;* französische Form: *Bernardin;* italienisch: *Bernardino.*

Bernhardt *(m)* Nebenform zu Bernhard.

Bernhelm *(m)* althochdeutsch: *bero* = Bär; *helm* = Helm, Schutz.

Bernhild *(w)* althochdeutsch: *bero* = Bär; *hiltja* = Kampf; Nebenform: *Bernhilde.*

Bernhilde *(w)* Nebenform zu Bernhild.

Bernhold, *(m)* Nebenform zu Bernold.

Berni *(w)* Kurz- und Koseform für Bernharda und für andere mit Bern- beginnende weibliche Vornamen.

Bernie *(m)* englische Koseform für Bernhard.

Berno *(m)* Kurzform für Bernhard.

Bernolde *(w)* die weibliche Form zu Bernold; Nebenform von Bernalde.

Bernt *(m)* Nebenform zu Bernd.

Bernulf *(m)* althochdeutsch: *bero* = Bär; *wulf* = Wolf.

Bernward *(m)* althochdeutsch: *bero* = Bär; *wart* = schützen, hüten.

Bero *(m)* althochdeutsch: *bero* = Bär; Kurzform für mit Bern- beginnende männliche Vornamen; so für Bernhard.

Berold *(m)* althochdeeutsch: *bero* = Bär; *waltan* = walten, gebieten.

Bert *(m)* Kurzform für Adalbert und Albert; allgemein fürt mit Bert- beginnende oder auf -bert endende männliche Vornamen.

Berta *(w)* althochdeutsch: *beraht* = glänzend; Nebenformen: *Bertha, Berte;* Weiterbildungen: *Berthild, Bertrada;* auch Kurzform für Alberta; Koseformen: *Bertel, Bertl, Bertli, Betti, Bete, Bela;* englische Form: *Bertha;* französisch: *Berthe.*

Persönlichkeiten der Geschichte:

Berta von Bingen, 8. Jahrhundert; Mutter Ruperts von Bingen.

Berta von Suttner, 1843 bis 1914; österreichische pazifistische Schriftstellerin und Friedensnobelpreisträgerin (1905 »Die Waffen nieder«).

Bertel *(w)* Koseform für Berta; auch Kurzform für mit Bert- beginnende oder auf -bert endende Vornamen

beiderlei Geschlechts; vor allen für Berthold und Albert.
Persönlichkeit der Geschichte:
Bertel Thorvaldsen, 1768 bis 1844; dänischer klassizistischer Bildhauer.

Bertes *(m)* Koseform für Hubert, Robert, Rupert.

Bertfried *(m)* althochdeutsch: *beraht* = glänzend; *fridu* = Friede.

Bertfriede *(w)* die weibliche Form von Bertfried.

Bertger *(w)* althochdeutsch: *beraht* = glänzend; *gar* = *ger* = Speer.

Bertheide *(w)* althochdeutsch: *beraht* = glänzend; Heidee Kurzform von Adelheid; Nebenform: *Bertheid.*

Berthild *(w)* althochdeutsch: *beraht* = glänzend; *hiltja* = Kampf; auch Weiterbildung von Berta; Nebenform: *Berthilde.*

Berthilde *(w)* Nebenform zu Berthild.

Berthold *(m)* althochdeutsch: *beraht* = glänzend; *waltan* = walten, gebieten; Nebenformen: *Bertold, Bertolt, Barthold, Bertwald, Bechthold;* Kurzformen: *Bert, Bertel, Berti, Berto.*

Bertholda *(w)* die weibliche Form von Berthold; Nebenformen: *Bertholde, Bertolda, Bertolde.*

Bertholde *(w)* Nebenform zu Bertholda.

Berti *(m)* Kurzform für Albert und Berthold; allgemein für mit Bert- beginnende oder auf -bert endende Vornamen.

Bertil *(m)* schwedische Form von Bertel; Kurzform für mit Bert- beginnende oder auf -bert endende männliche Vornamen; Nebenform: *Bertilo.*

Bertilo *(m)* Nebenform zu Bertil.

Bertin *(m)* Kurzform für Albertin, Albertinus; lateinisch: *Bertinus.*

Bertina *(w)* Kurzform für Albertina; auch Weiterbildung von Berta; Nebenform: *Bertine.*

Bertine *(w)* Nebenform zu Bertina.

Bertinus *(m)* lateinische Form von Bertin.

Bertlinde *(w)* althochdeutsch: *beraht* = glänzend; *lind* = sanft, mild; Nebenform: *Bertlindis.*

Bertlindis *(w)* Nebenform zu Bertlinde.

Berto *(m)* Kurzform für Berthold.

Bertold *(m)* Nebenform zu Berthold.

Bertolf *(m)* althochdeutsch: *beraht* = glänzend; *wulf* = Wolf; Nebenform: *Bertulf.*

Bertolt *(m)* Nebenform zu Berthold.
Persönlichkeit der Geschichte:
Bertolt (Bert) Brecht, 1898 bis 1956; deutscher gesellschaftskritischer Schriftsteller in Dramen und Lyrik; gründete mit seiner Frau Helene Weigel das »Berliner Ensemble«.

Bertrada *(w)* althochdeutsch: *beraht* = glänzend; *rat* = Rat, Ratgeber; Nebenformen: *Bertrade, Bertradis.*

Bertrade *(w)* Nebenform zu Bertrada.

Bertradis *(w)* Nebenform zu Bertrada.

Bertram *(m)* althochdeutsch: *beraht* = glänzend; *hraban* = Rabe; Nebenformen: *Bartram, Bertran;* französische und englische Form: *Bertrand;* italienisch: *Bertrando.*
Persönlichkeit der Geschichte:
Meister Bertram, um 1340 bis 1414, deutscher Maler und Bildschnitzer (Grabower Altar).

Bertrand *(m)* althochdeutsch: *beraht* = glänzend; *rant* = Schild; ist auch die englische und französische Form von Bertram.

Bertrando *(m)* italienische Form von Bertram und Bertrand.

Bertraude *(w)* althochdeutsch: *beraht* = glänzend; *trud* = Stärke; Nebenformen: *Bertrude, Bertraut.*

Bertrune *(w)* Nebenform zu Bertrun.

Bertulf *(m)* Nebenform zu Bertolf.

Bertwald *(m)* Nebenform zu Berthold.

Bertwin *(m)* althochdeutsch: *beraht* = glänzend; *wini* = Freund.

Beryl *(w)* englisch; nach dem Edelstein Beryll; deutsch auch: *Beryll.*

Beryll *(w)* Nebenform zu Beryl.

Bess *(w)* englische Kurz- und Koseform für Elisabeth; Nebenformen: *Bessie, Bessy, Betsy.*

Bessie *(w)* Kurzform für Elisabeth.

Bessy *(w)* Kurzform für Elisabeth.

Bethli *(w)* schweizerische Kurz- und Koseform für Elisabeth.

Betti *(w)* Kurz- und Koseform für Babette, Barbara, Berta und Elisa-beth; Nebenformen: *Betta, Bette, Betty;* Weiterbildungen: *Bettina, Bettine.*

Betti *(w)* Koseform für Elisabeth; Kurzform von Bettina.

Bettina *(w)* Abwandlung von Elisabeth; Kurzform: *Betti.*

Persönlichkeit der Geschichte:

Bettina von Arnim, 1785 bis 1859; deutsche Schriftstellerin; Gattin Achim von Arnims; Schwester Clemens Brentanos.

Bettine *(w)* Nebenform zu Bettina.

Betto *(m)* italienische Kurzform für Benedetto (Benedikt).

Betty *(m)* Nebenform zu Betti.

Biaggio *(m)* italienische Form von Blasius; auch: *Biagio und Biasio.*

Biagio *(m)* Nebenform zu Biaggio.

Bianca *(w)* italienische Form von Blanka; deutsche Form: *Bianka.*

Bianka *(w)* deutsche Form von Bianca (Blanka).

Biasio *(m)* italienische Form von Blasius.

Bibiana *(w)* Nebenform zu Viviane; auch *Bibiane;* französische Form: *Bibiane;* spanisch: *Bibiana.*

Bibiane *(w)* Nebenform und französische Form von Bibiana.

Bibieno *(m)* portugiesische Form von Vivianus.

Bilhild *(w)* althochdeutsch: *billi* = Schwert; *hiltja* = Kampf; Nebenformen: *Bilhilde, Bilhildis.*

Persönlichkeit der Geschichte:

Bilhild, 8. Jahrhundert; gestorben um 734; Herzogin von Thüringen; gründete das Frauenkloster Altmünster bei Mainz.

Bili *(m)* englische Kurzform für William (Wilhelm).

Bilibald *(m)* Nebenform zu Billibald.

Bilka *(w)* Koseform für Sibylle.

Bilke *(w)* niederdeutsche Koseform für Sibylle.

Bill *(m)* englische Kurz- und Koseform für William (Wilhelm); Nebenformen: *Bili, Billy.*

Billfried *(w)* althochdeutsch: *billi* = Schwert; *fridu* = Friede.

Billhard *(m)* althochdeutsch: *billi* = Schwert; *harti* = hart, stark.

Billibald *(m)* althochdeutsch: *billi* = Schwert; *baldo* = kühn; Nebenform: *Bilibald.*

Billo *(m)* Kurzform für mit Bill- beginnende männliche Vornamen.

Billy *(m)* englische Kurzform für William (Wilhelm).

Persönlichkeit:

Billy Wilder, geboren 1906; österreichisch-amerikanischer Filmregisseur und Drehbuchautor.

Bine *(w)* Kurzform für Sabine, Jakobine und andere auf -bine endende weibliche Vornamen, auch für Philippine; Nebenform: *Bina.*

Bineli *(w)* Kosename für Sabine.

Bionda *(w)* italienisch: die Blonde; Nebenformen: *Blonda, Blondina.*

Birga *(w)* Nebenform zu Birgit (Brigitte).

Birger *(m)* nordisch-schwedisch: Helfer, Schützer.

Birgit *(w)* nordische Form von Brigitte; auch *Birgitta.*

Birgitta *(w)* nordische Form von Brigitte.

Persönlichkeit der Geschichte:

Birgitta von Schweden, 1303 bis 1373,

eine der großen Mystikerinnen, gründete den Birgittenorden.

Birset *(w)* Kurz- und Koseform für Brigitte.

Birte *(w)* dänische Kurzform für Brigitte.

Bisch *(m)* Kurz- und Koseform für Baptist.

Bischle *(m)* Kurz- und Koseform für Baptist.

Biterolf *(m)* althochdeutsch: *bittar* = beißend; *wolf* = *wulf* = Wolf.

Bjarne *(m)* norwegische und norddeutsche Form von Björn.

Bjarni *(m)* isländische Form von Björn.

Björn *(m)* schwedisch: *björn* = Bär; norwegische und norddeutsche Form: *Bjarne;* dänisch: *Bjørn;* isländisch: *Bjarni;* schwedische Nebenform: *Björne.*

Bjørn *(m)* dänische Form von Björn.

Björne *(m)* schwedische Nebenform zu Björn.

Blaise *(m)* französische Form von Blasius.

Blanca *(w)* spanische Form von Blanka.

Blanche *(w)* französisch: die Weiße; Verkleinerungsform: *Blanchette.*

Blanchette *(w)* französische Verkleinerungsform von Blanche.

Blanda *(w)* lateinisch: *blanda* = die Freundliche oder Schmeichlerin (?); Weiterbildungen: *Blandina, Blandine.*

Blandina *(w)* Weiterbildung von Blanda; Nebenform: *Blandine.*

Blanka *(w)* mittelhochdeutsch: *blanc* = weiß(?); Nebenform: *Blanca;* so auch spanisch; italienische Form: *Bianca;* portugiesisch: *Branca;* französisch: *Blanche* und *Blanchette;* slawisch: *Branka.*

Blankard *(m)* althochdeutsch: kühnglänzend.

Blasi *(m)* Kurzform für Blasius.

Blasius *(m)* lateinisch; vielleicht aus griechisch: *basileios* = königlich; Kurz- und Koseformen: *Blase, Bläse, Blasi, Blas;* italienische Formen: *Biagio, Biaggio, Biasio.*

Blidhild *(w)* althochdeutsch: *blidi* = munter, froh; *hiltja* = Kampf; Nebenformen: *Blidhilde* und *Blidhildis.*

Blidhilde *(w)* Nebenform zu Blidhild.

Blidhildis *(w)* Nebenform zu Blidhild.

Blonda *(w)* Nebenform zu Bionda; Weiterbildung: *Blondina.*

Blondina *(w)* Weiterbildung von Blonda (Bionda).

Bo *(m)* dänisch und schwedisch; Bedeutung unsicher: der Seßhafte (?).

Bob *(m)* englische Koseform für Robert.

Bobby *(m)* englische Koseform für Robert.

Bobo *(m)* englische Koseform für Robert.

Bod *(m)* Kurzform für Adalbod.

Bodewald *(m)* althochdeutsch: *boto* = Bote; *waltan* = walten, gebieten.

Bodmar *(m)* Nebenform zu Bodomar.

Bodmer *(m)* Nebenform zu Bodomar.

Bodo *(m)* althochdeutsch: *boto* = Bote; Kurzform für mit Bodo- beginnende oder auf -bod endende männliche Vornamen; so für Adalbod; Nebenformen: *Botho, Boto.*

Bódog *(m)* ungarische Form von Felix.

Bodomar *(m)* althochdeutsch: *boto* = Bote; *mari* = berühmt; Nebenformen: *Bodmar, Bodmer* und *Botmar.*

Bodowin *(m)* althochdeutsch: *boto* = Bote; *wini* = Freund; Nebenformen: *Bodwin, Botwin.*

Bodwin *(m)* Nebenform zu Bodowin.

Bogdan *(m)* slawisch-russisch: *bog* = Gott; *dan* = Gabe: Gottesgeschenk; entspricht dem griechischen Theodor; Nebenform: *Bohdan;* Kurzform: *Dan.*

Bogdana *(w)* die weibliche Form zu Bogdan; Nebenform: *Bohdana;* Kurzform: *Dana;* Koseform: *Danja.*

Bogislaw *(m)* slawisch-russisch: *bog* = Gott; *slawa* = Ehre; entspricht dem deutschen Gottlob; Nebenform: *Boguslaw;* polnisch: *Bogusław.*

Bogoljubow *(m)* russisch für Gottlieb.

Bogumil *(m)* slawisch-russisch: *bog* = Gott; *milyi:* = angenehm, lieb; entspricht dem deutschen Gottlieb, dem griechischen Theophil und dem lateinischen Amadeus; tschechisch: *Bohumil;* Kurz- und Koseform: *Miloś.*

Boguslaw *(m)* Nebenform zu Bogislaw; tschechische Form: *Bohuslav;* polnisch: *Boguslaw.*

Bogusław *(m)* polnische Form von Boguslaw.

Bohdan *(m)* Nebenform zu Bogdan.

Bohdana *(w)* Nebenform zu Bogdana (Bogdan).

Bohn *(m)* Koseform für Urban.

Bohumil *(m)* tschechische Form von Bogumil.

Bohumila *(w)* tschechische weibliche Form zu Bohumil (Bogumil).

Bohumír *(m)* tschechisch für Gottfried.

Bohuslav *(m)* tschechische Form von Boguslaw.

Boi *(m)* Nebenform zu Boie.

Boie *(m)* norddeutsch: Knabe, Junge; Nebenformen: *Boi, Boje, Boy;* friesisch auch Kurzname für mit Bodo- und Botho- beginnende männliche Vornamen.

Bojan *(m)* slawisch: Barde.

Boje *(m)* Nebenform zu Boie.

Boldi *(m)* Koseform für Leopold.

Boldisár *(m)* ungarische Form von Balthasar.

Boleslaw *(m)* slawisch-russisch; *bolee* = mehr; *slawa* = Ruhm, Ehre; Kurzform: *Bolko;* polnische Form: *Bolesław.*

Bolesław *(m)* polnische Form von Boleslaw.

Bolko *(m)* Kurzform für Boleslaw.

Bona *(w)* lateinisch: *bona* = die Gute.

Bone *(m)* altdeutsch: *ban* = Bann; Nebenform: *Bonke;* auch Kurzform für Bonaventura und Bonifatius.

Boniface *(m)* französische Form von Bonifatius.

Bonifacius *(m)* lateinische Nebenform zu Bonifatius.

Bonifatia *(w)* die weibliche Form zu Bonifatius.

Bonifatius *(m)* lateinisch: *bonus* = gut; *fatum* = das Schicksal; oder: *facere* = tun: guten Geschicks oder Wohltäter; Nebenformen: *Bonifacius, Bonifaz;* Kurz- und Koseformen: *Bone, Bonus, Facius, Fetz, Fatzel;* französische Form: *Boniface.*

Persönlichkeit der Geschichte:

Bonifatius, eigentlich Winfried, 672/673 bis 754; angelsächsischer Benediktiner; von Papst Gregor II. mit der Missionierung der germanischen Länder beauftragt (»Apostel Deutschlands«), gründete er - 722 zum Bischof geweiht - deutsche Bistümer und schuf damit die kirchliche Organisation; 754 mit 52 Gefährten bei Dokkum gemartert.

Bonifaz *(m)* Nebenform zu Bonifatius.

Bonita *(w)* spanisch: die Hübsche.

Bopp *(m)* auch *Boppel,* Kurzformen für Baptist.

Boppel *(m)* Nebenform zur Bopp.

Borchard *(m)* Nebenform zu Burkhard.

Boris *(m)* slawisch; russisch und bulgarisch: Kämpfer; Kurzform für mit Bor- beginnende männliche Vornamen; so für Borislaw.
Persönlichkeiten der Geschichte:
Boris Blacher, 1903 bis 1975, deutscher Komponist.
Boris Godunow, um 1551 bis 1605; russischer Zar; trennte 1589 die russische Kirche unter dem Patriarchat Moskau von Konstantinopel.
Boris Pasternak, 1890 bis 1960; russischer Schriftsteller symbolistischer Prosa; auch bedeutender Lyriker.

Borislaw *(m)* slawisch: *boru* = Kampf; *slawa* = Ruhm; Kurzform: *Boris.*

Bork *(m)* niederdeutsche Kurzform für Burkhard.

Borkard *(m)* Nebenform zu Burkhard.

Borries *(m)* Nebenform zu Börries.

Börries *(m)* Kurzform für Liborius; Nebenformen: *Borries, Borris, Bors, Börre.*

Borris *(m)* Nebenform zu Börries.

Borromäus *(m)* gebildet nach dem Familiennamen der Borromäer; auch Nebenform zu Bartholomäus; italienische Form: *Borromeo.*

Borromeo *(m)* italienische Form von Borromäus.

Bosco *(m)* Kurzform für Burkhard.

Boßhard *(m)* althochdeutsch: *bos* = eitel; *harti* = hart, stark.

Bothild *(w)* Nebenform zu Bothilde.

Bothilde *(w)* althochdeutsch: *bot* = Bote, Gebieter oder *badu* = Kampf; *hiltja* = Kampf; Nebenformen: *Bothild, Botilda.*

Botho *(m)* Nebenform zu Bodo.

Botilda *(w)* Nebenform zu Bothild.

Botmar *(m)* Nebenform zu Bodomar.

Boto *(m)* Nebenform zu Bodo.

Botwin *(m)* Nebenform zu Bodowin.

Bouw *(m)* *Bouwe,* Nebenformen zu Baue.

Boy *(m)* Nebenform zu Boie.

Branca *(w)* portugiesische Form von Blanka.

Brand *(m)* Kurzform für mit Brand- beginnende oder auf -brand endigende männliche Vornamen.

Branda *(w)* die weibliche Form zu Brand; Nebenform: *Brenda.*

Brandolf *(m)* althochdeutsch: *brant* = Waffe; *wolf* = *wulf* = Wolf; Nebenform: *Brandulf.*

Brandulf *(m)* Nebenform zu Brandolf.

Branislaw *(m)* slawisch: *brani* = schützen; *slawa* = Ehre, Ruhm; Kurz- und Koseform: *Branko.*

Branka *(w)* slawische Form von Blanka; die weibliche Form zu Branko; portugiesische Form: *Branca.*

Branko *(m)* slawische Kurzform für mit Brani- beginnende männliche Vornamen, so für Branislaw.

Braun *(m)* Nebenform zu Bruno.

Brecht *(m)* Kurzform für Albrecht und sonstige auf -brecht oder -bert endende männliche Vornamen.

Breite *(w)* Kurzform für Brigitte.

Brenda *(w)* englische Form von Branda.

Brendan *(m)* irisch-englisch; Bedeutung fraglich.

Brian *(m)* keltisch-englisch: *bryn* = Hügel; Nebenformen: *Brior, Briunal.*

Brichtilo *(m)* Koseform für Berthold.

Brictius *(m)* keltisch (?), latinisiert; Nebenform: *Briccius;* Koseform: *Brix;* französische Form: *Brice;* englisch: *Bruce.*

Brigga *(w)* Kurz- und Koseform für Brigitte.

Brigge *(w)* Kurz- und Koseform für Brigitte.

Brigida *(w)* lateinische Form von Brigitte; Nebenform: *Brigide.*

Brigide *(w)* Nebenform zu Brigida.

Brigit *(w)* altirische Form von Brigitte.

Brigitta *(w)* Nebenform zu Brigitte.

Brigitte *(w)* keltisch; altirisch: *Brigit:* die Erhabene; Nebenformen: latinisiert: *Brigida; Brigide, Brigitta, Birgitta, Birgida;* Kurz- und Koseformen: *Briget, Brigel, Brid, Brida, Briddy, Bride, Bridly, Breite, Britta, Birga, Birte, Briga, Brigga, Brigge, Briget, Gita, Gitte;* englische Form: *Bridget;* schwedisch: *Brita;* französisch: *Brigitte.*

Persönlichkeiten:

Brigitte Bardot, geboren 1934; französische Filmschauspielerin.

Brigitte Horney, 1911 bis 1988 deutsche Bühnen-, Film- und Fernsehschauspielerin.

Bringfried *(m)* modische Neubildung.

Bringfriede *(w)* die weibliche Form zu Bringfried.

Brior *(m)* Nebenform zu Brian.

Brit *(w)* Nebenform zu Brita.

Brita *(w)* schwedische Form von Brigitte; Nebenform: *Brit.*

Britt *(w)* Nebenform zu Britta.

Britta *(w)* Kurzform für Brigitte.

Britto *(m)* Herkunft und Bedeutung fraglich.

Persönlichkeit der Geschichte:

Britto, gestorben 385/386; seit 374 Bischof von Trier.

Briunal *(m)* Nebenform zu Brian.

Broder *(m)* nordisch: Bruder; Koseform: *Bror.*

Bronislaw *(m)* slawisch: *bronja* = Panzer; *slawa* = Ruhm, Ehre.

Bronislawa *(w)* die weibliche Form zu Bronislaw.

Bruce *(m)* nach anglonormannischem Geschlecht.

Brun *(m)* althochdeutsch: *brun* = braun; Kurzform für mit Brun- beginnende männliche Vornamen.

Bruna *(w)* Kurz- und Koseform für Brunhild.

Brunhard *(m)* althochdeutsch: *brun* = braun; *harti* = hart, stark.

Brunhild *(w)* althochdeutsch: *brunni* = Brünne, Panzer; *hiltja* = Kampf; Nebenformen: *Brunhilde, Brünhild, Brünhilde;* Kurzformen: *Bruna, Bruni, Brünne;* friesische Koseform: *Bruntje.*

Brünhild *(w)* Nebenform zu Brunhild.

Brunhilde *(w)* Nebenform zu Brunhild.

Brünhilde *(w)* Nebenform zu Brunhild.

Bruni *(w)* Kurz- und Koseform für Brunhild.

Brünne *(w)* Kurzform für Brunhild.

Bruno *(m)* althochdeutsch: *brun* = braun oder Bär; Nebenform: *Braun;* Kurzform: *Brun.*

Persönlichkeit der Geschichte:

Bruno, Erzbischof von Köln und Herzog von Lothringen, 925 bis 985, engagierte sich für Klosterreformen.

Bruno Frank, 1887 bis 1945, deutscher Schriftsteller.

Bruno Giordano, 1548 bis 1600, italienischer Philosoph, wurde von der Inquisition verbrannt.

Bruno Walter, 1876 bis 1962, deutscher Dirigent.

Brunold *(m)* althochdeutsch: *brun* = braun oder Bär; *waltan* = walten.

Bruntje *(w)* friesische Koseform für Brunhild.

Brutus *(m)* lateinisch: schwerfällig, stumpfsinnig.

Buck *(m)* Kurzform für Burkhard.

Bugg *(m)* Kurzform für Burkhard.

Buggo *(m)* Kurzform für Burkhard.

Buko *(m)* Kurzform für Burkhard.

Burchard *(m)* Nebenform zu Burkhard.

Burga *(w)* Nebenform zu Burgel.

Burgard *(m)* Nebenform zu Burkhard.

Bürge *(m)* Kurzform für Burkhard.

Burgel *(w)* süddeutsche Kurz- und Koseform für mit Burg- beginnende oder auf -burg(a) endende weibliche Vornamen; Nebenformen: *Burga, Burge, Burgl.*

Burghard *(m)* Nebenform zu Burkhard.

Burghild *(w)* althochdeutsch: *burg* = Schutz; *hiltja* = Kampf; Nebenform: *Burghilde.*

Burghilde *(w)* Nebenform zu Burghild.

Burgit *(w)* neuere Bildung.

Burgl *(w)* Nebenform zu Burgel.

Burgunde *(w)* althochdeutsch: *burg* = Schutz; *gund* = Kampf.

Burk *(m)* Kurzform für Burkhard.

Bürk *(m)* Kurzform für Burkhard.

Burkart *(m)* Nebenform zu Burkhard.

Burkert *(m)* Nebenform zu Burkhard.

Burkhard *(m)* althochdeutsch: *burg* = Burg, Schutz; *harti* = hart, stark; Nebenformen: *Burchard, Borchard, Borchert, Borghard, Burgard, Burghard, Burkart, Burkhart, Burkert;* Kurz- und Koseformen: *Birk, Birkli, Bork, Borkard, Boso, Bosse, Burk, Bürk, Bürge, Buck, Bugg, Buggo, Buko, Bury, Busse, Busso, Butz.*

Burkhart *(m)* Nebenform zu Burkhard.

Burt *(m)* Kurzform für Burkhard.

Persönlichkeit:

Burt Lancaster, 1913 bis 1994; amerikanischer Filmschauspieler.

Busse *(m)* süddeutsche Kurzform für Burkhard.

Busso *(m)* süddeutsche Kurzform für Burkhard.

Buster *(m)* amerikanisch.

Persönlichkeit der Geschichte:

Buster Keaton, 1895 bis 1966; amerikanischer Filmschauspieler und Regisseur; Komiker des Stummfilms.

Butz *(m)* Kurz- und Koseform für Burkhard.

Cäcilia *(w)* die weibliche Form zu Cäcilius; Nebenformen: *Cäcilie, Cecilie, Zäzilie;* Kurz- und Koseformen: *Celia, Cilia, Cilli, Cilly, Zilla, Zilli, Zilly, Zilge, Zillchen, Silja;* französische Form: *Cécile;* englisch: *Cecily, Cicely;* Koseform: *Ciss;* irische Kurzform: *Sile.*

Persönlichkeit der Geschichte:

Cäcilie, Schutzheilige der Musik (3. Jahrhundert).

Cäcilius *(m)* lateinisch: nach der altrömischen Familie der Cäcilier.

Caius *(m)* lateinisch; Nebenform zu Gajus; auch *Cajus.*

Caja *(w)* dänische und schwedische Form von Kai.

Calixtus *(m)* lateinische Form von Kallistus.

Calla *(w)* schwedische Kurzform für Karolina.

Calliste *(m)* französische Form von Kallistus.

Calvin *(m)* nach dem Familiennamen des schweizerischen Reformators.

Camill *(m)* Kurzform für Camillus.

Camilla *(w)* die weibliche Form zu Camillus.

Camille *(m)* französische Form von Camillus.

Persönlichkeit:

Camille Saint-Saens, 1835 bis 1921, französischer Komponist.

Camillo *(m)* italienische Form von Camillus; Nebenform: *Kamillo.*

Camillus *(m)* lateinisch: ehrbar; Nebenform: *Kamillus;* Kurzformen: *Camill, Kamill;* französische Form: *Camille;* italienisch: *Camillo.*

Candid *(m)* gekürzte Nebenform zu Candidus.

Candida *(w)* die weibliche Form zu Candidus; Nebenform: *Kandida;* englische Koseformen: *Candie, Candy.*

Candide *(m)* französische Form von Candidus.

Candie *(w)* englische Koseform für Candida.

Candy *(w)* englische Koseform für Candida.

Canice *(m)* irische Form von Kenneth.

Cara *(w)* lateinisch: *cara* = wert, geschätzt; Nebenform: *Kara.*

Carda *(w)* Kurzform für Richarda.

Carel *(m)* tschechische Form von Karl.

Caren *(w)* schwedische Nebenform zu Karin; auch: *Karen.*

Cariberto *(m)* italienische Form von Herbert.

Carin *(w)* Nebenform zu Karin.

Carina *(w)* italienische Nebenform zu Caterina (Katharina); Nebenformen: *Carine, Karina, Karine.*

Carine *(w)* Nebenform zu Carina.

Carisma *(w)* Nebenform zu Carissima.

Carissima *(w)* lateinisch: Liebste; Nebenformen: *Carisma, Charisma.*

Caritas *(w)* lateinisch: *caritas* = die Liebe (als Nächstenliebe); Nebenform: *Charitas.*

Carl *(m)* Nebenform zu Karl.

Persönlichkeiten der Geschichte:

Carl XVI. Gustav, geboren 1946; seit 1973 König von Schweden.

Carl Bechstein, 1826 bis 1900; deutscher Klavierbauer.

Carl Friedrich Benz, 1884 bis 1929; deutscher Ingenieur; Erbauer des ersten Kraftwagens.

Carl Bosch, 1874 bis 1940; deutscher Chemiker.

Carl Friedrich Gauß, 1777 bis 1855; deutscher Mathematiker; schuf Grundlagen der modernen Mathematik.

Carl Hagenbeck, 1844 bis 1913; deutscher Tierhändler; gründete Zirkus Hagenbeck und 1907 Hamburger Tierpark.

Carl Orff, 1895 bis 1982; deutscher Komponist; Schöpfer des Orffschen Schulwerkes.

Carl von Ossietzky, 1889 bis 1938; deutscher pazifistischer Publizist; Gegner des Nationalsozialismus; kam 1933 in Haft; starb an den Folgen von Mißhandlungen.

Carl Spitzweg, 1808 bis 1885; deutscher Zeichner und Maler des Biedermeier.

Carl Maria von Weber, 1786 bis 1826; deutscher Komponist; Wegbereiter der romantischen Oper.

Carl Friedrich von Weizsäcker, geboren 1912; deutscher Physiker (Kern- und Astrophysik) und Philosoph.

Carl Zeiss, 1816 bis 1888; deutscher Mechaniker; gründete in Jena feinmechanisch-optische Werkstätte für Präzisionsinstrumente.

Carl Zuckmayer, 1896 bis 1977; deutscher expressionistisch-realistischer Dramatiker zeitgenössischer Problematik, Essayist und Lyriker.

Carla *(w)* die weibliche Form zu Carl; lateinische Schreibweise von Karla.

Carlo *(m)* italienische Form von Karl.

Persönlichkeit der Geschichte:

Carlo Schmid, 1896 bis 1979; deutscher sozialdemokratischer Politiker; maßgeblich am Grundgesetz der Bundesrepublik Deutschland beteiligt.

Carlos *(m)* spanische, portugiesische und niederländische Form von Karl.

Carlota *(w)* spanische und portugiesische Form von Charlotte.

Carlotta *(w)* italienische Form von Charlotte.

Carmela *(w)* spanische Nebenform zu Carmen.

Carmelia *(w)* Weiterbildung des spanischen Carmen.

Carmen *(w)* spanisch; Bildung aus dem Fest Maria vom Berg Carmel in Palästina (16. Juli); Nebenformen: *Carmela, Carmelia.*

Carmina *(w)* Weiterbildung von Carmen; Nebenform: *Carmine.*

Carmine *(w)* Nebenform zu Carmina.

Carol *(m)* rumänische Form von Karl.

Carola *(w)* erweiterte Form von Carla; Nebenformen: *Carole, Karola;* Weiterbildungen: *Carolin, Carolina, Caroline;* italienische Form: *Carlotta;* spanisch und portugiesisch: *Carlota;* französisch und englisch: *Charlotte;* niederdeutsch: *Charlot;* englische Koseformen: *Carrie, Carry.*

Carole *(w)* Nebenform zu Carola.

Carolin *(w)* Weiterbildung von Carola.

Carolina *(w)* Weiterbildung von Carola.

Caroline *(w)* Weiterbildung von Carola.

Carolus *(m)* lateinische Form von Karl.

Carrie *(w)* englische Kurz- und Koseform für Carola und Caroline.

Carry *(w)* englische Kurz- und Koseform für Carola und Caroline.

Carsta *(w)* niederdeutsche Form von Christa; Nebenform: *Karsta.*

Carsten *(m)* niederdeutsche Form von Christian; Nebenform: *Karsten.*

Cäsar *(m)* gebildet nach dem altrömischen Geschlecht der Cäsarianer; Nebenform: *Caesar;* Weiterbildung: *Cäsarius;* italienische Form: *Cesare, Cesario;* französisch: *César,* englisch: *Cesar.*

Persönlichkeit der Geschichte:

Cäsar, Gajus Julius, 100 bis 44 v. Chr. (ermordet); römischer Politiker und Feldherr; eroberte Gallien; besiegte die Helvetier und drang nach Britannien vor.

Cäsarius *(m)* lateinische Weiterbildung von Cäsar.

Casimir *(m)* Nebenform zu Kasimir.

Caspar *(m)* Nebenform zu Kaspar.

Cassandra *(w)* Nebenform zu Kassandra.
Cassian *(m)* lateinische Weiterbildung von Cassius.
Cassius *(m)* lateinisch: *cassus* = arm, beraubt; altrömischer Geschlechtername.
Catalina *(w)* spanische Form von Katharina.
Catarina *(w)* Nebenform zu Katharina.
Caterina *(w)* italienische Form von Katharina.
Persönlichkeit:
Caterina Valente, geboren 1931; deutsche Filmschauspielerin, Schlager- und Jazzsängerin italienisch-spanischer Herkunft.
Catharina *(w)* Nebenform und lateinische wie portugiesische Form von Katharina.
Catherine *(w)* englische Form von Katharina.
Cathérine *(w)* französische Form von Katharina.
Cathia *(w)* romanische Form von Käthe.
Cathlin *(w)* irische Form von Katharina; Nebenform: *Kathleen.*
Cathrin *(w)* Kurzform für Katharina.
Catia *(w)* romanische Form von Käthe.
Catiana *(w)* romanische Form von Käthe.
Cato *(m)* lateinisch: *cato* = schlau; Beiname eines altrömischen Geschlechts; Nebenform: *Kato.*
Cecco *(m)* italienische Koseform für Francesco (Franz).
Cecil *(m)* englische Form von Cäcilius.
Cécile *(w)* französische Form von Cäcilia.
Cecilia *(w)* Nebenform zu Cäcilia.
Cecilie *(w)* Nebenform zu Cäcilia.
Cecily *(w)* englische Form von Cäcilia.
Cedric *(m)* englisch; altenglisch: *Cerdic.*
Célestin *(m)* französische Form von Cölestin.
Celestina *(w)* italienische Form von Cölestine.
Celestine *(m)* englische Form von Cölestin.
Célestine *(w)* französische Form von Cölestine.
Celestino *(m)* italienische und spanische Form von Cölestin.
Celia *(w)* Kurzform für Cäcilia.
Celina *(w)* Kurzform für Marceline.
Celine *(w)* Kurzform für Marceline; Nebenformen: *Celina, Cellina;* französische Form: *Céline;* englisch: *Celina; Selina.*
Céline *(w)* französische Form von Marceline.
Celio *(m)* italienische Kurzform für Cölestin.
Cella *(w)* Kurzform für Marceline.
Celsus *(m)* lateinisch: aufgerichtet.
Centa *(w)* Kurzform für Vincentia; Nebenform: *Zenta.*
Cephas *(m)* Nebenform (Vulgata) zu Kephas.
Cerdic *(m)* altenglische Form von Cedric.
Cesar *(m)* englische Form von Cäsar.
Cesario *(m)* italienische Form von Cäsar.
Ceslaus *(m)* Kurzform für Wenzeslaus.
Chaim *(m)* neuhebräisch: *chaim* = Leben.
Persönlichkeit der Geschichte:
Chaim Weizmann, 1874 bis 1952; israelischer Politiker; Hauptverteter des Zionismus; er war der erste Präsident Israels.
Chantal *(w)* französisch: die »Singende«; nach dem Familiennamen der heiligen Johanna Franziska von Chantal.
Charis *(w)* griechisch: *charis* = Anmut.

Charisma *(w)* Nebenform zu Carissima.

Charitas *(w)* Nebenform zu Caritas.

Charles *(m)* französische und englische Form von Karl; englische Koseformen: *Charley, Charlie, Charly.*

Persönlichkeiten der Geschichte:

Charles Aznavour, geboren 1924; französischer Komponist, Schauspieler und Chansonsänger.

Charles Robert Darwin, 1809 bis 1882; englischer Naturforscher; begründete die Abstammungslehre (Darwinismus).

Charles Dickens, 1812 bis 1870; englischer Schriftsteller; bedeutender Erzähler und Schöpfer des sozialen Romans.

Charles de Gaulle, 1890 bis 1970; französischer General und Politiker; erster Präsident der 5. Republik; fand zur deutsch-französischen Verständigungspolitik.

Charles Gounod, 1818 bis 1893; französischer Komponist, weltlicher und Kirchenmusik.

Charles Lindbergh, 1902 bis 1974; amerikanischer Flieger; flog 1927 als erster allein von New York nach Paris.

Charles de Montesquiwu, 1689 bis 1755, französischer Philosoph.

Charley *(m)* engl. Koseform für Charles (Karl).

Charlie *(m)* englische Koseform für Charles (Karl).

Persönlichkeit der Geschichte:

Charlie Chaplin, 1889 bis 1977; englisch-amerikanischer Filmschauspieler und -regisseur; Tragikomiker der Stummfilmzeit.

Charlotte *(w)* französische weibliche Form als Weiterbildung aus Charles (Karl); Koseformen: *Lola, Lolo, Lotte;* italienische Form: *Carlotta;* spanisch: *Carlota.*

Charly *(m)* englische Koseform für Charles (Karl); Nebenform: *Charley.*

Che *(m)* spanisch-argeentinisch: bedeutet He!, Hallo!, Hör mal!; als Beiname E. Guevaras zum Vornamen in Argentinien entwickelt.

Chiara *(w)* italienische Form von Klara; Koseform: *Chiarella.*

Chiarella *(w)* italienische Koseform für Klara.

Chilia *(w)* Nebenform zu Chilja.

Chilja *(w)* russische Koseform für Rachil; Nebenform: *Chilia.*

Chlodwig *(m)* altfränkisch: *Chlodovech;* entspricht Ludwig; Nebenform: *Klodwig.*

Persönlichkeit der Geschichte:

Chlodwig I., 466 bis 511; König der Merowinger; Gründer des Fränkischen Reichs; Sieger über Römer, Alemannen und Westgoten; wurde Christ.

Chloe *(w)* griechisch: *chloe* = junges Grün, junger Schoß; Weiterbildungen: *Chloris, Chlorinde.*

Chlorinde *(w)* Weiterbildung von Chloe und Chloris; Nebenform: *Klorinde.*

Chloris *(w)* Weiterbildung von Chloe.

Chlothilde *(w)* altdeutsche Form von Klothilde.

Chrestien *(m)* französische Form von Christian.

Chrétien *(m)* französische Form von Christian.

Persönlichkeit der Geschichte:

Chrétien de Troyes, um 1135 bis 1190, altfranzösischer Dichter, Vertreter des höfischen Versepos.

Chriemhild *(w)* altdeutsche Form von Kriemhild.

Chris *(m)* Kurz- und Koseform für Christian und Christoph; Nebenform: *Chrissy.*

Christa *(w)* Kurzform für Christiane.

Persönlichkeiten:

Christa Ludwig, geboren 1928, deutsche Opern- und Konzertsängerin.

Christa Reinig, geboren 1926, deutsche Schriftstellerin und Lyrikerin.
Christa Wolf, geboren 1929, deutsche Schriftstellerin.

Christamaria *(w)* Doppelname aus Christa und Maria.

Christel *(m)* Kurzform für Christian.

Christel *(w)* Kurzform für Christiane.

Christfried *(m)* pietistische Neubildung.

Christhild *(w)* Neubildung aus Christ; althochdeutsch: *hiltja* = Kampf.

Christian *(m)* griechisch-lateinisch: *christianos* = *christianus* = Christusanhänger; Nebenform: *Christinus;* niederdeutsche Formen: *Krischan, Carsten, Karsten, Kersten;* Kurz- und Koseformen: *Chris, Christ, Christel, Christl;* englische Form: *Christian;* Koseformen: *Chrissie, Chriss, Kit;* schwedische Form: *Kristian;* dänisch: *Christiern;* französisch: *Chrestien, Chrétien.*

Persönlichkeiten der Geschichte:
Christian Barnard, geboren 1922; südafrikanischer Chirurg; führte 1967 erste Herztransplantation durch.
Christian Doppler, 1803 bis 1853; österreichischer Physiker; Entdecker des nach ihm benannten Doppler-Effekts.
Christian Morgenstern, 1871 bis 1914; deutscher Lyriker, Dramaturg und Übersetzer.

Christiane *(w)* die weibliche Form zu Christian; Nebenformen: *Christiana, Kristiane, Christina, Christine;* Kurz- und Koseformen: *Christa, Christel, Christl, Tiana, Tina, Tine, Dina, Dine, Stina, Stine, Nane, Nina;* skandinavische Formen: *Kristina, Kristine, Kristin;* niederdeutsch und schwedisch: *Kerstin.*

Persönlichkeit der Geschichte:
Christiane Vulpius, 1765 bis 1816, Goethes Frau.

Christiern *(m)* dänische Form von Christian.

Christina *(w)* Nebenform zu Christiane.

Christine *(w)* Nebenform zu Christiane; auch *Christina, Kristina;* niederdeutsche Form: *Karstine;* Kurzformen: wie bei Christiane; niederländische Form: *Karstjen;* französische Kurzform: *Titine.*

Persönlichkeit der Geschichte:
Christine, Königin von Schweden, 1626 bis 1689, Tochter von Gustav II. Adolf, förderte die Wissenschaften, vor allem die Philosophie (Descartes).

Christinus *(m)* lateinische Nebenform zu Christian.

Christl *(m)* Kurzform für Christian.

Christl *(w)* Kurzform für Christiane.

Christlieb *(w)* Neubildung des Pietismus.

Christmar *(m)* Neubildung aus: Christ; althochdeutsch: *mari,* berühmt.

Christo *(m)* Kurzform für Christoph.

Christoph *(m)* griechisch: *Christophoros* = Christusträger; lateinisch: *Christophorus;* Nebenform: *Christopher;* Kurz- und Koseformen: *Christ, Chris, Stoffel, Stöffel, Stoffer, Toff, Toffel, Töffel;* französische Form: *Christophe;* englisch: *Christopher;* spanisch: *Cristóbal;* finnische Koseform: *Risto.*

Persönlichkeiten der Geschichte:
Christoph Kolumbus, um 1451 bis 1506; italienischer Seefahrer in spanischem Dienst; gilt als Entdecker Amerikas, das aber um 1000 wohl schon die Wikinger erreichten.
Christoph Willibald Gluck, 1714 bis 1787, Erneuerer der Oper.
Christoph Martin Wieland, 1733 bis 1813, deutscher Dichter der Aufklärung.

Christophe *(m)* französische Form von Christoph.

Christopher *(m)* englische Form von Christoph; auch deutsche Nebenform.

Christophorus *(m)* lateinische Form von Christoph.

Persönlichkeit der Geschichte:
Christophorus, gestorben um 250; legendärer Märtyrer; einer der 14 Nothelfer.

Chrodegang *(m)* althochdeutsch: *hrod* = Ruhm; *gang* = (Waffen-)gang.

Chrysant *(m)* Nebenform zu Chrysanth.

Chrysanth *(m)* griechisch: *chrysos* = Gold; *anthos* = Blume, Blüte; Nebenformen: *Chrysant, Chrysanthus.*

Chrysanthus *(m)* Nebenform zu Chrysanth.

Chrysostomus *(m)* griechisch: *chrysos* = Gold; *stoma* = Mund; entspricht dem deutschen Goldmund.

Chuniald *(m)* Nebenform zu Kuniald.

Cibilla *(w)* Nebenform zu Sibylle.

Cicely *(w)* englische Form von Cäcilia

Cicero *(m)* wohl etruskischer Herkunft.
Persönlichkeit der Geschichte:
Cicero, Marcus Tullius, 106 bis 43 v. Chr.; bedeutender römischer Politiker, Redner, Schriftsteller und Philosoph.

Cinderella *(w)* französisch und englisch: Aschenputtel; englische Kurzform: *Cindy.*

Cindy *(w)* englische Kurzform für Cinderella.

Cintia *(w)* ungarische Form von Cynthia.

Cissy *(w)* englische Kurzform für Cäcilia und Franziska.

Claas *(m)* Nebenform zu Klaas; Kurzform für Nikolaus.

Claire *(w)* französische und englische Form von Klara.

Clais *(m)* Kurzform für Nikolaus.

Clara *(w)* lateinische Form von Klara; Nebenform: *Clare;* englische und französische Form: *Claire.*
Persönlichkeiten der Geschichte:
Clara Schumann, 1819 bis 1896; deutsche Pianistin (Chopin, Brahms, Beethoven) und Komponistin; Gattin von Robert Schumann.
Clara Zetkin, 1875 bis 1933, deutsche Politikerin.

Clare *(w)* englische Form von Klara.

Clarissa *(w)* erweiterte Form von Clara; Nebenform: *Klarissa.*

Clark *(m)* amerikanisch: von lateinisch: *clericus* = Kleriker, Gebildeter; englische Formen: *Clarke, Clerke, Clerk.*
Persönlichkeit:
Clark Gable, 1901 bis 1960; amerikanischer Filmschauspieler.

Claes *(m)* Kurzform für Nikolaus.

Claude *(m)* französische Form von Claudius.
Persönlichkeiten der Geschichte:
Claude Chabrol, geboren 1930; französischer Filmregisseur, -kritiker und Drehbuchautor.
Claude Debussy, 1862 bis 1918; französischer impressionistischer Komponist.
Claude Monet, 1840 bis 1926; französischer impressionistischer Maler.

Claude *(w)* französische Form von Claudia; Verkleinerungsform: *Claudette.*

Claudette *(w)* französische Verkleinerungsform von Claude (Claudia).

Claudia *(w)* die weibliche Form zu Claudius; Nebenformen: *Clodia, Klaudia, Claudine;* französische Formen: *Claude, Claudette.*

Claudine *(w)* französische Nebenform zu Claudia.

Claudinette *(w)* französische erweiterte Form von Claudine.

Claudio *(m)* italienische Form von Claudius.
Persönlichkeiten:
Claudio Abbado, geboren 1933; italienischer Dirigent (Mailand, Berlín).
Claudio Arrau, 1904 bis 1991, chilenischer Pianinst.

Claudio Monteverdi, 1576 bis 1643, italienischer Komponist.

Claudius *(m)* lateinisch: *claudus* = hinkend; nach dem altrömischen Geschlecht der Claudier; Nebenform: *Klaudius;* italienische Form: *Claudio;* französisch: *Claude.*

Persönlichkeiten der Geschichte:

Claudius Dornier, 1884 bis 1969; deutscher Flugzeugkonstrukteur (Ganzmetall-Großflugzeuge).

Claudius Ptolemäus, etwa 85 bis 160; ägyptischer Mathematiker, Astronom und Geograph; nahm in seinem Weltsystem die Erde als Mittelpunkt an.

Claus *(m)* Nebenform zu Klaus (Nikolaus).

Persönlichkeit der Geschichte:

Claus Graf von Stauffenberg, 1907 bis 1944 (standrechtlich erschossen); in der Widerstandsbewegung aktiv; legte die Attentatsbombe gegen Hitler am 20. Juli 1944.

Clemens *(m)* lateinisch: *clemens* = sanftmütig; Nebenform: *Klemens;* englische Form: *Clement;* französisch: *Clément:* italienisch und spanisch: *Clemente.*

Persönlichkeiten der Geschichte:

Clemens von Brentano, 1778 bis 1842; deutscher Schriftsteller; begründete die Heidelberger Romantik.

Clemens Krauss, 1893 bis 1954 internat. Dirigent.

Clemens Fürst von Metternich, 1773 bis 1859, österreichischer Staatsmann.

Clement *(m)* englische Form von Clemens.

Persönlichkeiten der Geschichte:

Clement Attlee, 1883 bis 1967; englischer Politiker; Führer der Labour Party; 1945 bis 1951 Premier.

Clément *(m)* französische Form von Clemens.

Clemente *(m)* italienische und spanische Form von Clemens.

Clementia *(w)* die weibliche Form zu Clemens; Nebenform: *Klementia;* italienische Form: *Clemenza;* Weiterbildungen: *Clementina, Clementine.*

Clementina *(w)* erweiterte Form von Clementia; Nebenformen: *Clementine, Klementine.*

Clementine *(w)* Nebenform zu Clementina.

Cleophea *(w)* die weibliche Form zu Kleophas.

Cliff *(m)* Kurzform für Clifford.

Clifford *(m)* englisch; ursprünglich ein Beiname nach Ortsbezeichnung.

Clio *(w)* griechisch: *Kleio,* die Muse der Geschichte; Nebenform: *Klio.*

Clivia *(w)* nach der Pflanze Clivia; Nebenform: *Klivia.*

Cloe *(w)* Nebenform zu Chloe.

Clos *(m)* Koseform für Nikolaus.

Clothilde *(w)* Nebenform zu Klothilde.

Cohn *(m)* Kurzform für Kohen.

Cölestin *(m)* lateinisch: *coelestinus* = dem Himmel geweiht; Nebenformen: *Cölestinus, Zölestin, Zölestinus;* französische Form: *Célestin;* englisch: *Celestine,* italienisch und spanisch: *Celestino;* Kurzformen: *Cölius;* italienisch: *Celio.*

Cölestina *(w)* die weibliche Form zu Cölestin; Nebenformen: *Cölestine, Cöleste, Zölestine;* französische Formen: *Célestine, Céleste.*

Cölestine *(w)* Nebenform zu Cölestina.

Coleta *(w)* Nebenform zu Coletta.

Coletta *(w)* italienische Kurzform für Nicoletta; Nebenform: *Coleta.*

Colette *(w)* französische Kurzform für Nicolette (Nicoletta).

Colón *(m)* spanische Form von Kolumbus.

Columba *(w)* lateinisch: *columba* = Taube; Nebenformen: *Colomba, Kolomba, Kolumba;* Verkleinerungform: *Colombine.*

Columban *(m)* Nebenform zu Kolumban.

Columbus *(m)* Nebenform zu Kolumbus.

Coen *(m)* Kurz- und Koseform für Konrad.

Concha *(w)* spanische Kurzform für Concepción.

Concordia *(w)* lateinisch: *concordia* = Eintracht; entspricht Cordula; Nebenform: *Konkordia.*

Conni *(m)* englische Koseform für Konrad.

Conni *(w)* englische Koseform für Konstanze.

Connie *(m)* englische Koseform für Konrad; Nebenformen: *Conni* und *Conny.*

Connie *(w)* englische Kurzform für Konstanze und Cornelia; auch *Conni* und *Conny.*

Conny *(m)* englische Koseform für Konrad.

Conny *(w)* englische Koseform für Konstanze.

Conrad *(m)* Nebenform zu Konrad.

Constance *(w)* die französische und englische Form von Konstanze.

Constans *(m)* lateinisch: *constans* = standhaft; Weiterbildung: *Constantin;* französische Form: *Constant;* italienisch: *Constante, Costanzo* mit Weiterbildung *Costantino.*

Constant *(m)* französische Form von Constans.

Constantia *(w)* lateinische Form von Konstanze.

Constantin *(m)* Nebenform zu Konstantin; auch französische Form.

Constantine *(m)* englische Form von Konstantin.

Constantino *(m)* romanische Form von Konstantin.

Constanze *(w)* Nebenform zu Konstanze.

Cora *(w)* Nebenform zu Kora; Kurz- und Koseform für Cordelia, Cordula und Cornelius; Verkleinerungsform: *Coretta* und *Corette.*

Corbinian *(m)* Nebenform zu Korbinian.

Cord *(m)* Nebenform zu Kord und Kurt.

Cordel *(w)* Kurzform für Cordula.

Cordelia *(w)* Nebenform zu Cordula; auch *Kordelia.*

Cordula *(w)* griechisch: *kora* = Mädchen; oder lateinisch: *cor* = Herz; Nebenformen: *Kordula, Cordelia;* Kurzformen: *Cordel, Cora, Kora;* Verkleinerungsform: *Corinna.*

Corina *(w)* spanische, italienische, und portugiesische Form von Corinna.

Corinna *(w)* Weiterbildung von Cora; Nebenformen: *Corina, Korinna;* französische Form: *Corinne;* italienisch, spanisch und portugiesisch: *Corina.*

Corinne *(w)* französische Form von Corinna.

Cornel *(m)* Kurzform für Cornelius.

Cornelia *(w)* die weibliche Form zu Cornelius; Nebenform: *Kornelia;* Kurz- und Koseformen: *Corrie, Nelia, Nella, Nelli, Nehle, Nele, Nehlchen, Nehlke, Nahl, Neltje;* englische Form: *Cornell, Corney.*

Cornelis *(m)* niederländische Form von Cornelius.

Cornelius *(m)* lateinisch: nach dem altrömischen Geschlecht der Cornelier; Nebenform: *Kornelius;* Kurz- und Koseformen: *Cornel, Cornell, Kornel, Nelles, Nellis, Neelke, Nilies, Niels, Knelles;* niederländische Form: *Cornelis;* Koseform: *Kees;* italienisch und spanisch: *Cornelio.*

Cornell *(m)* Kurzform für Cornelius.

Cornell *(w)* englische Form von Cornelia.

Corny *(w)* englische Kurz- und Koseform für Cornelia.

Corona *(w)* lateinisch: *corona* = Kranz,

Krone; Nebenform: *Korona;* Kurzform: *Rona.*

Cosima *(w)* italienisch; die weibliche Form zu Cosimo; Nebenform: *Kosima.*

Persönlichkeit der Geschichte:

Cosima Wagner, 1837 bis 1930; Tochter von F. Liszt; in zweiter Ehe Gattin Richard Wagners.

Costantino *(m)* italienische Form von Konstantin.

Costanza *(w)* italienische Form von Konstanze.

Costanzo *(m)* italienische Form von Constans.

Crescentia *(w)* Nebenform zu Kreszentia.

Crescenz *(m)* lateinisch: *crescere* = wachsen.

Crispin *(m)* lateinisch: *crispus* = Kraushaar; Nebenformen: *Krispin, Krispinus;* lateinische Form: *Crispinus;* französisch: *Crispin;* italienisch: *Crispino.*

Cristina *(w)* italienische Nebenform zu Cristiana.

Cristóbal *(m)* spanische Form von Christoph.

Personlichkeit:

Cristóbal Halffter, geb. 1930, spanischer Komponist und Dirigent.

Cunegunda *(w)* italienische Form von Kunigunde.

Cuniberto *(m)* italienische Form von Kunibert.

Curd *(m)* Nebenform zu Kurt.

Persönlichkeit:

Curd Jürgens, 1915 bis 1982; deutscher Schauspieler der Bühne und des Films.

Curt *(m)* Nebenform zu Kurt.

Curtis *(m)* englisch, aus altfranzösisch: *corteis* = höflich.

Cynthia *(w)* griechisch-lateinisch; griechisch: *Kynthia,* Beiname der Jagdgöttin Artemis; italienische Form: *Cinzia;* ungarisch: *Cintia.*

Cyprian *(m)* griechisch: von Zypern stammend; Nebenform: *Zyprian;* französische Form: *Cyprien.*

Cyprien *(m)* französische Form von Cyprian.

Cyprienne *(w)* französische weibliche Form zu Cyprian.

Cyriac *(m)* griechisch: *kyriakos* = dem Herrn gehörig; Nebenformen: *Cyriacus, Cyriak, Cyriakus, Zyriak;* niederländische Form: *Cyriel.*

Cyriacus *(m)* lateinische Form von Cyriac.

Cyriak *(m)* Nebenform zu Cyriac.

Cyriakus *(m)* Nebenform zu Cyriac.

Cyriel *(m)* niederländische Form von Cyriac.

Cyrill *(m)* griechisch *Kyrillos,* von *kyrios* = Herr; Nebenformen: *Cyrillus, Kyrill, Kyrillus;* russische Form: *Kirill.*

Persönlichkeiten der Geschichte:

Cyrill aus Thessalonike, 826 bis 869; mit seinem Bruder Method Glaubensbote bei den Chasaren, dann Slawenapostel in Pannonien und Mähren.

Cyrill von Alexandrien, gestorben 444; Bischof und Patriarch von Alexandrien; Kirchenlehrer; theologischer Schriftsteller (Gedenktag: 27. Juni).

Cyril von Jerusalem, um 315 bis 386; seit 350/351 Bischof von Jerusalem; Kirchenlehrer; von Arianern bekämpft; mußte dreimal ins Exil; theologischer Schriftsteller (Gedenktag: 18. März).

Cyrilla *(w)* die weibliche Form zu Cyrill oder griechisch *Kyrilla* als Weiterbildung von Kyra.

Cyrillus *(m)* lateinische Form von Cyrill.

D

Dabbert *(m)* Kurzform für Dagobert.

Dafne *(w)* italienische Form von Daphne.

Dag *(m)* Kurzform für mit Dag- oder Dago- beginnende männliche Vornamen; erweiterte Form: *Dagino.*

Persönlichkeit der Geschichte:

Dag Hammarskjöld, 1905 bis 1961; schwedischer Politiker und Diplomat; 1953 bis 1961 Generalsekretär der Vereinten Nationen.

Dagino *(m)* erweiterte Form von Dag; Nebenform: *Tagino.*

Dagmar *(w)* dänisch, wohl nach keltisch: *dago* = gut; althochdeutsch: *mari* = berühmt; oder von altslawisch *Dragomir: dragi* = teuer, lieb; *mir* = Friede; Nebenform: *Dagmara;* Koseform: *Dagny.*

Dagny *(w)* skandinavisch: *dag* = Tag; *ny* = neu: neuer Tag; Koseform für Dagmar.

Dagobert *(m)* keltisch: *dago* = gut; althochdeutsch: *beraht* = glänzend; Kurzform: *Dag;* Koseform: *Dabbert.*

Dagoberta *(w)* die weibliche Form zu Dagobert.

Dagomer *(m)* althochdeutsch: *dag* = Tag; *mari* = berühmt; oder keltisch: *dato* = gut; *maro* = groß.

Daisy *(w)* englisch: Gänseblümchen, Maßliebchen; nach der Pflanze; auch Kurz- und Koseform für Margarete.

Dale *(m)* und *(w)* englisch-amerikanisch.

Dalila *(w)* Nebenform zu Delila.

Dalilah *(w)* Nebenform zu Delila.

Damaris *(w)* griechisch: *damar* = Ehefrau; Geliebte.

Damasus *(m)* lateinisch.

Damian *(m)* griechisch: *damazein* = bändigen; italienische Form *Damiano;* französisch: *Damien.*

Damiana *(w)* die weibliche Form zu italienisch Damiano (Damian).

Damiano *(m)* italienische Form von Damian.

Damien *(m)* französische Form von Damian.

Dammo *(m)* Koseform für Dankmar; Nebenform: *Tammo.*

Dan *(m)* hebräisch: *dan* = Richter; englische Kurzform für Daniel; auch slawische Kurzform für Bogdan.

Dana *(w)* schwedische weibliche Form zu Dan; auch slawische Kurzform für Bogdana; Nebenformen: *Dania, Danja;* auch russische Form von Daniela; Nebenform: *Danila;* Koseform: *Danja* und *Nila.*

Dandy *(m)* englische Kurzform für Andrew (Andreas).

Danela *(w)* Nebenform zu Daniela.

Danella *(w)* englische weibliche Form zu Daniel; Nebenform: *Danelle.*

Danelle *(w)* englische weibliche Form zu Daniel.

Dangel *(m)* slawische Form von Daniel.

Dani *(m)* schweizerische Kurzform für Daniel; Nebenformen: *Danni, Dänni.*

Dania *(w)* Nebenform zu Dana; Kurzform für Daniela.

Danie *(w)* englische Kurz- und Koseform für Daniela.

Daniel *(m)* hebr.: *dani'el* = Richter ist Gott; italienische Form: *Daniele;* slawisch: *Danilo;* Kurzformen: *Dangel, Danil;* englische Kurz- und Koseformen: *Dan, Dannel, Danny, Nel;* ungarisch: *Dános.*

Daniela *(w)* die weibliche Form zu Daniel; Nebenformen: *Danela;* italienische Form: *Daniela;* Nebenform: *Daniella;* französisch: *Danielle, Danièle;* englische Kurz- und Koseformen: *Danie, Dany, Danny;* russisch: *Dana, Danila;* Koseformen: *Danja, Nila.*

Danila *(w)* russische Nebenform zu Daniela.

Danilo *(m)* slawische Form von Daniel.

Danja *(w)* russische Nebenform zu Dana; Koseform für Daniela und Bogdana; auch Nebenform zu Darja.

Danka *(w)* Kurzform für mit Dank- beginnende weibliche Vornamen.

Dankmar *(m)* althochdeutsch: *danc* = danken; *mari* = berühmt; Koseformen: *Dammo, Tammo.*

Dankrad *(m)* althochdeutsch: *danc* = denken; *rat* = Rat, Beratung; Nebenformen: *Dankrat, Tankred.*

Dankrade *(w)* die weibliche Form zu Dankrad.

Dankrat *(m)* Nebenform zu Dankrad.

Dankkward *(w)* althochdeutsch: *danc* = denken, Gedanke; *wart* = Wärter, Hüter; Nebenform: *Dankwart.*

Dankwart *(m)* Nebenform zu Dankward.

Danni *(m)* schweizerische Kurzform für Daniel.

Dänni *(m)* schweizerische Kurzform für Daniel.

Danny *(m)* englische und französische Koseform für Daniel.

Dános *(m)* ungarische Form von Daniel.

Dany *(m)* englische und französische Koseform für Daniel.

Dany *(w)* englische und französische Kurz- und Koseform für Daniela.

Daphne *(w)* griechisch: *daphnee* = Lorbeer; italienische Form: *Dafne.*

Persönlichkeit der Geschichte:

Daphne, Nymphe der griechischen Mythologie; von Apollo in einen Lorbeerbaum verwandelt; daher der Name.

Daphne du Maurier, 1907 bis 1989, englische Schriftstellerin.

Daria *(w)* die weibliche Form zu Darius.

Dario *(m)* italienische Form von Darius.

Darío *(m)* spanische Form von Darius.

Darius *(m)* altpersisch-griechisch: *Dareios,* der Mächtige; italienische Form: *Dario;* spanisch: *Darío.*

Persönlichkeit der Geschichte:

Darius Milhaud, 1892 bis 1974; französischer polytonaler Komponist der »Gruppe der Six«.

Darja *(w)* russische Koseform für Dorothea; Nebenform: *Danja.*

Dave *(m)* englische Koseform für David.

David *(m)* hebräisch: *dawid* = Geliebter, Liebling; Koseformen: *Vid, Vidli, Dofele;* englische Form: *David;* Koseformen: *Dave, Davy, Taffy;* italienisch: *Davide.*

Persönlichkeiten der Geschichte:

David, um 100 v. Chr.; König von Israel; erhob Jerusalem zur Hauptstadt und zum religiösen Mittelpunkt; der eigentliche Begründer des Reichs Israel.

David Ben Gurion, 1886 bis 1973; israelischer sozialistischer Politiker; langjähriger Ministerpräsident.

David Livingstone, 1813 bis 1873; englischer evangelischer Afrikaforscher, Missionar.

David Oistrach, 1908 bis 1974; bedeutender sowjetrussischer Violinist.

Davida *(w)* die weibliche Form zu David; niederländische Form: *Davida, Davita;* englisch: *Davina.*

Davide *(m)* italienische Form von David.

Davina *(w)* englische Form von Davida.

Davita *(w)* niederländische Nebenform zu Davida.

Davy *(m)* englische Koseform für David.

Dawn *(w)* englisch: *dawn* = Morgendämmerung.

Dea *(w)* Kurzform für Andrea und Desideria.

Dean *(m)* englisch-amerikanisch: Dekan, Dechant, Ältester; französische Form: *Dean, Deane.*

Persönlichkeit:

Dean Martin, geboren 1917; amerikanischer Schauspieler.

Deba *(w)* Kurzform für Debora.

Debald *(m)* niederdeutsche Form von Dietbald; Nebenformen: *Dewald, Debold.*

Debby *(w)* englische Kurz- und Koseform für Deborah (Debora).

Debes *(m)* Koseform für Matthias.

Debir *(w)* englische Kurzform für Deborah (Debora).

Debold *(m)* Nebenform zu Debald (Dietbald).

Debora *(w)* hebräisch: *deborah* = Biene, fleißig; Nebenform: *Deborah;* Kurzform: *Deba;* französische und englische Form: *Deborah;* Kurzformen: *Debra, Debir* und *Debby.*

Deborah *(w)* englische und französische Form von Debora.

Debra *(w)* englische Kurzform für Deborah (Debora).

Deda *(w)* niederdeutsche Kurzform für mit Diet- beginnende weibliche Vornamen; Nebenformen: *Dedda, Deetje, Didda.*

Dedda *(w)* Nebenform zu Deda.

Dedde *(m)* niederdeutsche Kurzform für mit Diet- beginnende männliche Vornamen; Nebenformen: *Deddo, Dedo, Diddo.*

Deddo *(m)* Nebenform zu Dedde.

Dedo *(m)* Nebenform zu Dedde.

Deert *(m)* niederdeutsche Kurzform für Diethard.

Deetje *(w)* Nebenform Deda.

Deewald *(m)* niederdeutsche Form von Theobald.

Degenhard *(m)* althochdeutsch: *degan* = Gefolgsmann; *harti* = hart, fest, stark; Nebenformen: *Degenhart, Deinhard;* Kurzform: *Deno.*

Degenhart *(m)* Nebenform zu Degenhard.

Dehmel *(m)* schlesische Form von Thomas.

Deik *(w)* norddeutsche Kurzform für mit Diet- beginnende weibliche Vornamen; auch Kurzform für Adelheid; Nebenform: *Deike.*

Deike *(w)* Nebenform zu Deik.

Deinhard *(m)* Nebenform zu Degenhard.

Deis *(m)* Koseform für Matthias.

Dela *(w)* Kurzform für Adele und Ottilie; Nebenform: *Della, Dele.*

Delan *(w)* schwedische Kurzform für Adele.

Delfina *(w)* italienische und spanische Form von Delphine.

Delfine *(w)* Nebenform zu Delphine.

Delfino *(m)* italienische Form von Delphinus.

Delia *(w)* englisch; griechisch: von Delos stammend; Beiname der altgriechischen Göttin Artemis.

Delila *(w)* hebräisch: Frau mit herabfallendem Haar; Nebenformen: *Dalila, Dalilah;* englische Form: *Delilah.*

Delilah *(w)* englische Form von Delila.

Della *(w)* Nebenform zu Dela.

Delphina *(w)* Nebenform zu Delphine.

Delphine *(w)* die weibliche Form zu Delphinus; Nebenformen: *Delphina, Delfine;* französische Form: *Delphine;* italienisch und spanisch: *Delfina.*

Delphinus *(m)* griechisch-lateinisch: aus Delphi stammend; italienische Form: *Delfino.*

Demetrio *(m)* italienische Form von Demetrius.

Demetrius *(m)* lateinische Form des griechischen *Demetrios* = Sohn der Demeter oder: ihr geweiht; italienische Form: *Demetrio;* russisch: *Dimitrij, Dmitrij;* Kurz- und Koseform: *Mitja.*

Denis *(m)* englisch und französisch; aus griechisch-lateinisch: Gott Dionysos geweiht; Nebenform: *Dennis.*

Denise *(w)* französische weibliche Form zu Denis; englische Form von Dionysia.

Dénise *(w)* französische Form von Dionysia.

Dennis *(m)* Nebenform zu Denis.

Persönlichkeiten der Geschichte:

Dennis Brain, 1921 bis 1957; bedeutender englischer Hornist.

Dennis Gábor, 1900 bis 1979; englischer Physiker; erfand die Holographie.

Denny *(w)* englische Koseform für Dionysia.

Deno *(m)* Kurzform für Degenhard.

Deodat *(m)* lateinisch: *Deodatus* = von Gott geschenkt; französische Form: *Déodat;* italienisch-spanisch: *Deodato.*

Dereck *(m)* Kurzform für Dietrich.

Derk *(m)* niederdeutsche Kurzform für Dietrich.

Derrick *(m)* englische Form für Dietrich.

Desideria *(w)* die weibliche Form zu Desiderius; Kurzform: *Dea;* französische Form: *Désirée.*

Desiderius *(m)* lateinisch: *desiderare* = wünschen, ersehnen; französische Form: *Désiré, Didier.*

Désiré *(m)* französische Form von Desiderius.

Désirée *(w)* französische Form von Desideria.

Persönlichkeit der Geschichte:

Désirée Eugénie Bernhardine, 1777 bis 1868, war mit Napoléon verlobt, heiratete Graf Bernadotte, den späteren König Karl XIV. Johann von Schweden.

Deta *(w)* Kurzform für mit Diet- beginnende weibliche Vornamen.

Dethard *(m)* Nebenform zu Diethard.

Detje *(w)* Kurzform für mit Diet- beginnende weibliche Vornamen.

Detlef *(m)* niederdeutsch: Sohn des Volks (?); Nebenform: *Detlev;* Koseform: *Delf;* friesisch: *Tjalf;* dänisch: *Ditlev;* schwedisch: *Detlof.*

Detlev *(m)* Nebenform zu Detlef.

Detmar *(m)* niederdeutsche Form von Dietmar.

Dette *(w)* Kurzform für mit Diet- beginnende weibliche Vornamen.

Detwin *(m)* niederdeutsche Form von Dietwin.

Dewald *(m)* niederdeutsche Form von Dietbald oder Dietwald.

Diana *(w)* lateinisch; nach der römischen Jagd- und Mondgöttin *Diana;* Nebenform: *Diane;* französische Form: *Diane* oder *Dianne.*

Diane *(w)* Nebenform und französische Form von Diana.

Dianne *(w)* französische Form von Diana.

Dick *(m)* englische Kurzform für Richard.

Dicky *(m)* englische Kurzform für Richard.

Didakus *(m)* griechisch-lateinisch; griechisch: *didaskein* = lehren, unterrichten.

Didda *(w)* Kurzform für mit Diet- beginnende weibliche Vornamen.

Didde *(m)* und *(w)* Kurzform für mit Diet- beginnende männliche und weibliche Vornamen.

Diddo *(m)* Kurzform für mit Diet- beginnende männliche Vornamen.

Didier *(m)* französische Kurzform für Desiderius.

Dido *(w)* phönizisch-griechisch: Name der Jagd- und Mondgöttin.

Diederich *(m)* Nebenform zu Dietrich.

Diederik *(m)* Nebenform zu Dietrich.

Diederike *(w)* die weibliche Form zu Dietrich.

Diedo *(m)* Kurzform für Dietrich.

Diedrich *(m)* Nebenform zu Dietrich.

Diego *(m)* spanische Form von Jakob: aus *Santiago* abgewandelt; auch Kurzform für Didakus.

Diemo *(m)* Kurzform für Dietmar und andere mit Diet- beginnende männliche Vornamen.

Diemut *(w)* Nebenform zu Dietmut.

Dierk *(m)* niederdeutsche Form von Dietrich.

Diet *(m)* Kurzform für Dietrich.

Dieta *(w)* Kurzform für mit Diet- beginnende weibliche Vornamen.

Dietbald *(m)* althochdeutsch: *diot* = Volk; *baldo* = kühn; Nebenformen: *Diebald, Diebold, Dietbold, Teutobald; Theobald, Theodebald.*

Dietberga *(w)* althochdeutsch: *diot* = Volk; *berga* = Schutz; Nebenformen: *Dietbirg, Dietburga,* friesisch: *Tibeta, Tibetha.*

Dietbert *(m)* althochdeutsch: *diot* = Volk; *beraht* = glänzend; Nebenformen: *Teutobert, Theodebert;* französische Form: *Thibert.*

Dietberta *(w)* die weibliche Form zu Dietbert.

Dietbirg *(w)* Nebenform zu Dietberga.

Dietbod *(m)* althochdeutsch: *diot* = Volk; *boto* = Bote, Gebieter; Nebenform: *Teutobod.*

Dietbold *(m)* Nebenform zu Dietbald.

Dietbrand *(m)* althochdeutsch: *diot* = Volk; *brant* = Schwert, Feuer.

Dietburga *(w)* Nebenform zu Dietberga.

Dietegen *(m)* althochdeutsch: *diot* = Volk; *degan* = Gefolgsmann, Krieger.

Dieter *(m)* althochdeutsch: *diot* = Volk; *hari* = *heri* = Heer; Nebenform: *Diether;* auch Kurzform für Dietrich.

Persönlichkeiten:

Dieter Borsche, geboren 1909; deutscher Schauspieler der Bühne und des Films; Charakterdarsteller.

Dieter Hildebrandt, geboren 1927; deutscher Schauspieler und Kabarettist.

Dietfried *(m)* althochdeutsch: *diot* = Volk; *fridu* = Friede; Nebenformen: *Theodfried, Theofrid.*

Dietgard *(w)* althochdeutsch: *diot* = Volk; *gard* = Zaun, Schutz.

Dietger *(m)* althochdeutsch: *diot* = Volk; *ger* = Speer; Nebenformen: *Theodegar, Theodeger, Theoger.*

Dietgunde *(w)* althochdeutsch: *diot* = Volk; *gund* = Kampf.

Diethard *(m)* althochdeutsch: *diot* = Volk; *harti* = stark, kühn; Nebenformen: *Dethard, Tethard, Tiard, Tiart.*

Diethelm *(m)* althochdeutsch: *diot* = Volk; *helm* = Helm, Schutz.

Diether *(m)* ältere Nebenform zu Dieter.

Diethild *(w)* althochdeutsch: *diot* = Volk; *hiltja* = Kampf; Nebenform: *Diethilde.*

Diethilde *(w)* Nebenform zu Diethild.

Dietholf *(m)* Nebenform zu Dietolf.

Dietke *(w)* Kurzform für mit Diet- beginnende weibliche Vornamen.

Dietleib *(m)* althochdeutsch: *diot* = Volk; *leiba* = Erbe; friesische Kurzformen: *Tialf, Tjalf.*

Dietlind *(w)* althochdeutsch: *diot* = Volk; *linta* = Lindenholzschild; oder: *lind* = mild; Nebenformen: *Dietlinde, Theodelinde, Theodelind, Theodolinde, Theolind, Theudelind.*

Dietmar *(m)* althochdeutsch: *diot* = Volk; *mari* = berühmt; Nebenformen: *Ditmar, Dittmar, Dittmer, Thietmar, Theodemar, Teutomar;* Kurz- und

Koseformen: *Diemo, Dimo, Themke, Thiemo, Tim.*
Persönlichkeiten der Geschichte:
Dietmar von Aist, 1140 bis 1171, deutscher Minnesänger.
Dietmar von Minden, gestorben 1206; seit 1185/1186 Bischof von Minden

Dietmund *(m)* althochdeutsch: *diot* = Volk; *munt* = Schutz, Schützer.

Dietmunde *(w)* die weibliche Form zu Dietmund.

Dietmut *(w)* althochdeutsch: *diot* = Volk; *muot* = Sinn, Geist, Gemüt; Nebenform: *Diemut.*

Dieto *(m)* Kurzform für mit Diet- beginnende männliche Vornamen, so für Dietrich.

Dietolf *(m)* althochdeutsch: *diot* = Volk; *wolf, wulf* = Wolf; Nebenform: *Dietholf.*

Dietram *(m)* althochdeutsch: *diot* = Volk; *hraban* = Rabe.

Dietrich *(m)* althochdeutsch: *diot* = Volk; *rihhi* = reich, mächtig; Nebenformen: *Diederich, Diedrich, Diederik, Theoderich, Theuderich;* Kurz- und Koseformen: *Dieter, Diet, Dieto, Diedo, Dietz, Dietze, Dierk, Derk, Dereck, Derick, Dirk, Deddo, Thiede, Thiel, Thiele, Til, Till, Tillmann, Tilo, Tillo;* französische Formen: *Thierri, Thierry;* englisch: *Derek, Derrick.*
Persönlichkeiten der Geschichte:
Dietrich von Bern; Gestalt der germanischen Heldensage.
Dietrich Bonhoeffer, 1906 bis 1945 (im Konzentrationslager Flössenburg hingerichtet; deutscher evangelischer Theologe; Widerstandskämpfer der Bekennenden Kirche; Blutzeuge.
Dietrich Buxtehude, 1637 bis 1707, deutscher Komponist und Organist.
Dietrich Fischer-Dieskau, geboren 1925; deutscher Lieder-, Oratorien- und Opernsänger.

Dietrum *(w)* althochdeutsch: *diot* = Volk; *runa* = Geheimnis, Zauber.

Dietwald *(m)* althochdeutsch: *diot* = Volk; *waltan* = walten, herrschen; Nebenformen: *Dewald, Thewald.*

Dietward *(m)* althochdeutsch: *diot* = Volk; *wart* = Hüter; Nebenformen: *Teutwart, Theodewart.*

Dietwin *(m)* althochdeutsch: *diot* = Volk; *wini* = Freund.

Dietz *(m)* Kurz- und Koseform für Dietrich und andere mit Diet- beginnende männliche Vornamen.

Dietze *(m)* Kurz- und Koseform für Dietrich.

Diktus *(m)* Kurzform für Benediktus (Benedikt).

Dimitri *(m)* amerikanische Form und Nebenform zu Dimitrij.

Dimitrij *(m)* russische Form von Demetrius; Nebenformen: *Dimitri, Dmitrij.*
Persönlichkeiten der Geschichte:
Dimitrij Mendelejew, 1834 bis 1907; russischer Chemiker; erstellte Periodensystem der Elemente.
Dimitrij Schostakowitsch, 1906 bis 1975; sowjetrussischer Komponist umfangreicher Instrumentalwerke.

Dimo *(m)* Kurzform für mit Diet- beginnende männliche Vornamen.

Dina *(w)* Kurz- und Koseform für Bernharda und Christiane sowie für auf -dina, -tina, -tine endende weibliche Vornamen; Nebenform: *Dinah;* auch weibliche Form zu Dino.

Dinah *(w)* englische Form und Nebenform zu Dina.

Dine *(w)* Kurz- und Koseform für Christiane und Eberhardine.

Dino *(m)* Kurzform für auf -dino endende männliche Vornamen; so für Bernardino.

Diogenes *(m)* griechisch: *diogenes* = Zeus (Gott) entstammend.
Persönlichkeit der Geschichte:

Diogenes von Sinope, etwa 412 bis 323 v. Chr.; griechischer Philosoph; Vertreter der kynischen Schule.

Dionysia *(w)* die weibliche Form zu Dionysius; englische Form: *Denise;* Koseform: *Denny;* französisch: *Denise.*

Dionysius *(m)* griechisch-lateinisch: dem Gott *Dionysos geweiht;* Nebenform: *Dionys;* Koseform: *Dinnies.*

Dioskur *(m)* griechisch: *dioskoros* = Zeussohn.

Diotima *(w)* griechisch: Zeus (Gott) geweiht.

Dirk *(m)* Kurz- und Koseform für Dietrich.

Disibod *(m)* althochdeutsch: *boto* = Bote, Gebieter.

Dita *(w)* Kurzform für mit Diet- beginnende weibliche Vornamen.

Ditha *(w)* Kurzform für mit Diet- beginnende weibliche Vornamen.

Ditlev *(m)* dänische Form von Detlef.

Ditmar *(m)* Nebenform zu Dietmar.

Ditte *(w)* Kurzform für mit Diet- beginnende weibliche Vornamen; auch dänische Kurzform für Dorothea und Edith.

Dittmar *(m)* Nebenform zu Dietmar.

Dittmer *(m)* Nebenform zu Dietmar.

Dix *(m)* Kurz- und Koseform für Benedikt und Bendix.

Dmitrij *(m)* russische Form von Demetrius.

Dodo *(w)* Kurz- und Koseform für Dorothea.

Dokus *(m)* Kurzform für Jodokus (Jodok).

Dolf *(m)* Kurzform für auf -dolf endende männliche Vornamen, so für Adolf und Rudolf.

Dolfi *(m)* Kurzform für Rudolf.

Doll *(w)* englische Kurzform für Dorothy (Dorothea).

Dolly *(w)* englische Kurzform für Dorothy (Dorothea).

Dolores *(w)* spanisch, nach dem Mariengedenktag der Mater dolorosa (der Schmerzensreichen Mutter), spanisch Nuestra Señora de los Dolores; lateinische Form: *Dolorosa;* Koseformen: *Lola, Lolo.*

Dolorosa *(w)* lateinische Form von Dolores.

Domenica *(w)* italienische Form von Dominika.

Domenico *(m)* italienische Form von Dominikus.

Persönlichkeit der Geschichte:

Domenico Scarlatti, 1685 bis 1757, italienischer Komponist und Kapellmeister.

Domhnall *(m)* irische Form von Donald.

Domingo *(m)* spanische Form von Dominikus.

Domini *(m)* Kurzform für Dominikus.

Dominic *(m)* Kurz- und englische Form von Dominikus.

Dominica *(w)* Nebenform zu Dominika.

Dominicus *(m)* Nebenform zu Dominikus.

Dominik *(m)* Kurz- und slawische Form von Dominikus.

Dominika *(w)* die weibliche Form zu Dominikus; Nebenform: *Dominica;* italienische Form: *Domenica;* französisch: *Dominique.*

Dominikus *(m)* lateinisch: *dominus* = Herr; dem Herrn geweiht; lateinische Form: *Dominicus;* Kurz- und Koseformen: *Dominic, Dominik, Domini, Domni, Minkes, Mini, Kus;* französische Form: *Dominique;* englisch: *Dominic;* italienisch: *Domenico;* spanisch: *Domingo;* slawisch: *Dominik.*

Persönlichkeit der Geschichte:

Dominikus, 1170 bis 1221; aus Kastilien stammender Gründer des Dominikanerordens, der Predigerbrüder für Volksmission nach der Augustinusregel.

Dominique *(m)* und *(w)* französische Form von Dominikus und Dominika.

Domni *(m)* Kurzform für Dominikus.

Don *(m)* Kurzform für Donald.

Dónal *(m)* irische Form von Donald.

Donald *(m)* keltisch: *dumno* = Welt; *valo-s* = Herrscher; Nebenformen: *Donewald, Donwald;* Kurz- und Koseformen: *Don, Donny;* ebenso englisch; irisch: *Dónal, Domhnall.*

Donat *(m)* deutsche und französische Kurzform für Donatus.

Donata *(w)* die weibliche Form zu Donatus; Nebenform: *Donate.*

Donate *(w)* Nebenform zu Donata.

Donatello *(m)* Verkleinerungsform von italienisch Donato (Donatus).

Donatien *(m)* französische Form von Donatus.

Donato *(m)* italienische Form von Donatus.

Donatus *(m)* lateinisch: der (Gott oder von Gott) Geschenkte; italienische und spanische Form: *Donato;* französisch: *Donatien;* englisch: *Donet;* Kurzform: *Donat* (auch französisch).

Donet *(m)* englische Form von Donatus.

Donewald *(m)* Nebenform zu Donald.

Donisl *(m)* Koseform für Thomas.

Dönjes *(m)* Kurz- und Koseform für Anton.

Donny *(m)* Kurz- und Koseform für Donald.

Dooly *(w)* englische Kurzform für Dorothy (Dorothea).

Doorke *(w)* Kurz- und Koseform für Dorothea.

Doortje *(w)* niederländische Form von Dorothea.

Doortjen *(w)* Koseform für Dorothea.

Dora *(w)* Kurzform für Dorothea und Theodora.

Dore *(w)* Kurzform für Dorothea und Theodora.

Doreen *(w)* englische Kurz- und Koseform für Dorothy (Dorothea).

Döreken *(w)* Kurz- und Koseform für Dorothea.

Dorel *(w)* Koseform für Dorothea.

Dores *(m)* Koseform für Theodor.

Döres *(m)* Koseform für Theodor.

Dorette *(w)* französische Verkleinerungs- und Koseform für Dorothée (Dorothea).

Dorina *(w)* Weiterbildung von Dora (Dorothea).

Doris *(w)* griechisch: Dorerin, aus Doris stammend; auch Kurz- und Koseform für Dorothea und Theodora.

Dorit *(w)* Kurz- und Koseform für Dorothea.

Dorita *(w)* Kurzform für Dorothea.

Dorke *(w)* Kurz- und Koseform für Dorothea.

Dorle *(w)* Koseform für Dora (Dorothea).

Doro *(w)* Kurzform für Dorothea.

Dorothea *(w)* griechisch: *doron* = Geschenk; *theos* = Gott: Gottesgeschenk; Nebenformen: *Dorothee, Theodora;* Kurz- und Koseformen: *Dorte, Dörte, Dürte, Dortchen, Dortje, Doortjen, Doorke, Dorit, Dorrit, Dorita, Dodo, Dorel, Dorle, Durle, Durli, Dutti, Dora, Dore, Dorke, Döreken, Doris, Doro, Orthia, Orthja, Thea, Theda;* französische Form: *Dorothée;* Koseform: *Dorette;* englisch: *Dorothy;* Kurz- und Koseformen: *Doreen, Dorrit.*

Dorothée *(w)* französische Form von Dorothea.

Dorothy *(w)* englische Form von Dorothea.

Dorrit *(w)* Kurz- und Koseform für Dorothea; auch für englisch Dorothy.

Dörtchen *(w)* Koseform für Dorothea.

Dorte *(w)* Kurz- und Koseform für Dorothea.

Dörte *(w)* Kurz- und Koseform für Dorothea.

Dortje *(w)* Kurz- und Koseform für Dorothea.

Dorus *(m)* niederländische und Koseform für Theodor.

Doug *(m)* englische Kurzform zu Douglas.

Douglas *(m)* englisch, aus keltisch: *dub(h)* und *glas* = dunkelblau; Kurzformen: *Doug, Duggie.*
Persönlichkeit der Geschichte:
Douglas MacArthur, 1880 bis 1964; amerikanischer General im Zweiten Weltkrieg und im Koreakrieg.

Dragan *(m)* jugoslawisch, wohl zu slawisch: *dorog* = teuer, lieb; Nebenform: *Drago.*

Dragana *(w)* die weibliche Form zu Dragan.

Draginja *(w)* slawisch: *dorog* = teuer, lieb; steht für mit Drag- oder Dragobeginnende weibliche Vornamen.

Drago *(m)* Nebenform zu Dragan.

Drutmar *(m)* althochdeutsch: *trud* = Stärke, Kraft; *mari* = berühmt; Nebenform: *Trudmar.*

Dudo *(m)* Nebenform zu Dodo.

Duggie *(m)* englische Koseform für Douglas.

Dulf *(m)* Kurzform für Rudolf.

Dum *(m)* Koseform für Thomas.

Dumes *(m)* Koseform für Thomas.

Duncan *(m)* keltisch: *donno* = braun; *catu-s* = Krieger.

Dunja *(w)* slawische Kurz- und Koseform für griechisch Eudokia (= die Hochgeschätzte).

Dures *(m)* Koseform für Theodor.

Durle *(w)* Koseform für Dorothea.

Durli *(w)* Koseform für Dorothea.

Durs *(m)* Koseform für Ursus.

Dursli *(m)* Koseform für Ursus.

Dutti *(w)* Koseform für Dorothea.

Dwight *(m)* englisch.
Persönlichkeit der Geschichte:
Dwight D. Eisenhower, 1890 bis 1969; amerikanischer General und Politiker; 1945 Oberbefehlshaber der Besatzungstruppen in Deutschland; 1953 bis 1961 Präsident der Vereinigten Staaten von Nordamerika.

E

Earl *(m)* englisch: der edle, freie Mann; heute Adelstitel (Graf).

Ebba *(w)* niederdeutsche und friesische Kurz- und Koseform für mit Eber- beginnende weibliche Vornamen.

Ebbe *(m)* Kurzform für mit Eber- beginnende männliche Vornamen.

Ebbo *(m)* Kurzform für mit Eber- beginnende männliche Vornamen.

Ebel *(m)* Kurzform für mit Eber- beginnende männliche Vornamen.

Eber *(m)* Kurzform für mit Eber- beginnende männliche Vornamen.

Ebergard *(w)* althochdeutsch: *ebur* = Eber; *gard* = Zaun, Schützerin.

Ebergund *(w)* althochdeutsch: *ebur* = Eber; *gund* = Kampf; Nebenform: *Ebergunde*

Ebergunde *(w)* Nebenform zu Ebergund.

Eberhard *(m)* althochdeutsch: *ebur* = Eber; *harti* = stark: eberstark; Nebenformen: *Everhard, Ehrhard;* Kurz- und Koseformen: *Ebert, Evert, Ebbo, Eppo;* englische und französische Form: *Evarard.*

Eberharda *(w)* die weibliche Form zu Eberhard; Nebenform: *Eberharde;* Weiterbildung: *Eberhardina, Eberhardine;* Kurz- und Koseformen; *Eberta, Dine.*

Eberharde *(w)* Nebenform zu Eberharda.

Eberhardina *(w)* Weiterbildung von Eberharda.

Eberhardine *(w)* Weiterbildung von Eberharda.

Eberhelm *(m)* althochdeutsch: *ebur* = Eber; *helm* = Helm, Schützer.

Eberhild *(w)* althochdeutsch: *ebur* = Eber; *hiltja* = Kampf; Nebenform: *Eberhilde.*

Eberhilde *(w)* Nebenform zu Eberhild.

Eberolf *(m)* Nebenform zu Eberwolf.

Eberta *(w)* Kurzform für Eberharda.

Ebertine *(w)* Weiterbildung von Eberta.

Eberwin *(m)* althochdeutsch: *ebur* = Eber; *wini* = Freud; friesische Form: *Jorn.*

Eberwolf *(m)* althochdeutsch: *ebur* = Eber; *wolf* = Wolf; Nebenform: *Eberolf.*

Eble *(m)* Kurzform für mit Eber- beginnende männliche Vornamen.

Eck *(m)* Kurzform für mit Eck- beginnende männliche Vornamen.

Eckart *(m)* althochdeutsch: *ekka* = Schneide; *harti* = stark; Nebenformen: *Eckehart, Eckert, Ekkehard, Edzard, Edzward, Eginhard, Eghart, Einhard, Aichard, Egen, Egon, Hechard;* ostfriesisch: *Egge, Eggo, Egizo, Eitz;* niederdeutsche Kurzform: *Eike;* dänische Form: *Einar;* niederländisch: *Edsart.*

Persönlichkeit der Geschichte:

Eckart, Meister Eckart, 13./14. Jahrhundert; deutscher Mystiker; Dominikaner; von großem Einfluß als Lehrer der Theologie in Paris, Straßburg und Köln sowie als Prediger und deutschsprachiger geistlicher Schriftsteller.

Eckbert *(m)* Nebenform zu Egbert.

Ecke *(m)* Kurzform für mit Ecke- beginnende männliche Vornamen.

Eckehart *(m)* Nebenform zu Eckart.

Eckert *(m)* Nebenform zu Eckart.

Eckeward *(m)* Nebenform zu Eckewart.

Eckewart *(m)* althochdeutsch: *ekka* = Schneide; *wart* = Wächter; Nebenformen: *Eckward, Eckeward, Egward.*

Eckfried *(m)* althochdeutsch: *ekka* = Schneide; *fridu* = Friede.

Eckwin *(m)* althochdeutsch: *ekka* = Schneide; *wini* = Freund.

Ed *(m)* englische Kurzform für Edgar, Edward, Edwin; auch *Eddy.*

Edbert *(m)* Nebenform zu Otbert.

Edberta *(w)* die weibliche Form zu Edbert.

Edburga *(w)* Nebenform zu Otburg; Nebenform: *Etburga.*

Edda *(w)* Kurzform für Edberta, Edith, Edwine und andere mit Ed- beginnende weibliche Vornamen.
Hat keinen Bezug zu den altisländischen Prosa- und Liedsammlungen der »Edda«.

Eddo *(m)* Koseform für Edgar, Eduard und Edward.

Eddy *(m)* Kurz- und Koseform für Edgar, Eduard, Edward und Edwin.

Ede *(m)* Kurzform für Edgar, Eduard und Edward.

Edelbert *(m)* althochdeutsch: *adal* = edel, vornehm; *beraht* = glänzend; Grundform: Adalbert; Nebenform: *Edelbrecht.*

Edelberta *(w)* die weibliche Form zu Edelbert; Grundform: Adalberta.

Edelbrecht *(m)* Nebenform zu Edelbert.

Edelburg *(w)* *Edelburga, Ethelburg,* Nebenform zu Adalberga; Kurzform: *Edel.*

Edelfriede *(w)* Nebenform zu Adelfrieda; Kurzform: *Edel.*

Edelgard *(w)* Nebenform zu Adalgard; Kurzform: *Edel.*

Edelinde *(w)* Nebenform zu Adelinde.

Edeltraud *(w)* Nebenform zu Adeltraud; Nebenformen: *Edeltrud, Edeltraut;* Kurzform: *Edel.*

Edeltraut *(w)* Nebenform zu Edeltraud.

Edeltrud *(w)* Nebenform zu Edeltraud (Adeltraud); Kurzform: *Edel.*

Edgar *(m)* von angelsächsisch-englisch *Eadgar: ead* = Erbgut; *gar* = *ger* = Speer; englische Koseform: *Ed;* französische Form: *Ogier.*
Persönlichkeiten der Geschichte:
Edgar Degas, 1834 bis 1917; französischer impressionistischer Maler und Zeichner.
Edgar Allan Poe, 1809 bis 1849; amerikanischer Journalist und Schriftsteller; begründete die moderne Detektivgeschichte.
Edgar Wallace, 1875 bis 1932; englischer Schriftsteller; Autor zahlreicher Kriminalromane.

Edith *(w)* von angelsächsisch-englisch *Eadgyo: ead* oder *od* = Besitz; *gyth,* althochdeutsch: *gund* = Kampf; latinisiert: *Editha;* Nebenform: *Edithe.*
Persönlichkeiten der Geschichte:
Edith Piaf, 1915 bis 1963; französische Chansonsängerin (»Spatz von Paris«).
Edith Stein, 1891 bis 1942, deutsche Philosophin, vermutlich in Ausschwitz ermordet.

Editha *(w)* latinisierte Form von Edith.

Edithe *(w)* Nebenform zu Edith.

Edlef *(m)* niederdeutsch-friesisch; von angelsächsisch *ead* = Besitz; *wulf* = Wolf.

Edmar *(m)* Nebenform zu Otmar.

Edmond *(m)* englische und französische Form von Edmund.
Persönlichkeit der Geschichte:
Edmond Halley, 1656 bis 1742; englischer Astronom; entdeckte den Halleyschen Kometen.

Edmonda *(w)* Nebenform zu Edmunda.

Edmund *(m)* altenglisch: *Eadmund: ead* = Besitz; *munt* = Schutz, Schützer; althochdeutsch: *Otmund;* französisch und englisch: *Edmond;* englische Koseform: *Ned;* ungarisch: *Ödön.*

Edmunda *(w)* die weibliche Form zu Edmund; Nebenform: *Edmunde, Edmonda;* französische Form: *Edmée;* Italienisch: *Edmea.*

Edmunde *(w)* Nebenform zu Edmunda.

Edna *(w)* hebräisch: die Angenehme.

Edo *(m)* Koseform für Edgar, Eduard und Edward.

Édouard *(m)* französische Form von Eduard.

Persönlichkeit der Geschichte:

Édouard Manet, 1832 bis 1883; französischer Maler des Impressionismus.

Edsard *(m)* niederländische Form von Eckart.

Edu *(m)* Kurzform für Edgar, Eduard und Edward.

Eduard *(m)* angelsächsichs: *Eadweard: ead* = Besitz; *weard* = Schützer; englisch: *Edward;* altdeutsch: *Otward;* Kurz- und Koseformen: *Ed, Ede, Edo, Edu;* englische Koseformen: *Ed, Ned, Teddy;* französisch: *Audouard, Édouard;* italienisch: *Odoardo, Edoardo;* schwedisch und norwegisch: *Edvard.*

Persönlichkeiten der Geschichte:

Eduard Künneke, 1885 bis 1953; deutscher Komponist, besonders von Operetten.

Eduard Mörike, 1804 bis 1875; deutscher evangelischer Pfarrer und romantisch-realistischer Schriftsteller.

Eduarde *(w)* die weibliche Form zu Eduard.

Eduardina *(w)* Weiterbildung von Eduarde; Nebenform: *Eduardine.*

Eduardine *(w)* Nebenform zu Eduardina.

Edvard *(m)* schwedische und norwegische Form von Eduard.

Persönlichkeiten der Geschichte:

Edvard Grieg, 1843 bis 1907; norwegischer Pianist, Dirigent und romantischer Komponist.

Edvard Munch, 1863 bis 1944; norwegischer Maler und Graphiker von starker Wirkung auf den europäischen Expressionismus.

Edvige *(w)* französische Form von Hedwig.

Edward *(m)* englische Form von Eduard.

Persönlichkeit der Geschichte:

Edward Teller, geboren 1908; ungarisch-amerikanischer Kernphysiker; schuf Grundlagen für Wasserstoffbombe.

Edwardina *(w)* die weibliche Form zu englisch Edward; Nebenform: *Edwardine.*

Edwardine *(w)* Nebenform zu Edwardina.

Edwin *(m)* angelsächsisch-englisch: *ead* = Erbe, Besitz; *wini* = Freund; altenglisch: *Eadwine;* Otwin; englische Koseform: *Ned.*

Persönlichkeit der Geschichte:

Edwin P. Hubble, 1889 bis 1933; amerikanischer Astrophysiker.

Edwina, *(w)* die weibliche Form zu Edwin; Nebenform: *Edwine.*

Edwine *(w)* Nebenform zu Edwina.

Edy *(m)* Koseform für Edgar, Eduard und Edward.

Edzard *(m)* friesische Form von Eckart.

Persönlichkeit der Geschichte:

Edzart Schaper, 1908 bis 1984, deutscher Schriftsteller (»Die sterbende Kirche«, »Macht und Freiheit«, »Am Abend der Zeit«).

Edzward *(m)* Nebenform zu Eckart; niederländisch: *Edsart;* friesisch: *Edzard.*

Eferlein *(w)* Koseform für Euphrosyne.

Effi *(w)* Kurz- und Koseform für Elfriede und Euphemia.

Efraim *(m)* ökumenische Form von Ephraim.

Efrem *(m)* englische Form von Efraim.

Efronis *(w)* Koseform für Euphrosyne.

Egbert *(m)* althochdeutsch: *egga* = Schneide; *beraht* = glänzend; Nebenformen: *Eckbert, Ekbert, Ekbrecht, Eggebrecht, Egbrecht.*

Egberta *(w)* die weibliche Form zu Egbert; Nebenform: *Egberte;* Weiterbildung: *Egbertine.*

Egberte *(w)* Nebenform zu Egberta.

Egbertine *(w)* erweiterte Form von Egberta.

Egbrecht *(m)* Nebenform zu Egbert.

Egen *(m)* Nebenform zu Eckart; auch Kurzform für mit Egin- beginnende männliche Vornamen.

Egeno *(m)* Kurzform für mit Egin- beginnende männliche Vornamen.

Eget *(w)* Kurzform für Agatha.

Egge *(m)* ostfriesische Kurzform für Eckart.

Eggebrecht *(m)* Nebenform zu Egbert.

Eggert *(m)* niederdeutsche und schwedische Form von Eckart.

Eggo *(m)* ostfriesische Kurzform für Eckart und andere mit Eg- beginnende männliche Vornamen.

Eghart *(m)* Nebenform zu Eckart.

Egid *(m)* Kurzform für Ägidius.

Egidio *(m)* spanisch für Ägidius.

Egidius *(m)* Nebenform zu Ägidius.

Egil *(m)* Kurzform für mit Egil- und Agil- beginnende männliche Vornamen; Nebenform: *Eigil.*

Egilbert *(m)* Kurzform zu Agilbert.

Egilhard *(m)* althochdeutsch: *egga* = *ecke* = Schneide; *harti* = stark; Nebenformen: *Egilshard, Eilhard, Eilert, Ehlert, Ehler;* vgl. Agilhard.

Egilmar *(m)* Nebenform zu Eilmar.

Egilo *(m)* Kurzform für Agilbert.

Egilolf *(m)* Nebenform zu Agilolf.

Egilshard *(m)* Nebenform zu Egilhard.

Eginald *(m)* althochdeutsch: *egga, ekka* = Schneide; *waltan* = walten, herrschen; Nebenformen: *Eginold, Einald, Aginald;* ostfriesische Formen: *Ayold, Aiwalt.*

Eginhard *(m)* Nebenform zu Eckart.

Egino *(m)* Kurzform für mit Egin- beginnende männliche Vornamen; auch *Egen, Egeno.*

Eginolf *(m)* althochdeutsch: *ekka* = Schneide; *wolf* = Wolf; Kurzform: *Egon.*

Egizo *(m)* Kurzform für Eckart.

Egle *(w)* Koseform für Agatha.

Eglof *(m)* Nebenform zu Egolf.

Egmont *(m)* niederländische und niederdeutsche Form von Egmund (Agimund); französische Form: *Aimon.*

Persönlichkeit der Geschichte:

Egmont, Graf, 1522 bis 1568; war ab 1559 Statthalter von Artois und Flandern; wegen Opposition gegen spanische Politik in den Niederlanden hingerichtet.

Egmund *(m)* Nebenform zu Agimund; auch *Eckmund.*

Egolf *(m)* von Agilolf über Egilolf; Nebenformen: *Eglof, Eklof.*

Egon *(m)* Nebenform zu Eckart.

Persönlichkeiten der Geschichte:

Egon Bahr, geboren 1922; deutscher sozialdemokratischer Politiker.

Egon E. Kisch, 1885 bis 1948; tschechischer marxistischer Schriftsteller.

Egward *(m)* Nebenform zu Eckewart.

Ehler *(m)* Nebenform zu Egilhard.

Ehler *(m)* Nebenform zu Egilhard.

Ehm *(m)* und *(w)* Kurzform für mit Egin-, Ein- beginnende männliche und weibliche Vornamen; Koseform: *Ehmi.*

Ehmi *(m)* und *(w)* Koseform für Ehm.

Ehregott *(m)* pietistische Neubildung des 18. Jahrhunderts.

Ehrenbert *(m)* althochdeutsch: *arn* = Adler; *beraht* = glänzend; Nebenformen: *Ehrenbrecht, Ernbert.*

Ehrenbrecht *(m)* Nebenform zu Ehrenbert.

Ehrenfried *(m)* evangelische Neubildung des 16. Jahrhunderts; Nebenformen: *Ehrfried, Elfried, Erenfried;* Kurzform: *Ezzo;* schwedisch: *Ernfrid.*

Ehrengard *(w)* von Arngard herleitbar (?).

Ehrenreich *(m)* Neubildung des 16. und 17. Jahrhunderts; Nebenformen: *Erenrich, Erentrich.*

Ehrentraud *(w)* von Arntraud herleitbar oder Neubildung; Nebenformen: *Ehrentraut, Ehrentrud, Erentrud, Erentrudis;* oder deutsche Schreibweise von nordisch: Erindrud.

Ehrentraut *(w)* Nebenform zu Ehrentraud.

Ehrentrud *(w)* Nebenform zu Arntraud und Ehrentraud; Nebenform: *Erentrud.*

Ehrfried *(m)* Nebenform zu Ehrenfried.

Ehrhard *(m)* Nebenform zu Erhard, auch Eberhard.

Eike *(m)* Kurzform für Eckart und Eilhard; *(m)* und *(w)* Kurzform für mit Eg-, Eck-, Edel-, Adel- beginnende männliche und weibliche Vornamen.

Eiko *(m)* Nebenform zu Eckart, Eilhard und zum männlichen Vornamen Eike.

Eil *(m)* Kurzform für mit Egil- beginnende männliche Vornamen.

Eila *(w)* nordische Nebenform zu Elin (Helene); Kurzform für mit Eil- beginnende weibliche Vornamen.

Eilbert *(m)* Nebenform zu Agilbert; auch *Eilbrecht* und *Elbert.*

Eilbrecht *(m)* Nebenform zu Eilbert.

Eilburg *(w)* althochdeutsch: *agil* = Schwert; *burg* = Schutz; Nebenformen: *Elburg, Elborg.*

Eileen *(w)* englisch, irischer Herkunft: angenehm (?); Nebenform zu Evelyn oder Helen.

Eilhard *(m)* Nebenform zu Egilhard und Agilhard.

Eilmar *(m)* althochdeutsch: *agil* = Schwert; *mari* = berühmt; Nebenformen: *Egilmar, Agilmar; Elimar, Elmer, Elmar;* Kurzformen: *Elmo, Elko.*

Eiltraud *(w)* althochdeutsch: *agil* = Schwert; *trud* = Kraft.

Eilward *(m)* Nebenform zu Agilwart.

Eilwart *(m)* Nebenform zu Agilwart.

Eina *(w)* schwedische weibliche Form zu Einar; Kurzform: *Ena.*

Einald *(m)* Nebenform zu Eginald.

Einar *(m)* dänische Form von Ekkart; Nebenform: *Einer.*

Einer *(m)* Nebenform zu Einar.

Einhard *(m)* Nebenform zu Eginhard.

Einharde *(w)* die weibliche Form zu Einhard.

Eirik *(m)* Nebenform zu Erich.

Persönlichkeit der Geschichte:

Eirik der Rote von Island, entdeckte um 1000 Grönland.

Eitel *(m)* in der Kaiserzeit der Hohenzollern selbständig geworden; ursprünglich (im Sinn von »nur«) mit einem Vornamen üblich, zum Beispiel: Eitel Friedrich.

Eitz *(m)* Kurzform für Eckart.

Ejnar *(m)* dänische Form von Einar.

Persönlichkeit der Geschichte:

Ejnar Hertzsprung, 1873 bis 1967; dänischer Astrophysiker.

Ekbert *(m)* Nebenform zu Egbert.

Ekbrecht *(m)* Nebenform zu Egbert.

Ekkehard *(m)* Nebenform zu Eckart.

Eklof *(m)* Nebenform zu Egolf.

Ela *(w)* Koseform für Elisabeth.

Elard *(m)* niederdeutsche Form von Egilhard.

Elbert *(m)* Nebenform zu Eilbert.

Elborg *(w)* Nebenform zu Eilburg.

Elburg *(w)* Nebenform zu Eilburg.

Eleanor *(w)* englische Form von Eleonora; nach provenzalisch *Aliénor.*

Eleasar *(m)* hebräisch: Gott hilft; ökumenische Form; in der Vulgata: *Eleazar.*

Eleazar *(m)* Nebenform zu Eleasar.

Elektra *(w)* griechisch: die Strahlende.

Elena *(w)* italienische und spanische Form von Helene; Nebenform: *Elina.*

Eleonora *(w)* aus arabisch-griechisch: *Ellinor:* Gott mein Licht; Nebenform: *Eleonore;* Kurz- und Koseformen: *Leonore, Lenore, Nora, Nore, Lora, Lore, Lorchen, Lorle, Noor, Nortje, Ella, Elli, Elly, Nel;* englische Form: *Eleonora, Eleanor, Ellinor, Ellen;* Kurzform: *Nelly;* nordisch: *Nora;* tschechisch: *Lenorka.*
Persönlichkeit der Geschichte:
Eleonora Duse, 1858 bis 1924; italienische Schauspielerin.

Eleonore *(w)* Nebenform zu Eleonora.

Eleutherius *(m)* latinisiert aus griechisch: *Eleutherios* = Befreier.

Elfe *(w)* Kurzform für mit Elf- beginnende weibliche Vornamen.

Elfgard *(w)* Neubildung: *Elf-* und althochdeutsch: *gard* = Zaun, Schutz.

Elfi *(w)* Koseform für Elfriede; auch Kurzform für mit Elf- beginnende weibliche Vornamen.

Elfie *(w)* Kurzform für mit Elf- beginnende weibliche Vornamen; auch Koseform für Elfriede.

Elfrida *(w)* Nebenform zu Alfrida.

Elfried *(m)* Nebenform zu Ehrenfried.

Elfriede *(w)* vielleicht althochdeutsch: *alb* = Naturgeist; *fridu* = Friede; Kurz- und Koseformen: *Elfi, Elfie, Effi, Frieda, Friedel.*

Elfrun *(w)* Nebenform zu Albrun.

Elga *(w)* Nebenform zu Helga (?).

Elgard *(w)* Nebenform zu Edelgard (?).

Elia *(m)* hebräisch: *eli'jahu* = mein Gott ist Jahwe; Form der Lutherbibel; in der Vulgata: *Helias;* Nebenform *Elias;* ökomenisch: *Elija;* Koseformen: *Lieske, Leies.*

Eliane *(w)* französische weibliche Form zu Élie.

Elias *(m)* Nebenform zu Elia.
Persönlichkeit der Geschichte:
Elias Holl, 1573 bis 1646, deutscher Baumeister der späten Renaissance.

Élice *(w)* französische Kurzform für Elisabeth.

Elieser *(m)* hebräisch: Gott ist Hilfe; ökumenische Form; Nebenform: *Eliezer.*

Éliette *(w)* verkleinernde weibliche Form zu Élie.

Eliezer *(m)* Nebenform zu Elieser.

Eligius *(m)* lateinisch: der Auserwählte; Kurz- und Koseformen: *Elgo, Eloy, Gloy, Loi, Loy, Lei;* französische Form: *Éloi, Éloy.*

Elija *(m)* hebräisch, ökumenische Form von Elia; in der Lutherbibel: *Elia,* in der Vulgata: *Helias;* englische Form: *Elijah;* Koseform: *Ellis;* französisch: *Élie;* italienisch: *Elia;* slawisch: *Illja;* russisch: *Ilja, Ilija;* ungarisch: *Illyés.*

Elin *(w)* Koseform für Helene.

Elina *(w)* schwedische Form von Helene; Nebenform zu Elena.

Elisa *(w)* Kurzform für Elisabeth.

Elisabet *(w)* ökumenische Form von Elisabeth.

Elisabeth *(w)* hebräisch: *eli'scheba* = Gott ist vollkommen; ökumenische Form: *Elisabet;* Abwandlungen, Kurz- und Koseformen: *Elsbeth, Elisa, Elise, Elsa, Else, Elice, Elica, Lissy, Lizzy, Babette, Elsabe, Elsebein, Lisbeth, Liesel, Liesl, Liesi, Lil, Lili, Lilli, Elske, Elsle, Ella, Ilsa, Ilse, Ilsebeg, Betti, Betlein, Betchen, Bettel, Beke, Becke, Beli, Sissi;* niederdeutschfriesisch: *Telsa, Telse;* englische Form: *Elizabeth;* Kurz- und Koseformen: *Bess, Bessie, Bessy, Betsy, Billa, Alice, Lil, Lill, Lilli, Sissi, Sissy;* französisch: *Lisette, Isabeau, Élise, Élice, Alice,*

Alison, Babette; spanisch: *Isabel, Isabella, Bella;* schwedische Koseform: *Lisken;* italienisch: *Elisabetta, Elisa, Betta, Lisa, Lisetta, Isabela;* russisch: *Jelisaweta, Lisenka;* ungarisch: *Erzsébet.*

Persönlichkeiten der Geschichte:

Elisabeth von Österreich, 1520 bis 1592; Königin von Frankreich; Gattin Karls IX.; lebte nach dessen Tod in Wien im Dienst der Armen.

Elisabeth, Kaiserin von Österreich-Ungarn, 1873 bis 1898 genannt Sisi.

Elisabeth von Thüringen, 1207 bis 1231; die Gattin des Landgrafen Ludwig, der 1227 auf Kreuzzug starb; gründete in Marburg ein Hospital und kümmerte sich Armen, Kranken und Aussätzigen.

Elisabeth Bergner, 1897 bis 1986, österreichische Schauspielerin.

Elisabeth Flickenschildt, 1905 bis 1977, deutsche Schauspielerin.

Elisabeth Grümmer, geboren 1911, deutsche Opern- und Konzertsängerin.

Elisabeth Langgässer, 1899 bis 1950, deutsche Dichterin.

Elisabeth Schwarzkopf, geboren 1915; deutsche Opern- und Konzertsängerin (Sopran).

Elisabetta *(w)* italienische Form von Elisabeth.

Elischa *(m)* hebräisch; ökumenische Form von Elisäus.

Elise *(w)* Kurzform für Elisabeth.

Élise *(w)* französische Kurzform für Elisabeth.

Élisée *(m)* französische Form von Elisäus.

Elizabeth *(w)* englische Form von Elisabeth.

Persönlichkeiten der Geschichte:

Elizabeth I. von England, 1533 bis 1603; seit 1558 Königin; ließ Maria Stuart enthaupten; siegte über die spanische Armada; betrieb Kolonialpolitik.

Elizabeth II., Königin von England, geb. 1926, regiert seit 1953.

Elizabeth Taylor, geboren 1932; amerikanische Filmschauspielerin.

Elka *(w)* Nebenform zu Elke.

Elke *(w)* niederdeutsche und ostfriesische Koseform für Adelheid (vgl. Alke); Nebenform: *Elka.*

Ella *(w)* Koseform für Eleonora, Elisabeth, Elvira, Elwine und Helene.

Persönlichkeit:

Ella Fitzgerald, geboren 1918; amerikanische farbige Jazzsängerin.

Ellen *(w)* englische Kurzform von Eleanor (Eleonora) und Helena.

Elli *(w)* Koseform für Eleonora und Elisabeth.

Ellinor *(w)* englische Nebenform zu Eleonora.

Ellis *(m)* englische Koseform für Elija.

Elly *(w)* Koseform für Eleonora.

Persönlichkeit:

Elly Beinhorn, geboren 1907; deutsche Sportfliegerin.

Elma *(w)* Neubildung aus Elisabeth und Maria, auch Kurzform für italienisch: Guglielma (= Wilhelmine).

Elmar *(m)* Nebenform zu Eilmar.

Elmer *(m)* englische und schwedische Nebenform zu Eilmar.

Elmira *(w)* arabisch-spanisch: Fürstin.

Elmo *(m)* Kurzform für Eilmar und Erasmus.

Eloff *(m)* Nebenform zu Elof.

Éloi *(m)* französische Form von Eligius.

Elon *(m)* Nebenform zu Alon.

Elona *(w)* die weibliche Form zu Elon (Alon).

Elsa *(w)* Kurzform für Elisabeth.

Persönlichkeit der Geschichte:

Elsa Brandström, 1888 bis 1948; schwedische Rotkreuzschwester; »Engel von Sibirien« der Kriegsgefangenen der Weltkriege.

Elsbeth *(w)* Kurzform für Elisabeth.

Else *(w)* Kurzform für Elisabeth.

Eltje *(w)* ostfriesische Koseform, Nebenform zu Altje.

Elvira *(w)* gotisch-spanisch: die Erhabene; Nebenformen: *Elvire, Alwara, Alwera.*

Elvire *(w)* Nebenform zu Elvira.

Elvis *(m)* amerikanisch.

Persönlichkeit:

Elvis Presley, 1935 bis 1977; populärer amerikanischer Gitarrist und Sänger.

Elwin *(m)* althochdeutsch: *el = adel =* edel; *wini* = Freund; vgl. Alwin.

Elwine *(w)* die weibliche Form zu Elwin; Nebenform zu Alwine; Kurzform: *Ella.*

Emanuel *(m)* lateinisch-griechisch aus hebräisch: *Immanuel:* Gott mit uns; ökumenische Form: *Immanuel;* Nebenform: *Emmanuel;* Kurzformen: *Manuel, Manel, Mani, Nallo;* spanisch: *Manuel, Manolo;* jüdisch: *Mendel;* bulgarische Kurzformen: *Mango, Manko.*

Persönlichkeit der Geschichte:

Emanuel Geibel, 1815 bis 1884, deutscher Dichter.

Emanuela *(w)* die weibliche Form zu Emanuel; Nebenform: *Manuela;* Koseform: *Mana.*

Emelka *(w)* ungarische Form von Emma.

Emely *(w)* englische Form von Emilia.

Emerald *(w)* englische Form von Esmeralda.

Emeram *(m)* Nebenform zu Emmeram.

Emeran *(m)* Nebenform zu Emmeram.

Emerentia *(w)* lateinisch: die Verdienstreiche, Würdige; Kurz- und Koseformen: *Emerenz, Emerita, Renzie, Renzele, Renzelin, Meret, Merta.*

Emerentiana *(w)* Weiterbildung von Emerentia.

Emerenz *(w)* Kurzform für Emerentia.

Emerich *(m)* Nebenform zu Emmerich.

Emerico *(m)* Nebenform zu italienisch Amerigo.

Emerita *(w)* Kurzform für Emerentia.

Emil *(m)* vom lateinischen Geschlechternamen der Ämilier: *Aemilius* = eifrig; *Aemilianus;* französische Form: *Émile;* italienisch und spanisch: *Emilio;* slawisch: *Milan.*

Persönlichkeiten der Geschichte:

Emil A. von Behring, 1854 bis 1917; deutscher Bakteriologe.

Emil Jannings, 1884 bis 1950; deutscher Schauspieler; Charakterdarsteller.

Emil Nolde, 1867 bis 1956; deutscher expressionistischer Maler und Graphiker.

Émile *(m)* französische Form von Emil.

Persönlichkeit der Geschichte:

Émile Zola, 1840 bis 1902; französischer naturalistischer Schriftsteller.

Emillia *(w)* lateinisch; diee weibliche Form zu Emil: Nebenformen: *Emilie, Ämiliana;* Kurz- und Koseformen: *Emmi, Milie, Milli, Mil, Milla, Mile, Emele, Miggi, Migele;* englische Form: *Emely;* französisch: *Émilie;* slawisch: *Mila.*

Emilie *(w)* Nebenform zu Emilia.

Émilie *(w)* französische Form von Emilia.

Emilio *(m)* italienische und spanische Form von Emil.

Emily *(w)* englische Form von Amalia.

Emle *(m)* Kurzform für Ermanrich.

Emma *(w)* althochdeutsch: erhaben; Kurzform für mit Erm-, Arm-, Herm- oder Irm- beginnende weibliche Vornamen, so Ermengard, Armgard,

Irmgard; Koseformen: *Emmi, Emmy;* Weiterbildung: *Emmeline;* ungarische Form: *Emelka.*

Emmanuel *(m)* Nebenform zu Emanuel.

Emmelrich *(m)* Nebenform zu Amalrich.

Emmeram *(m)* latinisierte Form von Heimeran; Nebenformen: *Emeram, Emmeran, Emeran.*

Persönlichkeit der Geschichte:

Emmeram, 8. Jahrhundert; westfränkischer Bischof; erlitt nach Berufung nach Regensburg bei Aibling das Martyrium.

Emmerich *(m)* Nebenform zu Amalrich; englische Form: *Amery;* französisch: *Emry;* slawisch: *Mirco, Mirko;* ungarisch: *Imre.*

Persönlichkeit der Geschichte:

Emmerich Kálmán, 1882 bis 1953; ungarischer Operettenkomponist.

Emmi *(w)* Koseform für Emilia und Emma.

Emmo *(m)* Koseform für mit Erm- oder Irm- beginnende männliche Vornamen; Nebenformen: *Emmo, Erno, Immo, Irmo.*

Emmy *(w)* englisch: Kurzform für Amalia; auch Koseform für Emma.

Emo *(m)* Nebenform zu Emmo.

Edmond *(m)* Nebenform zu Emund.

Emont *(m)* Nebenform zu Emund.

Emrich *(m)* Nebenform zu Amalrich.

Emry *(m)* französische Form von Emmerich.

Emund *(m)* althochdeutsch: Bewahrer der Gesetze; Nebenformen: *Emond, Emont, Eumund.*

Enders *(m)* niederdeutsche Form von Andreas.

Endre *(m)* ungarische Nebenform zu *Andor* (Andreas).

Endres *(m)* Kurzform für Andreas.

Endrich *(m)* Nebenform zu Heinrich.

Endrik *(m)* Nebenform zu Heinrich.

Endris *(m)* Kurzform für Andreas.

Enea *(m)* italienische Form von Äneas.

Eneas *(m)* englische Form von Äneas.

Énée *(m)* französische Form von Äneas.

Engel *(w)* Kurz- und Koseform für Angela, Engelberta und andere mit Engel- beginnende weibliche Vornamen; *(m)* auch für mit Engel- beginnende männliche Vornamen.

Engelberga *(w)* althochdeutsch: *angil* = Angle; *berga* = Schutz; Nebenform: *Engelburga.*

Engelbert *(m)* althochdeutsch: *angil* = Angle; *beraht* = glänzend; Nebenformen: *Engelbrecht,* älter *Angilbert;* Kurzformen: *Engel, Bert, Brecht.*

Persönlichkeiten der Geschichte:

Engelbert Dollfuß, 1892 bis 1934; österreichischer Politiker; als Bundeskanzler von Nationalsozialisten umgebracht.

Engelbert Humperdinck, 1854 bis 1921; deutscher Komponist.

Engelberta *(w)* die weibliche Form zu Engelbert; Kurzform: *Engel.*

Engelbrecht *(m)* Nebenform zu Engelbert.

Engelburga *(w)* Nebenform zu Engelberga.

Engelfried *(m)* althochdeutsch: *angil* = Angle; *fridu* = Friede.

Engelgard *(w)* althochdeutsch: *angil* = Angle; *gard* = Zaun, Schützerin.

Engelhard *(m)* althochdeutsch: *angil* = Angle; *harti* = stark.

Engeli *(w)* Koseform für Angela.

Engelina *(w)* Weiterbildung von Engel; Nebenform: *Engeline.*

Engeline *(w)* Nebenform zu Engelina.

Engelmar *(m)* althochdeutsch: *angil* = Angle; *mari* = berühmt.

Engelmund *(m)* althochdeutsch: *angil* = Angle; *munt* = Schutz.

Engelram *(m)* althochdeutsch: *angil* = Angle; *hraban* = Rabe; von französisch: *Angilram.*

Engeltraud *(w)* althochdeutsch: *angil* = Angle; *trud* = Kraft; Nebenform: *Engeltrud.*

Engeltrud *(w)* Nebenform zu Engeltraud.

Enno *(m)* friesische Kurzform für Einhard (Eckart).

Enoch *(m)* Nebenform (in der Vulgata) zu Henoch; auch englische Form: *Enoch.*

Enric *(m)* rumänische Form von Heinrich.

Enrica *(w)* italienische Form von Henriette.

Enrico *(m)* italienische Form von Heinrich; Kurzform: *Enzio.*

Persönlichkeit der Geschichte:

Enrico Caruso, 1873 bis 1921; italienischer Opernsänger des Belcanto und Schauspieler.

Enrik *(m)* Nebenform zu Heinrich.

Enrique *(m)* spanische Form von Heinrich.

Enver *(m)* türkisch; Nebenform: *Enwer;* arabisch: *Anwar.*

Enwer *(m)* Nebenform zu Enver.

Enzio *(m)* italienische Kurzform für Enrico (= Heinrich).

Enzo *(m)* italienisch; wohl aus Enzio abgewandelt.

Eoban *(m)* griechisch: *eos* = Morgenröte; *ban* von *bainein* = gehen; oder althochdeutsch: Erbahne.

Eobane *(w)* die weibliche Form zu Eoban.

Eos *(w)* griechisch: Morgenröte.

Ephraim *(m)* hebräisch: *ephraim* = Doppelerbe, doppelt fruchtbar oder Fruchtland; Nebenform: *Ephräm;* ökumenische Form: *Efraim;* englisch: *Efrem;* russisch: *Jefrem.*

Persönlichkeiten der Geschichte:

Ephraim, im Alten Testament der zweite Sohn Josephs, Vater des israelitischen Stammes Ephraim, den 722 v. Chr. die Assyrer vernichteten.

G. Ephraim Lessing, 1729 bis 1781; deutscher Schriftsteller, Literaturkritiker, Kunsttheoretiker und Philosoph.

Epikur *(m)* griechisch: *epikuros* = Helfer.

Persönlichkeit der Geschichte:

Epikur, etwa 342 bis 270 v. Chr.; griechischer Philosoph; gründete in Athen die Schule des Epikureismus.

Epimach *(m)* griechisch: Kampfgehilfe; latinisiert: *Epimachus;* Kurzformen: *Mach, Machus.*

Epimachus *(m)* latinisierte Form von Epimach.

Epiphanius *(m)* griechisch-lateinisch: am Epiphaniefest Christi (6. Januar) geboren.

Epp *(m)* Kurzform für mit Eber- beginnende männliche Vornamen.

Epple *(m)* Kurzform für mit Eber- beginnende männliche Vornamen.

Eppo *(m)* Kurz- und Koseform für Arbogast und für mit Eber- beginnende männliche Vornamen.

Eraldo *(m)* italienische Form von Harold.

Erasmus *(m)* griechisch: der Liebenswerte; Kurz- und Koseformen: *Rasmus, Asmus, Aßmann, Asam, Aser, Raß, Rase, Rasi;* italienische Kurzform: *Elmo.*

Persönlichkeit der Geschichte:

Erasmus von Rotterdam, 1464 bis 1536; niederländischer Humanist und Theologe; vielseitiger Gelehrter; gilt als Wegbereiter der Reformation, von der er sich jedoch bald trennte.

Erberto *(m)* italienische Form von Herbert.

Erbo *(m)* Kurzform für Arbogast.

Erchanbald *(m)* Nebenform zu Erkenbald.

Ercole *(m)* italienische Form von Herkules.

Erda *(w)* althochdeutsch: nach der altnordischen Erdgöttin Erda = *Jörd.*

Erdmann *(m)* Nebenform zu Hartmann; auch Vorname für nach Tod eines Jungen nachgeborenen Bruders, um ihn der Erde zu verbinden; entsprechend Erdmute.

Erdmut *(m)* Nebenform zu Hartmut.

Erdmute *(w)* pietistische Bildung des 17. Jahrhunderts: der Erde zugewandt; Vorname für nach Tod eines Mädchens nachgeborene Schwester, um sie der Erde zu verbinden; Nebenform: *Erdmuthe.*

Eremund *(m)* Nebenform zu Irmund.

Erenfried *(m)* Nebenform zu Ehrenfried.

Erentrud *(w)* Nebenform zu Arntraud und Ehrentraud; auch *Erentrudis.*

Erentrudis *(w)* Nebenform zu Ehrentraud.

Erfried *(m)* Nebenform zu Ehrenfried.

Erhard *(m)* althochdeutsch: *era* = Ehre; *harti* = stark; Nebenformen: *Erhart, Ehrhard;* französische Form: *Érard.*

Erhardine *(w)* die weibliche Form zu Erhard.

Erhart *(m)* Nebenform zu Erhard.

Eri *(w)* Koseform für Erika.

Eric *(m)* skandinavische und englische Form von Erich.

Erich *(m)* althochdeutsch: *era* = Ehre; *rich* = *rihi* = reich, mächtig; oder *Einrik,* altgermanisch: *airikr* = Alleinherrscher (?); Nebenform: *Eherich* (danach auch von *ehu* = Pfand gedeutet); niederdeutsche Form: *Jerre;* skandinavische Formen: *Eric, Erik;* schwedische Formen: *Erk, Erker, Jerker;* englisch: *Eric.*

Persönlichkeiten der Geschichte:

Erich Fromm, 1900 bis 1980; deutscher Psychoanalytiker.

Erich Honecker, 1912 bis 1994, deutscher Politiker der DDR.

Erich Kästner, 1809 bis 1974; deutscher Schriftsteller.

Erich Kleiber, 1890 bis 1956, deutscher Dirigent.

Erich Ludendorff, 1865 bis 1937, deutscher General und Politiker.

Erich Mende, geboren 1916, deutscher Politiker.

Erich Ollenhauer, 1901 bis 1963; deutscher sozialdemokratischer Politiker.

Erich M. Remarque, 1898 bis 1970; deutsch-amerikanischer gesellschaftskritischer und antimilitärischer Schriftsteller.

Erik *(m)* skandinavische Form von Erich.

Erika *(w)* die weibliche Form zu Erik (Erich); Koseform: *Eri.*

Persönlichkeiten:

Erika Köth, geboren 1927; deutsche Opern- und Konzertsängerin.

Erika Pluhar, geboren 1939; österreichische Schauspielerin und Sängerin.

Erindrud *(w)* Nebenform zu Arntraud; Nebenformen: *Erentrud, Erntrud;* altdeutsch: *Erinthrut.*

Erkenbald *(m)* althochdeutsch: *erkan* = echt, wirklich; *bald* = kühn; Nebenformen: *Erchanbald, Archibald;* Kurzformen: *Arke* und *Arko.*

Erkenbert *(m)* althochdeutsch: *erkan* = echt, wirklich, sehr; *beraht* = glänzend; Nebenformen: *Erkenbrecht.*

Erkenbrecht *(m)* Nebenform zu Erkenbert.

Erkenfried *(m)* althochdeutsch: *erkan* = echt, wahr, sehr; *fridu* = Friede, Schutz.

Erkenhild *(w)* althochdeutsch: *erkan* = echt, wahr; *hiltja* = Kampf.

Erkenrad *(m)* althochdeutsch: *erkan* = echt, wahr, sehr; *rad* = *rat* = Rat, Ratgeber.

Erkentraud *(w)* althochdeutsch: *erkan* = echt, wahr; *trud* = Kraft.

Erkenwald *(m)* althochdeutsch: *erkan* = echt, wahr; *waltan* = walten, Gebieter.

Erker *(m)* schwedische Kurzform für Erich.

Erko *(m)* Nebenform zu Erk.

Erla *(w)* Kurz- und Koseform für mit Erl- beginnende weibliche Vornamen.

Erlanda *(w)* die weibliche Form zu Erland.

Erlefried *(m)* Nebenform zu Erlfried.

Erlfrid *(m)* Nebenform zu Erlfried.

Erlfried *(m)* althochdeutsch: *erl* = freier Mann; *fridu* = Friede, Schutz; Nebenform: *Erlfrid, Erlefried.*

Erlfriede *(w)* die weibliche Form zu Erlfried.

Erlgard *(w)* althochdeutsch: *erl* = freier Mann; *gard* = Zaun, Schützerin.

Erltraud *(w)* althochdeutsch: *erl* = freier Mann; *trud* = Kraft; Nebenform: *Erltrud.*

Erltrud *(w)* Nebenform zu Erltraud.

Erlwin *(w)* althochdeutsch: *erl* = freier Mann; *wini* = Freund.

Erlwine *(w)* die weibliche Form zu Erlwin.

Erma *(w)* Nebenform zu Irma; auch Kurzform für mit Erm- oder Ermen- beginnende weibliche Vornamen.

Ermanno *(m)* italienische Form von Hermann.

Ermanrich *(m)* germanisch: *ermin* = Herminonen, althochdeutsch: *rihhi* = reich, mächtig; Nebenformen: *Ermenrich, Ermerich, Irminrich;* Kurzformen: *Emle, Emmo, Ermo.*

Ermelinda *(w)* Nebenform zu Irmlinde.

Ermenhild *(w)* Nebenform zu Irmhild.

Ermgart *(w)* ostfriesische Form von Irmgard.

Erminia *(w)* italienische Form von Hermine.

Erminold *(m)* althochdeutsch: *erman* = groß; *waltan* = walten, Herrscher; Nebenform: *Irminald.*

Erminolde *(w)* die weibliche Form zu Erminold.

Ermlinde *(w)* Nebenform zu Irmlin-de.

Ermo *(m)* Kurzform für Ermanrich.

Ermtraud *(w)* Nebenform zu Irmintrud.

Ermtrud *(w)* Nebenform zu Irmintrud.

Erna *(w)* Koseform von Ernesta und Ernestine; auch Kurzform für mit Arn- und Ern- beginnende weibliche Vornamen; Nebenform: *Erne.*

Persönlichkeiten:

Erna Berger, 1900 bis 1990, deutsche Sängerin.

Erna Sack, 1898 bis 1972, deutsche Koloratursopranistin.

Ernbert *(m)* Nebenform zu Ehrenbert.

Erne *(w)* Nebenform zu Erna.

Ernest *(m)* englische und französische Form von Ernst.

Persönlichkeiten der Geschichte:

Ernest Hemingway, 1899 bis 1961; amerikanischer Schriftsteller.

Ernest O. Lawrence, 1901 bis 1958; amerikanischer Kernphysiker; erfand das Zyklotron.

Ernest Rutherford, 1871 bis 1937; englischer Physiker und Chemiker; schuf moderne Atomphysik.

Ernesta *(w)* die weibliche Form zu Ernst; Weiterbildung: *Ernestina, Ernestine;* Kurz- und Koseformen: *Erna, Erne, Erni, Stine.*

Ernestina *(w)* Weiterbildung von Ernesta.

Ernestine *(w)* Weiterbildung von Ernesta.

Ernesto *(m)* italienische Form von Ernst; Kurzform: *Erno.*

Ernfrid *(m)* schwedische Form von Ehrenfried.

Ernfriede *(w)* Nebenform zu Arnfriede.
Erni *(m)* Koseform für Arnold und Ernst.
Erni *(w)* Koseform für Ernesta.
Erno *(m)* Nebenform zu Emmo und Arno; auch italienische Kurzform für Ernesto.
Ernst *(m)* althochdeutsch: *ernust* = Ernst, Entschlossenheit; niederdeutsch: *Arnst;* Koseformen: *Erni, Ern;* englische und französische Form: *Ernest;* italienisch und spanisch: *Ernesto;* schwedisch: *Allvar;* tschechisch: *Arnošt.*
Persönlichkeiten der Geschichte:
Ernst Barlach, 1870 bis 1938; deutscher Bildhauer, Graphiker und expressionistischer Schriftsteller.
Ernst Bloch, 1885 bis 1977; deutscher Philosoph; vertrat eine Philosophie der Hoffnung.
Ernst Deutsch, 1890 bis 1969, deutscher Schauspieler.
Ernst Haeckel, 1834 bis 1919, deutscher Zoologe und Philosophe.
Ernst Heinkel, 1888 bis 1958; deutscher Flugzeugkonstrukteur.
Ernst Jünger, geb. 1895, deutscher Schriftsteller.
Ernst Lubitsch, 1892 bis 1947; deutsch-amerikanischer Filmregisseur.
Ernst Reuter, 1889 bis 1953, deutscher Politiker.
Ernst Röhm, 1887 bis 1934 (erschossen); nationalsozialistischer Politiker.
Ernst Rowohlt, 1887 bis 1960, deutscher Verleger.
Ernst F. Sauerbruch, 1875 bis 1951; deutscher Chirurg; Spezialist der Brustkorbchirurgie.
Ernst Thälmann, 1886 bis 1944; deutscher kommunistischer Politiker; im Konzentrationslager Buchenwald erschossen.
Ernst Wiechert, 1887 bis 1950, deutscher Schriftsteller.
Erntrud *(w)* Nebenform zu Erindrud.
Erskine *(m)* englisch-amerikanisch.
Erwin *(m)* neuere Form von *Herwin,* althochdeutsch: *heri* = Heer; *wini* = Freund; oder von Eberwin (?); italienische Form: *Ervino.*
Persönlichkeiten der Geschichte:
Erwin Rommel, 1891 bis 1944; deutscher Generalfeldmarschall; führte im Zweiten Weltkrieg das Afrikakorps.
Erwin von Steinbach, gestorben 1318, Erbauer des Straßburger Münsters.
Erwin Strittmatter, 1912 bis 1994, deutscher Schriftsteller des sozialist. Realismus der DDR.
Erwin von Witzleben, 1881 bis 1944 (erschossen); deutscher Generalfeldmarschall; als Widerstandskämpfer beteiligt am Hitler-Attentat.
Erzsébet *(w)* ungarische Form von Elisabeth.
Esaias *(m)* hebräisch, Jesaja.
Esau *(m)* ist hebräisch; ökumenische Form.
Esdras *(m)* Nebenform der Vulgata zu Esra.
Esmeralda *(w)* spanisch: = Smaragd, Edelstein; englische Form: *Emerald.*
Esmond *(m)* englisch; gleichbedeutend wie Osmund; oder altenglisch: *est* = Schönheit; *mund* = Schutz.
Esra *(m)* hebräisch: *esra* = Hilfe; ökumenische Form; in der Vulgata: *Esdras* oder *Ezra;* die englische Form: *Ezra.*
Esteban *(m)* spanische Form von Stephan.
Estella *(w)* spanisch: der Stern; ältere Form: *Estrella;* Nebenform: *Estelle;* Koseform: *Stella* (lateinisch: Stern); französische Form: *Estelle.*
Estelle *(w)* französische Form von Estella.
Ester *(w)* hebräisch: ökumenische Form von Esther.

Estevan *(m)* spanische Form von Stephan.

Esther *(w)* persisch-hebräisch: *esther* = Stern; ökumenische Form: *Ester;* niederländisch und englisch: *Hester.*

Estrella *(w)* Nebenform zu Estella.

Estrid *(w)* Nebenform zu Astrid; Koseform: *Etta.*

Etburga *(w)* Nebenform zu Edburga.

Etelka *(m)* ungarische Form von Otto.

Ethel *(w)* angelsächsisch-englisch: edel; englische Kurzform für mit Ethel- oder Edel- beginnende weibliche Vornamen.

Ethelbert *(m)* englische Form von Adalbert.

Ethelgard *(w)* Nebenform zu Edelgard.

Étienne *(m)* französische Form von Stephan.

Étiennette *(w)* französische Form von Stéphanie (Stephan).

Etta *(w)* Nebenform zu Edda; auch Koseform für Henrietta, Marietta, Estrid.

Etzel *(m)* Nebenform zu Attila; auch Kurzform für mit Adal- beginnende männliche Vornamen; althochdeutsch: *Azilo.*

Eucharius *(m)* lateinisch-griechisch: = der Begnadete, Anmutige; auch latinisierte Form von Eckart.

Eudoxia *(w)* griechisch: = von oder in gutem Ruf.

Euergetes *(m)* griechisch: = Wohltäter.

Eufemia *(w)* italienische Form von Euphemia.

Eufemio *(m)* italienische Form von Euphemius.

Eugen *(m)* griechisch: = der Edelgeborene; Koseform: *Jenni;* englische Form: *Eugene;* französisch: *Eugène;* tschechisch: *Evžen;* russisch: *Jewgenij;* ungarisch: *Jenö.*

Persönlichkeiten der Geschichte:

Eugen, Prinz von Savoyen, 1663 bis 1736; österreichischer Feldherr und Politiker; erfolgreich in den Türkenkriegen und im spanischen Erbfolgekrieg.

Eugen Diederichs, 1867 bis 1930, deutscher Verleger.

Eugen Gerstenmaier, 1906 bis 1986; deutscher evangelischer Theologe und christdemokratischer Politiker.

Eugen Jochum, geboren 1902; deutscher Dirigent.

Eugen Kogon, 1903 bis 1987; deutscher Politologe und Publizist.

Eugen Roth, 1895 bi 1976, deutscher Schriftsteller.

Eugene *(m)* englische Form von Eugen.

Eugène *(m)* französische Form von Eugen.

Persönlichkeiten der Geschichte:

Eugène Delacroix, 1798 bis 1863; französischer romantischer Maler und Graphiker.

Eugenia *(w)* die weibliche Form zu Eugen; Nebenform *Eugenie;* Kurzformen: *Genia, Genie;* französische Form: *Eugénie.*

Eugenie *(w)* Nebenform zu Eugenia.

Eugénie *(w)* französische Form von Eugenia.

Euklid *(m)* griechisch: *Eukleides:* = wohlgerühmt.

Persönlichkeit der Geschichte:

Euklid, um 300 v. Chr.; griechischer Mathematiker und Philosoph.

Eulogius *(m)* lateinisch-griechisch: = wohlredend.

Eumenes *(m)* griechisch: = wohlwollend.

Eumund *(m)* Nebenform zu Emund.

Eupator *(m)* griechisch: = edelgeboren.

Euphemia *(w)* die weibliche Form

zu Euphemius; Koseformen: *Effi, Fema, Fimi;* italienische Form: *Eufemia.*

Euphemius *(m)* lateinisch-griechisch: = in gutem Ruf; italienische Form: *Eufemio.*

Euphrasia *(w)* griechisch: = wohlmeinende Beraterin.

Euphrosyne *(w)* griechisch: = die Heitere; Nebenformen: *Euphrosina, Euphrosine;* Koseformen: *Eva, Efronis, Efe, Efer, Eferlein, Sine, Rosine;* russische Form: *Jewfrossinja.*

Eupolemos *(m)* griechisch: = kriegstüchtig.

Euripides *(m)* griechisch.

Euryanthe *(w)* griechisch: = breite Blüte oder: Blühende.

Eusebia *(w)* die weibliche Form von Eusebius.

Eusebios *(m)* griechisch: gottesfürchtig.

Eusebius *(m)* latinisiert aus griechisch Eusebios; Kurz- und Koseformen: *Seb, Sebi, Sefes, Seves.*

Eustace *(m)* englische Form von Eustachius.

Eustach *(m)* Kurzform für Eustachius.

Eustache *(m)* französische Form von Eustachius.

Eustachius *(m)* lateinisch-griechisch: = ährenreich; Kurzformen: *Eustach, Stach, Stachi, Staches, Stüches, Stachel;* englische Form: *Eustace;* französische Form: *Eustache.*

Eustasia *(w)* die weibliche Form zu Eustasius.

Eustasius *(m)* lateinisch-griechisch: = standfest.

Eustathius *(m)* lateinisch-griechisch: = standhaft; in lateinischer Übersetzung: *Constantius;* Kurzformen: *Statius, Staat, Statz.*

Eutropia *(w)* die weibliche Form zu Eutropius.

Eutropius *(m)* lateinisch-griechisch: = gewandt, von guter Sinnesart.

Eutychianus *(m)* Weiterbildung von Eutychius.

Eutychius *(m)* lateinisch-griechisch: = der Beglückte; Nebenform: *Eutychus;* Weiterbildung: *Eutychianus;* dem entspricht lateinisch: Bonifatius.

Eutychus *(m)* Nebenform zu Eutychius.

Ev *(w)* Koseform für Eva.

Eva *(w)* hebräisch: *hawa* = die Leben Schenkende; Koseformen: *Ev, Evi;* auch Kurzform für Genoveva und Koseform für Euphrosyne; schwedische Form: *Ebba;* englisch: *Eve;* Weiterbildung: *Evelyn;* französisch: *Eve;* spanische Koseform: *Evita.*

Persönlichkeiten der Geschichte:

Eva, im Alten Testament die Gattin Adams, die Stammutter der Lebenden (Gedenktag: 24. Dezember).

Eva (auch Evita) Perón, 1919 bis 1952; Gattin J. D. Peróns; argentinische Politikerin mit sozialem Engagement für die Frau.

Evamaria *(w)* Doppelname aus Eva und Maria.

Evangelina *(w)* englisch: von Evangelium abgeleitet; Nebenform: *Evangeline.*

Evangeline *(w)* Nebenform zu Evangelina.

Evangelist *(m)* griechisch: = Verkünder des Evangeliums; oft Beiname zu Johannes im Gegensatz zu Johannes Baptista.

Evarist *(m)* Nebenform zu Evaristus.

Evaristus *(m)* lateinisch-griechisch: = wohlgefällig; Nebenform: *Evarist.*

Eve *(w)* englische Kurzform für Evelyn (Eva).

Éve *(w)* französische Form von Eva.

Evelin *(w)* aus englisch Evelyn; Nebenformen: *Evelina, Eveline, Evelyn;* Kurzformen: *Lina, Line.*

Evelina *(w)* Nebenform zu Evelin.

Eveline *(w)* Nebenform zu Evelin.

Evelyn *(m)* englisch.

Evelyn *(w)* englische Weiterbildung von Eve (Eva); auch Nebenform zum deutschen Evelin; französische Form: *Evelyne.*

Evelyne *(w)* französische Form von Evelyn.

Evert *(m)* niederdeutschee Kurzform für Eberhard.

Evi *(w)* Koseform für Eva.

Evita *(w)* spanische Koseform für Eva.

Evžen *(m)* tschechische Form von Eugen.

Ewald *(m)* althochdeutsch: *ewa* = Gesetz; *waltan* = walten, herrschen, gebieten.

Ewart *(m)* althochdeutsch: *ewa* = Gesetz, Recht; *wart* = Wächter; Nebenformen: *Ewert, Eward.*

Ewert *(m)* Nebenform zu Ewart.

Ezechias *(m)* hebräisch: *jehiskijahu* = mich stärkt Jahwe (Gott); griechische Form: *Hezekias;* ökumenisch: Hiskija.

Ezechiel *(m)* hebräisch: *jeheske'el* = Gott stärkt oder: ist stark; die ökumenische Form; in der Lutherbibel griechisch: *Hesekiel,* in der Vulgata: *Ezechiel;* Kurzform: *Zechel;* englische Form: *Ezekiel;* russisch: *Jesekiel.*

Ezekiel *(m)* englische Form von Ezechiel.

Ezzo *(m)* Kurzform für Ehrenfried und für mit Adal- beginnende männliche Vornamen; auch italienische Kurzform für Adolfo.

F

Fabia *(w)* die weibliche Form zu Fabius.

Fabian *(m)* lateinisch, wohl Weiterbildung von Fabius; *Fabianus;* Bedeutung nicht gesichert; englische Form: *Fabian;* französisch: *Fabien;* italienisch: *Fabiano.*

Fabiana *(w)* Weiterbildung von Fabia; Nebenform: *Fabiane;* französische Form: *Fabienne.*

Fabiane *(w)* Nebenform zu Fabiana.

Fabiano *(m)* die italienische Form zu Fabian.

Fabianus *(m)* lateinische Form von Fabian.

Fabien *(m)* französische Form von Fabian.

Fabienne *(w)* die weibliche Form zu französisch Fabien.

Fabio *(m)* italienische und spanische Form von Fabius.

Fabiola *(w)* romanisch-spanische Weiterbildung von Fabia.

Persönlichkeit:

Fabiola, geboren 1928; Königin von Belgien; seit 1960 Gattin König Baudouins I.

Fabius *(m)* lateinisch, nach dem altrömischen Geschlecht der Fabier; italienische und spanische Form: *Fabio.*

Facius *(m)* Kurzform für Bonifatius.

Falk *(m)* Kurzform für Falko.

Falkmar *(m)* althochdeutsch: *falcho* = Falke; *mari* = berühmt.

Falko *(m)* althochdeutsch: *falcho* = Falke; Kurzform: *Falk.*

Fanchon *(w)* französische Koseform für Françoise (Franziska).

Fánika *(w)* slawische Koseform für Franziska.

Fanni *(w)* Koseform für Franziska und Stephanie; englische Form: *Fanny.*

Fanny *(w)* englische Koseform für Frances (Franziska); auch deutsch.

Fara *(w)* Kurzform für Faralda.

Farah *(w)* arabisch: = Freude.

Persönlichkeit:

Farah Diba, geboren 1938; ehemalige Kaiserin von Iran; seit 1959 Gattin von Schah Reza Pahlewi.

Farald *(m)* althochdeutsch: *faran* = fahren, reisen; *waltan* = walten, herrschen; Nebenformen: *Faralt, Farold, Farolt.*

Faralda *(w)* die weibliche Form zu Farald; Kurzform: *Fara.*

Faralt *(m)* Nebenform zu Farald.

Faramund *(m)* althochdeutsch: *faran* = fahren, reisen; *munt* = Schutz, Schützer.

Farhild *(w)* althochdeutsch: *faran* = fahren, reisen; *hiltja* = Kampf; Nebenform: *Farhilde.*

Farhilde *(w)* Nebenform zu Farhild.

Farold *(m)* Nebenform zu Farald.

Farolt *(m)* Nebenform zu Farald.

Faruk *(m)* arabisch.

Persönlichkeit der Geschichte:

Faruk I.; 1920 bis 1965; 1936 bis zur Abdankung 1952 König von Ägypten.

Fastmar *(m)* althochdeutsch: *fasti* = fest; *mari* = berühmt.

Fastolf *(m)* althochdeutsch: *fasti* = fest; *wolf* = Wolf.

Fastrad *(m)* althochdeutsch: *fasti* = fest; *rat* = Rat, Ratgeber; Nebenform: *Fastrat.*

Fastrada *(w)* die weibliche Form zu Fastrad; Nebenform: *Fastrade.*

Fastrade *(w)* Nebenform zu Fastrada.

Fastrat *(m)* Nebenform zu Fastrad.

Fatima *(w)* arabisch; Bedeutung unsicher; Nebenform: *Fatime.*

Persönlichkeit der Geschichte:

Fatima, 606 bis 632; Tochter Mohammeds.

Fatime *(w)* Nebenform zu Fatima.

Fatzel *(m)* Kurz- und Koseform für Bonifatius.

Faust *(m)* lateinisch: *Faustus:* = Glücksbringer; italienische Form: *Fausto.*

Fausta *(w)* die weibliche Form zu Faust; Weiterbildung: *Faustina, Faustine.*

Faustina *(w)* Weiterbildung von Fausta; Nebenform: *Faustine.*

Faustine *(w)* Nebenform zu Faustina.

Faustino *(m)* italienische Form von Faustinus.

Faustinus *(m)* Weiterbildung von Faustus; italienische Form: *Faustino.*

Fausto *(m)* italienische Form von Faust.

Faustus *(m)* lateinische Form von Faust.

Feddo *(m)* Kurzform für mit Fried- beginnende männliche Vornamen, so für Friedrich.

Federica *(w)* die weibliche Form zu Federico; Nebenform: *Federiga.*

Federico *(m)* italienische Form von Friedrich; Nebenform und spanisch: *Federigo.*

Federigo *(m)* spanische Form von Friedrich und Nebenform zu Federico.

Fedor *(m)* Eindeutschung des russischen *Fjodor* für Theodor; Nebenform: *Feodor.*

Fedora *(w)* die weibliche Form zu Fedor; Nebenform: *Feodora.*

Fee *(w)* Kurzform für Felicia und Felicitas.

Fei *(w)* Koseform für Sophie.

Feie *(w)* friesische Kurzform für auf -frede oder -friede endende weibliche Vornamen; Nebenform: *Feike.*

Feige *(w)* Koseform für Sophie.

Feigin *(w)* Koseform für Sophie.

Feike *(m)* friesische Kurzform für auf -fred oder -fried endigende männliche Vornamen.

Feli *(w)* Kurzform für Felicitas.

Felice *(m)* italienische Form von Felix.

Felicia *(w)* die weibliche Form zu italienisch Felice (Felix); Nebenform: *Felizia;* Kurzform: *Fee.*

Félicien *(m)* französische Form von Felix.

Felicitas *(w)* lateinisch: = das Glück; Nebenform: *Felizitas; Felicia;* Kurz- und Koseformen: *Feli, Feta, Fee, Litz, Litzeel, Zita;* englische Form: *Felicity.*

Felicity *(w)* englische Form von Felicitas.

Felicius *(m)* lateinisch; Weiterbildung von Felix.

Feliks *(m)* russische Form von Felix.

Felipa *(w)* spanische Form für Philippa (Philipp).

Felipe *(m)* spanische Form von Philipp.

Felix *(m)* lateinisch: *felix* = der Glückliche; Weiterbildungen: *Felicius, Felizian, Felizissimus;* französische Formen: *Félix, Félicien;* italienische: *Felice;* portugiesisch: *Félix;* russisch: *Feliks;* ungarisch: *Bódog.*

Persönlichkeiten der Geschichte:

Felix Graf Luckner, 1881 bis 1966; deutscher Seeoffizier des Ersten Weltkriegs; Schriftsteller abenteuerlicher Erlebnisse.

Felix Mendelssohn-Bartholdy, 1809 bis 1857; deutscher romantisch-klassischer Komponist.

Felix Wankel, 1902 bis 1988; deutscher Ingenieur; erfand den Drehkolbenmotor.

Félix *(m)* französische und portugiesische Form von Felix.

Felizia *(w)* Nebenform zu Felicia.

Felizian *(m)* Weiterbildung von Felix; lateinisch: *Felizianus.*

Felizianus *(m)* lateinische Form von Felizian.

Felizissimus *(m)* lateinisch, Weiterbildung von Felix.

Felizitas *(w)* Nebenform zu Felicitas.

Fell *(m)* Koseform für Valentin.

Feltes *(m)* Koseform für Valentin.

Fendel *(m)* Koseform für Ferdinand.

Fenja *(w)* niederdeutsche Kurzform für mit Frede- beginnende weibliche Vornamen; Nebenformen: *Fenna, Fenne.*

Fenna *(w)* Nebenform zu Fenja.

Feodor *(m)* verdeutschend für das russische *Fjodor* = *Fedor* (Theodor).

Feodora *(w)* die weibliche Form zu Feodor.

Feodosi *(m)* russische Form von Theodosius.

Feodosia *(w)* die weibliche Form zu Feodosi (Theodosius).

Feofan *(m)* russisch.

Ferdel *(m)* Kurzform für Ferdinand.

Ferdi *(m)* Kurzform für Ferdinand.

Ferdinand *(m)* germanisch: *frithu* = Friede; *nanth* = kühn; ältere Form: *Friedenand;* oder: *Hernand* (?); Kurz- und Koseformen: *Ferdi, Ferdel, Ferdl, Fendel, Ferges, Nandel, Nante;* französische Form: *Fernand;* englisch: *Ferdinand;* italienisch: *Ferdinando, Ferrando, Ferrante;* spanisch: *Fernán, Fernandez, Fernando, Hernando;* portugiesisch: *Fernandez, Fernao;* ungarisch: *Nándor.*

Persönlichkeiten der Geschichte:

Ferdinand III., 1608 bis 1657; seit 1637 deutscher Kaiser; beendete mit dem Westfälischen Frieden 1648 den Dreißigjährigen Krieg.

Ferdinand Foch, 1851 bis 1929; franz. Marschall des Ersten Weltkriegs.

Ferdinand Freiligrath, 1810 bis 1876, deutscher Dichter.

Ferdinand Lassalle, 1825 bis 1864, deutscher Politiker und Publizist.

Ferdinand Porsche, 1875 bis 1951; deutscher Autoingenieur.

Ferdinand Raimund, 1790 bis 1836, österreichische Dramatiker und Schauspieler.

Ferdinand Graf von Zeppelin, 1838 bis 1917; deutscher Ingenieur; Erbauer des nach ihm »Zeppelin« benannten Luftschiffs.

Ferdinanda *(w)* Nebenform zu Ferdinande.

Ferdinande *(w)* die weibliche Form zu Ferdinand; Nebenform: *Ferdinanda;* Koseformen: *Nanda, Nande;* französische Form: *Fernande;* italienisch: *Fernanda.*

Ferdinandine *(w)* niederländische Form von Ferdinande.

Ferdinando *(m)* italienische Form von Ferdinand.

Ferdl *(m)* Koseform für Ferdinand.

Ferenc *(m)* ungarische Form von Franz; Nebenform: *Ferenz.*

Ferges *(m)* Koseform für Ferdinand.

Fernán *(m)* spanische Form von Ferdinand.

Fernand *(m)* französische Form von Ferdinand.

Persönlichkeit der Geschichte:

Fernand Léger, 1881 bis 1955; französischer expressionistischer Maler und Graphiker der Moderne.

Fernanda *(w)* italienische Form von Ferdinande.

Fernande *(w)* französische Form von Ferdinande.

Fernandel *(m)* Verkleinerungsform des französischen Fernand.

Fernandez *(m)* spanische und portugiesische Form von Ferdinand.

Fernando *(m)* spanische Form von Ferdinand.

Fernao *(m)* portugiesische Form von Ferdinand.

Persönlichkeit der Geschichte:

Fernao Magalhaes, um 1480 bis 1521; portugiesischer Seefahrer in spanischen Diensten; durchquerte als erster den Stillen Ozean.

Ferrando *(m)* italienische Form von Ferdinand.

Ferrante *(m)* italienische Form von Ferdinand.

Ferruccio *(m)* italienische Form von Ferrutius.

Persönlichkeit der Geschichte:

Ferruccio Busoni, 1866 bis 1924; deutsch-italienischer Pianist und Komponist.

Ferrutius *(m)* lateinisch.

Persönlichkeit der Geschichte:

Ferrutius, 4. Jahrhundert; christlicher Soldat; nach Überlieferung in der diokletianischen Verfolgung Märtyrer in Mainz.

Ferry *(m)* französische Kurzform für Frédéric (Friedrich); Nebenform: *Fery.*

Fery *(m)* Nebenform zu Ferry.

Fester *(m)* Kurzform für Silvester.

Festus *(m)* lateinisch: = festlich.

Feta *(w)* Koseform für Felicitas.

Fetz *(m)* Koseform für Bonifatius.

Fey *(w)* Koseform für Sophie.

Fi *(w)* Kurzform für Sophie.

Fia *(w)* Kurzform für Sophia (Sophie).

Fidel *(m)* spanische Form, auch deutsche Kurzform für Fidelis.

Persönlichkeit:

Fidel Castro, geboren 1927; kubanischer kommunistischer Politiker; seit 1976 Staatspräsident.

Fidelia *(w)* die weibliche Form zu Fidelis.

Fidelio *(m)* italienische Form von Fidelius (Fidelis).

Fidelis *(m)* lateinisch: = treu; Nebenform: *Fidelius;* Kurzform: *Fidel;* italienische Form: *Fidelio;* spanisch: *Fidel.*

Fidelius *(m)* Nebenform zu Fidelis.

Fides *(w)* lateinisch: *fides* = Glaube.

Fie *(w)* Kurzform für Sophie.

Fieke *(w)* Nebenform zu Fike.

Fiene *(w)* Kurzform für Friedrich.

Fijgin *(w)* Kurzform für Sophie.

Fikchen *(w)* Nebenform zu Fike.

Fike *(w)* Koseform für Ludowika, Sophie und Viktoria; Nebenformen: *Fieke, Fikchen, Fiken, Vike.*

Fiken *(w)* Nebenform zu Fike.

Filibert *(m)* althochdeutsch: *filu* = viel; *beraht* = glänzend; italienische Form: *Filiberto.*

Filiberta *(w)* die weibliche Form zu Filibert.

Filiberto *(m)* italienische Form von Filibert.

Filip *(m)* slawische Form von Philipp.

Filipa *(w)* slawische Form von Philippa (Philipp).

Filippa *(w)* italienische Form von Philippa (Philipp).

Filippino *(m)* italienische Verkleinerungsform von Filippo.

Filippo *(m)* italienische Form von Philipp; Verkleinerungsform: *Filippino.*

Filko *(m)* ungarische Form von Philipp.

Filo *(m)* slawische Form von Philipp.

Filo *(w)* italienische Kurzform für Filomena (Philomene).

Filomela *(w)* italienische und Nebenform zu Philomele.

Filomena *(w)* italienische und Nebenform zu Philomene.

Fina *(w)* Kurzform für Josefine.

Finchen *(w)* Koseform für Josefine.

Findan *(m)* irisch-gälisch (?); Nebenform: *Fintan.*

Finetta *(w)* Koseform für Josefine.

Finette *(w)* Koseform für Josefine.

Finja *(w)* die weibliche Form zu Finn (also: Finnin?); Nebenformen: *Finnja, Finne, Finni.*

Finn *(m)* nordisch: = Finne (?); Nebenform: *Fynn.*

Finnchen *(w)* Koseform für Josefine.

Finne *(w)* Koseform für Josefine; auch Nebenform zu Finja.

Finni *(w)* Koseform für Josefine; auch Nebenform zu Finja und Koseform für Euphemia.

Finnja *(w)* Nebenform zu Finja.

Fiona *(w)* englisch; aus gälisch-keltisch: *finn* = weiß.

Fiora *(w)* italienische Form von Flora.

Fiore *(m)* italienische Form von Florus.

Fioretta *(w)* Nebenform zu Floretta.

Fiorina *(w)* Nebenform zu Florina.

Fips *(m)* Koseform für Philipp.

Firmin *(m)* lateinisch: *Firminus* = stark; französische Form: *Firmin.*

Persönlichkeit der Geschichte:

Firmin, gestorben 290; nach der Legende Bischof von Amiens; Märtyrer

Firmina *(w)* die weibliche Form zu Firmin.

Firminus *(m)* lateinische Form von Firmin.

Firmus *(m)* lateinisch: *firmus* = stark, fest, sicher.

Fitko *(m)* slawische Form von Vitus.

Fito *(m)* slawische Form von Vitus; Nebenform: *Fitko.*

Fjodor *(m)* russische Form von Theodor; Nebenformen: *Fedor, Feodor.*

Persönlichkeiten der Geschichte:

Fjodor Dostojewski, 1821 bis 1881; russischer Schriftsteller, schuf den psychologischen Roman.

Fjodor Schaljapin, 1873 bis 1938; russischer Opern- und Konzertsänger (Bassist).

Fjodor Stepun, 1884 bis 1965, russisch-deutscher Kulturhistoriker und Schriftsteller.

Fjodora *(w)* russische Form von Theodora (Theodor); Nebenformen: *Feodora, Fedora.*

Flavia *(w)* die weibliche Form zu Flavius.

Flavian *(m)* lateinisch: *Flavianus;* Eigenschaftswort zu Flavius.

Flavianus *(m)* lateinische Form von Flavian.

Flavio *(m)* italienische Form von Flavius.

Flavius *(m)* lateinisch: aus dem altrömischen Geschlecht der Flavier; italienische Form: *Flavio.*

Fleur *(w)* französische Form von Flora; Verkleinerungsform: *Fleurette.*

Fleurette *(w)* französische Verkleinerungsform von Fleur (Flora).

Flips *(m)* Koseform für Philipp.

Flomm *(m)* Koseform für Florus.

Flora *(w)* lateinisch, die weibliche Form zu Florus; Nebenformen: *Flore, Florina, Floretta, Florette;* französisch: *Fleur, Fleurette* und *Florence;* englisch: *Florence.*

Persönlichkeit der Geschichte:

Flora, altrömische Göttin des Frühlings, der Blumen und Blüten.

Flore *(w)* Nebenform zu Flora.

Floreke *(m)* Koseform für Florus.

Florence *(w)* französische und englische Form von Flora; niederdeutsche Form: *Florenze.*

Persönlichkeit der Geschichte:

Florence Nightingale, 1820 bis 1910; englische Krankenpflegerin; Einsatz im Krimkrieg.

Florens *(m)* lateinisch: *florens* = blühend; Nebenform: *Florenz.*

Florentia *(w)* die weibliche Form zu Florentius; Nebenformen: *Florenzia, Florenze.*

Florentin *(m)* lateinisch: *Florentinus;* von *florens* = blühend; Weiterbildung von Florus.

Florentina *(w)* Nebenform zu Florentine.

Florentine *(w)* die weibliche Form zu Florentin; Nebenform: *Florentina.*

Florentinus *(m)* lateinische Form von Florentin.

Florentius *(m)* Weiterbildung von Florens.

Florenz *(m)* Nebenform zu Florens und Florentius.

Florenze *(w)* Nebenform zu Florentia.

Florenzia *(w)* Nebenform zu Florentia.

Florestan *(m)* lateinisch: *florere* = blühen.

Floretta *(w)* Verkleinerungsform von Flora; Nebenform: *Florette.*

Florette *(w)* Nebenform von Floretta.

Flori *(m)* Kurzform für Florian.

Florian *(m)* Weiterbildung von Florus; lateinisch: *Florianus,* von *florus* = blühend; Kurzformen: *Florin, Flori.*

Persönlichkeiten der Geschichte:

Florian, gestorben um 304; unter Diokletian Märtyrer zu Lorch an der Enns.

Florian Geyer, um 1490 bis 1525; fränkischer Ritter; lutherischer Führer in den Bauernkriegen.

Floriana *(w)* die weibliche Form zu Florian; Nebenform: *Floriane;* französische Form: *Florianne.*

Floriane *(w)* Nebenform zu Floriana.

Florianne *(w)* französische Form zu Floriana.

Floribert *(m)* fraglich, ob aus lateinisch: *florus* = blühend und althochdeutsch: *beraht* = glänzend.

Persönlichkeit der Geschichte:

Floribert, gestorben 746; seit 727 Bischof von Lüttich.

Florida *(w)* die weibliche Form zu Floridus.

Floridus *(m)* lateinisch: = der Glänzende; niederländische und spanische Form: *Floris.*

Florin *(m)* Kurzform für Florian; lateinisch: *Florinus.*

Florina *(w)* Nebenform, Weiterbildung von Flora; oder: weibliche Form zu Florin; Nebenform: *Florine.*

Florinda *(w)* spanische Form aus lateinisch: *florens* = blühend.

Florine *(w)* Nebenform zu Florina.

Florinus *(m)* lateinische Form von Florin.

Floris *(m)* niederländische und spanische Form von Floridus.

Florus *(m)* lateinisch: = blühend; Koseformen: *Floreke, Flöreke, Flomm.*

Fock *(m)* Kurz- und Koseform für Volker.

Focka *(w)* Kurzform für mit Folk- oder Volk- beginnende weibliche Vornamen.

Focke *(m)* Kurzform für mit Folk- oder Volk- beginnende männliche Vornamen.

Focko *(m)* Kurzform für mit Folk- oder Volk- beginnende männliche Vornamen.

Foillan *(m)* irisch-gälisch.

Foke *(w)* Kurzform für mit Folk- oder Volk- beginnende weibliche Vornamen.

Fokka *(w)* Kurzform für mit Folk- oder Volk- beginnende weibliche Vornamen.

Fokko *(m)* Kurzform für mit Folk- oder Volk- beginnende männliche Vornamen.

Folbert *(m)* Nebenform zu Volkbert.

Folina *(w)* Kurzform für mit Folk- oder Volk- beginnende weibliche Vornamen.

Foline *(w)* Kurzform für mit Folk- oder Volk- beginnende weibliche Vornamen.

Folk *(m)* Kurz- und Koseform für Volker.

Folke *(m)* Kurzform für mit Folk- oder Volk- beginnende männliche Vornamen.

Folke *(w)* friesische Koseform für Volkhild.

Folker *(m)* Nebenform zu Volker.

Folkert *(m)* Nebenform zu Volkhard.

Folkhard *(m)* Nebenform zu Volkhard.

Folkher *(m)* Nebenform zu Volker.

Folkmar *(m)* Nebenform zu Volkmar.

Folko *(m)* Kurzform für mit Folk- oder Volk- gebildete männliche Vornamen.

Folkrad *(m)* Nebenform zu Volkrad; auch *Folkrat.*

Folkrat *(m)* Nebenform zu Volkrad.

Folkwart *(m)* althochdeutsch: *folk* = Volk; *wart* = Hüter.

Folkwein *(m)* Nebenform zu Volkwin.

Foma *(m)* russische Form von Thomas.

Fons *(m)* Kurzform für Alfons.

Fortuna *(w)* lateinisch: Glück, Schicksal.

Persönlichkeit der Geschichte:

Fortuna, altrömische Göttin des Schicksals.

Fortunat *(m)* lateinisch: *Fortunatus* = vom Glück begünstigt.

Fortunata *(w)* die weibliche Form zu Fotunat(us).

Fortunatus *(m)* lateinische Form von Fortunat; Beiname altrömischer Namen; französische Form: *Fortuné.*

Fortuné *(m)* französische Form von Fortunatus.

Framgard *(w)* althochdeutsch: *fram* = fördern; *gard* = Schutz.

Framhild *(w)* althochdeutsch: *fram* = fördern; *hiltja* = Kampf.

Fran *(m)* südslawische Kurzform für Franzisko (Franz); Nebenform: *Frane.*

Frana *(m)* tschechische Koseform für František (Franz).

Franc *(m)* französische Form von Frank.

Franca *(w)* Nebenform zu Franka.

France *(w)* die weibliche Form zu französisch Franc.

Frances *(w)* englische Form von Franziska.

Francesca *(w)* italienische Form von Franziska.

Francesco *(m)* italienische Form von Franziskus (Franz).

Persönlichkeiten der Geschichte:

Francesco Borromini, 1599 bis 1667; italienischer Architekt und Bildhauer des Spätbarock.

Francesco Guardi, 1712 bis 1793; italienischer Rokokomaler Venedigs.

Francesco Petrarca, 1304 bis 1374; italienischer Lyriker; Gründer des Humanismus.

Francette *(w)* französische Form von Franziska.

Francine *(w)* französische Verkleinerungsform von France.

Francis *(m)* englische und französische Form von Franz.

Persönlichkeit der Geschichte:

Francis Drake, um 1540 bis 1596; englischer Seefahrer.

Francisca *(w)* slawische Form von Franziska; Nebenform: *Franciska.*

Francisco *(m)* spanische Form von Franziskus (Franz).

Persönlichkeiten der Geschichte:

Francisco José de Goya, 1746 bis 1828; spanischer Maler und Graphiker im Übergang vom Rokoko zum Klassizismus.

Francisco Pizarro, um 1478 bis 1541; spanischer Konquistador; Eroberer des peruanischen Inkareichs.

Franciscus *(m)* mittellateinische Form von Franziskus (Franz).

Franciska *(w)* Nebenform zu Francisca.

Francisque *(m)* französische Form von Franziskus (Franz).

Franciszek *(m)* polnische Form von Franziskus (Franz).

Franco *(m)* italienische Form von Franz.

Francois *(m)* französische Form von Franz.

Persönlichkeiten der Geschichte:
Francois Arago, 1786 bis 1853; französischer Physiker und Politiker.
Francois Boucher, 1703 bis 1770; französischer Rokokomaler.
Francois Mitterrand, geboren 1916; französischer sozialistischer Politiker; wurde 1981 Präsident.
Francois Truffaut, 1932 bis 1984; französischer Filmregisseur der Neuen Welle.
Francois-Marie Voltaire, 1694 bis 1778; französischer aufklärerischer Philosoph und Schriftsteller.

Francoise *(w)* französische Form von Franka und Franziska.
Persönlichkeit:
Francoise Sagan, geboren 1935; französische Schriftstellerin moderner menschlicher Problematik.

Frane *(m)* Nebenform von Fran.

Franek *(m)* polnische Koseform für Franciszek (Franz).

Franeka *(w)* slawische Koseform für Franziska.

Franja *(m)* serbokroatische Form von Franz.

Franja *(w)* slawische Koseform für Františka (Franziska).

Frank *(m)* angelsächsisch: *franka;* althochdeutsch: *franko* = *francho* = Speer; ein Franke; aber auch = frei; Nebenform: *Franko;* auch Kurzform für Franziskus (Franz).
Persönlichkeit:
Frank Sinatra, geboren 1915; italienisch-amerikanischer Film-, Funk-, Fernsehsänger und Filmschauspieler.

Franka *(w)* die weibliche Form zu Frank; Nebenform: *Franca.*
Persönlichkeit der Geschichte:
Franka von Vitalda, um 1173 bis 1218; erst Benediktinerin und seit etwa 1198 Äbtissin in Piacenza; 1216 Zisterzienserin und Äbtissin in Plectoli

Franklin *(m)* englisch: wohl aus dem Familiennamen Benjamin Franklins zum Vornamen geworden.
Persönlichkeit der Geschichte:
Franklin D. Roosevelt, 1882 bis 1945; amerikanischer Politiker; 1933 bis 1945 der 32. Präsident der Vereinigten Staaten; Mitgründer der Vereinten Nationen.

Franko *(m)* Nebenform zu Frank.

Frankobert *(m)* Neubildung aus althochdeutsch: *franko* = Franke oder: = frei; *beraht* = glänzend.

Frankomar *(m)* Neubildung aus althochdeutsch: *franko* = Franke oder: = frei; *mari* = berühmt.

Frankward *(m)* Neubildung aus althochdeutsch: *franko* = Franke oder: = frei; *wart* = Hüter, Schutz.

Frans *(m)* niederländische und schwedische Form von Franz.

Frantek *(m)* polnische Koseform für Franciszek (Franz).

František *(m)* tschechische Form von Franziskus (Franz).

Franz *(m)* Kurzform von *Franziskus,* lateinisch *Franciscus* = der Franke oder: Franzose; Kurz- und Koseformen: *Ziskus, Franzel, Fränzel, Frenzel, Frenz, Frank;* englische Form: *Francis;* niederländisch: *Frans;* französisch: *Francois, Francisque und Francis;* italienisch: *Francesco;* Koseform: *Cecco;* spanisch: *Francisco;* Koseformen: *Frasquito, Pancho, Paco;* tschechisch: *František;* Koseform: *Frana;* serbokroatisch: *Franja;* polnisch: *Franciszek, Franek, Frantek;* ungarisch: *Ferenc.*
Persönlichkeiten der Geschichte:
Franz von Assisi, 1181/1182 bis 1226; Stifter des Franziskanerordens (1209); der »seraphische Heilige«.
Franz Joseph I. 1830 bis 1916; ab 1848 absolutistischer Kaiser Österreichs.

Franz II. (Joseph Karl), 1768 bis 1835; ab 1804 Kaiser von Österreich.

Franz Grillparzer, 1791 bis 1872; deutscher Schriftsteller des »Vormärz«.

Franz Ignaz Günther, 1725 bis 1775; deutscher Bildhauer des bayerischen Spätbarock und Rokoko.

Franz Joseph Haydn, 1732 bis 1809; österreichischer Komponist der Wiener Klassik; Gründer des weltlichen Oratoriums.

Franz Kafka, 1883 bis 1924; österreichischer Schriftsteller; bedeutender Erzähler.

Franz Lehár, 1870 bis 1948; ungarischer Operettenkomponist; erneuerte die Wiener Operette.

Franz Lehnbach, 1836 bis 1904, deutscher Maler.

Franz von Liszt, 1811 bis 1886; deutsch-ungarischer Komponist und Klaviervirtuose.

Franz Marc, 1880 bis 1916; deutscher expressionistischer Maler; Mitgründer des »Blauen Reiter«.

Franz Schubert, 1797 bis 1828; österreichischer Komponist im Durchbruch zur Romantik und deren Höhepunkt.

Franz Josef Strauß 1915 bis 1988; deutscher christlich-sozialer Politiker; ab 1978 Ministerpräsident von Bayern.

Franz von Stuck, 1863 bis 1928, Maler und Bronzeplastiker.

Franz von Suppé, 1819 bis 1895; österreichischer Komponist; begründete die klassische Wiener Operette.

Franz Werfel, 1890 bis 1945, deutscher Dichter.

Fränze *(w)* Koseform für Franziska.

Franzel *(m)* Koseform für Franz.

Fränzel *(m)* Koseform für Franz.

Franzi *(w)* Koseform für Franziska.

Fränzi *(w)* Koseform für Franziska.

Franzine *(w)* die weibliche Form zu Franz; Nebenform zu Franziska.

Franziska *(w)* die weibliche Form zu Franziskus (Franz); Kurz- und Koseformen: *Franzi, Fränzi, Fränze, Ziska, Zissi, Cissi, Zisl, Fanni, Fan;* englische Form: *Frances;* Koseform: *Cissy, Fanny;* französisch: *Francoise, Francette, Fanchon;* italienisch: *Francesca;* slawisch: *Franciska, Františka, Franeka, Franja, Fánika;* schwedische Kurzform: *Siska.*

Persönlichkeit der Geschichte:

Franziska Streitel, 1844 bis 1911; gründete 1883 in Rom die Addolorataschwestern; war deren Oberin.

Franziskus *(m)* deutsche Schreibweise von lateinisch Franciscus (Franz).

Frasquito *(m)* spanische Koseform für Francisco (Franz).

Frauke *(w)* niederdeutsch-friesisch; Nebenformen: *Frauwa, Frawa, Frauwe, Frawe;* aus germanisch: *fraw* = froh; Koseform für »Frau», auch für Veronika.

Fraukeline *(w)* Verkleinerungsform von Fraukea.

Frauwe *(w)* Nebenform zu Frauke.

Fred *(m)* Kurzform für Alfred, Manfred, Friedrich und Gottfried.

Persönlichkeit:

Fred Astaire, geboren 1899; amerikanischer Sänger, Tänzer und Filmschauspieler.

Fred Zimmermann, geboren 1907; österreichisch-amerikanischer Regisseur von Dokumentar- und zeitkritischen Filmen.

Freda *(w)* Koseform für Frederika; Nebenform: *Frede;* auch niederdeutsche Kurzform für mit Fried- oder -fried gebildete weibliche Vornamen.

Freddi *(m)* Kurzform für mit Fried (= *fridu*) gebildete männliche Vornamen.

Freddo *(m)* Kurzform für mit Fried- (= *fridu*) gebildete männliche Vornamen.

Freddy *(m)* englische Kurzform für

Alfred und Frederic (Friedrich); Nebenform: *Fredy.*

Frede *(w)* Nebenform zu Freda.

Fredegar *(m)* niederdeutsche Form von Friedeger.

Fredegard *(w)* niederdeutsche Form von Friedegard.

Fredegund *(w)* Nebenform zu Friedegund; auch: *Fredegunde.*

Fredegunde *(w)* Nebenform zu Friedegund.

Frederic *(m)* englische Form von Friedrich.

Persönlichkeiten der Geschichte:

Frederic Hopkins, 1861 bis 1947; englischer Biochemiker, Vitaminforscher.

Frederic Loewe, geboren 1901; österreichisch-amerikanischer Komponist; besonders Musicals.

Frédéric *(m)* französische Form von Friedrich, Nebenform: *Frédérick.*

Persönlichkeiten der Geschichte:

Frédéric Chopin, 1810 bis 1849; polnischer romantisch-poetischer Pianist und Komponist.

Frédéric Joliot-Curie, 1900 bis 1958; französischer Physiker, entdeckte mit seiner Gattin die künstliche Radioaktivität.

Frederich *(m)* niederdeutsche Form von Friedrich; auch: *Frederik;* friesisch auch: *Fredrich.*

Frederick *(m)* englische Form von Friedrich.

Persönlichkeiten der Geschichte:

Frederick Banting, 1891 bis 1941; kanadischer Physiologe; Mitentdecker des Insulins.

Frederick Sanger, geboren 1918; englischer Chemiker; Insulinforscher.

Frederick Soddy, 1877 bis 1956; englischer Physikochemiker.

Frederick Winslow Taylor, 1856 bis 1915; amerikanischer Ingenieur, Begründer der wissenschaftlichen Betriebsführung.

Frédérick *(m)* französische Nebenform zu Frédéric.

Frederik *(m)* Nebenform zu Frederich (Friedrich).

Frederika *(w)* schwedische Form von Friederike.

Frédérique *(w)* französische Form von Friederike.

Fredrich *(m)* friesische Form von Frederich.

Fredrik *(m)* schwedische Form von Friedrich.

Fredy *(m)* Koseform für Friedrich; auch Nebenform zu englisch Freddy.

Freia *(w)* nordisch: die Freie; Nebenformen: *Freya, Freyja.*

Persönlichkeit der Geschichte:

Freia, in der altnordischen Mythologie Freyja, die Göttin der Ehe und der Fruchtbarkeit.

Frek *(m)* niederdeutsche Kurzform für Frederik (Friedrich).

Frenne *(w)* Kurz- und Koseform für Veronika.

Frenz *(m)* Koseform für Franz.

Frenzel *(m)* Koseform für Franz.

Frerich *(m)* niederdeutsche Kurzform für Frederich (Friedrich).

Frerk *(m)* Kurz- und Koseform für Friedrich.

Freya *(w)* Nebenform zu Freia.

Freyja *(w)* Nebenform zu Freia.

Frick *(m)* Kurzform für Friedrich.

Fricka *(w)* Kurzform für Friederike; Nebenformen: *Fricke, Frikke.*

Fricke *(w)* Kurzform für Friederike.

Frida *(w)* Kurzform für mit Frida- beginnende weibliche Vornamen; Nebenform: *Frieda.*

Friddo *(m)* Nebenform zu Frido.

Fridericus *(m)* latinisierte Form von Friedrich.

Frideswida *(w)* althochdeutsch: *fridu* = Friede; *witu* = Wald; Nebenformen: *Friedeswita, Frideswinda.*

Frideswinda *(w)* Nebenform zu Frideswida.

Frido *(m)* Kurzform für Friedrich; auch: *Friddo* und *Friedo;* allgemein für mit Fried- beginnende männliche Vornamen.

Fridolin *(m)* Verkleinerungsform von Friedrich; Kurz- und Koseformen: *Friedlein, Friedlin, Friedli, Friedel, Frily.*

Fridoline *(w)* die weibliche Form zu Fridolin.

Fridtjof *(m)* Nebenform zu Frithjof.

Persönlichkeiten der Geschichte:

Fridtjof Nansen, 1861 bis 1930; norwegischer Polarforscher; durchquerte 1888 als erster Grönland.

Fried *(m)* Kurzform für Friedrich.

Frieda *(w)* Kurzform für Elfriede, Friederike, Friedgund; allgemein Kurzform für mit Fried- oder -fried gebildete weibliche Vornamen; niederdeutsche Formen: *Freda, Vreda.*

Friedbert *(m)* althochdeutsch: *fridu* = Friede; *beraht* = glänzend; Nebenform: *Friedebert.*

Friedburg *(w)* althochdeutsch: *fridu* = Friede; *burg* = Schutz; Nebenformen: *Friedeburg, Friedeborg.*

Friedebald *(m)* althochdeutsch: *fridu* = Friede; *bald* = kühn.

Friedebert *(m)* Nebenform zu Friedbert.

Friedeborg *(w)* Nebenform zu Friedburg.

Friedebrand *(m)* althochdeutsch: *fridu* = Friede; *brant* = Schwert.

Friedeger *(m)* Nebenform zu *Friedger.*

Friedegund *(w)* Nebenform zu Friedgund.

Friedel *(m)* Kurz- und Koseform für Fridolin, Friedrich und Gottfried.

Friedel *(w)* Kurz- und Koseform für Elfriede und andere mit Fried- oder -fried gebildete weibliche Vornamen.

Friedelind *(w)* Nebenform zu Friedlind.

Friedemann *(m)* Nebenform zu Friedmann.

Friedemar *(m)* Nebenform zu Friedmar.

Friedemund *(m)* Nebenform zu Friedmund.

Friedenand *(m)* ältere Form von Ferdinand.

Friedensreich *(m)* pietistische Neubildung.

Persönlichkeit der Geschichte:

Friedensreich Hundertwasser, geboren 1928; österreichischer Maler, Graphiker und Kunsttheoretiker.

Frieder *(m)* Kurzform für Friedrich und Gottfried.

Friederika *(w)* Nebenform zu Friederike.

Friederike *(w)* die weibliche Form zu Friedrich; Nebenform: *Friederika;* Kurz- und Koseformen: *Frieda, Frieke, Fritzi, Ricka, Rika, Rike, Rieke;* niederdeutsche und schwedische Form: *Trigga;* französisch: *Frédérique.*

Friedeswita *(w)* Nebenform zu Frideswida.

Friedger *(m)* althochdeutsch: *fridu* = Friede; *ger* = Speer; Nebenform: *Friedeger.*

Friedgund *(w)* althochdeutsch: *fridu* = Friede; *gund* = Kampf; Nebenform: *Friedegund.*

Friedhelm *(m)* althochdeutsch: *fridu* = Friede; *helm* = Helm.

Friedhild *(w)* althochdeutsch: *fridu* = Friede; *hiltja* = Kampf; Nebenform: *Friedhilde.*

Friedhilde *(w)* Nebenform zu Friedhild.

Friedlein *(w)* Kurz- und Koseform für Friedrich.

Friedli *(m)* Koseform für Friedrich.

Friedlieb *(w)* pietistische Neubildung

aus althochdeutsch: *fridu* = Friede und *leip* = Nachkomme.

Friedlind *(w)* althochdeutsch: *fridu* = Friede; *linta* = Lindenholzschild; oder: *lind* = mild; Nebenformen: *Friedelind, Friedlinde.*

Friedlinde *(w)* Nebenform zu Friedlind.

Friedmann *(m)* althochdeutsch: *fridu* = Friede; *man* = Mann; Nebenform: *Friedemann.*

Friedmar *(m)* althochdeutsch: *fridu* = Friede; *mari* = berühmt; Nebenform: *Friedemar.*

Friedmund *(m)* althochdeutsch: *fridu* = Friede; *munt* = Schutz; Nebenform: *Friedemund.*

Friedo *(m)* Nebenform zu Frido.

Friedrich *(m)* althochdeutsch: *fridu* = Friede; *rihhi* = reich; Kurz- und Koseformen: *Friedlein, Friedli, Fridolin, Friedel, Fried, Fritz, Fritschy, Frerich, Frerk, Frek, Freddy, Frick, Feddo, Fiete;* latinisiert: *Fridericus;* englische Formen: *Frederic, Frederick;* russisch, dänisch und niederländisch: *Frederik:* schwedisch: *Fredrick;* französisch: *Frédéric, Frédérick;* italienisch: *Federico;* spanisch: *Federigo;* tschechisch: *Bedřich;* polnisch: *Frydrych, Fyderyk;* ungarisch: *Frigyes.*

Persönlichkeiten der Geschichte:

Friedrich I. Barbarossa, um 1122 bis 1190; römisch-deutscher Kaiser seit 1155.

Friedrich II., 1194 bis 1250; Staufer; römisch-deutscher Kaiser; König von Jerusalem (5. Kreuzzug) und Sizilien.

Friedrich II. der Große, 1712 bis 1786; machte als König Preußen zur Großmacht.

Friedrich Wilhelm I. von Preußen, 1688 bis 1740; absolutistischer Herrscher (»Soldatenkönig«).

Friedrich Bergius, 1884 bis 1949; deutscher Chemiker.

Friedrich von Bodelschwingh, 1831 bis 1910; evangelischer Geistlicher; Zeuge der Barmherzigkeit; baute die Anstalten von Bethel aus.

Friedrich Dürrenmatt, geboren 1921; schweizerischer Schriftsteller; teils satirischer Dramatiker.

Friedrich Ebert, 1871 bis 1925; deutscher sozialdemokratischer Politiker; war 1919 bis 1925 Präsident der Weimarer Republik.

Friedrich Engels, 1820 bis 1895; deutscher Sozialphilosoph und Politiker; mit K. Marx Verfasser des Kommunistischen Manifest.

Friedrich von Flotow, 1812 bis 1883; deutscher Opernkomponist.

Friedrich Gulda, geboren 1930; österreichischer Pianist und Komponist.

Friedrich Hebbel, 1813 bis 1863; deutscher Schriftsteller, namentlich Dramatiker.

Friedrich Hölderlin, 1770 bis 1843; deutscher Dichter des Idealismus zwischen Klassik und Romantik.

Friedrich Ludwig Jahn, 1778 bis 1852; deutscher Pädagoge; organisierte das Turnwesen (»Turnvater Jahn«).

Friedrich List, 1789 bis 1846; deutscher Nationalökonom.

Friedrich Wilhelm Nietzsche, 1844 bis 1900; deutscher Philosoph, Philologe und Schriftsteller, Wegbereiter von modernem Atheismus sowie Lebens- und Existenzphilosophie.

Friedrich Raiffeisen, 1818 bis 1888; deutscher Agrarpolitiker; Gründer des landwirtschaftlichen Genossenschaftswesens.

Friedrich W. J. von Schelling, 1775 bis 1854; deutscher Philosoph des Idealismus; Wegbereiter der Romantik.

Friedrich von Schiller, 1759 bis 1805; deutscher klassischer Schriftsteller, Dramatiker des Idealismus.

Friedrich von Schlegel, 1772 bis 1829; deutscher frühromantischer Schriftsteller; schuf romantische Kunsttheorie; Sanskritforscher.

Friedrich Werner Graf von der Schulenburg, 1875 bis 1944; Diplomat und Widerstandskämpfer; hingerichtet.

Friedrich Sieburg, 1893 bis 1964; deutscher Schriftsteller und Publizist.

Friedrich August Tholuck, gestorben 1877; deutscher evangelischer Theologe; Studentenvater in Halle (Gedenktag: 10. Juni).

Friedrich Torberg, 1908 bis 1979; österreichischer Schriftsteller.

Friedrich Theodor Vischer, 1807 bis 1887; deutscher Schriftsteller, Philosoph und Politiker.

Friedrich Weißler, gestorben 1945; deutscher evangelischer Blutzeuge im Kirchenkampf (Gedenktag: 20. Februar).

Friedrich Wöhler, 1800 bis 1882; deutscher Chemiker; begründete die moderne Chemie.

Friedrich Heinrich Graf von Wrangel(l), 1784 bis 1877; preußischer Generalfeldmarschall; schlug 1848 in Berlin den Aufstand nieder.

Friedrun *(w)* althochdeutsch: *fridu* = Friede; *run* = Rune, Zauber.

Frieke *(w)* Kurzform für Friederike.

Frigga *(w)* schwedische Kurzform für Frederika (Friederike).

Frigyes *(m)* ungarische Form von Friedrich.

Frikke *(w)* Kurzform für Friederike.

Frithjof *(m)* altnordisch: *frithr* = Schutz, Liebe; *thjofr* = Räuber; Nebenform: *Fridtjof.*

Fritschy *(m)* Koseform für Friedrich.

Fritz *(m)* Kurzform für Friedrich.

Persönlichkeiten der Geschichte:

Fritz Baade, 1893 bis 1974; deutscher Nationalökonom und sozialdemokratischer Politiker.

Fritz von Bodelschwingh, 1877 bis 1946; evangelischer Theologe; folgte seinem Vater als Leiter der Bodelschwinghschen Anstalten in Bethel; Zeuge der Barmherzigkeit (Gedenktag: 4. Januar).

Fritz Erler, 1913 bis 1967; deutscher sozialdemokratischer Politiker.

Fritz Haber, 1868 bis 1934; deutscher Chemiker; Entdecker der Ammoniaksynthese.

Fritz Kortner, 1892 bis 1970; österreichischer Schauspieler und Regisseur.

Fritz Kreisler, 1875 bis 1962; österreichischer Violinvirtuose.

Fritz Lang, 1890 bis 1976; österreichisch-amerikanischer Filmregisseur.

Fritz Reuter, 1810 bis 1874; niederdeutscher realistischer Volksschriftsteller.

Fritz Schäffer, 1888 bis 1967; deutscher christlicher Politiker; Mitgründer der Christlich-Demokratischen Union.

Fritz Straßmann, 1902 bis 1980; deutscher Chemiker; Mitentdecker der Kernspaltung.

Fritz Wunderlich, 1930 bis 1966; deutscher Opern- und Oratoriensänger (lyrischer Tenor).

Fritz (Frits) Zernike, 1888 bis 1966; niederländischer Physiker.

Fritzi *(w)* Koseform für Friederike.

Frodebert *(m)* althochdeutsch: *frot* = klug; *beraht* = glänzend.

Frodegard *(w)* althochdeutsch: *frot* = klug; *gard* = Schutz; Nebenform: *Frogard.*

Frodeger *(m)* althochdeutsch: *frot* = klug; *ger* = Speer.

Frodehild *(w)* althochdeutsch: *frot* = klug; *hiltja* = Kampf; Nebenformen: *Frodehilde, Frohild.*

Frodehilde *(w)* Nebenform zu Frodehild.

Frodelind *(w)* althochdeutsch: *frot* = klug; *lind* = mild; Nebenformen: *Frodelinde, Frolinde.*

Frodelinde *(w)* Nebenform zu Frodelind.

Frodemund *(m)* althochdeutsch: *frot* = klug; *munt* = Schutz; Nebenform: *Fromund.*

Frodewald *(m)* althochdeutsch: *frot* = klug; *waltan* = walten, herrschen; Nebenform: *Frowald.*

Frodewin *(m)* althochdeutsch: *frot* = klug; *wini* = Freund; Nebenformen: *Frowin, Frowein.*

Frodewine *(w)* die weibliche Form zu Frodewin.

Frodo *(m)* althochdeutsch: *fruot, frot* = klug, weise.

Frogard *(w)* Nebenform zu Frodegard.

Frohild *(w)* Nebenform zu Frodehild.

Frohmut *(w)* pietistische Neubildung; Nebenformen: *Frohmute, Fromut.*

Frohmute *(w)* Nebenform zu Frohmut.

Frolinde *(w)* Nebenform zu Frolind.

Frommhold *(m)* pietistische Neubildung aus Frommwald.

Frommwald *(m)* althochdeutsch: *fruma* = Vorteil; *waltan* = walten, herrschen; Nebenform: *Frumold.*

Fromund *(m)* Nebenform zu Frodemund.

Fromut *(w)* Nebenform zu Frohmut.

Fron *(w)* Koseform für Veronika.

Fronika *(w)* Koseform für Veronika.

Frönn *(w)* rheinische Koseform für Veronika.

Frowald *(m)* Nebenform zu Frodewald.

Frowein *(m)* Nebenform zu Frodewin.

Frowin *(m)* Nebenform zu Frodewin.

Persönlichkeit der Geschichte:

Frowin, gestorben 1178; Benediktiner; wurde 1147 Abt von Engelberg in der Schweiz; gründete Schreib- und Malschule.

Frumentius *(m)* lateinisch.

Persönlichkeit der Geschichte:

Frumentius, gestorben um 380; Glaubensbote, Apostel und erster Bischof von Abessinien.

Frumold *(m)* Nebenform zu Frommwald.

Fryderyk *(m)* polnische Form von Friedrich.

Fryderyka *(w)* polnische Form von Friederike.

Frydrych *(m)* polnische Form von Friedrich.

Fulbert *(m)* Nebenform zu Volkbert.

Fulberta *(w)* Nebenform zu Volkberta.

Fulgentius *(m)* lateinisch: *fulgens* = glänzend.

Persönlichkeit der Geschichte:

Fulgentius, 467 bis 532; augustinischer Theologe; 507 Bischof von Ruspe; bekämpfte den Arianismus.

Fulger *(m)* lateinisch: *fulgere* = glänzen; oder aus Volker.

Persönlichkeit der Geschichte:

Fulger, gestorben 1307; Zisterzienser im Kloster Lieu-Saint-Bernard.

Fulkhard *(m)* Nebenform zu Folkhard.

Fulko *(m)* Kurzform für mit Volk- beginnende männliche Vornamen; Koseform für Volker.

Persönlichkeit der Geschichte:

Fulko, gestorben 900; Erzbischof von Reims; Märtyrer.

Fulvia *(w)* die weibliche Form zu Fulvius.

Fulvian *(m)* Weiterbildung von Fulvius.

Fulvianus *(m)* Weiterbildung von Fulvius.

Fulvius *(m)* lateinisch: *fulvus* = rotgelb (des Haares); Weiterbildung: *Fulvian, Fulvianus.*

Fürchtegott *(m)* pietistische Neubildung des 18. Jahrhunderts.

Fyderyk *(m)* polnische Form von Friedrich.

Gaard *(m)* niederländische Form von Gerhard.

Gabi *(m)* Koseform für Gabriel.

Gabi *(w)* Koseform für Gabriele.

Gábor *(m)* ungarische Form von Gabriel.

Gabriel *(m)* hebr.: *gabri'el* = Held Gottes, oder: Gott (mein) Heil; Kurz- und Koseformen: *Gaberl, Gabe, Gäbe, Gabi;* italienische Form: *Gabriele, Gabriello, Gabrio;* niederländisch, englisch und französisch: *Gabriel;* russisch: *Gawriil;* ungarisch: *Gábor.*

Persönlichkeiten der Geschichte:

Gabriel, im Alten Testament einer der drei Erzengel, die »vor Gott stehen«; brachte Maria die Verkündigung der Geburt Jesu.

Gabriel Fauré, 1845 bis 1924; französischer klassizistisch-impressionistischer Komponist und Organist.

Gabriel Lippmann, 1857 bis 1940; französischer Physiker.

Gabriel Marcel, 1889 bis 1973; französischer Philosoph der christlichen Existentialismus, Dramatiker und Essayist.

Gabriel Garcia Márquez, geboren 1928; kolumbianischer Schriftsteller des »Neuen Romans«.

Gabriela *(w)* italienische und spanische Form von Gabriele; Nebenform: *Gabriella.*

Gabriele *(m)* italienische Form von Gabriel.

Persönlichkeit der Geschichte:

Gabriele d'Annunzio, 1863 bis 1938; italienischer neuromantisch-symbolistischer Schriftsteller und Politiker.

Gabriele *(w)* die weibliche Form von Gabriel; Kurz- und Koseformen: *Gabi, Gaby, Bele, Jella;* italienische und spanische Form: *Gabriela;* französisch: *Gabrielle;* russisch: *Gawrila.*

Persönlichkeiten der Geschichte:

Gabriele Croissy, gestorben 1794; Karmelitin in Compiègne; mit 15 Mitschwestern Märtyrin der Französischen Revolution.

Gabriele Münter, 1877 bis 1962, deutsche Malerin, Schülerin Kandinskys, Mitglied des »Blauen Reiters«.

Gabriele Reuter, 1859 bis 1941; deutsche Schriftstellerin.

Gabriele Wohman, geb. 1932, deutsche Schriftstellerin.

Gabriella *(w)* Nebenform zu Gabriela.

Gabrielle *(w)* französische Form von Gabriele.

Persönlichkeiten der Geschichte:

Gabrielle Colette, 1873 bis 1954; französische Schriftstellerin, Chansonette und Tänzerin.

Gabrielle Chanel, 1883 bis 1971; französische Modeschöpferin.

Gabriello *(m)* italienische Form von Gabriel.

Gabrio *(m)* italienische Kurzform für Gabriel.

Gaetano *(m)* italienische Form von Kajetan.

Persönlichkeit der Geschichte:

Gaetano Donizetti; 1797 bis 1848; italienischer Komponist von zahlreichen Opern und von Kirchenmusik.

Gajus *(m)* lateinisch; Nebenform: *Caius.*

Galatea *(w)* griechisch: *gala* = Milch; Nebenformen: *Galateia, Galatee;* italienische Form: *Galatea.*

Galdino *(m)* italienisch.

Galileo *(m)* italienisch.

Persönlichkeit der Geschichte:

Galileo Galilei, 1564 bis 1642; italienischer Naturforscher, Begründer der experimentellen Naturwissenschaft.

Galina *(w)* russisch: Ruhe, Friede; Koseformen: *Gaga* und *Gulja*.
Persönlichkeit:
Galina Ulanowa, geboren 1910; sowjetrussische Ballettänzerin.

Gall *(m)* Kurzform für Gallus.

Galla *(w)* die weibliche Form zu Gallus.
Persönlichkeit der Geschichte:
Galla, 6. Jahrhundert; römische Senatorentochter; wurde früh Witwe.

Galland *(m)* französische Form von Wiland.

Galle *(m)* Nebenform zu Gallus.

Galli *(m)* Nebenform zu Gallus.

Gallo *(m)* italienische Form von Gallus.

Gallus *(m)* irisch und lateinisch: Gallier; Nebenformen: *Galle, Galli, Gall;* italienische Form: *Gallo;* polnisch: *Gawel, Gawelka;* tschechisch: *Hawel, Havel;* französisch: *Gael.*

Gamaliel *(m)* hebräisch: Gott mein Vergelter.
Persönlichkeit der Geschichte:
Gamaliel, in der Bibel Haupt des Stamms Manasse; Gesetzeslehrer.

Gamelbert *(m) gamel* (?); althochdeutsch: *beraht* = glänzend.

Gandolf *(m)* altisländisch: *Gandulfr: gandr* = Werwolf; ulfr = wolf = Wolf; Nebenform: *Gandulf;* italienische Form: *Gandolfo.*

Gandolfo *(m)* italienische Form von Gandolf.

Gandulf *(m)* Nebenform zu Gandolf.

Gandulfr *(m)* isländische Form von Gandolf.

Gangel *(m)* Koseform für Gangolf und Wolfgang.

Gangolf *(m)* Umkehrform von Wolfgang; Nebenform: *Gangulf;* Koseform: *Gangel;* französische Form: *Gengoul.*

Gangulf *(m)* Nebenform zu Gangolf.

Ganja *(w)* russische Koseform für Galina und Gawrila (Gabriele).

Garbert *(m)* ostfriesische Form von Gerbert.

Garbeth *(m)* westfriesische Form von Gerbert; Nebenformen: *Garbit, Gerbit.*

Garbine *(w)* Koseform für mit Ger- beginnende weibliche Vornamen.

Garbit *(m)* Nebenform zu Garbeth; auch Koseform für Gerbald.

Garbrand *(m)* ostfriesische Form von Gerbrand; Nebenform: *Garbrant.*

Garbrant *(m)* ostfriesische Form von Gerbrand.

García *(m)* germanisch-spanisch.

Gard *(m)* Kurzform für Gerhard; Nebenformen: *Garrit, Gerd.*

Garda *(w)* Kurzform für Gerharda.

Garde *(w)* Kurzform für Gerharda; Nebenformen: *Garda, Gardi, Gardy.*

Gardi *(w)* Kurzform für Gerharde.

Gardy *(w)* Kurz- und Koseform für Gerharde.

Garibald *(m)* Nebenform zu Gerbald.

Garibaldi *(m)* italienische Form von Gerbald; oder: nach dem Familiennamen Giuseppe Garibaldis.

Garibold *(m)* Nebenform zu Gerbald.

Garimund *(m)* Nebenform zu Warmund.

Garin *(m)* französische Form von Guarin.

Garlef *(m)* althochdeutsch: *ger* = Speer; *leip* = Sprößling; Nebenform: *Garlieb;* friesische Nebenform: *Gerrelf.*

Garlieb *(m)* Nebenform zu Garlef.

Garnier *(m)* französische Form von Werner.

Gerrelf *(m)* friesische Form von Garlef.

Garret *(m)* friesische Form von Gerhard.

Garrett *(m)* friesische Form von Gerhard.

Garriet *(m)* friesische Form von Gerhard.

Garrit *(m)* friesische Form von Gerhard.

Gary *(m)* amerikanisch: wild (?).
Persönlichkeit der Geschichte:
Gary Cooper, 1901 bis 1961; amerikanischer Filmschauspieler.

Gaspar *(m)* englische Form von Kaspar.

Gáspár *(m)* ungarische Form von Kaspar.

Gaspard *(m)* französische Form von Kaspar.

Gaspare *(m)* italienische Form von Kaspar.

Gasparo *(m)* italienische und spanische Form von Kaspar.

Gast *(m)* Kurzform für mit Gast- oder -gast gebildete männliche Vornamen.

Gaeste *(w)* Koseform für Godestin.

Gaston *(m)* französische Form des flämischen *Vaast;* latinisiert: Vedastus.
Persönlichkeit der Geschichte:
Gaston Leroux, 1868 bis 1927; französischer Romanschriftsteller und Dramatiker.

Gate *(w)* Kurzform für Agatha.

Gatty *(w)* Kurzform für Agatha.

Gatzen *(m)* Kurzform für Goswin.

Gaudentia *(w)* die weibliche Form zu Gaudentius.

Gaudentius *(m)* lateinisch: *gaudere* = sich freuen; Nebenformen: *Gaudiosus;* deutsch: *Gaudenz.*

Gaudenz *(m)* deutsche Form von Gaudentius.
Persönlichkeit der Geschichte:
Gaudenz, 4. Jahrhundert; legendärer Glaubensbote in Graubünden; Märtyrer.

Gaudiosus *(m)* Nebenform zu Gaudenz.

Gauthier *(m)* französische Form von Walter.

Gautier *(m)* französische Form von Walter.

Gautwein *(m)* Nebenform zu Goswin.

Gautwin *(m)* Nebenform zu Goswin.

Gawel *(m)* polnische Form von Gallus; Nebenform: *Gawelka.*

Gawelka *(m)* Nebenform zu Gawel.

Gawrila *(w)* russische Form von Gabriele.

Gea *(w)* griechisch: *ge* = Erde; auch Kurzform für Georgine (Georgia).
Persönlichkeit der Geschichte:
Gea, in der griechischen Mythologie Göttin der Erde.

Geba *(w)* Kurzform für mit Geb- oder Ger- beginnende weibliche Vornamen; Nebenformen: *Gebba, Gebbe.*

Gebbert *(m)* niederdeutsche Form von Gebhard.

Gebbo *(m)* Kurzform für mit Geb- oder Ger- beginnende männliche Vornamen.

Gebert *(m)* Nebenform zu Gebhard.

Gebes *(m)* Koseform für Gebhard.

Gebhard *(m)* althochdeutsch: *geba* = Gabe; *harti* = hart, stark; Nebenformen: *Gebert, Gebbert, Geppert;* Kurz- und Koseformen: *Gebbo, Gebes, Gebke;* niederländische Form: *Gevehard, Gevhard, Gevaert.*
Persönlichkeit der Geschichte:
Gebhard L. von Blücher, 1742 bis 1819; kämpfte als preußischer Feldherr gegen Napoleon.

Gebharda *(w)* die weibliche Form zu Gebhard; Nebenform: *Gebharde;* Kurz- und Koseformen: *Gebine, Geba, Gebba, Gebbe.*

Gebharde *(w)* Nebenform zu Gebharda.

Gebine *(w)* Koseform für Gebharda.

Geel *(m)* westfriesische Koseform für Michael.

Geel *(w)* westfriesische Koseform für Gela; Nebenformen: *Geelke, Geeltje.*

Geelke *(w)* Nebenform zu Geel.

Geeltje *(w)* Nebenform zu Geel.

Geerd *(w)* niederländische Form von Gerharda.

Geerdruit *(w)* ostfriesisch-niederländische Form von Gertrud.

Geert *(m)* niederländische Form von Gerhard; Nebenformen: *Gerd, Gert.*

Geerta *(w)* westfriesisch-niederdeutsche Kurzform für Gerharde und Gertrud; Nebenformen: *Geertje, Geertke, Gertje.*

Geertje *(w)* Nebenform zu Geerta.

Geertke *(w)* Nebenform zu Geerta.

Geeska *(w)* Koseform für Gertrud.

Geffry *(m)* englische Form von Gottfried.

Gefion *(w)* altnordisch-keltisch: die Gebende; Nebenform: *Gefjon.*

Persönlichkeit der Geschichte:

Gefion, nordische Meeresgöttin.

Gela *(w)* Koseform für Angela und Gertrud; Nebenform: *Gele;* auch: *Geila.*

Gelais *(m)* französische Form von Gelasius.

Gelasius *(m)* lateinisch-griechisch: der Lächelnde; französische Form: *Gelais.*

Gele *(w)* Koseform für Angela und Gertrud.

Geli *(w)* Koseform für Angela und Angelika.

Gelimer *(m)* Nebenform zu Gelmar.

Gelia *(w)* russische Koseform für Angelina.

Gellért *(m)* ungarische Form von Gerhard.

Gelmar *(m)* wandalisch; Nebenform: *Gelimer.*

Geltrude *(w)* italienische Form von Gertrud.

Geltrudis *(w)* ältere Form von Gertrud.

Gemma *(w)* lateinisch: *gemma* = Edelstein.

Genesius *(m)* lateinisch: guter Abstammung; spanische Form: *Ginés.*

Genest *(m)* französisch; aus griechisch: *genos* = Sproß.

Geneviève *(w)* französische Form von Genoveva.

Gengoul *(m)* französische Form von Gangolf.

Genofonte *(m)* spanische Form von Xenophon.

Genovefa *(w)* Nebenform zu Genoveva.

Genoveva *(w)* gallisch-provenzalisch: *gen* = Volk; *wefa* = Frau; Nebenform: *Genovefa;* Kurz- und Koseformen: *Geno, Geni, Veva, Vefe, Ve, Vevi, Vevele, Eva, Vyfken;* französische Form: *Geneviève;* Koseform: *Ginette.*

Persönlichkeit der Geschichte:

Genoveva von Brabant, Heldin eines Volksbuchs; des Ehebruchs angeklagt, bis sich ihre Schuldlosigkeit erwies.

Geo *(m)* Kurzform für Georg.

Geoffrey *(m)* von normannisch-französisch *Geoffroi;* englische Form von Gottfried.

Persönlichkeiten der Geschichte:

Geoffrey Chaucer, um 1340 bis 1400; englischer Schriftsteller im Höhepunkt der mittelalterlichen englischen Dichtung.

Geoffrey de Havilland, 1882 bis 1965; englischer Flugzeugkonstrukteur.

Geoffroi *(m)* französische Form von Gottfried.

Geoffroy *(m)* französische Form von Gottfried.

Georg *(m)* aus griechisch: *georgos* = Landmann, Bauer; entspricht dem lateinischen: Agricola; Kurz- und Koseformen: *Geo, Gerg, Gergel, Gergl, Girg, Girgel, Görgel, Gürgel, Gorch, Jörg, Jürgen, Jürg, Jürn, Jörn, Göres, Görres, Schorsch;* niederländische Formen: *Georgius, Joris;* dänisch: *Jorgen;* schwedisch: *Göran, Jöran;* englisch: *George;* französisch: *Georges;* italienisch: *Georgio, Giorgio;*

spanisch und portugiesisch: *Jorge;* slawisch: *Juri, Jurek;* tschechisch: *Jiři, Jiřík, Jiřiček;* bulgarisch: *Georgi;* russisch: *Georgij, Jurij;* rumänisch: *Giurgiu;* ungarisch: *György;* arabisch: *Omar.*

Persönlichkeiten der Geschichte:

Georg Agricola, 1494 bis 1555; deutscher Naturforscher; begründete Mineralogie, Metallurgie und Bergbaukunde.

Georg Graf von Arco, 1869 bis 1940; deutscher Funktechniker.

Georg Büchmann, 1822 bis 1884; deutscher Sprachforscher.

Georg Büchner, 1813 bis 1837; deutscher revolutionärer Schriftsteller.

Georg Friedrich Händel, 1685 bis 1759; deutscher Komponist des Hochbarock.

Georg F. W. Hegel, 1770 bis 1831; deutscher Philosoph des Idealismus.

Georg Heym, 1887 bis 1912, deutscher Lyriker.

Georg Kreisler, geboren 1922; österreichischer Sänger und Kabarettist.

Georg Leber, geboren 1920; deutscher sozialdemokratischer Politiker.

Georg Simon Ohm, 1787 bis 1854; deutscher Physiker.

Georg Solti, Sir, geboren 1912; ungarisch-englischer Dirigent.

Georg Ph. Telemann, 1681 bis 1767; deutscher Komponist, Organist und Kapellmeister des Spätbarock.

Georg Trakl, 1887 bis 1914, österreichischer Dichter und Lyriker.

George *(m)* englische Form von Georg.

Persönlichkeiten der Geschichte:

George Gershwin, 1898 bis 1937; amerikanischer Komponist.

George Ellery Hale, 1868 bis 1938; amerikanischer Astronom.

George C. Marshall, 1880 bis 1959; amerikanischer General und Politiker (Marshallplan).

George Orwell, 1903 bis 1950; englischer gesellschaftskritischer Schriftsteller.

George Washington, 1732 bis 1799; amerikanischer Politiker; der erste Präsident der Vereinigten Staaten von Nordamerika.

Georges *(m)* französische Form von Georg.

Persönlichkeiten der Geschichte:

Georges Bizet, 1838 bis 1875; französischer Komponist.

Georges Braque, 1882 bis 1963; französischer Maler und Graphiker des Kubismus.

Georges Brassens, 1921 bis 1981; französischer Chansonsänger und Komponist.

Georges Clemenceau, 1841 bis 1929; französischer Politiker.

Georges Danton, 1759 bis 1794; französischer Revolutionär.

Georges Pompidou, 1911 bis 1974; französischer Politiker.

Georges Rouault, 1871 bis 1958; französischer expressionistischer Maler, Graphiker und Glasmaler.

Georges Seurat, 1859 bis 1891; französischer neuimpressionistischer Maler des Pointillismus.

Georgette *(w)* französische verkleinernde Koseform für Georgia.

Georgi *(m)* bulgarische Form von Georg.

Georgia *(w)* die weibliche Form zu Georg; Weiterbildungen: *Georgina, Georgine;* neulateinisch: *Joris.*

Georgij *(m)* russische Form von Georg.

Persönlichkeit der Geschichte:

Georgij Schukow, 1896 bis 1974; sowjetrussischer Marschall.

Georgine *(w)* Weiterbildung von Georgia.

Georgio *(m)* italienische Form von Georg.

Georgius *(m)* latinisierte und niederländische Form von Georg.

Gepa *(w)* Kurzform für das altdeutsche

Gerpirga; althochdeutsch: *ger* = Speer; *bergan* = bergen, schützen.

Geppert *(m)* Nebenform zu Gebhard.

Gera *(m)* slawische Kurzform für Gerhard und German.

Gera *(w)* Kurzform für mit Ger- beginnende weibliche Vornamen.

Gerald *(m)* angelsächsisch-althochdeutsch: *ger* = Speer; *waltan* = walten, herrschen; Nebenformen: *Gerwald, Gerold, Gerhold, Gerrelt;* englische Form: *Gerald;* Koseform: *Gerry;* französisch: *Giraud.*

Geralda *(w)* Nebenform zu Geralde.

Geraldine *(w)* Weiterbildung von Geralde.

Gerard *(m)* niederländische und englische Form von Gerhard.

Gérard *(m)* französische Form von Gerhard.

Persönlichkeit:

Gérard Philipe, 1922 bis 1959; französischer Büchnen- und Filmschauspieler.

Gerarda *(w)* die weibliche Form zu Gerard (Gerhard).

Gérarde *(w)* französische Form von Gerharda.

Gerardina *(w)* italienische Form von Gerhardine.

Gérardine *(w)* französische Form von Gerhardine.

Gerardo *(m)* italienische und spanische Form von Gerhard.

Gerardus *(m)* lateinische und niederländische Form von Gerhard.

Gerbald *(m)* althochdeutsch: *ger* = Speer; *bald* = kühn; Nebenformen: *Gerbold, Garibald, Garibold;* Koseform: *Garbit;* italienische Form: *Garibaldi.*

Gerberg *(w)* althochdeutsch: *ger* = Speer; *berg* = bergen, schützen; Nebenform: *Gerberga.*

Gerberga *(w)* Nebenform zu Gerberg.

Gerbert *(m)* althochdeutsch: *ger* = Speer; *beraht* = glänzed; Nebenform: *Gerbracht.*

Gerberta *(w)* die weibliche Form zu Gerbert.

Gerbit *(m)* Nebenform zu Garbeth.

Gerbod *(m)* althochdeutsch: *ger* = Speer; *boto* = Bote; Nebenform: *Gerbodo.*

Gerbodo *(m)* Nebenform zu Gerbod.

Gerbold *(m)* Nebenform zu Gerbald.

Gerborg *(w)* Nebenform zu Gerburg.

Gerbracht *(m)* Nebenform zu Gerbert.

Gerbrand *(m)* althochdeutsch: *ger* = Speer; *brand* = Feuer, Schwert; Nebenform: *Garbrand;* ostfriesisch: *Garbrant.*

Gerburg *(w)* althochdeutsch: *ger* = Speer; *burg* = Burg, Schutz; Nebenform: *Gerborg.*

Gerd *(m)* Kurzform für Gerhard; Nebenform zu Geert.

Gerd *(w)* Kurzform für Gertrud.

Gerda *(w)* althochdeutsch: *gard* = Schutz; die weibliche Form zu Gerd;. Nebenformen: *Gerde, Gerdi, Gerdie;* ferner Kurzform für mit Gerd- oder Gert- beginnende oder auf -gard endende weibliche Vornamen; so für Gertrud, Edelgard, Irmgard.

Gerde *(w)* Nebenform zu Gerda.

Gerdi *(w)* Nebenform zu Gerda.

Gerdie *(w)* Nebenform zu Gerda.

Gerdina *(w)* Koseform für Gerharda.

Gerdis *(w)* schwedisch; nach althochdeutsch: *ger* = Speer; *dis* = Göttin.

Gerdken *(w)* Koseform für Gerharda.

Gerebern *(m)* keltisch-irisch.

Gereon *(m)* lateinisch-griechisch: alternd, Greis; Nebenform: *Gerion.*

Persönlichkeit der Geschichte:

Gereon, 3. Jahrhundert; christlicher Offizier der Thebaischen Legion; legendärer Märtyrer.

Gerfried *(m)* althochdeutsch: *ger* = Speer; *fridu* = Friede.

Gerg *(m)* Kurzform für Georg.

Gergel *(m)* Koseform für Georg.

Gergely *(m)* ungarische Form von Gregor.

Gergl *(m)* Koseform für Georg.

Gerhard *(m)* althochdeutsch: *ger* = Speer; *harti* = hart, stark; Nebenformen: *Gerhardt, Gerhart, Gerard;* Kurz- und Koseformen: *Gehrt, Gerd, Geert, Gierd, Gero, Gerke, Gerko, Gerrit, Gard, Gerjet, Grades;* friesische Formen: *Garret, Garrett, Garriet, Jerrit;* englische Form: *Gerard;* französisch: *Gérard;* niederländisch: *Gerard, Gerardus, Gaard;* italienisch: *Gerardo, Gherardo, Gaddo;* spanisch: *Gerardo;* ungarisch: *Gellért;* slawische Kurzform: *Gera.*

Persönlichkeiten der Geschichte:

Gerhard (Meister Gerhard), gestorben 1295; erster Baumeister des Kölner Doms.

Gerhard Domagk, 1895 bis 1964; deutscher Arzt und Bakteriologe.

Gerhard Fieseler, geboren 1896; deutscher Flugzeugkonstrukteur und Kunstflieger.

Gerhard Hauptmann, 1862 bis 1946, deutsche Dramatiker.

Gerhard Marcks, 1889 bis 1981; deutscher Bildhauer und Graphiker.

Gerhard Mercator, 1512 bis 1594; niederländischer Kartograph.

Gerhard von Scharnhorst, 1755 bis 1813; preußischer General; führte allgemeine Wehrpflicht ein.

Gerhard Schröder, 1910 bis 1989; deutscher christdemokratischer Politiker.

Gerhard Stoltenberg, geboren 1928; deutscher christdemokratischer Politiker.

Gerhard Terstegen, 1697 bis 1769, deutscher Liederdichter und pietistischer Prediger.

Gerhard Zwerenz, geb. 1925, deutscher Schriftsteller.

Gerharda *(w)* die weibliche Form zu Gerhard; Nebenform: *Gerharde;* Kurz- und Koseformen: *Gerdina, Gerdken, Garda, Garde, Gardi, Gardy;* französische Form: *Gérarde;* niederländisch: *Geerd.*

Gerhardina *(w)* Nebenform zu Gerhardine.

Gerhardine *(w)* Weiterbildung von Gerharda; Nebenform: *Gerhardina;* italienische Form: *Gerardina;* französisch: *Gérardine.*

Gerhardt *(m)* Nebenform zu Gerhard.

Gerhart *(m)* Nebenform zu Gerhard.

Persönlichkeit der Geschichte:

Gerhart Hauptmann, 1862 bis 1946; bedeutendster deutscher Schriftsteller des Naturalismus.

Gerhild *(w)* althochdeutsch: *ger* = Speer; *hiltja* = Kampf; Nebenform: *Gerhilde.*

Gerhilde *(w)* Nebenform zu Gerhild.

Gerhoh *(m)* eigentlich *Gerhoch;* althochdeutsch: *ger* = Speer.

Gerhold *(m)* Nebenform zu Gerald.

Geriberta *(w)* althochdeutsch: *ger* = Speer; *beraht* = glänzend.

Gerko *(m)* Kurzform für Gerhard.

Gerlach *(m)* althochdeutsch: *ger* = Speer; *lah (lachus)* = Grenzzeichen.

Gerlind *(w)* Nebenform zu Gerlinde.

Gerlinde *(w)* althochdeutsch: *ger* = Speer; *linda* = Lindenholzschild; Nebenformen: *Gerlind, Gerlindis.*

Persönlichkeit der Geschichte:

Gerlinde (auch Gerlind), 8. Jahrhundert; elsässische Herzogin; Schwägerin der heiligen Odilia.

Gerlindis *(w)* Nebenform zu Gerlinde.

Gerlis *(w)* Neubildung aus althochdeutsch: *ger* = Speer, und *Lise.*

Germain *(m)* französische Form von German.

Germaine *(w)* französische Form von Germana.

German *(m)* althochdeutsch: *ger* = Speer; *man* = Mann; Nebenform: *Germann;* latinisiert: *Germanus;* englische Form: *German, Jarman, Jerman, Jermyn;* französisch: *Germain;* italienisch: *Germano;* bulgarisch: *Germo, Gero;* slawisch: *Gera;* russisch: Form von Hermann.

Germana *(w)* die weibliche Form zu German; lateinisch: *germana* = Schwester; französische Form: *Germaine;* niederländisch: *Germina, Germien.*

Germania *(w)* ursprünglich lateinische Bezeichnung für Deutschland.

Germann *(m)* Nebenform zu German.

Germano *(m)* italienische Form von German.

Germanus *(m)* latinisierte Form von German.

Germar *(m)* althochdeutsch: *ger* = Speer; *mari* = berühmt; Nebenform: *Germer.*

Germer *(m)* Nebenform zu Germar.

Germien *(w)* niederländische Form von Germana.

Germina *(w)* niederländische Form von Germana.

Germo *(m)* bulgarische Form von German; allgemein Kurzform für mit Ger- beginnende männlichc Vornamen.

Gernot *(m)* althochdeutsch: *ger* = Speer; *not* = Gefahr.

Gero *(m)* Kurzform für mit Ger- beginnende männliche Vornamen; bulgarische Form von German.

Persönlichkeit der Geschichte:

Gero, gestorben 976; ab 969 Erzbischof von Köln; stiftete das Gero- Kreuz und gründete das Kloster Gladbach.

Gerold *(m)* Nebenform zu Gerald.

Gerolda *(w)* die weibliche Form zu Gerold; Nebenform: *Gerolde.*

Gerolde *(w)* Nebenform zu Gerolda.

Gerolf *(m)* Nebenform zu Gerwulf.

Gerome *(m)* englische Form von Hieronymus.

Geronimo *(m)* italienische Form von Hieronymus.

Persönlichkeit der Geschichte:

Geronimo Cardano, 1501 bis 1576; italienischer Mathematiker und Naturphilosoph.

Gerrelt *(m)* Nebenform zu Gerald.

Gerrich *(m)* althochdeutsch: *ger* = Speer; *rihhi* = reich, mächtig; Nebenform: *Gerrik.*

Gerrik *(m)* Nebenform zu Gerrich.

Gerrit *(m)* Koseform für Gerhard; neuerdings auch als weiblicher Vorname gebraucht.

Gerry *(m)* Kurz- und Koseform für Gerhard und Gerald; allgemein: Kurzform für mit Ger- beginnende männliche Vornamen.

Persönlichkeiten der Geschichte:

Gerry Mulligan, geboren 1927; amerikanischer Jazzmusiker und Komponist.

Gersom *(m)* Nebenform zu Gerson.

Gerson *(m)* hebräisch: = Fremdling, Verbannter; Nebenform: *Gersom.*

Gert *(m)* Nebenform zu Geert; Kurzform für Gerhard; Nebenform: *Gerd.*

Persönlichkeit:

Gert Fröbe, 1913 bis 1988, deutscher Filmschauspieler in Charakterrollen.

Gerta *(w)* Kurzform für Gertrud.

Gerti *(w)* Kurzform für Gertrud.

Gertje *(w)* Nebenform zu Geerta.

Gertke *(w)* Koseform für Gertrud.

Gertraud *(w)* Nebenform zu Gertrud.

Gertraude *(w)* Nebenform zu Gertrud.

Gertraut *(w)* Nebenform zu Gertrud.

Gertrud *(w)* althochdeutsch: *ger* = Speer; *trud* = Kraft, Stärke; Nebenformen: *Gertrude, Gertrudis, Gertraud, Gertraude, Gertraut;* Kurz- und Koseformen: *Gerda, Gerd, Gerta, Gertke, Gerti, Gerty, Gela, Gele, Geila, Jerra, Trude, Trudel, Trudchen, Trudi, Traudchen, Traudel, Třaud;* niederdeutsch: *Gesa, Gese, Geseke, Gescha, Gesche, Geska, Geeske, Geske, Gesine; Truitgen, Truiken, Drut, Druda, Drüte, Drudeke, Drüke;* französische Form: *Gertrude;* italienisch: *Geltrude;* slawisch: *Jerica.*

Persönlichkeiten der Geschichte:

Gertrud von Altenberg, 1227 bis 1297; Tochter der heiligen Elisabeth; 1248 Meisterin des Prämonstratenserinnenstifts Altenberg.

Gertrud Bäumer, 1873 bis 1954, deutsche Frauenrechtlerin.

Gertrud Kückelmann, 1929 bis 1979; deutsche Schauspielerin der Bühne und des Films.

Gertrud von le Fort, 1876 bis 1971; deutsche Schriftstellerin und Lyrikerin meist religiöser Thematik.

Gertrude *(w)* Nebenform zu Gertrud; auch französische Form von Gertrud.

Persönlichkeit der Geschichte:

Gertrude Stein, 1874 bis 1946, amerikanische Schriftstellerin.

Gertrudis *(w)* Nebenform zu Gertrud.

Gerty *(w)* Koseform für Gertrud.

Gerulf *(m)* Nebenform zu Gerwulf.

Gervais *(m)* französische Form von Gervas.

Gervaise *(w)* französische weibliche Form zu Geervais (Gervas).

Gervas *(m)* althochdeutsch: *ger* = Speer; *vass* = Knecht; latinisiert: *Gervasius;* englische Form: *Gervase;* französisch: *Gervais.*

Gervase *(m)* englische Form von Gervas.

Gervasia *(w)* die weibliche Form zu Gervasius (Gervas).

Gervasius *(m)* lateinische Form von Gervas.

Gervinus *(m)* lateinische Form von Gerwin.

Gerwald *(m)* Nebenform zu Gerald.

Gerwich *(m)* Nebenform zu Gerwig.

Persönlichkeit der Geschichte:

Gerwich, Edler von Volmudstein, 12. Jahrhundert; nach der Legende Mönch in Siegburg, später in Waldsassen.

Gerwig *(m)* althochdeutsch: *ger* = Speer; *wig* = Kampf; Nebenform: *Gerwich.*

Gerwin *(m)* althochdeutsch: *ger* = Speer; *wini* = Freund; latinisiert: *Gervinus.*

Gesa *(w)* Koseform für Gertrud und Gesine.

Gescha *(w)* Koseform für Gertrud.

Gesche *(w)* Koseform für Gertrud.

Gese *(w)* Koseform für Gertrud und Gesine.

Geseke *(w)* Koseform für Gertrud.

Gesina *(w)* Nebenform zu Gesine.

Gesine *(w)* Koseform für Gertrud; allgemein für mit Ger- beginnende weibliche Vornamen; Nebenform: *Gesina.*

Gesinus *(m)* westfriesische Koseform für mit Ger- beginnende männliche Vornamen.

Geska *(w)* Koseform für Gertrud.

Geske *(w)* Koseform für Gertrud.

Geuert *(m)* Nebenform zu Gottfried.

Gevaert *(m)* niederländische Form von Gebhard.

Gevehard *(m)* niederländische Form von Gebhard.

Gevert *(m)* niederländische Form von Gottfried.

Gevhard *(m)* niederländische Form von Gebhard.

Géza *(m)* ungarisch; ursprünglich ein türkischer Ehrentitel.

Gezelin *(m)* lateinisch: *Gezzelinus;* Nebenform zu Gislenus.

Gezzelinus *(m)* lateinische Form von Gezelin.

Gherardo *(m)* italienische Form von Gerhard.

Ghislain *(m)* französische Form von Gislenus; Nebenform: *Gislain.*

Ghislaine *(w)* die französische weibliche Form zu Ghislain.

Ghita *(w)* italienische Koseform für Margareta.

Giacinta *(w)* italienische weibliche Form zu Giacinto (Hyazinth).

Giacinto *(m)* italienische Form von Hyazinth.

Giacomo *(m)* italienische Form von Jakob.

Persönlichkeiten der Geschichte:

Giacomo Meyerbeer, 1791 bis 1864; deutscher Komponist der »Großen Oper«.

Giacomo Puccini, 1858 bis 1924; italienischer Komponist der traditionellen italienischen Oper.

Giacomo da Vignola, 1507 bis 1573; italienischer Architekt im Übergang von der Renaissance zum Barock.

Giambattista *(m)* italienische Form von Johann Baptist.

Persönlichkeit der Geschichte:

Giambattista Piranesi, 1720 bis 1778; italienischer Kupferstecher und Baumeister.

Giampietro *(m)* italienische Form von Hanspeter.

Gian *(m)* italienische Form von Hans (Johann).

Giancarlo *(m)* italienische Form von Johann Karl.

Gianna *(w)* italienische Form von Johanna.

Gianni *(m)* italienische Form von Johann.

Gid *(m)* Kurzform für Ägidius.

Gideon *(m)* hebräisch: *gideon* = Zertrümmerer; Nebenformen: *Gidion, Gedeon.*

Gidi *(m)* Kurzformför Ägidius.

Gidion *(m)* Nebenform zu Gideon.

Gied *(m)* Kurzform für Ägidius.

Gierd *(m)* Koseform für Gerhard.

Giese *(m)* Kurzform für mit Gis- oder Gisel- beginnende männliche Vornamen.

Giesebrecht *(m)* Nebenform zu Giselbert.

Gieseke *(m)* Kurzform für mit Gis- oder Gisel- beginnende männliche Vornamen.

Giesel *(m)* Kurzform für Gieselbert.

Gigi *(m)* italienische Koseform für Ludovico (Ludwig); Nebenform: *Gigio.*

Gigio *(m)* Nebenform zu Gigi.

Gil *(m)* spanische Kurzform für Ägidius und Kurzform für Gilbert; französische Form: *Gilles.*

Gila *(w)* Kurzform für Gisela.

Gilbert *(m)* Nebenform zu Giselbert.

Persönlichkeiten:

Gilbert Bécaud, geboren 1927; französischer Chansonnier und Komponist.

Gilbert K. Chesterton, 1874 bis 1936; englischer katholischer satirischer Schriftsteller.

Gilbrecht *(m)* Nebenform zu Giselbert.

Gilda *(m)* die weibliche Form zu Gildo; oder: italienisch; ferner Kurzform für auf -ilda endende weibliche Vornamen; Nebenform: *Gilta.*

Gildebert *(m)* althochdeutsch: *gilt* = Vergeltung; *beraht* = glänzend; Nebenform: *Gildebrecht;* Kurzform: *Gildo.*

Gildebrecht *(m)* Nebenform zu Gildebert.

Gildo *(m)* Kurzform für mit Gild- beginnende männliche Vornamen; so für Gildebert.

Gilg *(m)* Koseform für Ägidius.
Gilian *(m)* englische Form von Juliana.
Gill *(w)* englische Koseform für Gillian (Juliana).
Gilla *(w)* schwedische Kurzform für Gisela.
Gilles *(m)* Kurzform für Ägidius und Ägilius; französische Form von Ägidius.
Gillian *(w)* englische Form für Juliana.
Gilmar *(m)* Kurzform für Giselmar.
Gilta *(w)* Nebenform zu Gilda.
Gina *(w)* italienische weibliche Form zu Gino; auch Kurzform für Regina; Nebenform: *Gine.*
Persönlichkeit:
Gina Lollobrigida, geboren 1927; italienische Filmschauspielerin.
Gine *(w)* Nebenform zu Gina.
Ginés *(m)* spanische Form von Genesius.
Ginette *(w)* französische Koseform für Genoveva.
Ginger *(w)* englische Koseform für Virginia.
Ginnie *(w)* englische Koseform für Virginia.
Gino *(m)* italienische Kurzform für Ludovico (Ludwig).
Gioacchino *(m)* italienische Form von Joachim.
Persönlichkeit der Geschichte:
Gioacchino Rossini, 1792 bis 1868; italienischer Opern- und Kirchenkomponist.
Giobbe *(m)* italienische Form von Ijob.
Gioconda *(w)* italienisch; von lateinisch: *iucunda.* = angenehm.
Giona *(m)* italienische Form von Jonas.
Gionata *(m)* italienische Form von Jonathan.
Giordano *(m)* italienische Form von Jordan.
Persönlichkeit der Geschichte:
Giordano Bruno, 1548 bis 1600, Philosoph, wurde als Ketzer verbrannt.
Giorgione *(m)* Weiterbildung von Giorgio.
Persönlichkeit der Geschichte:
Giorgione Barbarelli, um 1478 bis 1510; italienischer Maler der venezianischen Hochrenaissance.
Giorgos *(m)* griechische Form von Georg.
Persönlichkeit:
Giorgos Seferis, 1900 bis 1971; griechischer Schriftsteller der modernen neugriechischen Lyrik.
Giosuè *(m)* italienische Form von Josua.
Giotto *(m)* italienische Kurzform von Ambrogiotto, der Verkleinerungsform von Ambrogio (Ambrosius).
Persönlichkeit der Geschichte:
Giotto di Bondone, 1266 bis 1337; italienischer Maler und Baumeister in Florenz.
Giovanna *(w)* italienische Form von Johanna.
Giovanni *(m)* italienische Form von Johann.
Persönlichkeiten der Geschichte:
Giovanni Don Bosco, 1815 bis 1888; italienischer Jugenderzieher; Gründer der Salesianer.
Giovanni Battista Pergolesi, 1710 bis 1736; italienischer Geiger und Komponist von Opern und Werken der Kirchenmusik.
Giovanni D. Cassini, 1625 bis 1712; italienisch-französischer Astronom und Mathematiker.
Giraldo *(m)* italienische Form von Gerald.
Giraud *(m)* französische Form von Gerald.
Girg *(m)* Koseform für Georg.
Girolamo *(m)* italienische Form von Hieronymus.

Gisa *(w)* Kurzform für Gisela; allgemein für mit Gis- beginnende weibliche Vornamen.

Gisberga *(w)* germanisch: *gisa* = Sproß, oder: althochdeutsch: *gisal* = Geisel; *bergan* = bergen, schützen; Nebenform: *Giselberga.*

Gisbert *(m)* Nebenform zu Giselbert.

Gisberta *(w)* die weibliche Form zu Gisbert.

Gisburg *(w)* Nebenform zu Giselburg.

Gisburga *(w)* Nebenform zu Giselburg.

Gisela *(w)* althochdeutsch: *gisal* = Geisel; Nebenformen: *Giselee, Gisella;* Kurzformen: *Gisa, Gila, Silke;* englische Form: *Giselle;* französisch: *Giselle, Gisèle;* italienisch: *Gisella;* schwedische Koseform: *Gilla.*

Persönlichkeiten der Geschichte:

Gisela, 985 bis 1060; bayerische Herzogstochter; Gattin König Stephans von Ungarn; mit ihm bemüht um Ausbreitung des christlichen Glaubens; später Äbtissin in Passau.

Gisela, Kaiserin, 999 bis 1034, Gattin Konrads II.

Giselberga *(w)* Nebenform zu Gisberga.

Giselbert *(m)* germanisch: *gisa* = Sproß; oder althochdeutsch: *gisal* = Geisel; *beraht* = glänzend; Nebenformen: *Gisbert, Giesebrecht;* Kurz- und Koseformen: *Giese, Giesel, Giso.*

Giselberta *(w)* die weibliche Form zu Giselbert.

Giselbrand *(m)* althochdeutsch: *gisal* = Geisel; *brand* = Feuer, Schwert; Nebenform: *Gisbrand.*

Giselburg *(w)* germanisch: *gisa* = Sproß; oder althochdeutsch: *gisal* = Geisel; *burg* = Burg, Schutz; Nebenformen: *Gisburg, Gisburga.*

Gisele *(w)* Nebenform zu Gisela.

Gisèle *(w)* französische Form von Gisela.

Giselher *(m)* germanisch: *gisa* = Sproß; oder althochdeutsch: *gisal* = Geisel; *heri* = Heer; Kurzformen: *Geisler, Giese, Giso, Gislar.*

Persönlichkeiten der Geschichte:

Giselher, 8. Jahrhundert; legendärer Glaubensbote in Österreich.

Giselher Klebe, geboren 1925, deutscher Komponist.

Gisella *(w)* italienische Form und deutsche Nebenform zu Gisela.

Giselle *(w)* englische und französische Form von Gisela.

Giselmar *(m)* germanisch: *gisa* = Sproß; oder althochdeutsch: *gisal* = Geisel; *mari* = berühmt; Nebenformen: *Gismar, Gilmar.*

Giselmund *(m)* germanisch: *gisa* = Sproß; oder althochdeutsch: *gisal* = Geisel; *munt* = Schutz; Nebenform: *Gismund.*

Giselmut *(m)* ältere Form von Gismut.

Giseltraud *(w)* germanisch: *gisa* = Sproß; oder althochdeutsch: *gisal* = Geisel; *trud* = Kraft; Nebenformen: *Gistraud, Giseltrud, Gistrud.*

Giseltrud *(w)* Nebenform zu Giseltraud.

Gisilo *(m)* Koseform für Giselbert.

Gislain *(m)* Nebenform zu Ghislain.

Gislar *(m)* Kurzform für Giselher.

Gislenus *(m)* lateinisch; nach dem Hennegauapostel *Gislin* 7. Jahrhundert); Nebenformen: *Gezelin, Gezzelinus, Schetzel;* französische Form: *Ghislain,* auch *Gislain.*

Gislinde *(w)* germanisch: *gisa* = Sproß, oder althochdeutsch: *gisal* = Geisel; *lindi* = mild.

Gismar *(m)* Nebenform zu Giselmar.

Gismara *(w)* die weibliche Form zu Gismar (Giselmar).

Gismonda *(w)* italienische Form von Siegmunda.

Gismondo *(m)* italienische Form von Siegmund.

Gismund *(m)* Nebenform zu Giselmund.

Gismunda *(w)* die weibliche Form zu Giselmund; Nebenform: *Gismunde.*

Gismunde *(w)* Nebenform zu Gismunda.

Gismut *(m)* althochdeutsch: *gisal* = Geisel; *muot* = Mut; ältere Form: *Giselmut.*

Giso *(m)* Koseform für Giselbert; allgemein: Kurzform für mit Gis(e)- beginnende männliche Vornamen.

Gistraud *(w)* Nebenform zu Giseltraud.

Gistrud *(w)* Nebenform zu Giseltraud.

Gita *(w)* Kurzform für Brigitte.

Gitta *(w)* Kurzform für Brigitte; Nebenformen: *Gita, Gitte.*

Gitte *(w)* Kurzform für Brigitte.

Giuditta *(w)* italienische Form von Judith.

Giulia *(w)* italienische Form von Julia.

Giuliana *(w)* italienische Form von Juliana.

Giuliano *(m)* italienische Form von Julian.

Giulietta *(w)* italienische Verkleinerungsform von Giulia (Julia).

Persönlichkeit:

Giulietta Masina, 1922 bis 1994; italienische Schauspielerin (La strada).

Giulio *(m)* italienische Form von Julius.

Giurgiu *(m)* rumänische Form von Georg.

Giuseppa *(w)* die italienische weibliche Form zu Giuseppe (Josefa).

Giuseppe *(m)* italienische Form von Josef.

Persönlichkeiten der Geschichte:

Giuseppe Garibaldi, 1807 bis 1882; italienischer Freiheitskämpfer des Risorgimento.

Giuseppe Verdi, 1813 bis 1901; italienischer Komponist der modernen Gesangsoper.

Giuseppina *(w)* italienische Form von Josefine.

Giustina *(w)* italienische Form von Justina.

Gladusa *(w)* Nebenform zu Gladys.

Gladys *(w)* englisch, aus irisch-keltisch: *Gwladys, Gladusa.*

Persönlichkeit der Geschichte:

Gladys, legendäre Königin in Wales; bekehrte sich zu heiligmäßigem Einsiedlerleben.

Glares *(m)* Koseform für Hilarius.

Glary *(m)* Koseform für Hilarius.

Glaubrecht *(m)* althochdeutsch aus normannisch: *glau* = scharfäugig; *beraht* = glänzend; oder: pietistische Neubildung des 17. Jahrhunderts.

Glen *(m)* Nebenform zu Glenn.

Glenn *(m)* englisch-amerikanisch; nach keltisch: *glen* = enges Tal; demnach Bezeichnung für Herkunft; Nebenform: *Glen.*

Persönlichkeiten:

Glenn Ford, geboren 1916; amerikanischer Filmschauspieler.

Glenn Miller, 1904 bis 1944; amerikanischer Posaunist und Bandleader.

Glenna *(w)* die weibliche Form zu Glenn.

Glodesind *(w)* althochdeutsch: *Klotsinda* = Ruhmstarke; Nebenform: *Glodesindis.*

Glodesindis *(w)* Nebenform zu Glodesind.

Gloria *(w)* lateinisch: *gloria* = Ruhm, Ehre.

Gloriana *(w)* lateinisch; Weiterbildung von Gloria.

Gloriosa *(w)* lateinisch; Weiterbildung von Gloria.

Persönlichkeit der Geschichte:

Gloriosa, gestorben 303; der Überlieferung nach Märtyrerin unter Diokletian.

Glorius *(m)* lateinisch: *gloria* = Ruhm, Ehre.

Gloy *(m)* Kurzform für Eligius.

Goar *(m)* Kurzform für Gotthard.

Persönlichkeit der Geschichte:

Goar, 6. Jahrhundert; Einsiedler am Rhein; Glaubensverkünder; aus seiner Zelle entstanden Stift und Stadt Sankt Goar.

Gobbo *(m)* Nebenform zu Gobo.

Gobe *(m)* Nebenform zu Gobo.

Göbel *(m)* Nebenform zu Gobo.

Gobelin *(m)* Nebenform zu Gobo.

Gobert *(m)* Nebenform zu Gottbert.

Goberta *(w)* Nebenform zu Godeberta.

Gobo *(m)* Kurzform für mit Gode- oder Gott- beginnende männliche Vornamen; Nebenformen: *Gobe, Göbel, Gobelin, Gobbo.*

God *(m)* Koseform für Gottfried.

Goda *(w)* Kurzform für mit Gode- beginnende weibliche Vornamen; Nebenformen: *Gode, Göde, Godja;* auch Nebenform zu Gudula.

Godard *(m)* französische Form von Gotthard.

Godbert *(m)* Nebenform zu Gottbert.

Goddert *(m)* Nebenform zu Gotthard.

Göddert *(m)* Nebenform zu Gotthard.

Gode *(m)* Koseform für Gottfried.

Gode *(w)* Nebenform zu Goda.

Göde *(m)* Koseform für Gottfried.

Göde *(w)* Nebenform zu Goda.

Godebald *(w)* Nebenform zu Gottbald.

Godebert *(m)* Nebenform zu Gottbert.

Godeberta *(w)* die weibliche Form zu Godebert; Nebenform: *Goberta.*

Godefroy *(m)* französische Form von Gottfried.

Godegisel *(m)* althochdeutsch: *got* = Gott; *gisal* = Geisel.

Godehard *(m)* ältere Form von Gotthard.

Gödeke *(m)* Koseform für Gottfried.

Godel *(m)* Koseform für Gottfried.

Godela *(w)* Nebenform zu Gudula.

Goedele *(w)* Nebenform zu Gudula.

Godelieba *(w)* Nebenform zu Gottliebe.

Godelind *(w)* althochdeutsch: *got* = Gott; *lindi* = mild; Nebenformen: *Godlind, Godelinde, Gotelind, Gotlind, Gotlinde.*

Godelinde *(w)* Nebenform zu Godelind.

Godeschalk *(m)* ältere Form von Gottschalk.

Godestiu *(w)* = Gottsdienerin; Nebenformen: *Gotste, Gostie;* Kurz- und Koseformen: *Gosse, Gostike, Gaeste.*

Godhard *(m)* ältere Form von Gotthard; Nebenform: *Godehard.*

Godi *(m)* Koseform für Gottfried.

Godja *(w)* Nebenform zu Goda.

Godlind *(w)* Nebenform zu Godelind.

Godo *(m)* niederdeutsche Kurzform für mit Gode- gebildete männliche Vornamen; Nebenformen: *Göde, Gody;* friesisch: *Göke;* auch *Golo.*

Godolewa *(w)* die weibliche Form zu Gottlieb; Nebenform: *Godelieba.*

Godwin *(m)* althochdeutsch: *got* = Gott; *wini* = Freund; Nebenformen: *Gotwin, Gottwin.*

Gody *(m)* Nebenform zu God (Gottfried).

Goffredo *(m)* italienische Form von Gottfried.

Gohard *(m)* Nebenform zu Gotthard.

Golda *(w)* jüdische Koseform für »von Gold, golden«; Nebenformen: *Goldchen, Goldine.*

Persönlichkeit der Geschichte:

Golda Meir, 1898 bis 1978; israelische Politikerin.

Goldchen *(w)* Nebenform zu Golda.

Goldine *(w)* Nebenform zu Golda.

Goele *(w)* Nebenform zu Gudula.

Goliat *(m)* ökumenische Form von Goliath.

Goliath *(m)* hebräisch: = Verbannung (?); ökumenische Form: *Goliat.*

Golo *(m)* Kurzform für Gottfried und andere mit God- oder Gott- beginnende männliche Vornamen.

Persönlichkeit:

Golo Mann, geboren 1909; deutscher Historiker und Publizist.

Gombert *(m)* ältere Form von Guntbert; Nebenformen: *Gompert, Gomprecht.*

Gommar *(m)* Nebenform zu Gundomar.

Gompert *(m)* Nebenform zu Gombert.

Gomprecht *(m)* Nebenform zu Gombert.

Gonda *(w)* Kurzform für auf -gonde (althochdeutsch: *gund* = Kampf) endende weibliche Vornamen.

Gonde *(w)* Kurzform für Adelgunde.

Gondrom *(m)* Nebenform zu Guntram.

Gonsalvo *(m)* italienische Form von Gundolf.

Gontard *(m)* französische Form von Gunthard.

Gontran *(m)* französische Form von Guntram.

Gonzalvo *(m)* spanische Form von Gundolf.

Gopfer *(m)* Kurzform für Gottfried.

Gora *(m)* russische Koseform für Georgij (Georg).

Goran *(m)* jugoslawische Form von Georg und Gregor.

Göran *(m)* schwedische Form von Georg und Gregor.

Gorch *(m)* niederdeutsche Koseform für Georg; Nebenformen: *Gorg, Görg.*

Gord *(m)* Kurzform für Gordian.

Gordian *(m)* lateinisch *Gordianus* = aus Gordium (Phrygien) stammend; Kurzform: *Gord.*

Gordianus *(m)* lateinische Form von Gordian.

Gordius *(m)* lateinisch.

Gordon *(m)* englisch; ursprünglich ein schottischer Familienname.

Gore *(m)* amerikanisch; auch Kurzform für Gregor.

Göreis *(m)* Koseform für Gregor.

Gores *(m)* Koseform für Gregor.

Göres *(m)* Kurzform für Georg und Gregor.

Gorg *(m)* Nebenform zu Gorch.

Görg *(m)* Nebenform zu Gorch.

Görge *(m)* Kurzform für Georg.

Görgel *(m)* Koseform für Georg.

Gorgely *(m)* ungarische Form von Gregor.

Gorgonius *(m)* griechisch-lateinisch.

Gorius *(m)* Kurzform für Gregorius (Gregor).

Gorjes *(m)* Koseform für Gregor.

Gorm *(m)* dänische Kurzform für Guttorm.

Görres *(m)* Nebenform zu Georg und Gregor.

Gorris *(m)* Koseform für Gregor.

Görs *(m)* Kurzform für Georg und Gregor.

Gort *(m)* Kurzform für Gotthard.

Gört *(m)* Koseform für Gottfried und Gotthard.

Gosbert *(m)* althochdeutsch: *gos* = Gote; *beraht* = glänzend.

Gose *(m)* Kurzform für Goswin.

Gosse *(w)* Kurzform für Godestiu.

Gosta *(w)* Koseform für Augusta.

Gösta *(m)* schwed. Form von Gustav.

Gostie *(w)* Nebenform zu Godestiu.

Gostike *(w)* Koseform für Godestiu.

Goswin *(m)* althochdeutsch: *gos* = Gote; *wini* = Freund; Nebenformen: *Gautwin, Gautwein,* Kurzformen: *Gose, Gotzen, Gatzen.*

Gotelind *(w)* Nebenform zu Godelind.

Gotfrid *(m)* Nebenform zu Gottfried.

Götje *(m)* Koseform für Gottfried.

Gotlind *(w)* Nebenform zu Godelind.

Gotlinde *(w)* Nebenform zu Godelind.

Gotsch *(m)* Koseform für Gottfried.

Götschi *(m)* Koseform für Gottfried.

Gotste *(w)* Nebenform zu Godestiu.

Gottbald *(m)* althochdeutsch: *got* = Gott; *baldo* = kühn; Nebenformen: *Godebald, Goppel, Goppelt.*

Gottbert *(m)* althochdeutsch: *got* = Gott; *beraht* = glänzend; Nebenformen: *Gottbrecht, Godbert, Goppert, Gobert, Govert.*

Gottbrecht *(m)* Nebenform zu Gottbert.

Gottel *(m)* Koseform für Gottfried und Gotthard.

Gottert *(m)* Nebenform zu Gotthard.

Göttert *(m)* Nebenform zu Gotthard.

Gottfried *(m)* althochdeutsch: *got* = Gott; *fridu* = Friede; Nebenform: *Gotfrid;* Kurz- und Koseformen: *Gottel, Gotti, Götschi, Gotsch, Gotzi, Gotje, Götje, Götz, Gödeke, God, Gode, Göde, Godi, Godel, Göte, Gört, Gopfer, Göpfert, Geuert; Frieder, Friedel, Fred;* niederländische Formen: *Govert, Gevert;* englisch: *Geoffrey, Jeffrey, Geffry;* französisch: *Godefroy, Geoffroi, Geoffroy;* italienisch: *Goffredo;* tschechisch: *Bohumír.*

Persönlichkeiten der Geschichte:

Gottfried Benn, 1886 bis 1956, deutscher Lyriker.

Gottfried von Bouillon, 1060 bis 1100, Feldherr im 1. Kreuzzug ins heilige Land.

Gottfried August Bürger, 1747 bis 1794, deutscher Dichter.

Gottfried von Einem, geboren 1918, Komponist.

Gottfried Keller, 1819 bis 1890; schweizerischer Schriftsteller des Realismus.

Gottfried H. Graf Pappenheim, 1594 bis 1632; kaiserlicher General im Dreißigjährigen Krieg.

Gottfried von Straßburg, mittelhochdeutscher Dichter, schrieb um 1205 bis 1215 das höfische Versepos »Tristan«.

Gottfriede *(w)* die weibliche Form zu Gottfried.

Gotthard *(m)* althochdeutsch: *got* = Gott; *harti* = stark; Nebenformen: *Godehard, Goddert, Göddert, Gottert, Göttert;* Kurz- und Koseformen: *Goar, Gort, Gört, Gottel;* französische Form: *Godard.*

Gotthelf *(m)* pietistische Neubildung; Nebenform: *Gotthilf.*

Gotthelm *(m)* althochdeutsch: *got* = Gott; *helm* = Helm, Schutz.

Gotthilf *(m)* Nebenform zu Gotthelf.

Gotthold *(m)* pietistische Neubildung; aber auch altdeutsch zu Gottwald.

Persönlichkeit der Geschichte:

Gotthold Ephraim Lessing, 1729 bis 1781; deutscher Schriftsteller, Philosoph, Literaturkritiker Kunsttheoretiker der Aufklärung und Vorklassik.

Gottlieb *(m)* pietistische Neubildung; aber auch althochdeutsch: *got* = Gott; *leip* = Erbe; Koseform: *Liebel;* tschechische Form: *Bohumil;* russisch: *Bogoljubow.*

Persönlichkeit der Geschichte:

Gottlieb Daimler, 1834 bis 1900; deutscher Maschinenbau- und Kraftfahrzeugingenieur.

Gottliebe *(w)* die weibliche Form zu Gottlieb; Nebenformen: *Godelieba, Gottliebin.*

Gottliebin *(w)* Nebenform zu Gottliebe.

Gottlob *(m)* pietistische Neubildung; tschechische Form: *Bohuslav;* polnisch: *Buguslaw.*

Gottsch *(m)* Kurzform für Gottschalk.

Göttsch *(m)* Kurzform für Gottschalk.

Gottschalk *(m)* althochdeutsch: *got* = Gott; *scalk* = Knecht; ältere Form: *Godeschalk;* Kurzformen: *Gottsch, Göttsch.*

Gottwald *(m)* althochdeutsch: *got* = Gott; *waltan* = walten, herrschen; daraus: *Gotthold.*

Gottwert *(m)* pietistische Neubildung.

Gottwin *(m)* ältere Form von Godwin.

Gotwin *(m)* Nebenform zu Godwin.

Götz *(m)* Koseform für Gottfried.

Gotzen *(m)* Koseform für Goswin.

Gotzi *(m)* Koseform für Gottfried.

Govert *(m)* niederdeutsche und niederländische Form von Gottbert und Gottfried.

Goy *(m)* spanische Form von Guido.

Grace *(w)* englische Form von Gratia.

Persönlichkeiten:

Grace Bumbry, geboren 1937; amerikanische schwarze Sängerin (Mezzosopran).

Grace Kelly, 1929 bis 1982; amerikanische Filmschauspielerin; als Gattin Fürst Rainiers III. von Monaco seit 1956 Fürstin Gracia.

Grace *(w)* französische Form von Gratia.

Gracia *(w)* spanische und niederländische Form von Gratia.

Graciano *(m)* spanische Form von Gratian.

Gracy *(w)* englische Form von Gratia.

Graham *(m)* englisch, nach schottischem Clan; geht auf Ortsnamen zurück.

Persönlichkeit:

Graham Greene, 1904 bis 1991, englischer Schriftsteller, Journalist und Kritiker.

Grant *(m)* englische Kurzform für Gratian.

Grantly *(m)* englische Koseform für Gratian.

Gratia *(w)* lateinisch: *gratia* = Gnade, Dank; nach dem Fest »Maria, Mutter der Grande« (9. Juni); italienische und Nebenform: *Grazia;* englisch: *Grace, Gracy;* spanisch: *Gracia;* französisch: *Grace.*

Gratian *(m)* nach Gratia gebildet; lateinisch: *Gratianus;* Nebenform: *Grazian;* englische Form: *Gratian, Grant, Grantly;* französisch: *Gratien;* italienisch: *Graziano;* spanisch: *Graciano.*

Gratien *(m)* französische Form von Gratian.

Graziano *(m)* italienische Form von Gratian.

Graziella *(w)* italienische Verkleinerungsform von Gratia.

Greda *(w)* Kurz- und Koseform für Margareta.

Grede *(w)* Koseform für Margareta.

Gredel *(w)* Koseform für Margareta.

Greet *(w)* niederdeutsche und niederländische Kurzform für Margareta; Nebenformen: *Greetje, Gretje, Grietje, Griet.*

Greetje *(w)* Nebenform zu Greet.

Grégoire *(m)* französische Form von Gregor.

Gregoor *(m)* niederländische Form von Gregor.

Gregor *(m)* lateinisch: *Gregorius;* aus griechisch: *gregorein* = wachen; Neben- und Koseformen: *Grigor, Gorius, Gores, Göres, Gore, Gorjes, Grögel, Göreis, Gorris, Görres, Joris;* englische Form: *Gregory;* französisch: *Grégoire, Grégory;* niederländisch: *Gregoor, Joris;* italienisch und spanisch: *Gregorio;* tschechisch: Řehoř; russisch: *Grigorij, Grischa;* ungarisch: *Gorgely.*

Persönlichkeiten der Geschichte:
Gregor I., der Große, um 540 bis 604; seit 590 Papst; Förderer der Christianisierung Englands und des Kirchengesangs; Kirchenlehrer.
Gregor VII., um 1022 bis 1085; Benediktiner in Rom; schon vor seiner Wahl als Hildebrand im Dienst der Päpste und der Kirchenreform; 1073 Papst; setzte Reformtätigkeit fort (Cluny); geriet mit König Heinrich IV. in den Investiturstreit; starb in der Verbannung zu Salerno.
Gregor XIII., 1502 bis 1585; seit 1572 Papst; förderte die katholische Restauration; führte den Gregorianischen Kalender ein.
Gregor J. Mendel, 1822 bis 1884; österreichischer Biologe; Augustinermönch; Begründer der Vererbungslehre.
Gregor von Rezzori, geb. 1914, österreichischer Schriftsteller.
Gregorio *(m)* italienische und spanische Form von Gregor.
Gregorius *(m)* lateinische Form von Gregor.
Gregory *(m)* englische Form von Gregor.
Persönlichkeit:
Gregory Peck, geboren 1916; amerikanischer Filmschauspieler.
Grégory *(m)* französische Form von Gregor.
Greim *(m)* Koseform für Grimwald.
Grein *(m)* rheinische Form von Quirin.
Greta *(w)* Kurzform für Margareta.
Persönlichkeit:
Greta Garbo, 1905 bis 1990, schwedische Filmschauspielerin.
Gretchen *(w)* Koseform für Margareta.
Grete *(w)* Kurzform für Margareta.
Gretel *(w)* Koseform für Margareta.
Grethe *(w)* Kurzform für Margareta.
Persönlichkeit:
Grethe Weiser, 1903 bis 1970; populäre deutsche Schauspielerin.
Gretje *(w)* Nebenform zu Greet.
Gri *(m)* russische Kurz- und Koseform für Grigorij (Gregor).
Gried *(m)* Koseform für Margareta.
Griet *(w)* Nebenform zu Greet; Koseform für Margareta.
Grietje *(w)* Nebenform zu Greet.
Griffith *(m)* englische Form von Rufinus.
Grigor *(m)* Nebenform zu Gregor.
Grigorij *(m)* russische Form von Gregor.
Persönlichkeiten der Geschichte:
Grigorij Potjomkin, 1739 bis 1791; russischer Politiker.
Grigorij Rasputin, 1864/65 bis 1916; russischer Mönch und »Wundertäter«; beeinflußte unheilvoll Hof und Politik.
Grimald *(m)* Nebenform zu Grimwald.
Grimbald *(m)* Nebenform zu Grimwald.
Grimbert *(m)* althochdeutsch: *grim* = wild; *beraht* = glänzend.
Grimelt *(m)* Nebenform zu Grimwald.
Grimo *(m)* Kurzform für Grimwald.
Persönlichkeit der Geschichte:
Grimo, gestorben 1172; Prämonstratenser; zweiter Propst des Stifts Ursberg (Gedenktag: 2. März).
Grimoald *(m)* Nebenform zu Grimwald.
Grimolt *(m)* Nebenform zu Grimwald.
Grimwald *(m)* althochdeutsch: *grim* = grimmig, wild; *waltan* = walten, herrschen; Nebenformen: *Grimoald, Grimald, Grimolt, Grimelt;* Kurzformen: *Grimo, Greim.*
Grischa *(m)* russische Koseform für Grigorij (Gregor).
Grit *(w)* Koseform für Margrit (Margareta).

Grita *(w)* Kurzform für Margareta.
Gritli *(w)* Koseform für Margareta.
Gritschi *(w)* seltene Koseform für Margareta.
Gritt *(w)* Kurzform für Margrit (Margareta).
Gritta *(w)* Kurzform für Margrit (Margareta).
Grittchen *(w)* Koseform für Margareta.
Guarin *(m)* lateinisch: *Quirinus;* Nebenform: *Warin;* französische Formen: *Garin, Guérin;* italienisch: *Guarino.*
Guarino *(m)* italienische Form von Guarin.
Guarnerio *(m)* italienische Form von Werner; auch *Guarniero.*
Guarniero *(m)* Nebenform zu Guarnerio.
Guda *(w)* Kurzform für Gudula oder Godolewa; allgemein für mit Gud- oder Gund- beginnende weibliche Vornamen; Nebenformen: *Gunda, Gutta.*
Gudbrand *(m)* althochdeutsch: *got* = Gott; oder: *gund* = Kampf; *brand* = Feuer, Schwert; isländisch: *Gudbrandur;* Nebenform: *Gudhbrand.*
Gudbrandur *(m)* isländische Form von Gudbrand.
Gude *(w)* Nebenform zu Gudula.
Güde *(w)* friesische Nebenform zu Gudula.
Gudhbrand *(m)* Nebenform zu Gudbrand, Vorform zu Gullbrand.
Gudmund *(m)* althochdeutsch: *got* = Gott; *mund* = Schutz; isländisch: *Gudmundur.*
Gudmundur *(m)* isländische Form von Gudmund.
Gudrun *(w)* althochdeutsch: *Gunderun: gund* = Kampf; *runa* = Geheimnis, Zauber; Nebenformen: *Gudrune, Guntrun, Kudrun;* Koseform: *Gudula.*
Gudrune *(w)* Nebenform zu Gudrun.
Gudula *(w)* Koseform für Gudrun und andere mit Gud- oder Gund- beginnende weibliche Vornamen; Nebenformen: *Godela, Guda, Gude, Guta, Gutta, Goda;* friesisch: *Güde; Jul; Goele, Goedele.*
Guérin *(m)* französische Form von Guarin.
Guernard *(m)* französische Form von Werner.
Guglielmina *(w)* italienische Form von Wilhelmine.
Guglielmo *(m)* italienische Form von Wilhelm.
Guibert *(m)* französische Form von Wigbert.
Guichard *(m)* französische Form von Wighard.
Guido *(m)* romanisierte Form von Veit oder des althochdeutschen Wido; allgemein: Kurzform für mit Wid- beginnende männliche Vornamen; englische und französische Form: *Guy;* italienisch: *Guido;* spanisch: *Goy.*
Guilbert *(m)* französische Form von Wilbert.
Guilelmus *(m)* latinisierte Form von Wilhelm.
Guillard *(m)* französische Form von Wilhard.
Guillaume *(m)* französische Form von Wilhelm.
Guillerma *(w)* spanische Form von Wilhelmine.
Guillermo *(m)* spanische Form von Wilhelm.
Guinard *(m)* französische Form von Winald.
Guiscard *(m)* französische Form von Wishard; eingedeutschte Nebenform: *Guiskard.*
Guiskard *(m)* Nebenform zu Guiscard.
Guland *(w)* Koseform für Jolanthe.

Gullbrand *(m)* schwedisch; aus *Gudhbrand: got* = Gott; *brand* = Feuer, Schwert.

Gumbel *(m)* Nebenform zu Gundobert.

Gumbert *(m)* ältere Form von Guntbert

Gumbold *(m)* ältere Form von Gundbald; Nebenformen: *Gumpolt, Gumpel.*

Gumbrecht *(m)* Nebenform zu Gundobert.

Gummar *(m)* Nebenform zu Gundomar.

Gumpert *(m)* Nebenform zu Gundobert.

Gumpolt *(m)* Nebenform zu Gumbold.

Gumprecht *(m)* Nebenform zu Gundobert.

Gun *(w)* Kurzform für mit Gunt- oder -gund gebildete weibliche Vornamen.

Gunar *(m)* Nebenform zu Gunnar.

Gunborg *(w)* schwedisch; aus althochdeutsch: *gund* = Kampf; *burg* = Burg, Zuflucht, Schutz.

Gunda *(w)* Nebenform zu Guda; Kurzform für Fredegunde, Kunigunde; allgemein für mit Gund- oder -gund, -gunda gebildete weibliche Vornamen; auch *Gunde.*

Gundeberga *(m)* Nebenform zu Guntberga.

Gundeberta *(w)* althochdeutsch: *gund* = Kampf; *beraht* = glänzend.

Gundekar *(m)* althochdeutsch: *gund* = Kampf; *wakar* = wachsam; Nebenformen: *Gundakar, Gundaker.*

Gundel *(w)* Kurzform für Adelgunde, Kunigunde; allgemein für mit Gund- oder -gunde gebildete weibliche Vornamen.

Gundela *(w)* Nebenform zu Gundula.

Gundelind *(w)* althochdeutsch: *gund* = Kampf; *linta* = Lindenholzschild; Nebenformen: *Gundelinde, Guntlinde, Guntlind.*

Gundelinde *(w)* Nebenform zu Gundelind.

Gunder *(m)* dänische Form von Günther.

Gundine *(w)* Weiterbildung von Gunda.

Gundisalvus *(m)* latinisierte Form von Gundolf.

Gundo *(m)* Kurzform für mit Gund- oder Gunt- beginnende männliche Vornamen.

Gundobald *(m)* althochdeutsch: *gund* = Kampf; *bald* = kühn.

Gundobert *(m)* althochdeutsch: *gund* = Kampf; *beraht* = glänzend; Nebenformen: *Gundbert, Gundbrecht, Guntbert, Guntprecht, Gumbert, Gumbrecht, Gumpert, Gumprecht, Gumbel.*

Gundolf *(m)* althochdeutsch: *gund* = Kampf; *wolf* = Wolf; latinisiert: *Gundisalvus;* italienische Form: *Gonsalvo;* spanisch: *Gonzalvo.*

Gunhild *(w)* nordische Form von Gunthild; Nebenformen: *Gunild, Gunnhild, Gunilla.*

Gunild *(m)* Nebenform zu Gunhild.

Gunilla *(w)* Nebenform zu Gunhild.

Gunn *(w)* Kurzform für mit Gun- oder Gund- beginnende weibliche Vornamen.

Gunnar *(m)* nordische Form von Gunther und Günther; Nebenformen: *Gunar, Gunner.*

Gunner *(m)* Nebenform zu Gunnar.

Gunnert *(m)* schwedische Form von Gunthard.

Gunnhild *(w)* Nebenform zu Gunhild.

Guntberga *(w)* althochdeutsch: *gund* = Kampf; *berga* = Schutz, Zuflucht; Nebenform: *Gundeberga.*

Guntbert *(m)* Nebenform zu Gundobert.

Guntberta *(w)* die weibliche Form zu Guntbert.

Guntbrecht *(m)* Nebenform zu Gundobert.

Gunter *(m)* althochdeutsch: *gund* = Kampf; *heri* = Heer; Nebenformen: *Gunther, Günther;* nordische Formen: *Gunar, Gunnar, Gunner.*

Günter *(m)* Nebenform zu Gunter.
Persönlichkeiten:
Günter Eich, 1907 bis 1972, deutscher Schriftsteller, verh. mit Ilse Aichinger.
Günter Grass, geboren 1927; deutscher Schriftsteller, Maler, Graphiker und Bildhauer.

Guntfried *(m)* althochdeutsch: *gund* = Kampf; *fridu* = Friede.

Gunthard *(m)* althochdeutsch: *gund* = Kampf; *harti* = hart, stark.

Gunthelm *(m)* althochdeutsch: *gund* = Kampf; *helm* = Helm, Schutz.

Gunther *(m)* Nebenform zu Gunter.
Persönlichkeit der Geschichte:
Gunther, Burgunderkönig, erwähnt im Nibellungenlied.

Günther *(m)* Nebenform zu Gunter.
Persönlichkeiten der Geschichte:
Günther Ramin, 1898 bis 1956, deutscher Organist, Thomas-Kantor in Leipzig
Günther Weisenborn, 1902 bis 1969; deutscher zeitkritischer Schriftsteller; Gegner des Nationalsozialismus.

Gunthild *(w)* althochdeutsch: *gund* = Kampf; *hiltja* = Kampf; Nebenform: *Gunthilde.*

Guntlind *(w)* Nebenform zu Gundelind.

Guntlinde *(w)* Nebenform zu Gundelind.

Guntmar *(m)* Nebenform zu Gundomar.

Guntrad *(m)* althochdeutsch: *gund* = Kampf; *rat* = Ratgeber.

Guntrada *(w)* die weibliche Form zu Guntrad; Nebenform: *Guntrade.*

Guntrade *(w)* Nebenform zu Guntrada.

Guntram *(m)* althochdeutsch: *gund* = Kampf; *hraban* = Rabe; Nebenform: *Gondrom;* französische Form: *Gontran.*

Guntrun *(w)* Nebenform zu Gudrun.

Guntwin *(m)* althochdeutsch: *gund* = Kampf; *wini* = Freund.

Gürgel *(m)* Koseform für Georg.

Gus *(m)* Kurz- und Koseform für Gustav.

Guscha *(w)* russische Koseform für Olguscha (Olga).

Gussy *(w)* englische Kurzform für Augusta (Guste).

Gust *(m)* Kurz- und Koseform für Gustav.

Gustaf *(m)* Nebenform zu Gustav.
Persönlichkeit:
Gustaf Gründgens, 1899 bis 1963; deutscher Regisseur und Schauspieler der Bühne und des Films; Charakterdarsteller.

Gustav *(m)* altschwedisch: *göt* = Bote; *staf* = Stab, Stütze; Nebenformen: *Gustaf, Gösta;* Kurz- und Koseformen: *Gust, Gustl, Gus;* französische Form: *Gustave;* tschechisch: *Gustáv.*
Persönlichkeiten der Geschichte:
Gustav I., Wasa, 1496 bis 1560; schwedischer König seit 1523.
Gustav II., Adolf, 1594 bis 1632; schwedischer König; besiegte im Dreißigjährigen Krieg Tilly; fiel bei Lützen.
Gustav Freytag, 1816 bis 1895, deutscher Erzähler.
Gustav Heinemann, 1899 bis 1976; deutscher Politiker; der dritte Bundespräsident.
Gustav Hertz, 1887 bis 1975; deutscher Atomphysiker.
Gustav Klimt, 1862 bis 1918; österreichischer Maler des Wiener Jugendstils.
Gustav Mahler, 1860 bis 1911; österreichischer Komponist und Dirigent.
Gustav Meyrink, 1868 bis 1932, österreichische Erzähler.
Gustav Schwab, 1792 bis 1850, deut-

scher Dichter (»Die schönsten Segen des klassischen Albertums«).

Gustav Stresemann, 1878 bis 1929; deutscher Politiker; verbesserte das Verhältnis Deutschlands zu den Westmächten.

Gustava *(w)* die weibliche Form zu Gustav; Nebenform: *Gustave.*

Gustave *(w)* Nebenform zu Gustava.

Gustave *(m)* französische Form von Gustav.

Persönlichkeit der Geschichte:

Gustave Eiffel, 1832 bis 1923; französischer Ingenieur; erbaute den Eiffelturm.

Guste *(w)* Kurzform für Augusta; Nebenformen: *Gusti, Gusse, Gus;* englische Form: *Gussy.*

Gustel *(m)* Kurzform für August und Gustav.

Gustel *(w)* Kurzform für Augusta.

Gusti *(w)* Koseform für Augusta.

Gustinus *(m)* Kurzform für Augustinus.

Gustl *(m)* Kurz- und Koseform für August und Gustav.

Gustl *(w)* Kurz- und Koseform für Augusta.

Guta *(w)* Nebenform zu Gudula.

Gutrune *(w)* Nebenform zu Gudrun.

Gutta *(w)* Nebenform zu Guda oder Gudula.

Guy *(m)* englische und französische Form von Guido, Veit und Wido.

Gwen *(w)* Kurzform für Gwendolin; Nebenform: *Gwenn.*

Gwenda *(w)* Kurzform für Gwendolin.

Gwendolin *(w)* englisch; von keltisch: *gwyn* = weiß; Nebenformen: *Gwendolyn, Gwendoline;* latinisiert: *Gwendolina;* Kurzformen: *Gwen, Gwenn, Gwenda.*

Gwendolina *(w)* latinisierte Form von Gwendolin.

Gwendoline *(w)* Nebenform zu Gwendolin.

Gwendolyn *(w)* Nebenform zu Gwendolin.

Gwenn *(w)* Nebenform zu Gwen.

Gwladys *(w)* Nebenform zu Gladys.

György *(m)* ungarische Form von Georg.

H

Habbo *(m)* Kurzform für mit Hadu- beginnende männliche Vornamen; Nebenformen: *Happe, Happo.*

Hadamar *(m)* und *(w)* Nebenform zu Hademar.

Hadbert *(m)* Nebenform zu Hadubert.

Hadburg *(w)* Nebenform zu Hadeburg.

Hadburga *(w)* Nebenform zu Hadeburg.

Hadebrand *(m)* Nebenform zu Hadubrand.

Hadeburga *(w)* Nebenform zu Hadeburg.

Hadelin *(m)* althochdeutsch: *hadu* = Kampf; *linta* = Lindenholzschild.

Hadelind *(w)* althochdeutsch: *hadu* = Kampf; *lind* = mild, oder: *linta* = Lindenholzschild; Nebenform: Hadelinde.

Hadelinde *(w)* Nebenform zu Hadelind.

Hadelog *(w)* althochdeutsch: *hadu* = Kampf; auch *Hadeloga.*

Hadeloga *(w)* Nebenform zu Hadelog.

Hademar *(m)* und *(w)* althochdeutsch: *hadu* = Kampf; *mari* = berühmt; Nebenformen: *Hadamar, Hadumar, Hathumar.*

Hademod *(w)* Nebenform zu Hademut.

Hademund *(m)* althochdeutsch: *hadu* = Kampf; *mynt* = Schutz.

Hademut *(w)* althochdeutsch: *hadu* = Kampf; *muot* = Mut, Geist, Gesinnung; Nebenformen: *Hadmut, Hadmute, Hademod, Hadumod, Hadumoth.*

Hadewig *(w)* ältere Form von Hedwig; Nebenform: *Hadwig.*

Hadewin *(m)* althochdeutsch: *hadu* = Kampf; *wini* = Freund; Nebenformen: *Haduin, Haduwin, Hadwin.*

Hadmut *(w)* Nebenform zu Hademut.

Hadmute *(w)* Nebenform zu Hademut.

Hado *(m)* Nebenform zu Hatto.

Hadrian *(m)* lateinisch *Hadrianus;* Nebenform zu Adrianus.

Persönlichkeit der Geschichte:

Hadrian, gestorben 305; nach der Legende christlicher Offizier im Heer Kaiser Maximinians; mit anderen in Nikomedien Märtyrer durch dessen Verfolgung.

Hadrianus *(m)* lateinische Form von Hadrian.

Hadubert *(m)* althochdeutsch: *hadu* = Kampf; *beraht* = glänzend; Nebenform: *Hadbert.*

Hadubrand *(m)* althochdeutsch: *hadu* = Kampf; *brand* = Feuer, Schwert; Nebenform: *Hadebrand.*

Haduin *(m)* Nebenform zu Hadewin.

Hadumar *(m)* Nebenform zu Hademar.

Hadumod *(w)* Nebenform zu Hademut.

Hadumoth *(w)* ältere Form von Hademut.

Haduwig *(w)* Nebenform zu Hadwig (Hedwig).

Haduwin *(m)* Nebenform zu Hadewin.

Hadwart *(m)* Nebenform zu Hartward.

Hadwig *(w)* Nebenform zu Hadewig (Hedwig).

Hadwin *(m)* Nebenform zu Hadewin.

Hadwina *(w)* Nebenform zu Hadwine.

Hadwine *(w)* die weibliche Form zu Hadwin; Nebenform: *Hadwina.*

Hafes *(m)* Nebenform zu Hafis.

Hafis *(m)* persisch-arabisch; ein islamischer Ehrentitel für Korankenner; Nebenform: *Hafes.*

Hagar *(w)* hebräisch: = flüchtig, wandernd; ökumenische Form; französische und italienische Form: *Agar;* so auch in der Vulgata.

Hagen *(m)* althochdeutsch: *hagan* = Einfriedung; Nebenform: *Hakon;* Kurzformen: *Haio, Heio, Hajo, Hayo;* schwedische Form: *Högne;* isländisch: *Högni.*

Persönlichkeit der Geschichte:

Hagen von Tronje, Figur der deutschen Sage im Nibelungenlied; tötete Siegfried.

Haio *(m)* friesische Kurzform für Hagen.

Hajo *(m)* friesische Kurzform für Hagen und die Doppelnamen Hansjoachim und Hansjosef; Nebenformen: *Hai, Haie, Haio, Hayo.*

Hakon *(m)* nordisch; altnordisch: Hakvinn: *hak* = Hagen; *wini* = Freund; auch Nebenform zu Hagen.

Hal *(m)* englische Kurzform für Heinrich.

Haldan *(m)* dänisch: = halber Däne; Nebenformen: *Halfdan, Halden.*

Haldor *(m)* nordisch: *hall* = Fels, Stein; *dor* = Thor; Nebenform: *Halldor, Haldór, Halldór.*

Haldór *(m)* Nebenform zu Haldor.

Halfred *(m)* nordisch: *hall* = Fels, Stein; *fredu* = Friede; Nebenform: *Hallfred.*

Halina *(w)* polnische Verkleinerungsform für Helene.

Halinka *(w)* polnische Koseform für Helene.

Halka *(w)* polnische Koseform für Helene.

Halldis *(w)* schwedisch: *hall* = Fels, Stein; *dis* = Göttin; Nebenform: *Haldis.*

Halldor *(m)* Nebenform zu Haldor.

Hallfred *(m)* Nebenform zu Halfred.

Hallgard *(w)* nordisch: *hall* = Fels, Stein; *gard* = Schutz; schwedische Formen: *Hallgärd, Hallgerd.*

Hallgärd *(w)* schwedische Form von Hallgard.

Hallgerd *(w)* schwedische Form von Hallgard.

Halvar *(m)* Nebenform zu Halvard.

Halvard *(m)* nordisch: *hall* = Fels, Stein; *vard* = Hüter; Nebenformen: *Halvar, Halvor.*

Hamme *(m)* friesische Kurzform für mit Had- oder Hade- beginnende männliche Vornamen; auch für Hermann; Nebenform: *Hammo.*

Hammo *(m)* Nebenform zu Hamme.

Handirk *(m)* niederdeutsch: aus Johann und Diderik (= Dietrich).

Hanfried *(m)* Doppelname aus Johann und Friedrich.

Hania *(w)* Nebenform zu Hanja.

Hanja *(w)* Koseform für Hanna (Johanna) in Angleichung an slawisch Anja oder Tanja; Nebenform: *Hania.*

Hanjo *(m)* Kurzform für die Doppelnamen Hansjoachim und Hansjosef.

Hank *(m)* Nebenform zu Hans und Johannes.

Hanka *(w)* friesische Kurzform, auch slawische Form von Johanna; Nebenform: *Hanke.*

Hanke *(m)* friesische Kurzform für Johannes.

Hanke *(w)* Nebenform zu Hanka.

Hanko *(m)* Kurzform und slawische Form von Johannes.

Hanna *(w)* ökumenische Form von Hannah und Kurzform für Johanna; Nebenformen: *Hanne, Hanni;* Koseformen: *Hannele, Hannchen, Hansi, Hanja; Hanna* auch schwedische Form von Johanna.

Persönlichkeiten:

Hanna Reitsch, 1912 bis 1949; deutsche Fliegerin.

Hanna Schygulla, geboren 1943; deutsche Filmschauspielerin.

Hannah *(w)* hebräisch: = die Begnadete, Anmutige; ökumenische Form: *Hanna;* in der Vulgata und in der Lutherbibel: *Anna.*

Persönlichkeit:

Hannah Arendt, 1906 bis 1975, deutsch-amerikanische Soziologin und Politologin.

Hannalies *(w)* Nebenform zu Hanneliese.

Hannaliese *(w)* Nebenform zu Hanneliese.

Hannchen *(w)* Koseform für Hanna und Johanna.

Hanne *(w)* Nebenform zu Hanna, Kurzform für Johanna.

Persönlichkeit:

Hanne Wieder, geboren 1929; deutsche Schauspielerin und Chansonsängerin.

Hannedore *(w)* Doppelname aus Hannah oder Johanna und Dorothea.

Hannegret *(w)* Doppelname aus Hannah oder Johanna und Margarete.

Hannel *(w)* Kurz- und Koseform für Johanna.

Hannele *(w)* Koseform für Hanna, Hannah und Johanna.

Hannelies *(w)* Nebenform zu Hanneliese.

Hanneliese *(w)* Doppelname aus Hannah oder Johanna und Luise oder Elisabeth; Nebenformen: *Hannalies, Hannaliese, Hannelies.*

Hannelore *(w)* Doppelname aus Hannah oder Johanna und Eleonore oder Lore; Koseform: *Loki.*

Hannelotte *(w)* Doppelname aus Hanna und Charlotte.

Hannemann *(m)* Koseform für Johannes.

Hannemarie *(w)* Doppelname aus Hanna oder Johanna und Maria.

Hannerose *(w)* Doppelname aus Hannah oder Johanna und Rosa.

Hannes *(m)* Kurzform für Johannes; Nebenform zu Hans.

Hanni *(w)* Koseform für Johanna.

Hannibal *(m)* phönikisch: = gnädig ist Gott (Baal); italienisch: *Annibale.*

Persönlichkeit der Geschichte:

Hannibal, 246 bis 183 v. Chr.; karthagischer Politiker und Feldherr.

Hanno *(m)* Kurzform von althochdeutsch: *Hagano* = Hagen und von Johannes.

Hanns *(m)* Kurzform für Johannes.

Persönlichkeiten der Geschichte:

Hanns Hörbiger, 1860 bis 1931; österreichischer Ingenieur.

Hanns Klemm, 1885 bis 1961; deutscher Flugzeugkonstrukteur.

Hanns Lothar, 1929 bis 1967; deutscher Schauspieler der Bühne, des Films und Fernsehens.

Hans *(m)* Kurzform von Johann; häufig zur Bildung von Doppelnamen benutzt; Neben- und Koseformen: *Hann, Hanns, Hannes, Hansel, Hänsel, Hensel, Hank, Hänschen, Hansi;* niederdeutsch: *Hanke, Hanko, Henneke.*

Persönlichkeiten der Geschichte:

Hans Albers, 1891 bis 1960; deutscher Schauspieler der Bühne und des Films.

Hans Christian Andersen, 1805 bis 1875; dänischer Märchenerzähler.

Hans Arp, 1887 bis 1966, Schriftsteller, Maler, Bildhauer (Blauer Reiter).

Hans von Bülow, 1830 bis 1894; deutscher Pianist, Komponist und Dirigent.

Hans Carossa, 1878 bis 1956, deutscher Dichter.

Hans Magnus Enzernsberger, geboren 1929, deutscher Schiftsteller.

Hans Fallada, 1893 bis 1947; deutscher Schriftsteller.

Hans-Dietrich Genscher, geboren 1927; deutscher liberal-demokratischer Politiker.
Hans J. Chr. von Grimmelshausen, um 1622 bis 1676; deutscher Barockschriftsteller.
Hans Hass, geboren 1919; österreichischer Zoologe und Unterwasserforscher.
Hans Holbein, der Ältere, 1465 bis 1524; deutscher Maler im Übergang von der Spätgotik zur Renaissance.
Hans Holbein, der Jüngere, 1497 bis 1543; deutscher Renaissancemaler und Holzschnittzeichner; Hofmaler Heinrichs VIII. von England.
Hans Egon Holthusen, geb. 1913, deutscher Schriftsteller.
Hans Hotter, geboren 1909, deutscher Kammersänger, Bariton.
Hans Knappertsbusch, 1888 bis 1965, deutscher Dirigent.
Hans Moser, 1880 bis 1964; österreichischer komischer Filmschauspieler.
Hans Pfitzner, 1869 bis 1949, deutscher Komponist (»Palestrina«).
Hans Sachs, 1494 bis 1576; Nürnberger Meistersinger und Schuhmacher.
Hans Schweikart, 1895 bis 1975, deutscher Schauspieler.
Hans Thoma, 1839 bis 1924, deutscher Maler.

Hansbernd *(m)* Doppelname aus Hans und Bernd.

Hansbert *(m)* Doppelname aus Hans und Bert.

Hänschen *(m)* Koseform für Hans.

Hansdieter *(m)* Doppelname aus Hans und Dieter.

Hansel *(m)* Koseform für Hans.

Hansferdinand *(m)* Doppelname aus Hans und Ferdinand.

Hansgeorg *(m)* Doppelname aus Hans und Georg.

Hansgerd *(m)* Doppelname aus Hans und Gerhard.

Hansgert *(m)* Doppelname aus Hans und Gerhard.

Hansheinz *(m)* Doppelname aus Hans und Heinrich.

Hansi *(m)* Koseform für Hans.

Hansi *(w)* Kosename für Hannah und Johanna.

Hansine *(w)* weibliche Weiterbildung von Hans.

Hansjakob *(m)* Doppelname aus Hans und Jakob.

Hansjoachim *(m)* Doppelname aus Hans und Joachim.

Hansjörg *(m)* Doppelname aus Hans und Jörg.

Hansjosef *(m)* Doppelname aus Hans und Josef.

Hansjürg *(m)* Doppelname aus Hans und Jürgen.

Hansjürgen *(m)* Doppelname aus Hans und Jürgen.

Hanskarl *(m)* Doppelname aus Hans und Karl.

Hanspeter *(m)* Doppelname aus Hans und Peter; italienische Form: *Giampietro.*

Hansrolf *(m)* Doppelname aus Hans und Rudolf.

Hansulrich *(m)* Doppelname aus Hans und Ulrich.

Hanswalter *(m)* Doppelname aus Hans und Walter.

Hanswerner *(m)* Doppelname aus Hans und Werner.

Harald *(m)* nordische und englische Form von Harold.

Persönlichkeiten:
Harald Braun, 1901 bis 1960, deutscher Filmregisseur (»Nachtwache«).
Harald Kreuzberg, 1902 bis 1968, Solo- und Meistertänzer.

Harding *(m)* englische Nebenform zu Hartwin.

Hardl *(m)* Kurzform wie Hard.

Hardmod *(m)* Nebenform zu Hartmut.

Hardy *(m)* Kurzform wie Hard.
Persönlichkeit:
Hardy Krüger, geboren 1928; deutscher Filmschauspieler und Schriftsteller.

Haribert *(m)* Nebenform zu Herbert.

Hariolf *(m)* Nebenform zu Hariulf.

Hariulf *(m)* althochdeutsch: *heri* = Heer; *wulf* = *wolf* = Wolf; Nebenform: *Hariolf.*

Hark *(m)* friesische Kurzform für mit Har- oder Her- beginnende männliche Vornamen; Nebenformen: *Harke, Harko.*

Harko *(m)* Kurzform wie Hark.

Harm *(m)* niederdeutsche Form für Hermann.

Harman *(m)* niederdeutsche Form für Hermann.

Harmke *(w)* niederdeutsche Form von Hermanna; friesische Weiterbildung: *Harmkedina, Harmkelina.*

Harmkedina *(w)* Weiterbildung von Harmke.

Harmkelina *(w)* Weiterbildung von Harmke.

Harms *(m)* friesische Kurzform für Harmson = Sohn des Harm (Hermann); Nebenform: *Herms.*

Haro *(m)* Nebenform zu Harro.

Harold *(m)* althochdeutsch: *heri* = Heer; *waltan* = walten, herrschen; Nebenformen: *Harald, Herwald, Herold;* Kurzform: *Harro;* italienische Formen: *Araldo, Eraldo;* französisch: *Hérault.*
Persönlichkeit:
Harold Lloyd, 1893 bis 1971; amerikanischer Filmschauspieler; Komiker des Stummfilms.

Harpprecht *(m)* Nebenform zu Hartbert.

Harri *(m)* Nebenform zu Harry.

Harriet *(w)* englische Form von Henriette; Nebenform: *Harriot.*

Harris *(m)* friesische Kurzform für Hermann.

Harro *(m)* Kurzform für Harold, Herbert und Hermann; Nebenform: *Haro.*

Harry *(m)* englische Koseform zu Henry (Heinrich); auch: *Harri.*
Persönlichkeiten:
Harry Belafonte, geboren 1927; amerikanischer Sänger und Filmschauspieler.
Harry (Bing) Crosby, 1904 bis 1977; amerikanischer Sänger und Filmschauspieler.
Harry S. Truman, 1884 bis 1972; amerikanischer demokratischer Politiker.

Hart *(m)* Kurzform für Erhard.

Hartbert *(m)* althochdeutsch: *harti* = hart, stark; *beraht* = glänzend; Nebenformen: *Hartbrecht, Harpprecht.*

Hartbrecht *(m)* Nebenform zu Hartbert.

Hartel *(m)* Kurzform für mit Hard- oder -hard gebildete männliche Vornamen.

Hartfried *(m)* althochdeutsch: *Harti* = hart, stark; *fridu* = Friede.

Hartger *(m)* althochdeutsch: *harti* = hart, stark; *ger* = Speer.

Hartke *(m)* niederdeutsche Form von Hard.

Hartlef *(m)* niederdeutsche Nebenform zu Hartlieb.

Hartlieb *(m)* althochdeutsch: *harti* = hart, stark; *liob* = lieb, oder: *leiba* = Erbe, Hinterlassenschaft; niederdeutsche Nebenform: *Hartlef.*

Hartmann *(m)* althochdeutsch: *harti* = hart, stark; *man* = Mann; Nebenformen: *Hertmann, Erdmann;* französische Form: *Armand.*

Hartmod *(m)* Nebenform zu Hartmut.

Hartmund *(m)* althochdeutsch: *harti* = hart, stark; *munt* = Schutz.

Hartmut *(m)* althochdeutsch: *harti* = hart, stark; *muot* = Mut, Geist,

Gesinnung; Nebenformen: *Erdmut, Hardmod, Hartmod;* Kurzform: *Mutz.*

Harto *(m)* Kurzform wie Hartel.

Hartrat *(m)* althochdeutsch: *harti* = hart, stark; *rat* = Ratgeber.

Hartung *(m)* niederdeutsche Form von Hard; althochdeutsch: *harti* = stark.

Hartward *(m)* althochdeutsch: *harti* = hart, stark; *warjan* = wehren; Nebenform: *Hadwart.*

Hartwich *(m)* Nebenform zu Hartwig.

Hartwig *(m)* althochdeutsch: *harti* = hart, stark; *wig* = Kampf; Nebenformen: *Hartwich, Hertwig, Herwig;* englische Form: *Harvey.*

Persönlichkeit der Geschichte:

Hartwig von Sponheim, gestorben 1023; war seit 991 Erzbischof von Salzburg.

Hartwin *(m)* althochdeutsch: *harti* = hart, stark; *wini* = Freund; Nebenformen: *Arduin, Harduin;* französische Form: *Ardouin;* englisch: *Harding.*

Harun *(m)* arabisch; hebräisch: *charon* = Aaron.

Hasa *(w)* Koseform für Hedwig.

Hasan *(m)* Nebenform zu Hassan.

Haseke *(w)* niederdeutsche Koseform für Hedwig.

Hase *(m)* Nebenform zu Hasko.

Hasko *(m)* friesische Form von Hasso und friesische Kurzform für Johannes; Nebenform: *Haske.*

Hassan *(m)* arabisch: = schön; Nebenform: *Hasan.*

Hasse *(m)* Kurzform wie Hasso.

Hasso *(m)* althochdeutsch: *hasso* = Hesse; Kurzform für mit Hard-, Hart- oder -hard gebildete männliche Vornamen; Nebenformen: *Hesso, Hasse, Hatto.*

Hathumar *(m)* Nebenform zu Hademar.

Hato *(m)* Kurzform wie Hatto.

Hatta *(w)* die weibliche Form zu Hatto.

Hattie *(w)* Kurzform für Henriette; Nebenformen: *Hatty, Hetty.*

Hattilo *(m)* Verkleinerungsform von Hatto.

Hatto *(m)* Kurzform für mit Had- beginnende männliche Vornamen; Nebenformen: *Hado, Hate, Hato, Hatte;* auch Nebenform zu Hasso; Koseformen: *Hattilo, Hettel.*

Hatty *(w)* englische Koseform für Henriette.

Haubert *(m)* Nebenform zu Hubert.

Haug *(m)* friesische Form von Hugo; allgemein Kurzform für mit Hug- beginnende männliche Vornamen.

Hauk *(m)* und *(w)* Nebenform zu Hauke.

Hauke *(m)* und *(w)* friesische Kurzform für mit Hug- beginnende Vornamen; Nebenform: *Hauk.*

Havel *(m)* tschechische Form von Gallus.

Havlik *(m)* tschechische Form von Gallus.

Hawel *(m)* tschechische Form von Gallus.

Haymo *(m)* Nebenform zu Heimo; Kurzform für Heinrich.

Hayo *(m)* friesische Kurzform für Hagen.

Hazel *(w)* Kurzform für Hedwig; ist auch englischer Vorname.

Heather *(w)* englisch: = Heidekraut.

Hébert *(m)* französische Form von Herbert.

Hechard *(m)* Nebenform zu Eckart.

Hector *(m)* französische Form von Hektor.

Persönlichkeit der Geschichte:

Hector Berlioz, 1803 bis 1859; französischer romantischer Komponist; Der Begründer der Programm-Musik.

Heda *(w)* niederdeutsche Kurzform für

mit Had-, Hadu- beginnende weibliche Vornamen; Nebenform: *Hedda;* auch Kurz- und Koseform für Hedwig.

Hedda *(w)* Nebenform zu Heda.

Hede *(w)* Kurz- und Koseform für Hedwig.

Hedgen *(w)* Koseform für Hedwig.

Hedi *(w)* Kurz- und Koseform für Hedwig.

Hedvig *(w)* schwedische Form von Hedwig.

Hedwig *(w)* althochdeutsch: *hadu* = Kampf; *wig* = Kampf; ältere Formen: *Haduwig, Hadwig;* Kurz- und Koseformen: *Heda, Hedda, Hede, Hedi, Hedy, Hedel, Heta, Hete, Hetti, Wig, Wigel, Wigge, Wiggel, Hedgen, Hädken, Hasa;* niederdeutsch: *Hese, Haseke, Heseke;* polnische und russische Form: *Jadwiga;* schwedisch: *Hedvig;* französisch: *Edvige.*

Persönlichkeiten der Geschichte:

Hedwig von Andechs und Schlesien, 1174 bis 1243; förderte, fromm, mildtätig und glaubensstark, die Christianisierung Schlesiens; lebte nach dem Tod ihres Gatten im Zisterzienserinnenkloster Trebnitz.

Hedwig Courths-Mahler, 1867 bis 1950, deutscher Schriftstellerin.

Hedy *(w)* Kurz- und Koseform für Hedwig.

Heibert *(m)* Nebenform zu Heidbert.

Heida *(w)* Kurzform wie Heide.

Heidbert *(m)* althochdeutsch: *heitar* = heiter; hell; *beraht* = glänzend; Nebenformen: *Heidbrecht, Heibert.*

Heidbrecht *(m)* Nebenform zu Heidbert.

Heide *(w)* Kurzform für mit Heid-, Heit- oder -heid gebildete weibliche Vornamen; Nebenformen: *Heida, Haide, Heidi.*

Heidegard *(w)* Neubildung aus Heide und althochdeutsch: *gard* = Zaun, Schutz.

Heike *(w)* niederdeutsche Koseform für Heinrike.

Heiko *(m)* niederdeutsche Kurz- und Koseform für Heinrich; Nebenformen: *Heike, Haiko.*

Heil *(m)* Kurzform für mit Heil- beginnende männliche Vornamen; Nebenformen: *Heile, Heilo, Heiling, Heilmann.*

Heilburg *(w)* althochdeutsch: *heil* = gesund; *burg* = Schutz, Zuflucht.

Heile *(m)* Kurzform wie Heil.

Heilgard *(w)* Nebenform zu Helgard.

Heilika *(w)* Nebenform zu Helgard oder Helga.

Heilke *(w)* niederdeutsche Form von Heilwig; Kurzform für mit Heil- beginnende weibliche Vornamen.

Heilko *(m)* friesisch-niederdeutsche Kurzform für mit Heil- beginnende männliche Vornamen; Nebenform: *Heilo.*

Heilmar *(m)* althochdeutsch: *heil* = gesund; *mari* = berühmt; Nebenformen: *Helmar, Hellmar;* Kurzformen: *Heilko, Heilo.*

Heilmut *(m)* althochdeutsch: *heil* = gesund; *mout* = Mut, Geist, Gesinnung; Nebenform: *Heilmuth.*

Heilmuth *(m)* Nebenform zu Heilmut.

Heilo *(m)* Kurzform wie Heil und Heilko.

Heilrun *(w)* althochdeutsch: *heil* = gesund, *runa* = Zauber; Nebenform: *Helrun.*

Heilswint *(w)* althochdeutsch: *heil* = gesund; *wint, wit* = stark; Nebenformen: *Heilswinth, Helswind;* französische Form: *Héloise.*

Heidegret *(w)* Doppelname aus Heide und Margarete.

Heidelinde *(w)* Doppelname aus Heide und Linda.

Heidelore *(w)* Doppelname aus Heide und Lore.

Heidelotte *(w)* Doppelname aus Heide und Charlotte.

Heidemaria *(w)* Nebenform zu Heidemarie.

Heidemarie *(w)* Doppelname aus Heide und Maria; Nebenform: *Heidemaria.*

Persönlichkeit:

Heidemarie Hatheyer, 1919 bis 1990, österreichische Charakterdarstellerin der Bühne und des Films.

Heidenreich *(m)* Nebenform zu Heidrich; Kurzformen: *Heis, Heise.*

Heider *(m)* Kurzform für Heidrich; Nebenform: *Haider.*

Heiderich *(m)* Nebenform zu Heidrich.

Heiderose *(w)* Doppelname aus Heide und Rosa.

Heidewich *(w)* Nebenform zu Heidewig.

Heidewicke *(w)* Nebenform zu Heidewig.

Heidewig *(w)* altfriesisch: *hed* = Ehre; althochdeutsch: *wig* = Kampf; Nebenformen: *Heidwig, Heidewich, Heidewicke;* Kurzform: *Heidje.*

Heidi *(w)* Kurzform wie Heide; Koseform für Adelheid.

Heidje *(w)* Kurzform für Heidewig.

Heidrich *(m)* althochdeutsch: *heidan* = Heide; *rihhi* = reich, mächtig; Nebenform: *Heidenreich, Heiderich;* Kurzformen: *Haider, Heider, Heis(e).*

Heidrun *(w)* althochdeutsch: *heid* = *heit* = Wesen; *runa* = Geheimnis, Zauber.

Heidwig *(w)* Nebenform zu Heidewig.

Heidwolf *(m)* althochdeutsch: *heid* = *heit* = Wesen; *wolf* = Wolf.

Heike *(m)* niederdeutsche Koseform für Heinrich; Nebenform: *Haike.*

Heiltrud *(w)* althochdeutsch: *heil* = gesund; *trud* = Kraft.

Heilwig *(m)* althochdeutsch: *heil* = gesund; *wig* = Kampf; Nebenform: *Helwig;* Kurzformen: *Heilko, Heilo.*

Heilwig *(w)* Erklärung wie Heilwig, *(m)* Kurzform: *Heilke.*

Heima *(w)* Kurzform für mit Heim- beginnende weibliche Vornamen.

Heimberga *(w)* althochdeutsch: *heim* = Heim, Haus; *bergan* = bergen, schützen.

Heimbert *(m)* althochdeutsch: *heim* = Heim, Haus; *hraban* = Rabe, oder: *beraht* = glänzend; Nebenformen: *Heimbrot, Heimbrecht.*

Heimbrecht *(m)* Nebenform zu Heimbert.

Heimbrot *(m)* Nebenform zu Heimbert.

Heimburg *(w)* althochdeutsch: *heim* = Heim, Haus; *burg* = Burg, Schutz; Nebenform: *Heimburga.*

Heimburga *(w)* Nebenform zu Heimburg.

Heime *(m)* Kurzform für mit Heimbeginnende männliche Vornamen; Nebenform: *Heim.*

Heimeram *(m)* Nebenform zu Heimeran.

Heimeran *(m)* althochdeutsch: *heim* = Heim, Haus; *hraban* = Rabe; Nebenformen: *Heimeram, Heimram;* Kurzformen: *Haimo, Heimo;* latinisierte Form: *Emmeramus.*

Heimo *(m)* Kurzform für mit Heim- beginnende männliche Vornamen, so für Heimeran; Nebenformen: *Haimo, Haymo.*

Heimran *(m)* Nebenform zu Heimeran.

Heimrich *(m)* Nebenform zu Heimerich.

Hein *(m)* Kurzform für Heinrich.

Heine *(m)* Kurzform für Heinrich.

Heinel *(m)* Kurzform für Heinrich.

Heinemann *(m)* Nebenform zu Heinrich.

Heiner *(m)* Kurzform für Heinrich.

Heinfried *(m)* Doppelname aus Heinrich und Friedrich.

Heini *(m)* Kurzform für Heinrich.

Heinke *(w)* niederdeutsche Kurzform für Heinrike.

Heinkje *(m)* Nebenform zu Heintje.

Heino *(m)* Kurz- und Koseform für Heinrich.

Heinold *(m)* althochdeutsch: *heim* = Heim, Haus; *waltan* = walten, herrschen.

Heinrich *(m)* althochdeutsch: *hagan* = Einfriedung, Schutz; *rihhi* = reich, mächtig; Nebenformen: *Endrich, Endrik;* Kurz- und Koseformen: *Heiner, Heinel, Heine, Heini, Heinar, Hein, Heinsel, Heinz, Hinz, Heiko, Heino, Henne, Henno, Henrik, Hendrik, Hinrik, Hinner, Henning, Heinemann, Hennes, Heise;* latinisierte Form: *Henricus;* englische Form: *Henry;* Koseform: *Harry, Hal;* französisch: *Henri;* italienisch: *Enrico, Arrigo;* Koseform: *Rico, Enzio;* spanisch: *Enrique;* rumänisch: *Enric;* tschechisch: *Jindřich, Jindřiška; slawisch: Jendrich.*

Persönlichkeiten der Geschichte:

Heinrich I., 876 bis 936; seit 919 deutscher König; »Gründer des Deutschen Reichs«.

Heinrich IV., 1050 bis 1106; seit 1084 deutscher Kaiser; führte den Investiturstreit mit Papst Gregor VII.; Bußgang nach Canossa.

Heinrich der Löwe, 1129 bis 1195; Sachsenherzog; betrieb Ostkolonisation.

Heinrich IV. von Frankreich, 1553 bis 1610; seit 1589 König; Führer der Hugenotten; wurde 1593 katholisch.

Heinrich VIII. von England, 1491 bis 1547; seit 1509 König; gründete die Anglikanische Kirche und machte sich zu deren Oberhaupt.

Heinrich Böll, 1917 bis 1985; deutscher realistischer gesellschaftskritischer Schriftsteller.

Heinrich Brüning, 1885 bis 1970; deutscher Zentrumspolitiker; 1930 bis 1932 Reichskanzler.

Heinrich Focke, 1890 bis 1979; deutscher Flugzeugingenieur.

Heinrich George, 1893 bis 1946, deutscher Schauspieler.

Heinrich Goebel, 1818 bis 1893; deutscher Erfinder der Glühbirne.

Heinrich Heine, 1797 bis 1856; deutscher Lyriker und Journalist.

Heinrich R. Hertz, 1857 bis 1894; deutscher Physiker.

Heinrich von Kleist, 1777 bis 1811; deutscher Dramatiker und Erzähler.

Heinrich Mann, 1871 bis 1950; deutscher gesellschaftskritischer pazifistischer Schriftsteller.

Heinrich von Meien, genannt Frauenlob, (geboren um 1255 bis 1318), höfischer Dichter.

Heinrich von Morungen (um 1200), mittelalterlicher Lyriker.

Heinrich Schliemann, 1822 bis 1890; deutscher Archäologe; unternahm Ausgrabungen in Troja, Mykene, Tiryns, Ithaka und Orchomenos.

Heinrich Schütz, 1585 bis 1672, deutscher Komponist.

Heinrich Spoerl, 1887 bis 1955, deutscher Humorist (»Feuerzangenbowle«).

Heinrich von Treitschke, 1834 bis 1929, deutscher Historiker.

Heinrich von Veldecke (vor 1200), mittelalterliches Epikus.

Heinrich Zille, 1858 bis 1929; deutscher humoristisch-sozialkritischer Graphiker des Berliner »Milieus«.

Heinriette *(w)* Nebenform zu Henriette.

Heinrike *(w)* die weibliche Form zu Heinrich; Nebenform und niederländische Form: *Henrike;* Koseform: *Hendrikje.*

Heinsel *(m)* Koseform für Heinrich.

Heintje *(m)* friesische Koseform für Heinrich, auch *Heinkje.*

Heinz *(m)* Koseform für Heinrich.

Persönlichkeit:

Heinz Rühmann, 1902 bis 1994, deutscher Schauspieler der Bühne und des Films.

Heinzkarl *(m)* Doppelname aus Heinz und Karl.

Heinzpeter *(m)* Doppelname aus Heinz und Peter.

Heio *(m)* friesische Kurzform für Hagen.

Heise *(m)* Kurzform für Heidenreich und Heinrich.

Heitor *(m)* portugiesische Form von Hektor.

Hektor *(m)* griechisch: Schirmer, Herrscher; englische Form: *Hector;* italienisch: *Ettore;* portugiesisch: *Heitor.*

Persönlichkeit der Geschichte:

Hektor, Held des Trojanischen Kriegs der griechischen Sage, den Achill tötete.

Hela *(w)* Nebenform zu Hella; Koseform für Helene; schwedische Form von Heloise.

Helen *(w)* englische Form von Helene.

Persönlichkeit:

Helen Keller, 1880 bis 1968; amerikanische blinde und taube Sozialreformerin und Schriftstellerin.

Helena *(w)* Nebenform zu Helene.

Helene *(w)* griechisch: = die Leuchtende; Nebenform: *Helena;* Kurz- und Koseformen: *Lena, Lene, Leni, Lenel, Leneli, Lenchen, Leli, Ena, Eila, Nella, Nelli, Hela, Hella, Hilchen, Hilgen, Leneke;* englische Form: *Aileen, Helen, Ella, Ellen, Nelly;* italienisch und spanisch: *Elena, Elina;* französisch: *Hélène;* slawisch: *Alina, Aline, Jelica, Lenka;* ukrainisch: *Iljana;* russisch: *Jelena;* ungarisch: *Ilona, Ilonka, Ilka;* polnisch: *Halina, Halinka, Halka.*

Hélène *(w)* französische Form von Helene.

Helferich *(m)* althochdeutsch: *helfan* = Hilfe; *rihhi* = reich, mächtig; Nebenform: *Helfrich.*

Helfgott *(m)* pietistische Neubildung des 17./18. Jahrhunderts; Umkehrform zu Gotthilf.

Helfrich *(m)* Nebenform zu Helferich.

Helfried *(m)* Nebenform zu Helmfried.

Helga *(w)* schwedisch: *hailac* = gesund; Nebenformen: *Helge, Helgi, Hilga, Ilga;* russische Form: *Olga.*

Helgamaria *(w)* Doppelname aus Helga und Maria.

Helgard *(w)* althochdeutsch: *hel* = heil = Heil; *gard* = hüten, Schutz; Nebenformen: *Heilgard, Heilika.*

Helge *(m)* skandinavisch: = heil, gesund; Nebenform: *Helgo;* russische Form: *Oleg.*

Persönlichkeit:

Helge Rosvaenge, 1895 bis 1972, dänischer Sänger (lyrischer Tenor).

Helge *(w)* Nebenform zu Helga.

Helgi *(w)* Nebenform zu Helga.

Heli *(m)* hebräisch: *eli* = Gott ist erhaben; ökumenische Form: *Eli.*

Heliane *(w)* Nebenform zu Eliane; Koseform für Helena.

Helias *(m)* hebräisch, ältere Form von Elias (Elija).

Heliodor *(m)* griechisch: *helios* = Sonne; *doron* = Geschenk.

Helke *(w)* niederdeutsche Kurzform für mit Heil- beginnende weibliche Vornamen.

Hella *(w)* Kurz- und Koseform für Helene und Helga; Nebenform: *Hela, Hele, Helle, Helli.*

Hellburg *(w)* Nebenform zu Helleborg.

Helle *(m)* Kurzform für Helmut.

Helle *(w)* Nebenform zu Hella.

Helleborg *(w)* niederdeutsche Form von Heilburg und Hildburg; Nebenform: *Hellburg.*

Hellfried *(m)* Nebenform zu Helmfried.

Helli *(w)* Nebenform zu Hella.

Hellmar *(m)* Nebenform zu Heilmar.

Hellmut *(m)* Nebenform zu Helmut.

Hellwig *(w)* Nebenform zu Heilwig.

Helma *(w)* Kurzform für Wilhelma, Wilhelmine, Helmtrud; allgemein für mit Helen- beginnende weibliche Vornamen; Nebenform: *Hilma.*

Helmar *(m)* Nebenform zu Heilmar.

Helmbald *(m)* althochdeutsch: *helm* = Helm; *bald* = kühn; Nebenform: *Helmbold.*

Helmbert *(m)* Nebenform zu Helmbrecht.

Helmbold *(m)* Nebenform zu Helmbald.

Helmbrecht *(m)* althochdeutsch: *helm* = Helm; *beraht* = glänzend; Nebenform: *Helmbert.*

Helmburg *(w)* althochdeutsch: *Helm* = Helm; *burg* = Burg, Schutz.

Helmer *(m)* Nebenform zu Heilmar und Helmko.

Helmes *(m)* Kurzform für Wilhelm.

Helmet *(m)* Kurzform für Wilhelm.

Helmfrid *(m)* Nebenform zu Helmfried.

Helmfried *(m)* althochdeutsch: *helm* = Helm, *fridu* = Friede; Nebenform: *Helmfrid, Hellfried, Helfried.*

Helmgard *(w)* althochdeutsch: *helm* = Helm; *gard* = Einfriedung.

Helmgerd *(m)* Doppelname aus Helmut und Gerhard.

Helmher *(m)* Nebenform zu Heilmar.

Helmi *(m)* Koseform für Wilhelm.

Helmi *(w)* Koseform für Wilhelma.

Helmina *(w)* Nebenform zu Helmine.

Helmine *(w)* Witerbildung von Helma oder Kurzform für Wilhelmine; Nebenform: *Helmina.*

Helmke *(m)* Nebenform zu Helmko.

Helmke *(w)* niederdeutsche Kurzform für mit Helm- oder Helma- beginnende weibliche Vornamen.

Helmko *(m)* niederdeutsche Kurzform für mit Helm- beginnende männliche Vornamen; Nebenform: *Helmke, Helmer, Helmo.*

Helmo *(m)* Nebenform zu Helmko.

Helmold *(m)* althochdeutsch: *helm* = Helm; *waltan* = walten, herrschen; Nebenform: *Helmolt, Helmwald.*

Helmolt *(m)* Nebenform zu Helmold.

Helmrich *(m)* althochdeutsch: *helm* = Helm; *rihhi* = reich, mächtig.

Helmtraud *(w)* Nebenform zu Helmtrud.

Helmtraude *(w)* Nebenform zu Helmtrud.

Helmtrud *(w)* althochdeutsch: *helm* = Helm; *trud* = Kraft; Nebenformen: *Helmtrude, Helmtraud(e), Helmtrudis.*

Helmtrude *(w)* Nebenform zu Helmtrud.

Helmtrudis *(m)* Nebenform zu Helmtrud.

Helmut *(m)* althochdeutsch: *helm* = Helm; *muot* = Mut, Geist, Gesinnung; Nebenformen: *Helmuth, Hellmut.*

Persönlichkeiten:

Helmut Käutner, 1908 bis 1980; deutscher Regisseur der Bühne und des Films.

Helmut Kohl, geboren 1930; deutscher christdemokratischer Politiker; der sechste Bundeskanzler.

Helmut Qualtinger, geboren 1928; österreichischer Schriftsteller, Schauspieler und Kabarettist.

Helmut Schmidt, geboren 1918, deutscher sozialdemokratischer Politiker; der fünfte Bundeskanzler.

Helmut Zacharias, geboren 1920; deutscher Violinvirtuose und Komponist.

Helmuth *(m)* Nebenform zu Helmut.

Persönlichkeit der Geschichte:

Helmuth Graf von Moltke, 1800 bis 1891; preußischer Generalfeldmarschall und Militärschriftsteller.

Helmwald *(m)* Nebenform zu Helmold.

Helmward *(m)* althochdeutsch: *helm* = Helm; *wart* = Schützer; Nebenform: *Helmwart.*

Helmwart *(m)* Nebenform zu Helmward.

Heloise *(w)* germanisch: *Helewidis,* althochdeutsch: *hel, heil* = gesund; *wit* = weit, groß; französische Form: *Héloise;* schwedisch: *Hela;* ungarisch: *Jelka.*

Héloise *(w)* französische Form von Heloise und Heilswint.

Helri *(w)* finnische Form von Hedwig; schwedische Nebenform zu Helwig (Heilwig).

Helswind *(w)* Nebenform zu Heilswint.

Helwig *(w)* Nebenform zu Heilwig.

Hemke *(m)* friesische Kurzform für Hermann und für mit Heim- beginnende männliche Vornamen.

Hemma *(w)* Koseform für Wilhelma.

Persönlichkeiten der Geschichte:

Hemma, um 808 bis 876; seit 827 Gattin König Ludwigs des Deutschen; gilt als zweite Gründerin des Frauenklosters Obermünster in Regensburg.

Hemma von Gurk, gestorben um 1045; Gründerin des Benediktinerinnenklosters Gurk und des Benediktinerklosters Admont.

Hemmo *(m)* friesische Kurzform für Hermann und für mit Heim- beginnende männliche Vornamen.

Hendrik *(m)* niederdeutsche und niederländische Form von Heinrich.

Persönlichkeit der Geschichte:

Hendrik A. Lorenz, 1853 bis 1928; niederländischer Physiker.

Hendrika *(w)* die weibliche Form zu Hendrik (Heinrich); Nebenform: *Hendrike.*

Hendrike *(w)* Nebenform zu Hendrika.

Hendrikje *(w)* niederländische Koseform für Heinrike.

Henk *(m)* Nebenform zu Henneke.

Henn *(m)* Koseform für Heinrich und Hans.

Henna *(w)* Koseform für Henrike (Heinrike).

Henne *(m)* Koseform für Heinrich und Johannes.

Henneke *(m)* niederdeutsche Form von Hans und Heinrich; Nebenform: *Henk.*

Henner *(m)* Kurzform für Heinrich.

Hennes *(m)* Koseform für Heinrich und Hans.

Henni *(w)* Kurzform für Henrike (Heinrike).

Hennig *(m)* Kurzform für Heinrich und Hans.

Hennilotte *(w)* Doppelname aus Henni und Charlotte.

Henning *(m)* Koseform für Heinrich und Hans (Johannes).

Henno *(m)* Kurzform für Heinrich und Hans.

Henny *(w)* Kurzform für Henrike (Heinrike) und Henriette.

Persönlichkeit:

Henny Porten, 1890 bis 1960; deutsche Schauspielerin der Bühne und des Films.

Henoch *(m)* hebräisch: = der Geweihte; ökumenische Form; in der Vulgata: *Enoch.*

Persönlichkeit der Geschichte:

Henoch, einer der Urväter im Alten Testament.

Henri *(m)* französische Form von Heinrich.
Persönlichkeiten der Geschichte:
Henri Becquerel, 1852 bis 1908; französischer Physiker.
Henri Bergson, 1859 bis 1941; französischer Philosoph; Vertreter der Lebensphilosophie.
Henri-Georges Clouzot, 1907 bis 1977; französischer Filmregisseur.
Henri Matisse, 1869 bis 1954; Graphiker und Plastiker des Fauvismus.
Henri Moissan, 1852 bis 1907; französischer Chemiker.
Henri-Philippe Pétain, 1856 bis 1951, französischer Marschall und Politiker; 1940 bis 1944 Staatschef der Vichy-Regierung.
Henri de Toulouse-Lautrec, 1864 bis 1901; französischer Maler und Graphiker.

Henricus *(m)* latinisierte Form von Heinrich.

Henrietta *(w)* Nebenform zu Henriette; Koseform: *Etta.*

Henriette *(w)* die weibliche Verkleinerungsform zu französisch Henri; Nebenformen: *Henrietta, Heinriette;* Koseformen: *Henny, Jette;* englische Form: *Henny;* italienisch: *Enrica.*
Persönlichkeit der Geschichte:
Henriette Sonntag, 1806 bis 1854, weltberühmte deutsche Koloratursängerin.

Henrik *(m)* niederdeutsche und schwedische Form von Heinrich.
Persönlichkeit der Geschichte:
Henrik Ibsen, 1828 bis 1906; norwegischer realistisch-pessimistischer Dramatiker.

Henrika *(w)* Nebenform zu Heinrike.
Persönlichkeit der Geschichte:
Henrika (Katharina) Faßbender, gestorben 1875; Franziskanerin; als Missionsschwester mit vier Mitschwestern auf der Überfahrt nach Saint Louis in Nordamerika ums Leben gekommen.

Henrike *(w)* Nebenform zu Heinrike; Kurzform: *Rike.*

Henry *(m)* englische Form von Heinrich.
Persönlichkeiten der Geschichte:
Henry Bessemer, 1813 bis 1898; englischer Ingenieur.
Henry Fonda, 1905 bis 1982; amerikanischer Filmschauspieler; Charakterrollen.
Henry Ford, 1863 bis 1935, amerikanischer Automobilkönig.
Henry Kissinger, geboren 1923; amerikanischer Politiker.
Henry Miller, 1891 bis 1980; amerikanischer Schriftsteller.
Henry Moore, 1898 bis 1986; englischer Bildhauer, Graphiker und Maler der Abstraktion.
Henry Morgenthau, 1891 bis 1968, amerikanischer Politiker, (Morgenthau-Plan).

Henryk *(m)* polnische Form von Heinrich.

Hera *(w)* griechisch, weibliche Form zu Heros = Held.
Persönlichkeit der Geschichte:
Hera, in der griechischen Mythologie die Schwester und Gattin des Zeus; Schutzgöttin der Ehe.

Herakles *(m)* griechisch: *Hera* = Gattin des Zeus, *kles* = Ruhm; latinisiert Herkules.
Persönlichkeit der Geschichte:
Herakles, der berühmteste Held der griechischen Sage.

Heraklit *(m)* griechisch: *Herakleitos.*
Persönlichkeit der Geschichte:
Heraklit von Ephesos, etwa 540 bis 480 v. Chr.; griechischer Philosoph; erklärte Feuer als Grundstoff der Welt.

Herald *(m)* Nebenform zu Herold.

Hérault *(m)* französische Form von Harold.

Herbald *(m)* althochdeutsch: *heri* = Heer; *bald* = kühn; Nebenform: *Herebald, Heribald.*

Herbert *(m)* althochdeutsch: *heri* = Heer; *beraht* = glänzend; Nebenform: *Heribert;* Kurzform: *Harro;* französische Form: *Aribert, Hébert;* italienisch: *Ariberto, Cariberto, Erberto.*

Persönlichkeiten der Geschichte:

Herbert von Karajan, 1908 bis 1989, österreichischer Dirigent; Gründer der Salzburger Osterfestspiele.

Herbert Marcuse, 1898 bis 1979; deutscher Philosoph und Sozialwissenschaftler; Vertreter der kritischen Theorie.

Herbert Wehner, 1906 bis 1990, deutscher sozialdemokratischer Politiker; 1969 bis 1983 Fraktionsvorsitzender.

Herberta *(w)* die weibliche Form zu Herbert; Nebenform: *Heriberta.*

Herborg *(w)* schwedische Form von Herburg.

Herbrand *(m)* althochdeutsch: *heri* = Heer; *brand* = Feuer, Schwert.

Herburg *(w)* althochdeutsch: *heri* = Heer; *burg* = Burg, Schutz; Nebenform: *Heriburg;* schwedisch: *Herborg.*

Hercule *(m)* m französische Form von Herkules.

Herdi *(w)* Kurz- und Koseform für mit Her- beginnende weibliche Vornamen.

Herdis *(w)* isländisch-schwedisch; althochdeutsch: *heri* = Heer; *dis* = Göttin.

Herebald *(m)* Nebenform zu Herbald.

Persönlichkeit der Geschichte:

Herebald (Erlebold), gestorben um 1145; Propst des Prämonstratenserinnenstifts Doksany bei Leitmeritz.

Herfrid *(m)* althochdeutsch: *heri* = Heer; *fridu* = Friede; Nebenform: *Herfried.*

Herfried *(m)* Nebenform zu Herfrid.

Heribert *(m)* Nebenform zu Herbert.

Heriburg *(w)* Nebenform zu Herburg.

Herko *(m)* niederdeutsche Kurzform für mit Her- beginnende männliche Vornamen.

Herkules *(m)* lateinische Form des griechischen *Herakles;* französische Form: *Hercule;* italienisch: *Ercole.*

Herkumbert *(m)* althochdeutsch: *erkan* = wahr, echt; *beraht* = glänzend.

Herlind *(w)* Nebenform zu Herlinde.

Persönlichkeit der Geschichte:

Herlind, gestorben um 750; mit ihrer Schwester Reinhild Leiterin des Klosters Aldeneyk.

Herlinde *(w)* althochdeutsch: *heri* = Heer; *linta* = Lindenholzschild; oder: *lind* = lind, mild; Nebenform: *Herlind, Herlindis.*

Herlindis *(w)* Nebenform zu Herlinde.

Herlof *(m)* althochdeutsch: *heri* = Heer; *wolf* = Wolf; Nebenform: *Herluf.*

Herm *(m)* Kurzform für Hermann.

Herma *(w)* Kurzform für Hermine.

Hermagoras *(m)* griechisch: Hermes; oder *herma* = Hügel; *agora* = Markt, Versammlung.

Persönlichkeit der Geschichte:

Hermagoras, nach der Überlieferung gestorben um 304; mit Fortunat Märtyrer der diokletianischen Verfolgung.

Herman *(m)* Nebenform zu Hermann.

Hermann *(m)* althochdeutsch: *heri* = Heer; man = Mann; Nebenform: *Herrmann, Herman, Harman;* Kurz- und Koseformen: *Herm, Herme, Hermel, Hermeli, Harm, Hetzel, Hesse, Hemmo, Hessl, Haro, Harro, Manes, Mani, Mann, Männe, Manno;* italienische Formen: *Ermanno, Erminio;* italienisch und spanisch: *Armando;* französisch: *Armand;* niederländisch: *Hermien;* russisch: *German.*

Persönlichkeiten der Geschichte:
Hermann Abendroth, 1883 bis 1956, deutscher Dirigent.
Hermann Bahr, 1863 bis 1934, deutscher Essayist, Kritiker und Erzähler.
Hermann Broch, 1886 bis 1951; österreichischer Schriftsteller.
Hermann Ebbinghaus, 1850 bis 1909; deutscher Psychologe; Mitgründer der experimentellen Psychologie.
Hermann Hesse, 1877 bis 1962; deutscher Erzähler.
Hermann Hollerith, 1860 bis 1929; deutsch-amerikanischer Ingenieur; Erfinder des Lochkartensystems.
Hermann Kasak, 1896 bis 1966, deutscher Schriftsteller, Mitbegründer des PEN-Zentrums.
Hermann Lautensach, 1886 bis 1971; deutscher Geograph.
Hermann Lietz, 1868 bis 1919; deutscher Reformpädagoge.
Hermann Löns, 1866 bis 1914; deutscher Schriftsteller der Lüneburger Heide.
Hermann Oberth, 1894 bis 1989, deutscher Raketenforscher.
Hermann Oncken, 1869 bis 1945; deutscher Historiker.
Hermann Prey, geboren 1929; deutscher Opern- und Konzertsänger (Bariton).
Hermann Staudinger, 1881 bis 1965; deutscher Chemiker; begründete die makromolekulare Chemie.
Hermann Sudermann, 1857 bis 1928; deutscher naturalistischer und sozialkritischer Schriftsteller.
Hermann Weyl, 1885 bis 1955; deutscher Mathematiker und Physiker.
Hermann von Wissmann, 1853 bis 1905; deutscher Afrikaforscher.

Hermanna *(w)* die weibliche Form zu Hermann; Nebenform: *Hermanne;* niederdeutsche Form: *Hermanna;* Koseform: *Harmke;* Weiterbildung: *Hermandine.*

Hermenegilde *(w)* die weibliche Form zu Hermenegild.

Hermes *(m)* griechisch: *herma* = Stütze.
Persönlichkeit der Geschichte:
Hermes, der Götterbote in der altgriechischen Mythologie.

Hermi *(w)* Kurzform für Hermine.

Hermia *(w)* Nebenform zu Hermine.

Hermien *(m)* niederländische Nebenform zu Hermann.

Hermine *(w)* auf Hermann zurückgehende weibliche Bildung; Nebenform: *Hermione;* Kurzformen: *Herma, Hermia, Mina, Minna;* niederländische Nebenform: *Urmina;* italienische Form: *Erminia.*
Persönlichkeit der Geschichte:
Hermine Körner, 1882 bis 1960; deutsche Schauspielerin, Regisseurin und Theaterleiterin.

Herminia *(w)* Weiterbildung von Hermine.

Hermintrud *(w)* wohl Nebenform zu Irmintrud.

Hermione *(w)* Nebenform zu Hermine oder eine Weiterbildung des griechischen Hermes.

Hermund *(m)* althochdeutsch: *heri* = Heer; *munt* = Schutz.

Hernán *(m)* Nebenform zu Hernando.

Hernando *(m)* spanische Form von Ferdinand; Nebenform: *Hernán.*
Persönlichkeiten der Geschichte:
Hernando Cortez, 1485 bis 1547; spanischer Eroberer in Mexiko.

Hero *(m)* Koseform für Hermann.

Herold *(m)* Nebenform zu Harold.

Herrad *(m)* althochdeutsch: *heri* = Heer; *rat* = Rat, Beratung.

Herrada *(w)* die weibliche Form zu Herrad; Nebenform: *Herrade.*

Herrade *(w)* Nebenform zu Herrada.

Herrmann *(m)* Nebenform zu Hermann.

Herta *(w)* Kose- oder Kurzform für mit Hert-, Hart- beginnende weibliche Vornamen; geht wohl auf falsche Lesung bei Tacitus für die Erdgöttin *Nerthus* zurück; Nebenform: *Hertha.*

Hertha *(w)* Nebenform zu Herta.

Persönlichkeit:

Hertha Töpper, geboren 1924; österreichische Opern-, Oratorien- und Konzertsängerin.

Hertmann *(m)* Nebenform zu Hartmann.

Hertrud *(w)* althochdeutsch: *heri* = Heer; *trud* = Kraft, Stärke.

Hertwig *(m)* Nebenform zu Hartwig.

Hertwiga *(w)* die weibliche Form zu Hertwig (Hartwig).

Herwald *(m)* Nebenform zu Harold.

Herward *(m)* althochdeutsch: *heri* = Heer; *wart* = Hüter, Schützer; Nebenform: *Herwarth.*

Herwarth *(m)* Nebenform zu Herward.

Persönlichkeit der Geschichte:

Herwarth Walden, 1878 bis 1941; deutscher expressionistischer Schriftsteller und Musiker.

Herwig *(m)* Nebenform zu Hartwig.

Herwiga *(w)* die weeibliche Form zu Herwig (Hartwig).

Herwin *(m)* althochdeutsch: *heri* = Heer; *wini* = Freund; daraus entwikkelte sich Erwin.

Hese *(w)* niederdeutsche Koseform für Hedwig.

Heseke *(w)* niederdeutsche Koseform für Hedwig.

Hesekiel *(m)* griechische Form von Ezechiel.

Heß *(m)* Koseform für Matthias.

Hester *(w)* niederdeutsche und englische Form von Esther.

Heta *(w)* Kurz- und Koseform für Hedwig.

Hete *(w)* Kurz- und Koseform für Hedwig.

Hettel *(m)* Koseform für Hatto.

Hetti *(w)* Koseform für Hedwig.

Hetty *(w)* Kurzform für Hedwig und Henriette.

Hetzel *(m)* Koseform für Hermann.

Hezekias *(m)* griechische Form von Hiskija.

Hias *(m)* Kurz- und Koseform für Matthias.

Hiasel *(m)* Koseform für Matthias.

Hiasl *(m)* Koseform für Matthias.

Hidda *(w)* friesische Kurz- und Koseform für mit Hild- beginnende weibliche Vornamen.

Hiddo *(m)* friesische Kurz- und Koseform für mit Hild- beginnende männliche Vornamen.

Hieronyma *(w)* die weibliche Form zu Hieronymus.

Hieronymus *(m)* griechisch: *hieros* = heilig; *onyma* = *onoma* = Name; Nebenform: *Jeronimus;* Kurz- und Koseform: *Romus, Ronimus, Onimus, Grolmes, Grommes, Grönlein, Olmes;* italienische Formen: *Geronimo, Girolamo;* französisch: *Jérôme;* englisch: *Gerome, Jerome.*

Persönlichkeiten der Geschichte:

Hieronymus, um 345 bis 420; Mönch; Priester; Sekretär Papst Damasus' I.; Verfasser zahlreicher theologischer Werke und Übersetzer; Kirchenlehrer.

Hieronymus Bosch, 1490 bis 1516, niederländischer Maler.

Hieronymus von Prag, um 1365 bis 1416; Anhänger von Hus und Wiclif; auf Konstanzer Konzil 1416 verurteilt und verbrannt.

Hiesel *(m)* Koseform für Matthias.

Hilar *(m)* Nebenform zu Hilarius.

Hilaria *(w)* die weibliche Form zu

Hilarius; englische Form: *Hilary;* italienisch: *Ilaria.*

Persönlichkeit der Geschichte:

Hilaria, gestorben um 304; mit Afra und anderen. Legendäre Märtyrin der diokletianischen Verfolgung.

Hilarius *(m)* lateinisch: *hilarus* = heiter, fröhlich; Koseformen: *Glares, Glary, Lares, Lari;* englische Form: *Hilary;* italienisch: *Ilario.*

Persönlichkeit der Geschichte:

Hilarius von Poitiers, etwa 315 bis 367; wurde 345 Christ; um 350 Bischof von Poitiers; trat gegen den Arianismus auf; verfaßte umfangreiches theologisches Schrifttum; gilt als erster Hymnendichter der lateinischen Kirche.

Hilary *(m)* englische Form von Hilarius.

Hilary *(w)* englische Form von Hilaria.

Hilbert *(m)* Kurzform für Hildebert, auch schwedische Form.

Hilberta *(w)* Nebenform zu Hildeberta.

Hilbertina *(w)* Nebenform zu Hildeberta.

Hilbrand *(m)* Nebenform zu Hildebrand.

Hilbrecht *(m)* Kurzform für Hildebrecht.

Hilchen *(w)* Koseform für Helene.

Hild *(w)* schwedische Form von Hilda (Hildegard); auch *Hilda.*

Hilda *(w)* Kurzform für Hildegard.

Hildburg *(w)* althochdeutsch: *hiltja* = Kampf; *gurg* = Burg, Schutz; Nebenform: *Hildeburg;* niederdeutsche Formen: *Helleborg, Hellburg.*

Hilde *(w)* Kurzform für Hildegard, Mathilde; allgemein für mit Hild- oder -hild gebildete weibliche Vornamen.

Persönlichkeiten:

Hilde Domin, geboren 1912, deutsche Lyrikerin.

Hilde Krahl, geboren 1917; deutsche Schauspielerin der Bühne und des Films; Charakterrollen.

Hildebald *(m)* althochdeutsch: *hiltja* = Kampf; *bald* = kühn.

Hildebert *(m)* althochdeutsch: *hiltja* = Kampf; *beraht* = glänzend; Nebenform: *Hildebrecht;* Kurzform: *Hilbert;* friesisch: *Hidde;* italienische Form: *Ildeberto;* schwedisch: *Hilbert.*

Hildeberta *(w)* die weibliche Form zu Hildebert; Nebenformen: *Hilberta, Hilbertina.*

Hildebrand *(m)* althochdeutsch: *hiltja* = Kampf; *brant* = Schwert; Nebenformen: *Hilbrand, Hillebrand;* italienische Form: *Ildebrando.*

Persönlichkeiten der Geschichte:

Hildebrand, in der deutschen Sage Waffenschmied Dietrichs von Bern.

Hildebrand, gestorben 1209; Zisterzienserkonverse; Märtyrer durch Albigenser.

Hildebrecht *(m)* Nebenform zu Hildebert.

Hildeburg *(w)* Nebenform zu Hildburg.

Hildefons *(m)* althochdeutsch: *hiltja* = Kampf; *funs* = bereit; heute übliche Form: *Ildefons.*

Hildegar *(m)* Nebenform zu Hildeger.

Hildegard *(w)* althochdeutsch: *hiltja* = Kampf; *gard* = Gerte, oder: Zaun, Schutz; Kurzform: *Hilda, Hilde;* niederdeutsch: *Hilla, Hille, Hilke;* friesisch: *Hilge, Hiltje;* französische Form: *Hildegarde;* italienisch: *Ildegarda;* schwedisch: *Hild, Hilda.*

Persönlichkeiten der Geschichte:

Hildegard von Bingen, 1098 bis 1179; Benediktinerin; Äbtissin; Mystikerin; gründete Kloster auf dem Rupertsberg bei Bingen und in Eibingen; Buß-

predigerin; Ratgeberin von Päpsten und Fürsten; besaß Kenntnisse in Medizin und Naturwissenschaften.
Hildegard Knef, geboren 1925; deutsche Schauspielerin und Chansonsängerin.

Hildegarde *(w)* französische Form von Hildegard.

Hildeger *(m)* althochdeutsch: *hiltja* = Kampf; *ger* = Speer; Nebenformen: *Hildegar, Hildiger, Hildjer;* Kurzformen: *Hildger, Hill, Hilli.*

Hildegrim *(m)* althochdeutsch: *hiltja* = Kampf; *grim* = Helm.

Hildegund *(w)* althochdeutsch: *hiltja* = Kampf; *gund* = Kampf; Nebenformen: *Hildegunde, Hillegonde;* Kurz- und Koseformen: *Hilda, Hilla.*

Hildegunde *(w)* Nebenform zu Hildegund.

Hildelies *(w)* Doppelname aus Hilde und Elisabeth.

Hildemar *(m)* Nebenform zu Heilmar.

Hildemara *(w)* die weibliche Form zu Hildemar (Heilmar).

Hildemoda *(w)* ältere Form von Hildemut.

Hildemund *(m)* althochdeutsch: *hiltja* = Kampf; *munt* = Schutz; Nebenform: *Hildmund.*

Hildemut *(w)* althochdeutsch: *hiltja* = Kampf; *muot* = Mut, Geist, Gesinnung; Nebenformen: *Hildmut, Hildemoda.*

Hilderich *(m)* althochdeutsch: *hiltja* = Kampf; *rihhi* = reich, mächtig; Nebenform: *Hilrich.*

Hilderun *(w)* Nebenform zu Hildrun.

Hildeward *(m)* althochdeutsch: *hiltja* = Kampf; *wart* = Hüter.

Hildewin *(m)* Nebenform zu Hildwin.

Hildger *(m)* Nebenform zu Hildeger.

Hildiger *(m)* Nebenform zu Hildeger.

Hildjer *(m)* Nebenform zu Hildeger.

Hildmund *(m)* Nebenform zu Hildemund.

Hildmut *(w)* Nebenform zu Hildemut.

Hildo *(m)* Kurzform für Hildolf; Nebenform: *Hitto.*

Hildolf *(m)* althochdeutsch: *hiltja* = Kampf; *wolf* = Wolf; Kurzform: *Hildo.*

Hildrun *(w)* althochdeutsch: *hiltja* = Kampf; *runa* = Geheimnis, geheime Beratung; Nebenformen: *Hilderun, Hiltrun.*

Hildtrud *(w)* Nebenform zu Hiltraud.

Hildulf *(m)* althochdeutsch: *hiltja* = Kampf; *wulf* = *wolf* = Wolf.

Hildwara *(w)* althochdeutsch: *hiltja* = Kampf; *wara* = Schützerin.

Hildwin *(m)* althochdeutsch: *hiltja* = Kampf; *wini* = Freund; Nebenformen: *Hildewin, Hiltwin.*

Hilga *(w)* Nebenform zu Helga.

Hilge *(w)* friesische Kurzform für Hildegard.

Hilgen *(w)* Koseform für Helene.

Hilger *(m)* Kurzform für Hildeger.

Hilka *(w)* niederdeutsche Koseform für Hildegard auch *Hilke.*

Hilke *(w)* niederdeutsche Kurzform für mit Hild- beginnende weibliche Vornamen; auch Nebenform zu Hilka.

Hilko *(m)* niederdeutsch-friesische Kurzform für mit Hild- beginnende männliche Vornamen.

Hill *(m)* Kurzform für Hildeger.

Hilla *(w)* niederdeutsche Form von Hildegard; allgemein Kurzform für mit Hild- oder -hild gebildete weibliche Vornamen; Nebenform: *Hille.*

Hille *(w)* Nebenform zu Hilla.

Hillebrand *(m)* Nebenform zu Hildebrand.

Hillegonde *(w)* Nebenform zu Hildegunde.

Hilleke *(w)* niederdeutsch-friesische Koseform für mit Hild- beginnende weibliche Vornamen.

Hilli *(m)* Kurzform für Hildeger.

Hilma *(w)* Nebenform zu Helma (Wilhelma).

Hilmar *(m)* Nebenform zu Heilmar.

Hilpert *(m)* Kurzform für Hildebert und Hildebrecht.

Hilrich *(m)* Nebenform zu Hilderich.

Hiltje *(w)* friesische Koseform für Hildegard; allgemein Kurzform für mit Hild- beginnende weibliche Vornamen.

Hiltke *(m)* und *(w)* friesische Kurzform für mit Hild- beginnende Vornamen.

Hiltraud *(w)* althochdeutsch: *hiltja* = Kampf; *trud* = Kraft, Stärke; Nebenformen: *Hiltrud, Hildetrud.*

Hiltrud *(w)* Nebenform zu Hiltraud.

Persönlichkeit der Geschichte:

Hiltrud, 12. Jahrhundert; Ordensfrau auf dem Rupertsberg bei Bingen.

Hiltrun *(w)* Nebenform zu Hildrun.

Hiltwin *(m)* Nebenform zu Hildwin.

Himer *(m)* lateinisch: *Himerius;* französische Form: *Imier.*

Himerius *(m)* lateinische Form von Himer.

Hinner *(m)* Koseform für Heinrich.

Hinnerk *(m)* niederdeutsche und friesische Form von Heinrich.

Hinrich *(m)* niederdeutsche Form von Heinrich.

Hinrik *(m)* niederdeutsche Koseform für Heinrich.

Hinz *(m)* Kurzform für Heinrich; Nebenform zu Heinz.

Hiob *(m)* hebräisch; in der lateinischen Vulgata und in der Lutherbibel verwendete Form von Ijob.

Hippe *(m)* Kurzform wie Hippo.

Hippo *(m)* Kurzform für Hippolyt; Nebenform: *Hippe.*

Hippokrates *(m)* griechisch: *hippos* = Pferd; *kratos* = Kraft, Stärke.

Persönlichkeiten der Geschichte:

Hippokrates von Chios, 5. Jahrhundert v. Chr., griechischer Mathematiker.

Hippokrates von Kos, etwa 460 bis 377 v. Chr.; griechischer Arzt; begründete die abendländische wissenschaftliche Medizin.

Hippolyt *(m)* griechisch: *Hippolytos: hippos* = Pferd; *lyein* = lösen; lateinisch: *Hippolytus;* auch: *Hippolyth;* Kurzform: *Litt;* Koseform: *Pilt;* französische Form: *Hippolyte;* italienisch: *Ippolito.*

Hippolyta *(w)* die weibliche Form zu Hippolyt; italienisch: *Ippolita.*

Hippolyte *(m)* französische Form von Hippolyt.

Hippolyth *(m)* Nebenform zu Hippolyt.

Hippolytos *(m)* griechische Form von Hippolyt.

Hippolytus *(m)* lateinische Form von Hippolyt.

Hiskia *(m)* Nebenform zu Hiskija; so in der Lutherbibel.

Hiskija *(m)* hebräisch; ökumenische Form von Ezechias (Form der Vulgata) und *Hiskia* (Lutherbibel); griechisch: *Hezekias.*

Hitto *(m)* Nebenform zu Hildo.

Hjalle *(m)* Koseform für Hjalmar.

Hjalmar *(m)* schwedisch und dänisch; altisländisch: *Hjalmarr: hjalmr* = Helm; *herr* = Heer; Koseform: *Hjalle.*

Hob *(m)* englische Kurzform für Robert; auch *Hobby.*

Hobby *(m)* englische Koseform für Robert.

Hodge *(m)* englische Koseform für Robert.

Hoger *(m)* Nebenform zu Holger.

Hogge *(m)* Koseform für Holger.

Högne *(m)* schwedische Form von Hagen.

Högni *(m)* isländische Form von Hagen.

Hoimar *(m)* Herkunft unsicher; althochdeutsch: *hag* = Einfriedung; oder: *hoh* = hoch (?); *mari* = berühmt.

Hold *(m)* Kurzform für Reinhold.

Holda *(w)* Nebenform zu Hulda.

Holde *(m)* Kurzform für Reinhold.

Holder *(m)* Koseform für Reinhold.

Holdger *(m)* Nebenform zu Holger.

Holdine *(w)* Weiterbildung von Holda.

Holdo *(m)* Kurzform für auf -hold endende männliche Vornamen.

Holge *(m)* Koseform für Holger.

Holger *(m)* nordisch; schwedisch: *holm* = Insel; altisländisch: *geirr* = Speer; Nebenform: *Holdger;* Koseform: *Hogge, Holge.*

Holle *(w)* Nebenform zu Hulda.

Holm *(m)* nordisch; schwedisch: *Holme: holm* = Insel; altisländische Form: *Holmr.*

Holma *(w)* die weibliche Form zu Holm.

Holme *(m)* schwedische Form von Holm.

Holmr *(m)* altisländische Form von Holm.

Homer *(m)* griechisch: *homeros* = Pfand, Geisel; griechisch: *Homeros;*

Persönlichkeit der Geschichte:

Homer, um 850 bis 800 v. Chr.; griechischer epischer Dichter der »Ilias« und der »Odyssee«.

Homeros *(m)* griechische Form von Homer.

Honorat *(m)* lateinisch: *honoratus* = geehrt; lateinische Form: *Honoratus;* italienisch: *Onorato;* französisch: *Honoré.*

Honoratus *(m)* lateinische Form von Honorat.

Honoré *(m)* französische Form von Honorius und Honorat.

Persönlichkeiten der Geschichte:

Honoré de Balzac, 1799 bis 1850; französischer Schriftsteller.

Honoré Daumier, 1808 bis 1894; französischer Maler, Graphiker und Bildhauer im Übergang von der Romantik zum Realismus.

Honorius *(m)* lateinisch: *honor* = Ehre; französische Form: *Honoré;* italienisch: *Onorio.*

Hoppert *(m)* Nebenform zu Hubert.

Horace *(m)* französische und englische Form von Horaz.

Horant *(m)* von *Horant,* dem Spielmann der Gudrunsage.

Horatio *(m)* englische Form von Horaz.

Persönlichkeit der Geschichte:

Horatio Nelson 1758 bis 1805; englischer Admiral; siegte 1798 bei Abukir und 1805 bei Trafalgar.

Horatius *(m)* lateinische Form von Horaz; genau: dem altrömischen Geschlecht der Horatier zugehörig.

Horaz *(m)* wohl ursprünglich etruskisch; lateinisch: *Horatius;* englisch *Horace, Horatio;* französisch: *Horace;* italienisch: *Orazio.*

Persönlichkeit der Geschichte:

Horaz, 65 bis 8 v. Chr.; römischer Dichter von Oden, Epen, Satiren und Episteln; von abendländischer Bedeutung.

Horst *(m)* auf althochdeutsch: *hurst* = Gehölz, Gebüsch zurückführbar.

Persönlichkeiten:

Horst Bieneck, geboren 1930, deutscher Schriftsteller und Lyriker.

Horst Buchholz, geboren 1933, deutscher Filmschauspieler.

Horst Wolfram Geißler, 1893 bis 1983, deutscher Schriftsteller.

Horstmar *(m)* Doppelname aus Horst und Dietmar.

Horstwin *(m)* althochdeutsch: *hurst* = Gebüsch; *wini* = Freund.

Hortense *(w)* französische Form von Hortensia.

Hortensius *(m)* lateinisch; altrömischer Name des Geschlechts der Hortensier.

Hoschea *(m)* hebräisch: *hoschea* = Errettung; ökumenische Form.

Hosea *(m)* hebräisch: *hoschea* = Errettung; ökumenische Form von *Osee* für das alttestamentliche »Buch Hosea« und dessen Verfasser.

Howard *(m)* englisch; auf germanisch: *ward (m)* - Wärter, Wächter zurückgehend.

Hrabanus *(m)* lateinische Form von *Hraban;* althochdeutsch: *hraban* = Rabe; neuere Form: *Raban.*

Hrolf *(m)* Kurzform für Rudolf.

Hroswitha *(w)* ältere Form von Roswitha.

Hubert *(m)* althochdeutsch: *hugu* = Gedanke, Verstand; *beraht* = glänzend; Nebenformen: *Huprecht, Huppert, Hoppert, Huppel, Haubert;* Kurzformen: *Hüp, Hüppe, Bert, Brecht, Bertes;* ältere Form: *Hugbert;* latinisiert: *Hubertus;* italienisch: *Umberto, Oberto.*

Huberta *(w)* die weibliche Form zu Hubert; Weiterbildung: *Hubertina.*

Hubertina *(w)* Weiterbildung von Huberta; Nebenform: *Hubertine.*

Hubertine *(w)* Nebenform zu Hubertina.

Hubertus *(m)* latinisierte Form von Hubert.

Persönlichkeit der Geschichte:

Hubertus Bischof von Lüttich, gestorben 727, Schutzpatron der Jäger.

Hubrecht *(m)* Nebenform zu Hubert.

Hudson *(m)* englisch; Bedeutung fraglich.

Hugbald *(m)* althochdeutsch: *hugu* = Gedanke; *bald* = kühn; Nebenformen: *Hubald, Ubald;* italienische Form: *Ubaldo;* Kurzform: *Baldo.*

Hugh *(m)* englische Form von Hugo.

Hughes *(m)* englische Form von Hugo.

Hugibert *(m)* Nebenform zu Hugbert.

Hugo *(m)* Kurzform für mit Hug- beginnende männliche Vornamen; Nebenformen: *Hukko, Haug;* friesische Form: *Hauk;* italienisch: *Ugo;* Kurzform: *Ugolino;* französisch: *Hugo, Hugues;* englisch: *Hugo, Hugh, Hughes;* schwedisch: *Hugo.*

Persönlichkeiten der Geschichte:

Hugo Eckener, 1868 bis 1954, Luftfahrtpionier, Zeppelin-Konstrukter.

Hugo Hartung, geb. 1902, Schriftsteller (»Wir Wunderkinder«).

Hugo von Hofmannsthal, 1874 bis 1929; österreichischer Schriftsteller des österreichischen Impressionismus und Symbolismus.

Hugo Junkers, 1859 bis 1935; deutscher Flugzeug- und Motorenkonstrukteur.

Hugo Wolf, 1860 bis 1903, deutscher Liedkomponist.

Hugues *(m)* französische Form von Hugo.

Huguette *(w)* französische weibliche Form zu Hugues (Hugo).

Hulda *(w)* althochdeutsch: *hold* = gnädig, auch treu; *holda* = guter weiblicher Geist; oder hebräisch = Wiesel; Nebenformen: *Holda, Holle.*

Huldreich *(m)* wohl auf Uldrich (Ulrich) zurückgehend; schweizerische Nebenform: *Huldrych.*

Huldrych *(m)* Nebenform zu Huldreich.

Persönlichkeit der Geschichte:

Huldrych Zwingli, 1484 bis 1531; schweizerischer Reformator; mit Calvin Gründer der Reformierten Kirche

Humbert *(m)* althochdeutsch: *huni* = Hüne; *beraht* = glänzend; Nebenform: *Humbrecht;* italienische Form: *Umberto.*

Humberta *(w)* die weibliche Form zu Humbert.

Humbrecht *(m)* Nebenform zu Humbert.

Humfried *(m)* Nebenform zu Hunfried.

Humphrey *(m)* englische Form von Hunfried; Nebenform: *Humphry.*

Persönlichkeit:

Humphrey Bogart, 1899 bis 1957; amerikanischer Schauspieler der Bühne und des Films.

Humphry *(m)* englische Nebenform zu Humphrey (Hunfried).

Huna *(w)* Nebenform zu Unna.

Hunfried *(m)* althochdeutsch: *huni* = Hüne; *fridu* = Friede; Nebenform: *Humfried.*

Hunno *(m)* Kurzform für mit Hun- beginnende männliche Vornamen.

Hunold *(m)* althochdeutsch: *huni* = Hüne; *waltan* = walten.

Hüp *(m)* Kurzform für Hubert.

Hüppe *(m)* Koseform für Hubert.

Huppel *(m)* Nebenform zu Hubert.

Huppert *(m)* Nebenform zu Hubert.

Huschke *(m)* tschechische und sorbische Koseform für Johannes.

Hyacinthe *(m)* französische Form von Hyazinth.

Hyacinthus *(m)* lateinische Form von Hyazinth.

Hyazinth *(m)* griechisch: *hyakinthos;* Bedeutung ungeklärt; lateinische Form: *Hycinthus;* französisch: *Hyacinthe;* spanisch: *Jacinto.*

Hyazintha *(w)* die weibliche Form zu Hyazinth.

Hygin *(m)* lateinisch: *Hyginus;* italienische Form: *Igino.*

Hyginus *(m)* lateinische Form von Hygin.

Hynek *(m)* tschechische Form von Ignatius.

I

Iba *(w)* friesische Koseform.

Ibbe *(m)* Nebenform zu Ib.

Ibbo *(m)* Nebenform zu Ib.

Ibo *(m)* Nebenform zu Ib und Ivo.

Ibrahim *(m)* arabische Form von Abraham.

Ida *(w)* althochdeutsch: *itis,* von *Ita* = Seherin; Kurzform für mit Id- oder Hild- beginnende weibliche Vornamen; Neben- und Koseformen: *Idda, Idis, Itta, Ita, Ite, Ide, Idchen, Iken.*

Persönlichkeiten der Geschichte:

Ida von Herzfeld, gestorben um 820; Gattin des Herzogs Egbert von Sachsen; lebte nach dessen Tod der Buße und Caritas.

Ida von Hohenfels, 12. Jahrhundert; trat nach Tod ihres Gatten Eberhard von Sponheim ins Kloster auf dem Rupertsberg bei Bingen ein.

Ide *(m)* Nebenform zu Ida.

Idis *(w)* Nebenform zu Ida.

Iduna *(w)* latinisierte Form von altnordisch: *Idhun.*

Persönlichkeit der Geschichte:

Iduna (Idhun), in der nordischen Mythologie Göttin der Jugend.

Igino *(m)* italienische Form von Hygin.

Ignace *(m)* französische Form von Ignatius.

Ignatia *(w)* die weibliche Form zu Ignatius.

Ignatij *(m)* russische Form von Ignatius.

Ignatius *(m)* lateinisch: *ignis* = Feuer; Nebenform: *Egnatius;* Kurz- und Koseformen: *Ignaz, Ignatz, Naz, Naze, Nazi, Nazerl;* französische Form: *Ignace;* tschechisch: *Hynek;* russisch: *Ignatij;* italienisch: *Ignazio.*

Persönlichkeit der Geschichte:

Ignatius von Loyola, 1491 bis 1556; Spanier; Gründer der Gesellschaft Jesu (Jesuiten).

Ignatz *(m)* Nebenform zu Ignaz (Ignatius).

Ignaz *(m)* deutsche Form von Ignatius.

Persönlichkeiten der Geschichte:

Ignaz Seipel, 1876 bis 1932; österreichischer christlich-sozialer Politiker; katholischer Priester; mehrfach Bundeskanzler.

Ignaz Semmelweis, 1818 bis 1865; österreichischer Frauenartz und Geburtshelfer.

Ignazio *(m)* italienische Form von Ignatius.

Igor *(m)* russische Form von Ingwar; Kurzform: *Ika.*

Persönlichkeiten der Geschichte:

Igor, Großfürst von Kiew, gestorben 1147; wurde 1146 Großfürst; zur Abdankung gezwungen; trat in ein Kloster ein; in dessen Kirche ermordet.

Igor Oistrach, geboren 1931; sowjetrussischer Violinvirtuose.

Igor Sikorski, 1889 bis 1972; russisch-amerikanischer Flugzeugkonstrukteur.

Igor Strawinski, 1882 bis 1971; amerikanischer Komponist russischer Herkunft.

Ijob *(m)* hebräisch: *iob* = Befeinder; ökumenische Form von *Hiob* (Lutherbibel) und *Job* (Vulgata); italienische Form: *Giobbe.*

Iken *(w)* niederländisch für Ida.

Ilaria *(w)* italienische Form von Hilaria.

Ildeberto *(m)* italienische Form von Hildebert.

Ildebrando *(m)* italienische Form von Hildebrand.

Ildefons *(m)* aus altdeutsch: Hildefons (= kampfbereit); italienische und spanische Form: *Ildefonso;* französisch: *Ildefonse.*

Ildefonse *(m)* französische Form von Ildefons.

Ildefonso *(m)* italienische und spanische Form von Ildefons.

Ildegarda *(w)* italienische Form von Hildegard.

Ildico *(w)* Nebenform zu Ildiko.

Ildiko *(w)* Koseform für mit Hild- oder -hild gebildete weibliche Vornamen; Nebenform: *Ildico.*

Ileana *(w)* rumänische Form von Helene.

Ilg *(m)* Koseform für Ägidius.

Ilga *(w)* Nebenform zu Helga.

Iliane *(w)* schwedische und flämische Form von Juliane.

Ilija *(m)* russische Form von Elias (Elija).

Ilja *(m)* russische Form von Elias (Elija); ungarische Form: *Illyés.*

Persönlichkeit der Geschichte:

Ilja Ehrenburg, 1891 bis 1967; sowjetrussischer Schriftsteller und Propagandist.

Iljana *(w)* slawische weibliche Form zu Ilja (Elija); auch ukrainische Nebenform zu Helene.

Ilka *(w)* ungarische Kurzform für Ilona (Helene).

Illo *(w)* Koseform für Isolde.

Illyés *(m)* ungarische Form von Elija.

Ilona *(w)* ungarische Form von Helene.

Ilonka *(w)* ungarische Koseform für Ilona (Helene).

Ilsa *(w)* Kurzform für Elisabeth.

Ilsabe *(w)* niederdeutsche Form von Elisabeth.

Ilsabeth *(w)* Nebenform von Elisabeth.

Ilse *(w)* Kurzform für Elisabeth.

Persönlichkeiten:

Ilse Aichinger, geboren 1927, österreichische Schriftstellerin.

Ilse Werner, geboren 1918; deutsche Schauspielerin der Bühne und des Unterhaltungsfilms.

Ilsebey *(w)* Koseform für Elisabeth.

Ilsebill *(w)* Nebenform zu Isabella; oder Doppelname aus Ilse und Sibylle.

Ilsedore *(w)* Doppelname aus Ilse und Dorothea.

Ilsegard *(w)* Doppelname aus Ilse und althochdeutsch: *-gard,* aus Namen auf *-gard,* wie Irmgard.

Ilsegret *(w)* Doppelname aus Ilse und Margareta.

Ilselore *(w)* Doppelname aus Ilse und Eleonore.

Ilselotte *(w)* Doppelname aus Ilse und Charlotte.

Ilsemarie *(w)* Doppelname aus Ilse und Maria.

Ilsetraud *(w)* Doppelname aus Ilse und althochdeutsch *-trud* = Kraft, Stärke, Nebenformen: *Ilsetraut, Ilsetrud, Ilsetrude.*

Ilsetraut *(w)* Nebenform zu Ilsetraud.

Ilsetrud *(w)* Nebenform zu Ilsetraud.

Ilsetrude *(w)* Nebenform zu Ilsetraud.

Ilske *(w)* niederdeutsche Koseform für Ilse.

Iluska *(w)* ungarische Koseform für Ilona (Helene).

Imad *(m)* althochdeutsch: *irmin* = Welt, allumfassend; *adal* = edel (?).

Imagina *(w)* lateinisch: *imago* = Bild; Verkleinerungs- und Koseform: *Imma.*

Imbert *(m)* althochdeutsch: *beraht* = glänzend.

Imela *(w)* Koseform für Irma.

Imelda *(w)* Nebenform zu Irmhild.

Imier *(m)* französische Form von Himer.

Imke *(w)* friesische Koseform für Imma und Irma.

Imma *(w)* Koseform für Imagina; Nebenform zu Irma und Irmgard; allgemein für mit Irm- beginnende weibliche Vornamen; Nebenformen: *Emma, Imke, Imme.*

Immaculata *(w)* lateinische Form von Immakulata.

Immakulata *(w)* lateinisch: *immaculata* = die Unbefleckte, Reine; Name vom Marienfest der unbefleckt Empfangenen lateinische Form: *Immaculata.*

Immanuel *(m)* hebräisch: *immanu'el* = mit uns (ist) Gott; ökumenische Form von Emanuel.

Persönlichkeit der Geschichte:

Immanuel Kant, 1724 bis 1804; deutscher Philosoph; prägte die Philosophie des 19. Jahrhunderts.

Immo *(m)* Nebenform zu Irmo.

Imo *(m)* Nebenform zu Irmo.

Imogen *(w)* englisch; altirisch: *ingen* = Mädchen.

Imre *(m)* ungarische Form von Emmerich.

Persönlichkeit der Geschichte:

Imre Nagy, 1896 bis 1958; ungarischer kommunistischer Politiker; zur Zeit des ungarischen Aufstands 1956 Ministerpräsident; von den Sowjets verschleppt, zum Tod verurteilt und hingerichtet.

Ina *(w)* Kurzform von Karoline, Katharina und Regine; Nebenform: *Ine;* ostfriesische Koseform: *Ineke.*

Persönlichkeit der Geschichte:

Ina Seidel, 1885 bis 1974, deutsche Erzählerin (»Das Wunschkind«).

Indira *(w)* indisch.

Persönlichkeit der Geschichte:

Indira Gandhi, 1917 bis 1984 (ermordet); indische Politikerin der Kongreßpartei.

Indra *(w)* italienisch; sanskritisch: *indh* = funkeln; nach dem altindischen Gott Indra.

Ineke *(m)* niederdeutsche und niederländische Kurzform für mit Agin- oder Egin- beginnende männliche Vornamen; Nebenform: *Inken.*

Ines *(w)* spanisch: *Inés,* Form von Agnes; portugiesische Form: *Ines.*

Inés *(w)* spanische Form von Agnes.

Ines *(w)* portugiesische Form von Agnes.

Inga *(w)* dänische und schwedische Form von Agnes; auch schwedische Form von Inge (Ingeborg).

Ingalisa *(w)* Doppelname aus Ingeborg und Elisabeth.

Inge *(w)* Kurzform für Ingeborg; allgemein für mit Ing- beginnende weibliche Vornamen: dänische und schwedische Form: *Inga;* Koseform: *Ingela.*

Persönlichkeiten:

Inge Borkh, geboren 1918, schwedische Sängerin (Oper).

Inge Brandenburg, geboren 1932, deutsche Jazzsängerin.

Inge Meysel, geboren 1910; Schauspielerin der Bühne und des Films in Charakterrollen.

Ingebald *(m)* althochdeutsch: *Ingi, Ingwio* = germanischer Sternengott (der Ingwäonen); *bald* = kühn.

Ingeborg *(w)* althochdeutsch: *Ingi, Ingwio* = germanischer Stammesgott; *borg* = *burg* = Schutz; Kurzform: *Ingeburg;* Kurzform: *Inge.*

Persönlichkeiten:

Ingeborg Bachmann, 1926 bis 1973; österreichische Schriftstellerin, besonders Lyrikerin.

Ingeborg Hallstein, geboren 1939; deutsche Konzert- und Opernsängerin (Koloratursopran).

Ingegund *(w)* althochdeutsch: *Inge, Ingwio* = germanischer Stammesgott; *gund* = Kampf; Nebenform: *Ingegunde.*

Ingehild *(w)* althochdeutsch: *Ingi, Ingwio* = germanischer Stammesgott; *hiltja* = Kampf; Nebenformen: *Inghilde, Inglid, Ingild, Ingvild, Ingwilde.*

Ingela *(w)* Koseform für Inge.
Ingelene *(w)* Doppelname aus Inge und Helene.
Ingelies *(w)* Doppelname aus Inge und Elisabeth.
Ingelore *(w)* Doppelname aus Inge und Eleonore.
Ingelotte *(w)* Doppelname aus Inge und Charlotte.
Ingemar *(m)* Nebenform zu Ingomar.
Ingemaren *(w)* Doppelname aus Inge und Marina.
Ingemarie *(w)* Doppelname aus Inge und Maria.
Ingenuin *(m)* wohl latinisierte Form von Ingwin.
Inger *(w)* schwedische Kurzform für Ingrid.
Ingerid *(w)* nordische Nebenform zu Ingrid.
Ingerose *(w)* Doppelname aus Inge und Rosa.
Ingetraud *(w)* Doppelname aus Inge und Edeltraud.
Ingetrud *(w)* Doppelname aus Inge und Trude.
Ingewert *(m)* Nebenform zu Ingward.
Inghilde *(w)* Nebenform zu Ingehild.
Ingild *(w)* Nebenform zu Ingehild.
Inglid *(w)* Nebenform zu Ingehild.
Ingmar *(m)* Nebenform zu Ingomar.
Persönlichkeit:
Ingmar Bergmann, geboren 1918; schwedischer Theater- und Filmregisseur; Drehbuchautor.
Ingo *(m)* Kurzform für mit Ing- oder Ingo- beginnende männliche Vornamen; Nebenform: *Inko.*
Ingobald *(m)* althochdeutsch: *Ingi, Ingwio* = germanischer Stammesgott; *bald* = kühn.
Ingoberg *(w)* althochdeutsch: *Ingi, Ingwio* = germanischer Stammesgott; *berg* = Schutz.
Ingobert *(m)* althochdeutsch: *Ingi, Ingwio* = germanischer Stammesgott; *beraht* = glänzend; Nebenform: *Ingbert.*
Ingold *(m)* althochdeutsch: *Ingi, Ingwio* = germanischer Stammesgott; *waltan* = walten, herrschen.
Ingolf *(m)* althocheutsch: *Ingi, Ingwio* = germanischer Stammesgott; *wolf* = Wolf.
Ingomar *(m)* althochdeutsch: *Ingi, Ingwio* = germanischer Stammesgott; *mari* = berühmt; Nebenform: *Ingmar.*
Ingraban *(m)* Nebenform zu Ingram.
Ingram *(m)* althochdeutsch: *Ingi, Ingwio* = germanischer Stammesgott; *hraban* = Rabe; Nebenform: *Ingraban.*
Ingrid *(w)* althochdeutsch: *Ingi, Ingwio* = germanischer Stammesgott; *fridr* = schön, oder: *rid* = Reiterin.
Persönlichkeiten:
Ingrid Andree, geboren 1931, deutsche Bühnen- und Filmschauspielerin.
Ingrid Bergman, 1915 bis 1982; schwedische Filmschauspielerin.
Ingrun *(w)* neuere Bildung aus Inge und althochdeutsch: *runa* = Geheimnis, Zauber.
Ingvar *(m)* ältere nordische Form von Ingwar.
Ingwar *(m)* althochdeutsch: *Ingi, Ingwio* = germanischer Stammesgott; *heri* = Heer; Nebenformen: *Ingvar, Ingwer;* russische Form: *Igor.*
Ingward *(m)* althochdeutsch: *Ingi, Ingwio* = germanischer Stammesgott; *wart* = Wärter, Hüter.
Ingwer *(m)* Nebenform von Ingwar.
Ingwilde *(w)* Nebenform zu Ingehild.
Inja *(w)* Doppelname aus Ingeborg und Jakob; auch russische Koseform für Innokentija (Innozentia).
Inka *(w)* Nebenform zu Inken; außerdem ungarische Koseform für Ilona (Helene).
Inke *(w)* Nebenform zu Inken.

Inken *(m)* Nebenform zu Ineke.
Inken *(w)* friesische Koseform für mit Ing- beginnende weibliche Vornamen; Nebenformen: *Inka, Inke.*
Inko *(m)* Nebenform zu Ingo.
Innocentia *(w)* lateinische Form von Innozentia.
Innocentius *(m)* lateinische Form von Innozenz.
Innokentija *(w)* russische Form von Innozentia.
Innozentia *(w)* lateinisch: *innocentia* = die Unschuld; weibliche Form zu Innozenz; lateinisch: *Innocentia;* Koseformen: *Sensa, Zenz, Zenta;* russisch Form: *Innokentija;* Koseform: *Inja.*
Innozenz *(m)* lateinisch: *innocens* = unschuldig; lateinisch: *Innocentius.*
Persönlichkeit der Geschichte:
Innozent I. gestorben 417; seit 402 Papst; Verfechter des päpstlichen Primats.
Insa *(w)* Nebenform zu Inse.
Inse *(w)* friesische Kurz- und Koseform für mit Ing- beginnende weibliche Vornamen; Nebenform: *Insa.*
Iolanthe *(w)* griechisch: *iolanthe* = Veilchen; Nebenform: *Jolanthe.*
Iphigenie *(w)* griechisch.
Persönlichkeit der Geschichte:
Iphigenie, in der altgriechischen Sage Tochter des Agamemnon und der Klytämnestra.
Ira *(m)* amerikanisch; aus hebräisch: *ira* = Wächter (?).
Ira *(w)* Koseform für Irene.
Iram *(m)* hebräisch: = wachsam; ökumenische Form.
Ireen *(w)* Nebenform zu Irene.
Irena *(w)* Nebenform zu Irina.
Irenäus *(m)* griechisch: *eirene* = Friede; französische Form: *Iréné;* italienisch: *Ireneo;* ungarisch: *Ernyö.*
Irene *(w)* die weibliche Form zu Irenäus; Nebenform: *Irina;* Kurz- und Koseformen: *Ira, Reni, Irinka;* französische Formen: *Irène, Irénée;* russisch: *Irina;* polnische Verkleinerungsform: *Irka.*
Persönlichkeiten der Geschichte:
Heilige Irene, römische Märtyrerin (3./4. Jh.).
Irene, byzantinische Prinzessin, heiratete König Philipp von Schwaben (1197).
Irène *(w)* französische Form von Irene.
Persönlichkeit der Geschichte:
Irène Joliot-Curie, 1877 bis 1956; französische Physikerin und Chemikerin; entdeckte 1934 mit F. Joliot die künstliche Radioaktivität.
Iréné *(m)* französische Form von Irenäus.
Irénée *(w)* französische Form von Irene.
Ireneo *(m)* italienische Form von Irenäus.
Irg *(m)* Koseform für Georg.
Irina *(w)* russisch-slawische Form von Irene; Nebenform: *Irena.*
Iring *(m)* althochdeutsch: = Ire; in Schweiz und Süddeutschland wiederaufgenommen.
Irinka *(w)* Koseform für Irene.
Iris *(w)* griechisch: *iris* = Regenbogen; oder: nach der Pflanze Iris.
Persönlichkeit der Geschichte:
Iris, in der griechischen Mythologie die Götterbotin.
Irka *(w)* polnische Verkleinerungsform von Irene.
Irma *(w)* die weibliche Form zu Irmo; Koseform für mit Irm- beginnende weibliche Vornamen; Nebenform: *Erma;* Koseformen: *Irmela, Irmelin, Imka.*
Irmald *(m)* althochdeutsch: *irmin* = allumfassend; oder *irm* = Beziehung zum westgermanischen Stamm der Ermionen; *waltan* = walten, herrschen.
Irmalotte *(w)* Doppelname aus Irma und Charlotte.

Irmberga *(w)* althochdeutsch: *irmin* = allumfassend (?); *bergan* = Schutz.

Irmbert *(m)* althochdeutsch: *irmin* = Welt, allumfassend; *beraht* = glänzend; Nebenformen: *Irmenbert, Irminbert.*

Irmburg *(w)* althochdeutsch: *irmin* = allumfassed; *burg* = Burg, Schutz, Zuflucht; Nebenformen: *Irmburga, Irmenburg.*

Irmburga *(w)* Nebenform zu Irmburg.

Irmelin *(w)* Weiterbildung und Koseform von Irma.

Irmenbert *(m)* Nebenform zu Irmbert.

Irmenburg *(w)* Nebenform zu Irmburg.

Irmene *(w)* Nebenform zu Irmina.

Irmenfried *(m)* althochdeutsch: *irmin* = Welt, allumfassend; *fridu* = Friede; Nebenformen: *Irmfried, Irminfried, Ermenfried.*

Irmengard *(w)* Nebenform zu Irmgard.

Irmenhard *(m)* althochdeutsch: *irmin* = Welt, allumfassend; *harti* = hart, stark; Nebenformen: *Ermenhard, Irminhard, Irmert.*

Irmenrad *(m)* althochdeutsch: *irmin* = Welt, allumfassend; *rat* = Rat, Beratung.

Irmentrud *(w)* Nebenform zu Irmintrud.

Irmert *(m)* Nebenform zu Irmenhard.

Irmfried *(m)* Nebenform zu Irmenfried.

Irmgard *(w)* althochdeutsch: *irmin* = Welt, allumfassend; *gard* = Einfriedung, Schutz; Nebenformen: *Irmengard, Irmingard, Ermgard, Ermengard, Armgard;* Kurz- und Koseformen: *Irma, Irmela, Irmel, Irmelin, Irmina, Erma, Emma, Imma, Gerda.*

Persönlichkeiten der Geschichte:

Heilige Irmgard von Chiemsee, Tochter Ludwigs des Deutschen starb 866 als Äbtissin.

Irmgard Seefried, 1919 bis 1988, österreichische Kammersängerin (Sopranistin).

Irmhild *(w)* althochdeutsch: *irmin* = allumfassend; *hiltja* = Kampf; Nebenformen: *Irminhild, Ermenhild, Ermenhilde, Ermhild, Erminhild, Erminhilde, Erminhildis;* Koseform: *Imelda.*

Irmin *(w)* Nebenform zu Irmina.

Irmina *(w)* Weiterbildung von Irma; auch als weibliche Form zu Irmo; Nebenformen: *Irmine, Irmin, Irmene.*

Irmine *(w)* Nebenform zu Irmina.

Irminfried *(m)* Nebenform zu Irmenfried.

Irmingard *(w)* Nebenform zu Irmgard.

Irminhard *(m)* Nebenform zu Irmenhard.

Irminrich *(m)* Nebenform zu Ermanrich.

Irmintraud *(w)* Nebenform zu Irmintrud.

Irmintrud *(w)* althochdeutsch: *irmin* = Welt, allumfassend; *trud* = stark, kräftig; Nebenformen: *Irmintraud, Irmtraud, Irmtraut, Irmtrud, Hermintrud, Ermentraud, Ermentrud, Ermtraud, Ermtrud.*

Irmlinde *(w)* althochdeutsch: *irmin* = Welt, allumfassend; *lind* = sanft, mild; Nebenformen: *Ermelinda, Ermelinde, Ermlinde.*

Irmo *(m)* Kurzform für mit Irm- beginnende männliche Vornamen; Nebenformen: *Immo, Imo, Irmio.*

Irmtraud *(w)* Nebenform zu Irmin trud.

Irmtraut *(w)* Nebenform zu Irmintrud.

Irmtrud *(w)* Nebenform zu Irmintrud.

Irmund *(m)* althochdeutsch: *irmin* = Welt, allumfassend; *munt* = Schutz, Schützer; Nebenform: *Eremund;* Kurz- und Koseformen: *Mund, Mundi.*

Irvin *(m)* englisch; angelsächsischer Herkunft = Seefreund; Nebenform: *Irwin.*

Irving *(m)* englische Nebenform zu Irvin.

Irwin *(m)* Nebenform zu Irvin.

Isa *(w)* Koseform für Isabella, Isolde, Luise.

Isaac *(m)* englische Form von Isaak.

Persönlichkeiten der Geschichte:

Isaac Newton, 1643 bis 1727; englischer Physiker, Mathematiker und Astronom; einer der bedeutendsten Naturwissenschaftler aller Zeiten.

Issac Stern, geboren 1920; amerikanischer Violinvirtuose russischer Herkunft.

Isaak *(m)* hebräisch: *jisshag* = (Gott) ist gnädig; ökumenische Form; jüdische Koseform: *Itzig;* englisch: *Isaac;* ungarisch: *Izsák.*

Persönlichkeiten der Geschichte:

Isaak, im Alten Testament Sohn Abrahams; Erzvater der Israeliten.

Isabe *(w)* Kurzform zu Isabella.

Isabel *(w)* spanische Kurzform für Elisabeth.

Isabela *(w)* italienische Kurzform für Elisabeth.

Isabella *(w)* italienisch und spanisch; von hebräisch: *Jezabel* oder *Isebel* (ökumenische Form); = die Unberührte (?); auch spanische Form von Elisabeth; Nebenform: *Elisabeth;* Kurz- und Koseformen: *Ilsebill, Isa, Isabe, Bella;* französische Form: *Isabelle;* italienisch: *Isabella.*

Persönlichkeiten der Geschichte:

Isabella von Frankreich, 12. Jh.

Isabella I., die Katholische, 1474 bis 1504, Königin von Kastilien und Leon.

Isabella II., Tochter Ferdinands VII., 1838 bis 1904, Königin von Spanien.

Isabelle *(w)* französische Form von Isabella.

Isadora *(w)* Nebenform zu Isidora.

Persönlichkeit der Geschichte:

Isadora Duncan, 1878 bis 1927, amerikanische Tanzerin.

Isai *(m)* hebräisch: *jischai* = ökumenische Form von Jesse.

Persönlichkeit der Geschichte:

Isai (Jesse), Vater Davids im Alten Testament und somit Stammvater von Jesus Christus.

Isaias *(m)* hebräisch; ökumenische Form: *Jesaja* (Jesajas).

Isang *(m)* koreanisch.

Isberga *(w)* althochdeutsch: *isan* = Eisen; *bergan* = Schutz.

Isbert *(m)* althochdeutsch: *isan* = Eisen; *beraht* = glänzend; Nebenform: *Isenbert.*

Isburga *(w)* althochdeutsch: *isan* = Eisen; *burg* = Burg, Zuflucht.

Isenhard *(m)* althochdeutsch: *isan* = Eisen; *harti* = hart, stark; Nebenform: *Isenhart.*

Isenhart *(m)* Nebenform zu Isenhard.

Isentraud *(w)* althochdeutsch: *isan* = Eisen; *trud* = Kraft, Stärke; Nebenformen: *Istraud, Isentrud, Isantrud, Istrud.*

Isentrud *(w)* Nebenform zu Isentraud.

Isfried *(m)* althochdeutsch: *isan* = Eisen; *fridu* = Friede; Nebenform: *Isenfried.*

Isgard *(w)* althochdeutsch: *isan* = Eisen; *gard* = Schutz; Nebenform: *Isangard.*

Isger *(m)* althochdeutsch: *isan* = Eisen; *ger* = Speer; Nebenform: *Isenger.*

Ishild *(w)* Nebenform zu Ishilde.

Ishilde *(w)* althochdeutsch: *isan* =

Eisen; *hiltja* = Kampf; Nebenform: *Ishild.*

Isidor *(m)* griechisch: *isi* = Göttin *Isis; doron* = Geschenk; lateinische Form: *Isidorus.*

Persönlichkeit der Geschichte:

Isidor, etwa 560 bis 635; Spanier; ab 600 Erzbischof von Sevilla; schuf Schulen mit Bibliotheken und Schreibstuben; vielseitiger Kirchenschriftsteller; Kirchenlehrer.

Isidora *(w)* die weibliche Form zu Isidor; Nebenform: *Isidore.*

Isidore *(w)* Nebenform zu Isidora.

Isidorus *(m)* lateinische Form von Isidor.

Islav *(m)* isländisch: *Isleifr.*

Ismael *(m)* hebräisch: *jischma'el* = es hört Gott; ökumenische Form.

Ismar *(m)* althochdeutsch: *isan* = Eisen; *mari* = berühmt.

Iso *(m)* althochdeutsch: *isan* = Eisen; allgemein: Kurzform für mit Is-, Isan-beginnende männliche Vornamen; Nebenform: *Yso.*

Isolda *(w)* Nebenform zu Isolde.

Isolde *(w)* keltisch oder angelsächsisch; althochdeutsch: *isan* = Eisen; *waltan* = walten, herrschen; Nebenformen: *Isolda, Isalda, Ansoalda;* italienische Form: *Isotta;* Kurz- und Koseform: *Illo.*

Isotta *(w)* italienische Form von Isolde.

Israel *(m)* hebräisch: = Gott kämpft; ökumenische Form.

Istraud *(w)* Nebenform zu Isentraud.

Istrud *(w)* Nebenform zu Isentraud.

István *(m)* ungarische Form von Stephan.

Itamar *(m)* hebräisch: *tamar* = Palme; ökumenische Form; in Lutherbibel und Vulgata: *Ithamar.*

Ite *(w)* Nebenform zu Ida und Jutta.

Itta *(w)* Nebenform zu Ida und Jutta.

Itte *(w)* Nebenform zu Ida und Jutta.

Itzig *(m)* jüdische Koseform für Isaak.

Ivan *(m)* m Nebenform zu Iwan.

Ivana *(w)* die weibliche Form zu Ivan (Iwan); Nebenformen: *Iwanna, Iwana* (Johanna); Koseformen: *Ivanka, Iwanka.*

Ivanka *(w)* Koseform zu Ivana (Johanna); auch serbokroatische Form von Johanna.

Ivar *(m)* nordisch; Bedeutung nicht geklärt; Nebenform: *Iver;* deutsch: *Iwar.*

Iver *(m)* Nebenform zu Ivar.

Ivette *(w)* französische Verkleinerungsform von Ivonne; Nebenformen: *Ivett, Ivetta, Yvetta, Yvette.*

Ivo *(m)* althochdeutsch: *iwa* = Eibe, Eibenholz: auch englische und ostfriesische Form; Nebenformen: *Iwo, Ibo, Yvo:* friesisch: *Iwe;* französische Form: *Yves.*

Persönlichkeit der Geschichte:

Ivo Hélovy, 1253 bis 1303, war erst Jurist, wurde dann Priester, Schutzheiliger der Juristen.

Ivonn *(w)* Nebenform zu Ivonne.

Ivonne *(w)* französische weibliche Form zu Ivo; Nebenformen: *Ivonn, Yvonne.*

Iwan *(m)* russische Form von Johann; Nebenform: *Ywan;* Koseform: *Wanja:* bulgarische Koseform: *Wanko.*

Persönlichkeit der Geschichte:

Iwan IV., der Schreckliche, 1530 bis 1584; seit 1547 Zar von Rußland; Willkürherrscher.

Iwana *(w)* Nebenform zu Ivana.

Iwanka *(w)* Nebenform zu Ivanka.

Iwar *(m)* deutsche Form von Ivar.

Iwe *(m)* friesische Form von Ivo.

Iwo *(m)* Nebenform zu Ivo.

Izsák *(m)* ungarische Form von Isaak.

J

Jack *(m)* englische Koseform für John (Johannes): Nebenformen: *Jacky, Jakie.*

Persönlichkeiten:

Jack Lemmon, 1925; amerikanischer Regisseur und Filmschauspieler.

Jack London, 1876 bis 1916; amerikanischer Schriftsteller abenteuerlicher Weltreisen.

Jackie *(w)* Koseform für Jacqueline; Nebenform: *Jacky.*

Jackson *(m)* englische Weiterbildung von Jack.

Jacky *(m)* Nebenform zu Jack.

Jacky *(w)* Koseform für Jacqueline.

Jacob *(m)* Nebenform zu Jakob.

Persönlichkeiten der Geschichte:

Jacob Böhme, 1575 bis 1624, deutscher Mystiker.

Jacob Burckhardt, 1818 bis 1897, schweizerischer Kunst- und Kulturhistoriker.

Jacob Grimm, 1785 bis 1863; deutscher Sprachwissenschaftler und Schriftsteller.

Jacobo *(m)* spanische Form von Jakob.

Jacobus *(m)* lateinische Form von Jakob; Jakobus.

Jacopo *(m)* italienische Form von Jakob.

Jacqueline *(w)* die weibliche Form zu Jacques, französische Form von Jakobine; Koseformen: *Jackie, Jakky.*

Jacques *(m)* französische Form von Jakob.

Persönlichkeiten der Geschichte:

Jacques Cousteau, *1910; französischer Tiefseeforscher.

Jacques Montgolfier, 1745 bis 1799; französischer Erfinder mit seinem Bruder Joseph-Michel.

Jacques Offenbach, 1819 bis 1880; französischer Operettenkomponist.

Jacques Tati, 1908 bis 1982; französischer Schauspieler und Filmregisseur.

Jadwiga *(w)* polnische und russische Form von Hedwig; russische Koseform; *Jascha.*

Jafet *(m)* ökumenische Form von Japhet.

Jäg *(m)* Koseform für Jakob.

Jäggi *(m)* Koseform für Jakob.

Jago *(m)* spanische Form von Jakob.

Jahn *(m)* Kurz- und Koseform für Johannes.

Jaime *(m)* spanische Form von Jakob.

Jakie *(m)* Nebenform des englischen Jack.

Jakob *(m)* hebräisch: *ja'aqob* = Nachgeborener (?); lateinisch *Jacobus, Jakobus;* Kurz- und Koseformen: *Jakkel, Jockel, Jäckel, Jäggi, Jäg, Joggi, Joggeli, Jeggeli, Jocki, Joppes, Jobbi, Jabbo, Kobes, Kobel, Kobus, Koob, Köbi, Köbes, Schack;* französische Form: *Jacques:* englisch: *Jacob, James, Jimmy, Jaquet;* italienisch: *Jacopo, Giacomo;* spanisch: *Jacobo, Jaime, Jago* (Santiago), *Yago, Diego;* tschechisch: *Jakub;* russisch: *Jakow, Jascha.*

Persönlichkeit der Geschichte:

Jakob Fugger, 1459 bis 1525; Augsburger Kaufmann.

Jakob *(w)* die weibliche Form zu Jakob; Nebenform: *Jakobea;* Weiterbildung: *Jakobina, Jakobine;* Kurzform: *Koba.*

Jakobea *(w)* Nebenform zu Jakoba.

Jakobina *(w)* Nebenform zu Jakobine.

Jakobine *(w)* Weiterbildung von Jakoba (Jakob); Kurz- und Koseformen: *Koba, Bine;* französische Form: *Jacqueline.*

Jakobus *(m)* Jacobus, lateinische Form von Jakob.

Persönlichkeiten der Geschichte:

Jakobus, der Herrenbruder, zur Zeit Jesu; meist mit Jakobus dem Jüngeren gleichgesetzt; an Ostern 62 Märtyrer.

Jakobus der Ältere, Apostel Jesu, Bruder des Evangelisten Johannes; um Ostern 44 Märtyrer.

Jakobus der Jüngere, Apostel Jesu, mit dem »Bruder des Herrn« gleichgesetzt.

Jakow *(m)* russische Form von Jakob.

Jama *(w)* Neubildung aus Jakob und Maria.

James *(m)* englische Form von Jakob.

Persönlichkeiten der Geschichte:

James Baldwin, geboren 1924; afroamerikanischer Schriftsteller.

James Bradley, 1692 bis 1762; englischer Astronom.

James Cook, 1728 bis 1779; englischer Seefahrer und Entdecker.

James Dean, 1931 bis 1955; amerikanischer Filmschauspieler.

James Prescott Joule, 1818 bis 1889; englischer Physiker.

James Last, geboren 1943; amerikanischer Dirigent und Pianist.

James Mason, 1909 bis 1984; englisch-amerikanischer Filmschauspieler.

James Clerk Maxwell, 1831 bis 1879; schottischer Physiker.

James Stuart, geboren 1908; amerikanischer Filmschauspieler.

James Dewey Watson, geboren 1928; amerikanischer Biochemiker.

James Watt, 1736 bis 1819; englischer Ingenieur, Erfinder der Dampfmaschine.

Jan *(m)* niederdeutsche, niederländische, polnische und russische Kurzform für Johannes; niederdeutsch auch: *Janne, Janus, Jannich;* friesisch: *Janning.*

Persönlichkeit der Geschichte:

Jan van Eyck, um 1390 bis 1441; niederländischer Maler; Mitgründer der flämischen Malerschule.

Jana *(w)* slawische weibliche Form zu Jan (Johannes); auch schwedische Kurzform für auf -iana endende weibliche Vornamen.

Jane *(w)* englische Form von Johanna; auch deutsche Kurzform für auf -iane endende weibliche Vornamen; Nebenform: *Janet.*

Persönlichkeiten:

Jane Fonda, geboren 1937, amerikanische Filmschauspielerin.

Janek *(m)* slawische Form von Johannes.

Janes *(m)* rheinische Koseform für Sebastian.

Janet *(w)* englische Verkleinerungsform von Jane.

Janett *(w)* Nebenform zu Janette.

Janette *(w)* deutsche Form von Jeannette; Nebenformen: *Janett* und *Jannette.*

Janfried *(m)* Doppelname aus Jan und auf -fried (althochdeutsch: *fridu* = Friede) endende männliche Vornamen.

Janheinz *(m)* Doppelname aus Jan und Heinz (Heinrich).

Janika *(w)* bulgarische Verkleinerungsform von Jana (Johanna).

Janina *(w)* slawische und ungarische Koseform für Johanna; Nebenform: *Janine, Janinka* und *Jannina.*

Janine *(w)* Nebenform zu Janina.

Janinka *(w)* Nebenform zu Janina.

Janis *(w)* litauische Form von Johanna.

Janita *(w)* weibliche Namensbildung aus Jan (Johannes).

Janka *(w)* ungarische Koseform für Jana (Johanna); slawische Koseform für Anna und andere Vornamen.

Jankó *(m)* ungarische Koseform für Johannes.

Janna *(w)* friesische Kurzform für Johanna; Nebenform: *Janne.*

Janne *(m)* niederdeutsche Form von Johannes.

Janne *(w)* friesische Kurzform für Johanna und Marianne.

Janneken *(w)* Koseform für Johanna.

Jannes *(m)* niederländische und friesische Form von Johannes; Nebenform: *Jannis.*

Jannetje *(w)* Verkleinerungsform von Janna.

Jannette *(w)* Nebenform zu Janette.

Jannich *(m)* niederdeutsche Form von Johannes.

Jannik *(m)* dänische Koseform für Jan (Johannes).

Jannina *(w)* Nebenform zu Janina.

Janning *(m)* niederdeutsche Koseform für Jan (Johannes).

Jannis *(m)* Nebenform zu Jannes.

Janno *(m)* Koseform für Johannes.

Jano *(m)* slowakische Kurzform für Johannes; ungarisch: *Janó.*

Janó *(m)* ungarische Kurzform für Johannes.

János *(m)* ungarische Form von Johannes.

Persönlichkeit:

János Kádár, geboren 1912; ungarischer Politiker, seit 1965 Generalsekretär der ungarischen Kommunistischen Partei.

Janosch *(m)* verdeutschte Form des ungarischen János.

Janpeter *(m)* Doppelname aus Jan und Peter.

Jantie *(w)* Verkleinerungsform von Janna.

Janus *(m)* niederdeutsche Form von Johannes; auch polnisch.

Jarmila *(w)* die weibliche Form zu Jaromil (Jaromir).

Jaro *(m)* Kurzform für Jaromir und Jaroslaw.

Jaromil *(m)* Nebenform zu Jaromir.

Jaromir *(m)* russisch = fester Friede; oder: mutig; Nebenform: *Jaromil;* Kurzform: *Jaro;* tschechische Form: *Jaromír;* Verkleinerungsform: *Mirek.*

Jaromír *(m)* tschechische Form von Jaromir.

Jaroš *(m)* Nebenform zu Jaroslaw.

Jaroslaw *(m)* slawisch = durch mutigen Kampf berühmt; Kurz- und Koseformen: *Jar, Jarik, Jark, Jarka, Jaro, Jaroš, Jasko, Jesko.*

Jarste *(w)* friesische Form für mit Ger- beginnende weibliche Vornamen.

Jascha *(m)* und *(w)* russische Koseform für Andrijan (Adrian), Jadwiga und Jakob.

Jasko *(m)* Koseform für Jaroslaw.

Jasmin *(w)* persisch; nach dem Blütenstrauch Jasmin; Nebenformen: *Jasmina, Jasmine, Yasmin, Yasmina, Yasmine.*

Jasmina *(w)* Nebenform zu Jasmin.

Jasmine *(w)* Nebenform zu Jasmin.

Jason *(m)* griechisch = heilend.

Jasp *(m)* englische Koseform für Kaspar.

Jaspar *(m)* friesische Form von Kaspar.

Jasper *(m)* deutsche Nebenform, niederländische und englische Form von Kaspar.

Jaspert *(m)* friesische Form von Kaspar.

Javier *(m)* spanische Form von Xaver.

Jean *(m)* französische Form von Johannes.

Persönlichkeiten der Geschichte:

Jean Anouilh, geboren 1910, französischer Dramatiker.

Jean Cocteau, 1889 bis 1963; französischer Schriftsteller, Maler, Filmregisseur und Drehbuchautor moderner Richtungen.

Jean Fournet, geboren 1913; französischer Dirigent.
Jean Gabin, 1904 bis 1976; französischer Tänzer und Filmschauspieler.
Jean-Paul (Friedrich Richter), 1763 bis 1825, deutscher Dichter.
Jean Renoir, 1894 bis 1979; französischer Filmregisseur.
Jean Sibelius, 1865 bis 1957; finnischer Komponist.

Jean-Antoine *(m)* französischer Doppelname (Johann und Anton).
Persönlichkeit der Geschichte:
Jean-Antoine Watteau, 1684 bis 1721; französischer Rokokomaler.

Jean-Auguste *(m)* französischer Doppelname Johann und August.

Jean-Baptiste *(m)* französischer Doppelname aus Jean (= Johannes) und Baptiste (= Täufer), nach Johannes dem Täufer des Neuen Testaments; deutsch: *Johann Baptist.*
Persönlichkeiten der Geschichte:
Jean-Baptiste Bernadotte, 1763 bis 1844; französischer General; seit 1818 als Karl XIV. schwedisch-norwegischer König.
Jean-Baptiste Chardin, 1699 bis 1779; französischer Maler.
Jean-Baptiste-Joseph de Fourier, 1768 bis 1830; französischer Mathematiker und Physiker.
Jean-Baptiste Lully, 1632 bis 1687, italienischer-französischer Komponist.

Jean-Bernard *(m)* französischer Doppelname (Johann und Bernhard).
Persönlichkeit der Geschichte:
Jean-Bernard-Léon Foucault, 1819 bis 1868; französischer Physiker.

Jean-Christophe *(m)* französischer Doppelname (Johann und Christoph).

Jean-Claude *(m)* französischer Doppelname (Johann und Klaudius).

Jean-Daniel *(m)* französischer Doppelname (Johann und Daniel).

Jean-Francois *(m)* französischer Doppelname (Johann und Franz).

Jean-Honoré *(m)* französischer Doppelname (Johann und Honorius).

Jeanine *(w)* Nebenform zu Jeannine.

Jean-Jacques *(m)* französischer Doppelname (Johann und Jakob).
Persönlichkeit der Geschichte:
Jean-Jacques Rousseau, 1712 bis 1778; französisch-schweizerischer Aufklärungsphilosoph, Pädagoge und Schriftsteller.

Jean-Louis *(m)* französischer Doppelname (Johann und Ludwig).
Persönlichkeit der Geschichte:
Jean-Louis Barrault, 1910 bis 1994; französischer Schauspieler und Regisseur.

Jean-Luc *(m)* französischer Doppelname (Johann und Lukas).
Persönlichkeit:
Jean-Luc Godard, geboren 1930; französischer Filmregisseur.

Jean-Martin *(m)* französischer Doppelname (Johann und Martin).

Jean-Michel *(m)* französischer Doppelname (Johann und Michael).

Jeanne *(w)* die französische Form von Johanna; Verkleinerungsform: *Jeannette;* Weiterbildung: *Jeannine.*
Persönlichkeiten der Geschichte:
Jeanne d'Arc, »la pucelle«, um 1412 bis 1431; die »Jungfrau von Orléans«; befreite Frankreich von England und führte den französischen König Karl XII. zur Krönung nach Reims; von den Engländern zum Tod auf dem Scheiterhaufen verurteilt; Nationalheldin der Franzosen.

Jeannette *(w)* französische Verkleinerungsform von Jeanne.

Jeannine *(w)* französische Weiterbildung von Jeanne; Nebenform: *Jeanine;* polnische englische Form: *Janine.*

Jean-Paul *(m)* französischer Doppelname (Johann und Paul).

Persönlichkeiten der Geschichte:
Jean-Paul Belmondo, geboren 1933; französischer Bühnen- und Filmschauspieler.
Jean-Paul Marat, 1743 bis 1793 (von Charlotte Corday ermordet); französischer Revolutionär und Arzt.
Jean-Paul Sartre, 1905 bis 1980; französischer existentialistischer Philosoph und Schriftsteller.

Jean-Philippe *(m)* französischer Doppelname (Johann und Philipp).

Jean-Pierre *(m)* französischer Doppelname (Johann und Peter).

Jeff *(m)* englische Kurzform für Jeffrey.

Jeffrey *(m)* englische Form von Gottfried; Kurzform: *Jeff.*

Jehanne *(w)* friesische Nebenform zu Johanna.

Jehannes *(m)* friesische Nebenform zu Johannes.

Jehudi *(m)* hebräisch; männliche Form zu Judith; Nebenform: *Yehudi.*

Jekaterina *(w)* russische Form von Katharina.

Jeldrik *(m)* jüngere friesische Form für Adalrich.

Jelena *(w)* russische Form von Helene; Koseform: *Jelenka.*

Jelnka *(w)* russische Koseform für Jelena (Helene).

Jelger *(m)* friesische Form von Adalger.

Jelica *(w)* slawische Form von Helene.

Jelisaweta *(w)* russische Form von Elisabeth.

Jelissa *(m)* russische Form von Elisäus.

Jelka *(w)* friesische Kurzform für mit Geld- gebildete weibliche Vornamen; ungarische Form von Héloise und Koseform für Helene.

Jella *(w)* Koseform für Gabriella und Gabriele.

Jelle *(m)* friesische Kurzform für mit Geld- beginnende männliche Vornamen; Nebenform: *Jelto.*

Jelto *(m)* Nebenform zu Jelle.

Jendrich *(m)* slawische Form von Heinrich; Nebenformen: *Jendrick, Jendrik, Jenrich.*

Jendrick *(m)* Nebenform zu Jendrich.

Jendrik *(m)* Nebenform zu Jendrich.

Jeneke *(w)* Koseform für Johanna.

Jengen *(w)* Koseform für Johanna.

Jeníček *(m)* tschechische Form von Johannes.

Jeník *(m)* tschechische Form von Johannes.

Jenne *(m)* Koseform für Johannes.

Jenni *(m)* Koseform für Eugen und Johannes.

Jenni *(w)* Koseform für Johanna; englische Nebenform: *Jenny.*

Jennifer *(w)* englisch, aus keltisch: *Guinevere.*

Jenning *(m)* niederdeutsche Form von Jan (Johannes).

Jenny *(w)* englische Koseform für Johanna.

Persönlichkeit der Geschichte:
Jenny Lind, 1820 bis 1887; schwedische Sängerin (»Nachtigall«); Sopranistin.

Jenö *(m)* ungarische Form von Eugen.

Jenrich *(m)* Nebenform zu Jendrich.

Jens *(m)* dänische Form von Johannes.

Jensine *(w)* dänische Form von Johanna.

Jephtha *(m)* hebräisch = (Gott) öffnet; verdeutscht: *Jefta.*

Jermia *(m)* ökumenische Form von Jeremias.

Persönlichkeit der Geschichte:
Jeremia, 7. Jahrhundert v. Chr.; im Alten Testament der zweite der Großen Propheten; nach ihm das *Buch Jeremia* benannt.

Jeremias *(m)* hebräisch: *jerem'jahu* = Jahwe (Gott) verwirft; schweizerische Form: *Mies;* englisch: *Jeremy;* Koseform: *Jerry;* ökumenisch: *Jeremia;* finnisch: *Jeroma.*

Jerk *(m)* schwedische Nebenform zu Erich; auch *Jerker.*

Jerker *(m)* schwedische Nebenform zu Erich.

Jerman *(m)* englische Form von German.

Jermyn *(m)* englische Form von German.

Jero *(m)* Kurzform für Jeronimus (Hieronymus).

Jeroboam *(m)* hebräisch: = der Barmherzige.

Jeroma *(m)* finnische Form von Jeremias.

Jerome *(m)* englische Form von Jérôme (Hieronymus).

Jérôme *(m)* französische Form von Hieronymus; englisch: *Jerome.*

Jeron *(m)* auch Hieron, Kurzform für Jeronimus (Hieronymus).

Jeronimo *(m)* Nebenform zu Jeronimus (Hieronymus).

Jeronimus *(m)* Nebenform zu Hieronymus; auch: *Jero, Jeron, Jeronimo.*

Jerra *(w)* friesische Koseform für Gertrud.

Jerre *(m)* niederdeutsche Form für Erich.

Jerry *(m)* englische Koseform für Gerald und Jeremias.

Persönlichkeit:

Jerry Lewis, geboren 1926; amerikanischer Filmkomiker.

Jerzy *(m)* polnische Form von Georg.

Jesaja *(m)* ökumenische Form von Jesajas.

Jesajas *(m)* hebräisch: *jescha'ja* = Heil Jahwes (Gottes); in der Vulgata: *Isaias;* ökumenische Form: *Jesaja.*

Persönlichkeit der Geschichte:

Jesajas, im Alten Testament einer der vier Großen Propheten; lebte und wirkte im 8. Jahrhundert v. Chr. in Jerusalem; von ihm der erste Teil des »Buchs Jesaja«.

Jesekiel *(m)* russische Form von Ezechiel.

Jesko *(m)* Koseform für Jaromir und Jaroslaw.

Jesper *(m)* dänische Form von Kaspar.

Jesse *(m)* hebräisch; ökumenische Form: Isai.

Jessica *(w)* englisch aus hebräisch *jiskah* = Gott sieht; Nebenform: *Jessika.*

Jessika *(w)* Nebenform zu englisch Jessica; schwedische Koseform für Johanna.

Jetta *(w)* Nebenform zu Jette.

Jette *(w)* deutsche und französische Kurzform für Henriette; Nebenform: *Jetta.*

Jewfrossinja *(w)* russische Form von Euphrosyne.

Jewgenij *(m)* russische Form von Eugen.

Jidáš *(m)* tschechische Form von Juda.

Jill *(w)* englische Kurzform für Gillian (Juliana).

Jim *(m)* Nebenform zu Jimmy.

Jimi *(m)* Nebenform zu Jimmy.

Jimmy *(m)* englische Koseform für James (Jakob); Nebenformen: *Jim, Jimi.*

Persönlichkeit:

Jimmy Carter, geboren 1924; amerikanischer demokratischer Politiker; der 39. Präsident (1976 bis 1981) der Vereinigten Staaten von Amerika.

Jindra *(w)* tschechischer weiblicher Vorname zu Jindřich.

Jindřich *(m)* tschechische Form von Heinrich; Koseform: *Jindřiška.*

Jiři *(m)* tschechische Form von Georg; Nebenformen: *Jiřík* und *Jiřiček.*

Jirko *(m)* tschechische Koseform für Jiři (Georg).

Jitka *(w)* tschechische Koseform für Judith.

Jo *(w)* englische Kurzform für Johanna und Josefine; allgemein auch Kurzform für mit Jo- beginnende weibliche Vornamen.

Joachim *(m)* hebräisch: *jehojaqim* = von Gott aufgerichtet; Kurzformen: *Jochim, Jochem, Jochen, Juchem, Achim, Chim;* italienische Form: *Gioacchino;* spanisch: *Joaquín;* portugiesisch: *Joaquim;* russisch: *Joakim, Akim;* bulgarische und schwedische Kurzform: *Kim.*

Persönlichkeiten der Geschichte:

Joachim I. Nestor, 1484 bis 1535, Kurfürst von Brandenburg, gründete die Universität in Frankfurt/Oder.

Joachim Neander, 1650 bis 1680, evangelischer Kirchenlieddichter und Pastor in Bremen. Nach ihm wurde das Neandertal benannt.

Joachim Ringelnatz, 1883 bis 1934; deutscher humoristischer und kabarettistischer Schriftsteller.

Joachime *(w)* die weibliche Form zu Joachim.

Joakim *(m)* russische Form von Joachim.

Joan *(m)* spanische Form von Johannes.

Persönlichkeit der Geschichte:

Joan Miró, 1893 bis 1983; spanischer surrealistischer Maler und Graphiker.

Joan *(w)* englische Form von Johanna.

Joanna *(w)* Nebenform und polnische Form von Johanna.

Joao *(m)* portugiesische Form von Johannes.

Joaquim *(m)* portugiesische Form von Joachim.

Joaquín *(m)* spanische Form von Joachim.

Job *(w)* hebräisch, Nebenform von *Hiob;* Ijob.

Jobbi *(m)* Koseform für Jakob.

Jobst *(m)* Koseform für Jodokus und Justus.

Jocelyn *(m)* englische und französische Form von Jodok.

Jochem *(m)* Kurzform für Joachim.

Jochen *(m)* Kurzform für Joachim.

Jochim *(m)* Kurzform für Joachim.

Jockel *(m)* Koseform für Jakob.

Jocki *(m)* Koseform für Jakob.

Jocky *(m)* Koseform für Jakob.

Joconde *(m)* französische Form von Jukundus.

Jod *(m)* Nebenform zu Jost.

Jodel *(m)* Nebenform zu Jost.

Jodokus *(m)* lateinische Form von Jodok.

Joe *(m)* englische Kurzform für Josef.

Joel *(m)* hebräisch: *jo'el* = Jahwe ist Gott; französische Form: *Joel.*

Jofried *(m)* Neubildung aus Johannes und Friedrich.

Joggeli *(m)* Koseform für Jakob.

Joggi *(m)* Koseform für Jakob.

Johan *(m)* niederländische und nordische Form von Johannes.

Johann *(m)* Kurzform von Johannes.

Persönlichkeiten der Geschichte:

Johann Baptist de Lasalle, 1651 bis 1719; Priester; Gründer der Genossenschaft der Schulbrüder, zahlreicher Freischulen und der französischen Volksschule.

Johann Nepomuk David, 1895 bis 1977; österreichischer Komponist.

Johann Sebastian Bach, 1685 bis 1750; deutscher Komponist; Meister der Barockmusik und der evangelischen Kirchenmusik.

Johann Andreas Eysenbarth, 1663 bis 1727; der Augen- und Wundarzt »Doktor Eisenbart«.

Johann Gottlieb Fichte, 1762 bis 1814; deutscher idealistischer Philosoph.

Johann Wolfgang von Goethe, 1749 bis 1832; deutscher Dichter und Naturwissenschaftler.

Johann Gottfried von Herder, 1744 bis 1803; deutscher Dichter, Theologe, Historiker und Kulturphilosoph.

Johann Kepler, 1571 bis 1630; deutscher Astronom.

Johann Heinrich Pestalozzi, 1746 bis 1827; schweizerischer Pädagoge und Sozialreformer.

Johann Gottfried Schadow, 1764 bis 1850; deutscher klassischer Plastiker und Graphiker.

Johann Schrammel, 1850 bis 1893; österreichischer Violinist und auch Komponist.

Johann Georg Seidenbusch, 1641 bis 1729; deutscher katholischer Theologe; gründete in Aufhausen (Oberpfalz) die Wallfahrtskirche Maria Schnee und ein Oratorianerinstitut.

Johann Strauß (Vater), 1804 bis 1849; österreichischer Komponist.

Johann Strauß (Sohn), 1825 bis 1899; österreichischer Komponist.

Johann Tetzel, um 1465 bis 1519; deutscher Dominikaner; Ablaßprediger.

Johann Tserclaes von Tilly, 1559 bis 1632; kaiserlicher Feldherr im Dreißigjährigen Krieg.

Johanna *(w)* die weibliche Form zu Johannes; Nebenform: *Joanna;* Kurz- und Koseformen: *Hanna, Hanne, Hannele, Hannel, Hannchen, Hansi, Andel, Janneken, Jeneke, Jengen, Netta, Nette, Nettchen;* dänische Formen: *Jensine, Jonna;* schwedisch: *Hanna;* polnisch: *Janina, Joanna, Anusia;* tschechisch: *Jana, Ivana;* russisch: *Ivanna;* serbokroatisch: *Ivanka, Jovanka;* englisch: *Jane, Janet, Joan, Jenny;* französisch: *Jeanne, Jeannette;* italienisch: *Giovanna,* Koseform: *Gianna, Nana;* spanisch: *Juana, Juanita;* ungarisch: *Janka.*

Persönlichkeiten der Geschichte:

Johanna Maria Bonomo, 1606 bis 1670; italienische Benediktinerin; stigmatisierte Äbtissin.

Johanna von Valois, 1464 bis 1505; Tochter König Ludwigs XI. von Frankreich; Gründerin der Annuntiatinnen.

Johanna die Wahnsinnige, 1479 bis 1555, Königin von Kastilien, Mutter Kaiser Karl V. und Ferdinand I.

Johannes *(m)* hebräisch *Jochanan* = Gott ist gnädig; griechische Form: *Ioannes;* Kurz- und Koseformen: *Johann, Hans, Hansi, Hannes, Hanno, Han, Henne, Henneke, Henning, Hannemann, Hanke, Henke, Jahn, Jan, Jens, Jes, Janning, Henschel, Jenne, Jenni, Haiseli, Schani, Schang, Schäng;* friesische Kurzform: *Hasko;* niederländische Form: *Jan;* österreichische Koseform: *Schani;* englisch: *John, Johnny, Jack;* dänisch: *Jens;* französisch: *Jean;* italienisch: *Giovanni;* Koseform: *Gian, Gianni, Nino;* spanisch: *Juan, Juanito;* portugiesisch: *Joao;* schwedisch: *Jon;* tschechisch: *Jan, Jenik, Jeníček, Ivo;* Koseform: *Huschka;* polnisch: *Jan, Janus;* russisch: *Iwan;* ungarisch: *János;* finnisch: *Juhani;* lettisch: *Ansis;* litauisch: *Anskis.*

Persönlichkeiten der Geschichte:

Johannes, I. Jahrhundert; der Apostel, den Jesus liebte; verfaßte das nach ihm benannte Evangelium sowie auf Patmos die Geheime Offenbarung

Johannes vom Kreuz, 1542 bis 1591; Karmeliter; mit Theresia von Ávila bemüht um Ordensreform; Prior in Segovia; Mystiker.

Johannes der Täufer, 1. Jahrhundert; Bußprediger; taufte Jesus; verkündig-

te das Messiasreich; Herodes Antipas ließ ihn enthaupten.
Johannes I., gestorben 526; Papst; starb in Gefangenschaft Theoderichs
Johannes XXIII., 1881 bis 1963; Papst; berief das 2. Vatikanische Konzil.
Johannes Chrysostomus, 350 bis 407; Bischof von Konstantinopel; berühmter Prediger der Ostkirche; starb in der Verbannung.
Johannes Paul I.; 1912 bis 1978; wurde 1978 Papst (33 Tage).
Johannes Paul II.; geboren 1920; Papst; Pole; nach 455 Jahren 1978 als erster Nichtitaliener gewählt.
Johannes R. Becher, 1891 bis 1958, Schriftsteller und Lyriker, schloß sich dem Kommunismus an.
Johannes Brahms, 1833 bis 1897; deutscher spätromantischer Komponist.
Johannes Bugenhagen, 1485 bis 1558; Reformator in Norddeutschland und Dänemark.
Johannes Calvin, 1509 bis 1564; Reformator der französischen Schweiz
Johannes Cochläus, 1479 bis 1552; katholischer Theologe; erst zu Luther positiv stehend, wurde er sein Gegner und vertrat in Wort und Schrift die katholische Kirche auf Reichstagen und Religionsgesprächen.
Johannes Eudes, 1601 bis 1680; gründete eine Weltpriester- und eine Schwesternkongregation; Volksmissionar
Johannes Evangelista Goßner, 1773 bis 1858; evangelischer Erweckungsprediger; förderte die Mission.
Johannes Gutenberg, um 1397 bis 1468; Erfinder des Buchdrucks mit beweglichen Lettern.
Johannes Haller, 1865 bis 1947; deutscher Geschichtsforscher des Mittelalters.
Johannes Höver, 1816 bis 1864; deutscher Jugendseelsorger; Gründer der Armen Brüder vom heiligen Franziskus
Johannes (Jan) Hus, um 1370 bis 1415; tschechischer Reformator in Böhmen; als Ketzer verurteilt; evangelischer Blutzeuge.
Johannes Kepler, 1571 bis 1630; deutscher Mathematiker und Astronom.
Johannes Kaspar Kratz, 1698 bis 1737; Jesuit; seit 1736 Missionar in Indochina; mit 3 Gefährten Märtyrer.
Johannes von Kety, 1390 bis 1473; Kanoniker und Universitätslehrer in Krakau.
Johannes Leisentritt, 1527 bis 1586; Stiftsdekan in Olmütz; Generalkommissar der Lausitzen; vertrat deutsche Sprache für die Liturgie und verfaßte deutsche Kirchenlieder.
Johannes Leonardi, 1541 bis 1609; italienischer Theologe; in päpstlichem Auftrag Ordensreformator.
Johannes von Nepomuk, um 1350 bis 1393; Generalvikar von Prag; von König Wenzel gefangengenommen und in der Moldau ertränkt; Märtyrer (Gedenktag: 16. Mai).
Johannes Prassek, 1911 bis 1943; deutscher katholischer Theologe; wegen Verbreitung von Predigten des Bischofs von Galen (Münster) mit Kaplan Hermann Lange und Eduard Müller hingerichtet.
Johannes Reuchlin, 1455 bis 1522; deutscher Humanist und Philologe.
Johannes Sarkander, 1576 bis 1620; Jesuit; wirkte in Mähren für den katholischen Glauben; Märtyrer.
Johannes Schaaf, geboren 1933; deutscher Schauspieler und Regisseur.
Johannes Schultz, 1884 bis 1970; deutscher Neurologe; gründete autogenes Training.
Johannes Simmel, geboren 1924; österreichischer Unterhaltungsschriftsteller.
Johannes Skotus, gestorben 1066; iri-

scher Priester; 1055 Bischof von Mecklenburg; Märtyrer.
Johannes Stark, 1874 bis 1957; deutscher Physiker.
Johannes Maria Vianney, 1786 bis 1859; französischer Bauernsohn; nach schwerem Studium Landpfarrer von Ars; Beichtvater, Seelenführer und Helfer in religiösen Fragen.

Johanno *(m)* Weiterbildung von Johann.

John *(m)* niederdeutsche und englische Kurzform für Johannes.

Persönlichkeiten der Geschichte:
John Barbirolli, 1899 bis 1970; englischer Cellist und Dirigent.
John Cage, geboren 1912; amerikanischer Pianist und Komponist (25-Ton-Musik).
John Constable, 1776 bis 1837; englischer realistischer Landschaftsmaler.
John Cranko, 1927 bis 1973; englischer Tänzer und Choreograph.
John Dalton, 1766 bis 1844; englischer Chemiker und Physiker.
John Dewey, 1859 bis 1952; amerikanischer Sozialphilosoph, Psychologe und Pädagoge.
John Dos Passos, 1896 bis 1970; amerikanischer Schriftsteller.
John Foster Dulles, 1888 bis 1959; amerikanischer einflußreicher Politiker (Republikaner).
John Boyd Dunlop, 1840 bis 1921; schottischer Erfinder der pneumatischen Luftreifen.
John Eliot, gestorben 1690; evangelischer Indianermissionar.
John F. Enders, geboren 1897; amerikanischer Mikrobiologe.
John Fisher, um 1469 bis 1535; englischer katholischer Theologe; Kardinal, den Heinrich VIII. enthaupten ließ; Märtyrer.
John Ford, 1895 bis 1973; amerikanischer Filmregisseur.
John Fowler, 1817 bis 1898; englischer Ingenieur (Londoner U-Bahn).
John Franklin, 1786 bis 1847; englischer Polarforscher.
John Galsworthy, 1867 bis 1933; englischer Schriftsteller.
John H. Glenn, geboren 1921; amerikanischer Astronaut.
John Hooper, gestorben 1555; englischer Bischof.
John Keats, 1795 bis 1821; englischer Dichter der Hochromantik.
John C. Kendrew, geboren 1917; englischer Chemiker.
John F. Kennedy, 1917 bis 1963; der 35. Präsident der Vereinigten Staaten von Amerika (ermordet).
John M. Keynes, 1883 bis 1946; englischer Nationalökonom und Politiker.
John Knox, um 1502 bis 1572; Reformator Schottlands.
John Law, 1671 bis 1729; schottischer Nationalökonom; arbeitete als Finanzmann in Frankreich.
John Lennon, 1940 bis 1980; englischer Musiker der »Beatles« (ermordet).
John Locke, 1632 bis 1704; englischer Philosoph des Empirismus.
John James R. Macleod, 1876 bis 1935; englisch-kanadischer Physiologe.
John Ch. Marlborough, 1650 bis 1722; englischer Feldherr und Politiker; Sieger im Spanischen Erbfolgekrieg.
John Stuart Mill, 1806 bis 1873; englischer utilitaristischer Philosoph und Nationalökonom.
John Milton, 1608 bis 1674; englischer humanistischer Dichter.
John Napier, 1550 bis 1617; schottischer Mathematiker.
John Neumeier, geboren 1942; amerikanischer Choreograph.
John Northrop, geboren 1891; amerikanischer Biochemiker.
John Osborne, geboren 1929; englischer Schriftsteller; Dramatiker.

John Rayleigh, 1842 bis 1919; englischer Physiker.

John Ross, 1777 bis 1856; englischer Polarforscher.

John Steinbeck, 1902 bis 1968; amerikanischer realistischer Schriftsteller.

John M. Synge, 1871 bis 1909; irischer Schriftsteller; Dramatiker.

John Travolta, geboren 1954; amerikanischer Sänger und Schauspieler.

John Wayne, 1907 bis 1979; amerikanischer Schauspieler.

John Wesley, gestorben 1791; englischer evangelischer Erweckungsprediger.

Johnny *(m)* englische Koseform für John (Johannes) und Jonas; Nebenformen: *Jonny, Jonni.*

Johst *(m)* Nebenform zu Jost.

Joki *(m)* Koseform für Jakob.

Joky *(m)* Koseform für Jakob.

Jola *(w)* Kurz- und Koseform für Jolanthe; Nebenform: Yola.

Jolanda *(w)* italienische und spanische Form von Jolanthe.

Persönlichkeiten der Geschichte:

Jolanda, 13. Jahrhundert; französische Benediktinerin; später Zisterzienserin.

Jolanda von Vianden, gestorben 1283; seit 1258 Priorin des Dominikanerinnenklosters Mersch in Luxemburg.

Jolande *(w)* Nebenform zu Jolanthe.

Jolanta *(w)* Nebenform zu Jolanthe.

Persönlichkeit der Geschichte:

Jolanta, 1235 bis 1298; ungarische Königstochter; Gattin Herzog Boleslaws VI.; nach dessen Tod Klarissin; 1292 Äbtissin zu Gnesen.

Jolanthe *(w)* von griechisch: *ion antos* = Veilchenblüte (?); Nebenformen: *Jolanta, Jolande, Yolanda;* Kurz- und Koseformen: *Jola, Yola, Guland;* italienische und spanische Form: *Jolanda.*

Jon *(m)* Kurzform für Johannes und Jonas; auch schwedische Form von Johannes.

Jona *(m)* ökumenische Form von Jonas.

Jonas *(m)* hebräisch: *jonah* = Taube; ökumenische Form: *Jona;* Koseform: *Jonko;* italienische Form: *Giona.*

Persönlichkeiten der Geschichte:

Jonas, 8. Jahrhundert v. Chr.; einer der Kleinen Propheten des Alten Testaments; über ihn berichtet das »Buch Jonas«.

Jonas Edward Salk, geboren 1914; amerikanischer Bakteriologe.

Jonathan *(m)* hebräisch: *jehonathan* = Geschenk Jahwes (Gottes); italienische Form: *Gionata.*

Persönlichkeit der Geschichte:

Jonathan Swift, 1667 bis 1745; englischer satirischer Schriftsteller.

Jonko *(m)* Koseform für Johannes und Jonas.

Jonna *(w)* dänische Form von Johanna.

Jonni *(m)* Nebenform zu Johnny.

Jonny *(m)* Nebenform zu Johnny.

Persönlichkeiten:

Jonny Cash, geboren 1932; amerikanischer Musiker (Country- und Westernmusik).

Jöns *(m)* schwedische Form Johann.

Persönlichkeit der Geschichte:

Jöns Jacob von Berzelius, 1779 bis 1848; schwedischer Chemiker.

Jooris *(m)* Nebenform zu Joris.

Joos *(m)* Nebenform zu Jost.

Joost *(m)* niederländische Form von Jodok.

Joppes *(m)* Koseform für Jakob.

Jöran *(m)* schwedische Form von Georg.

Jordaan *(m)* niederländische Form von Jordan.

Jordan *(m)* germanisch-althoch-

deutsch: Erde und kühn; niederländische Form: *Jordaan;* französisch: *Jourdain;* italienisch: *Giordano.*
Persönlichkeiten der Geschichte:
Jordan, gestorben 1237; Dominikaner; 1222 Nachfolger des Dominikus als Ordensmeister; ertrank bei Schiffbruch.
Jordan Mai, 1866 bis 1922; deutscher Laienbruder im Franziskanerorden; führte strenges Leben der Sühne.

Jorg *(m)* Nebenform zu Jörg.

Jörg *(m)* Kurzform für Georg; Nebenform: *Jorg.*
Persönlichkeit:
Jörg Demus, geboren 1928; österreichischer Konzertpianist und Kammermusiker.

Jorge *(m)* portugiesische und spanische Form von Georg.
Persönlichkeiten der Geschichte:
Jorge Amado, geboren 1912; brasilianischer sozialkritischer Schriftsteller.
Jorge Luis Borges, geboren 1899; argentinischer Schriftsteller; auch Übersetzer.

Jörgen *(m)* dänische Form von Jürgen (Georg).

Jorid *(w)* isländischer Herkunft: *ior* = Pferd; *frithr* = schön.

Jorina *(w)* friesische weibliche Form zu Gregor; Nebenformen: *Jorine, Jorinna, Jorinde.*

Jorinde *(w)* Nebenform zu Jorina.

Jorine *(w)* Nebenform zu Jorina.

Jorinna *(w)* Nebenform zu Jorina.

Joris *(m)* niederdeutsche und niederländische Form von Georg und Gregor; Nebenform: *Jooris.*

Joris *(w)* neulateinische Form von Georgia.

Jorit *(m)* Nebenform zu Jorrit.

Jork *(m)* Nebenform zu Georg; auch Kurzform für mit Eber- oder Ewer- beginnende männliche Vornamen.

Jorma *(m)* finnische Koseform für Jeroma (Jeremias).

Jorn *(m)* friesische Form für Eberwin.

Jörn *(m)* niederdeutsche Form und Koseform für Jürgen (Georg).

Jörna *(w)* die weibliche Form zu Jörn.

Jorrit *(m)* friesische Form für Eberhard; Nebenform: *Jorit.*

Jos *(m)* Kurzform für Josef und andere mit Jos- beginnende männliche Vornamen; Koseform für Jodok.

Josaphat *(m)* hebräisch: *jehu'schafat* = Jahwe (Gott) richtet; Namensform der Lutherbibel, *Iosaphat* in der Vulgata; ökumenische Form: *Joschafat.*

Joscha *(m)* ungarische Koseform für Josef.

Joschafat *(m)* ökumenische Form von Josaphat.

Joschija *(m)* ökumenische Form von Josias.

José *(m)* spanische Form von Josef; auch französisch und portugiesisch.
Persönlichkeit der Geschichte:
José Ortega y Gasset, 1883 bis 1955; spanischer Philosoph, Soziologe und Schriftsteller; Essayist.

Josée *(w)* die weibliche Form zu französisch José (Josef).

Josef *(m)* hebräisch: *joseph* = Jahwe (Gott) fügt hinzu; ältere Schreibweise: *Joseph;* Kurz- und Koseformen: *Sepp, Seppo, Seppi, Beppo, Beppi, Pepi, Peppi, Josel, Josl, Seppl, Sepperle, Seppli, Sebi, Sebel, Jupp;* englische Form: *Joseph;* Koseformen: *Joe, Jo;* französisch: *Joseph, José;* italienisch: *Giuseppe;* Kurzform: *Beppe;* spanisch und portugiesisch: *José;* polnisch: *Józef;* russisch: *Ossip;* arabisch: *Jussuf.*
Persönlichkeiten der Geschichte:
Josef, im Neuen Testament Bräutigam Marias, dann Ziehvater Jesu.

Josef Freinademetz, 1852 bis 1909; Steyrer Missionar in China.

Josef Frings, 1887 bis 1978; Erzbischof von Köln seit 1942; Kardinal.

Josef Greindl, geboren 1912; deutscher Sänger (Baß-Bariton).

Josef Hoffmann, 1870 bis 1956; österreichischer Architekt.

Josef Kainz, 1858 bis 1910; österreichischer Schauspieler klassischer Rollen.

Josef Keilberth, 1908 bis 1968; deutscher Opern- und Konzertdirigent.

Josef Kentenich, 1885 bis 1968; deutscher Pallottiner; Gründer der Schönstattbewegung; überlebte Konzentrationslager des Nationalsozialismus.

Josef Krips, 1902 bis 1974; österreichischer Dirigent.

Josef Lenzel, 1890 bis 1942; deutscher katholischer Priester in Berlin; hielt Bestimmungen für Gottesdienst polnischer Zwangsarbeiter nicht ein; erlag in Dachau den brutalen Methoden der Lagerleitung.

Josef Lingens, 1818 bis 1902; deutscher Rechtsanwalt; Gründer mehrerer kirchlicher und sozial-caritativer Einrichtungen.

Josef Meinrad, geboren 1913; österreichischer Bühnen- und Filmschauspieler.

Josef Mindszenty, Kardinal, ungarischer Theologe; Kämpfer gegen den Kommunismus; zu lebenslangem Zuchthaus verurteilt; 1956 befreit.

Josef Müller, 1894 bis 1944; deutscher katholischer Theologe; Pfarrer des Bistums Hildesheim; wegen Weitererzählen eines politischen Witzes hingerichtet.

Josef Stalin 1879 bis 1953; sowjetischer Politiker, Nachfolger Lenins.

Josef Weinheber, 1892 bis 1945, österreichische Schriftsteller und Lyriker.

Josefa *(w)* die weibliche Form zu Josef; ältere Schreibweise: *Josepha;* italienische Form: *Giuseppa.*

Josefina *(w)* spanische Form von Josefine.

Josefine *(w)* andere weibliche Form zu Josef; ältere Schreibweise: *Josephine;* Nebenform: *Josefina;* Kurz- und Koseformen: *Josefa, Josepha, Josi, Josy, Sefa, Sefe, Seffi, Seferl, Seppele, Seppeli, Sefchen, Peppi, Peppe, Beppa, Fina, Fine, Finchen, Finnchen, Finnie, Finni, Fiene;* französische Formen: *Joséphine, Josée, Josette;* italienisch: *Giuseppa, Giuseppina;* Koseform: *Peppina;* spanisch: *Josefina, Josefita;* Koseform: *Pepita, Fita.*

Persönlichkeit:

Josefine Baker, 1906 bis 1975; amerikanische Revuetänzerin und Sängerin; gründete Heim für verschiedenrassige Waisenkinder.

Joseph *(m)* ältere Schreibweise für Josef.

Persönlichkeiten der Geschichte:

Joseph II., 1741 bis 1790; absolutistischer römisch-deutscher Kaiser; innenpolitische Reformen.

Joseph Beuys, 1921 bis 1986; Objekt- und Aktionskünstler.

Joseph Conrad, 1857 bis 1924, Schriftsteller, britischer Staatsbürger.

Joseph von Eichendorff, 1788 bis 1857; deutscher romantischer Schriftsteller; Lyrik und Erzählungen.

Joseph von Fraunhofer, 1787 bis 1826; deutscher Physiker.

Joseph Goebbels, 1897 bis 1945; nationalsozialist. Propagandaminister.

Joseph Haydn, 1732 bis 1809, österreichischer Komponist, (»Schöpfung«, »Jahreszeiten«).

Joseph Höffner, 1906 bis 1993; deutscher katholischer Theologe; Erzbischof von Köln, Kardinal.

Joseph-Marie Jacquard, 1752 bis 1834;

französischer Weber; erfand den Jacquard-Webstuhl.

Joseph-Michel Montgolfier, 1740 bis 1810; französischer Erfinder des Heißluftballons.

Joseph Pulitzer, 1847 bis 1911; amerikanischer Journalist; Stifter des Pulitzer-Preises.

Joseph von Radetzky, 1766 bis 1858; österreichischer Feldmarschall.

Joseph Ratzinger, geboren 1927; deutscher katholischer Theologe; Erzbischof von München-Freising; Kardinal; seit 1981 Kurienkardinal in Rom.

Joseph Schumpeter, 1883 bis 1950; österreichischer Volkswirtschaftler und Politiker.

Joseph Smith, 1805 bis 1844; Gründer der Mormonen; wurde ermordet.

Josepha *(w)* ältere Schreibweise von Josefa.

Josephine *(w)* ältere Schreibweise von Josefine.

Joséphine *(w)* französische Form von Josefine.

Josette *(w)* französische Koseform für Joséphine (Josefine).

Joshua *(m)* englische Form von Josua.

Josias *(m)* hebräisch: *joschua* = Jahwe (Gott) heilt; ökumenische Form: *Joschija.*

Josina *(w)* niederländische Form von Josefine.

Josip *(m)* slawische Form von Josef.

Persönlichkeiten der Geschichte:

Josip Broz Tito, 1892 bis 1980; jugoslawischer kommunistischer Politiker; ab 1953 Staatspräsident.

Josse *(m)* französische Form von Jodok.

Jost *(m)* Kosename für Jodok und Justus; Nebenformen: *Joos, Johst, Josse, Jodel, Jod, Dokus;* niederländische Form: *Joost.*

Josta *(w)* die weibliche Form zu Jost.

Josua *(m)* hebräisch: *joschua* = Jahwe (Gott) hilft; griechische Form: *Jesus;* englisch: *Joshua;* italienisch: *Giosuè;* spanisch: *Josué.*

Josy *(w)* Koseform für Josefine.

Joubert *(m)* französische Form von Gosbert.

Joujou *(w)* französischer Phantasiekosename für kleine Mädchen.

Jourdain *(m)* französische Form von Jordan.

Jovan *(m)* serbokroatische Form von Johannes.

Jovanka *(w)* serbokroatische und slowenische Form von Johanna.

Jovita *(w)* südslawische Koseform für Johanna; Nebenform: *Jowita.*

Jowita *(w)* Nebenform zu Jovita.

Joy *(w)* englischer Kosename: = Freude.

Joyce *(m)* englische Form von Jodok.

Józef *(m)* polnische Form von Josef.

Ju *(w)* russische Koseform für Julja (Julia).

Juan *(m)* spanische Form von Johannes.

Persönlichkeiten der Geschichte:

Juan d'Austria, 1547 bis 1578; spanischer Feldherr; siegte 1571 bei Lepanto über die Türken.

Juan Carlos I., geboren 1938; wurde 1975 König von Spanien.

Juan Ramón Jiménez, 1881 bis 1958; spanischer modernistischer und realistischer Schriftsteller.

Juan Domingo Perón, 1895 bis 1974; argentinischer Politiker; 1951 bis 1955 und 1973 bis 1974 Staatspräsident.

Juana *(w)* spanische Form von Johanna; Koseform: *Juanita.*

Juanita *(w)* spanische Koseform und Verkleinerung für Juana (Johanna).

Juchem *(m)* Kurzform für Joachim.

Jucunda *(w)* die weibliche Form zu Jucundus (Jukundus).

Jucundus *(m)* lateinische Form von Jukundus.

Juda *(m)* hebräisch: *jehuda* = Jahwe (Gott) Dank; ökumenische Form; Nebenform: *Jehuda;* gräzisierte Form: *Judas;* tschechisch: Jidáš.

Judas *(m)* gräzisierte Form von Juda.

Persönlichkeiten der Geschichte:

Judas Thaddäus, Zeitgenosse Jesu Christi; von ihm als Apostel berufen.

Judit *(w)* ökumenische Form von Judith.

Judith *(w)* hebräisch: = Frau aus Jehud (Juda); ökumenische Form: *Judit;* Koseformen: *Juditha, Jutta, Jutte;* italienische Form: *Giuditta;* englische Kurzform: *Judy;* tschechische Koseform: *Jitka.*

Persönlichkeit der Geschichte:

Judith, nach dem apokryphen »Buch Judith« jüdische Heldin, brachte den gegnerischen Feldherrn Holofernes zur Rettung ihres Volkes um.

Juditha *(w)* Koseform für Judith.

Judy *(w)* englische Koseform für Judith.

Persönlichkeit:

Judy Garland, 1922 bis 1961; amerikanische Filmschauspielerin.

Juhani *(m)* finnische Form von Johannes.

Jukunda *(w)* die weibliche Form zu Jukundus.

Jukundus *(m)* lateinisch: *iucundus* = liebenswürdig; französische Form: *Joconde.*

Jul *(m)* Kurzform für Julian.

Jul *(w)* Nebenform zu Gudula.

Jula *(w)* Kurzform für Julia; Nebenform: *Jule.*

Julchen *(w)* Koseform für Julia.

Jule *(w)* Kurzform für Julia.

Julef *(m)* friesische Form von Gotthelf.

Jules *(m)* französische Form von Julius.

Persönlichkeit der Geschichte:

Jules Verne, 1828 bis 1905; französischer Schriftsteller, besonders von Zukunftsromanen.

Julia *(w)* die weibliche Form zu *Julius;* Nebenform: *Julie;* Koseformen: *Jula, Jule, Julchen, Lia, Lili, Lilli;* Weiterbildungen: *Juliana, Juliane;* englische Formen: *Julia, Juliet;* französisch: *Julie, Julienne;* italienisch: *Giulia, Giuliana, Giulietta;* rumänisch: *Julia;* russisch: *Julija, Julja;* ungarisch: *Julika, Juliska, Julischka.*

Julian *(m)* Weiterbildung von Julius; Kurzform: *Jul;* lateinische Form: *Julianus;* englisch: *Julian;* französisch: *Julien;* italienisch: *Giuliano.*

Persönlichkeiten der Geschichte:

Julian, gestorben um 304, richtete mit seiner Frau im eigenen Haus ein Armenspital ein; Märtyrer in Ägypten

Julian, erster Bischof von Le Mans; nach der Legende einer der 70 Jünger Jesu.

Julian, gestorben um 1250; Kapellmeister am französischen Hof; wurde in Paris Franziskaner.

Juliana *(w)* Weiterbildung von Julia; Nebenformen: *Juliane, Liane;* englische Formen: *Juliana, Gilian, Gillian, Gill;* flämisch und schwedisch: *Iliane;* italienisch: *Giuliana;* slawisch: *Julianka;* Koseform: *Anjuschka;* russisch: *Uljana;* ungarisch: *Julianna.*

Persönlichkeiten der Geschichte:

Juliana, 1192 bis 1258; Augustinerchorfrau; mystisch begnadet; veranlaßte die Einführung des Fronleichnamsfests in Lüttich; starb in der Verbannung als Priorin.

Juliana, geboren 1909, Königin der Niederlande (1948 bis 1980).

Juliane *(w)* Nebenform zu Juliana.

Julianka *(w)* slawische Form von Juliana.

Julianna *(w)* Weiterbildung von Julia;

auch ungarische Form von Juliana; Nebenform: *Julianne.*

Julianne *(w)* Nebenform zu Julianna.

Julie *(w)* Nebenform und französische Form von Julia.

Julien *(m)* französische Weiterbildung von Jules (Julius).

Julienne *(w)* französische Verkleinerungsform von Julie (Julia).

Juliet *(w)* englische Form von Julia.

Julietta *(w)* Verkleinerungsform von Julia.

Juliette *(w)* französische Koseform für Julie.

Persönlichkeit:

Juliette Gréco, geboren 1927; französische Filmschauspielerin und Chansonsängerin.

Julija *(w)* russische Form von Julia.

Julika *(w)* ungarische Form von Julia; Koseform: *Julischka,* ungarische Schreibweise: *Juliska.*

Juline *(w)* eine weibliche Neubildung zu Julius.

Julischka *(w)* verdeutschte Schreibweise des ungarischen *Juliska,* Koseform für Julia.

Juliska *(w)* ungarische Koseform für Julia.

Julita *(w)* bulgarische Weiterbildung von Julia.

Julitta *(w)* russische Weiterbildung von Julia.

Julius *(m)* lateinisch: aus dem Geschlecht der Julier; Weiterbildungen: *Julian; Julianus;* englische Form: *Julius;* französisch: *Jules, Julien;* italienisch: *Giulio, Luglio;* ungarisch: *Gyula.*

Persönlichkeiten der Geschichte:

Julius Echter von Mespelbrunn, 1545 bis 1617, Fürstbischof von Würzburg, Gründer der dortigen Universität und Stifter des Julius-Spitals. Bedeutende Bautätigkeit.

Julius Hackethal, geboren 1921; deutscher Chirurg; Kritiker.

Julius Leber, 1891 bis 1945; deutscher sozialdemokratischer Politiker; Widerstandskämpfer gegen Hitler; hingerichtet.

Julius R. von Mayer, 1814 bis 1878; deutscher Arzt und Physiker.

Julja *(w)* Nebenform des russischen *Julija.*

Julka *(w)* ungarische Koseform für Julia.

Junia *(w)* die weibliche Form zu Junius.

Junius *(m)* lateinisch: aus dem alten Geschlecht der Junier.

Juno *(w)* lateinisch: die Blühende.

Persönlichkeit der Geschichte:

Juno, in der römischen Mythologie Göttin der Ehe.

Jupp *(m)* Koseform für Josef.

Jurek *(m)* slawische Form von Juri (Georg).

Jurena *(w)* Herkunft und Bedeutung unbekannt.

Jürg *(m)* Koseform für Georg.

Jürgen *(m)* Nebenform zu Georg.

Persönlichkeit der Geschichte:

Jürgen von Manger, geboren 1923; deutscher Schauspieler und Kabarettist.

Juri *(m)* slawische Form von Georg.

Jurij *(m)* russische Form von Georg.

Persönlichkeiten der Geschichte:

Jurij Gagarin, 1934 bis 1968; sowjetischer Astronaut; unternahm 1961 den ersten bemannten Raumflug.

Jürn *(m)* Koseform für Georg.

Jürnjakob *(m)* Doppelname aus Jürn und Jakob.

Jürnjochen *(m)* Doppelname aus Jürn und Jochen.

Jussi *(m)* schwedisch.

Jussuf *(m)* arabisch-türkische Form von Josef.

Just *(m)* Kurzform für Justus.

Justa *(w)* die weibliche Form zu Justus.

Juste *(w)* Kurz- und Koseform für Justina.

Justel *(w)* Koseform für Justina.

Justin *(m)* lateinisch: *Justinus,* Weiterbildung von Justus; niederländische Form: *Stijn.*

Justina *(w)* die weibliche Form von Justin (Justus); Nebenformen: *Justine, Juste, Justel, Stine;* italienische Form: *Giustina.*

Justine *(w)* Nebenform zu Justina.

Justinian *(m)* Weiterbildung von Justus; lateinisch: *Justinianus.*

Justinianus *(m)* lateinische Form von Justinian (Justus).

Justus *(m)* lateinisch: *iustus* = gerecht; Weiterbildungen: *Justinus, Justinianus, Justin, Justinian;* Kurzform: *Just;* Koseform: *Jobst.*

Persönlichkeit der Geschichte:

Justus von Liebig, 1803 bis 1873; deutscher Chemiker; begründete die Agrikulturchemie.

Jutta *w,* Koseform für Judith; Nebenformen: *Jutte, Ita, Ite, Itta, Itte;* dänische Form: *Jytte.*

Persönlichkeiten der Geschichte:

Jutta von Bedburg, 13. Jahrhundert; Prämonstratenserin im Stift Bedburg

Jutta von Heiligenthal, 13. Jahrhundert; erste Äbtissin des Klosters Heiligenthal.

Jutta von Sangerhausen, gestorben 1260; nach Krankenpflege Einsiedlerin bei Kulmsee (Gedenktag: 5. Mai).

Jutta von Sponheim, um 1090 bis 1136; gründete beim Kloster Disibodenberg ein Frauenkloster; dessen »Meisterin«.

Jutte *w*, Nebenform zu Jutta.

K

Kai *(m)* keltisch-friesisch Bedeutung fraglich; Nebenformen: *Kay, Kei, Keil, Keyl;* dänische und schwedische Form: *Kaj;* italienisch: *Caio.*

Kai *(w)* entspricht dem männlichen Vornamen Kai; Nebenformen: *Kaj, Kay, Kaja, Kaya;* dänische und schwedische Form: *Kaja* und *Caja;* englische Koseform für Katharina.

Kaija *(w)* finnische und schwedische Form von Kaj.

Kain *(m)* hebräisch: der Erworbene; ökumenische Form; in der Vulgata: *Cain.*

Persönlichkeit der Geschichte:

Kain, im Alten Testament Bruder des Abel, den er tötete.

Kaiphas *(m)* hebräisch, Form der Lutherbibel für Kajafas.

Kaj *(m)* dänische und schwedische Form von Kai.

Kaj *(w)* Nebenform zu Kai; auch friesische Kurz- und Koseform für Katharina; Nebenform: *Kaya;* finnische und schwedische Form: *Kaija.*

Kaja *(w)* Nebenform zu Kai; auch dänische und schwedische Form.

Kajafas *(m)* hebräisch; ökumenische Form von *Kaiphas* (Lutherbibel) und *Cajafas* (Vulgata).

Kajetan *(m)* lateinisch: aus dem mittelitalienischen Gaeta stammend; Nebenform: *Cajetan;* italienische Form: *Gaetano;* französisch: *Gaétan.*

Kajetana *(w)* die weibliche Form zu Kajetan.

Kajus *(m)* Nebenform zu Cajus oder Caius (Gajus).

Kalixtus *(m)* Nebenform zu Kallistus.

Kalle *(m)* Koseform und schwedische Form von Karl.

Kalliope *(w)* griechisch: die mit der schönen Stimme.

Kallist *(m)* deutsche Kurzform für Kallistus.

Kallistus *(m)* griechisch: *kallistos* = der Schönste; latinisiert: *Callixtus, Kalixtus;* deutsche Kurzform: *Kallist;* französische Form: *Calliste.*

Kalman *(m)* deutsche Schreibweise von Kálmán.

Kálmán *(m)* ungarisch; keltisch: Koloman; deutsche Schreibweise: *Kalman.*

Kamill *(m)* Kurzform für Kamillus (Camillus).

Kamilla *(w)* Nebenform zu Camilla.

Kamillus *(m)* Nebenform zu Camillus.

Kandida *(w)* Nebenform zu Candida.

Kanut *(m)* ältere Form von Knut.

Kapp *(m)* Koseform für Kaspar.

Käpp *(m)* Koseform für Kaspar.

Kara *(w)* Nebenform zu Cara.

Karda *(w)* Kurzform für Rikarda (Richard).

Kare *(m)* bayerische Form von Karl.

Karel *(m)* niederländische, dänische und tschechische Form von Karl.

Persönlichkeiten der Geschichte:

Karel Ančerl, 1908 bis 1973; tschechischer Dirigent.

Karel Čapek, 1890 bis 1938; tschechischer Romanschriftsteller, Dramatiker und Journalist.

Karel *(w)* neugebildeter Vorname aus Karoline und Elisabeth.

Karen *(w)* schwedische Nebenform zu Caren (Karin).

Persönlichkeit der Geschichte:

Karen Blixen, 1885 bis 1962; dänische Schriftstellerin und Großwildjägerin in Kenia.

Karena *(w)* Nebenform zu italienisch Carina.

Kari *(m)* Koseform für Karl.

Karianne *(w)* niederländischer Doppelname aus Katharina und Johanna oder Anna.

Karin *(w)* schwedische Kurzform für Katharina; Nebenform: *Carin.*
Persönlichkeit:
Karin Michaelis, 1872 bis 1950; dänische Schriftstellerin.

Karina *(w)* Nebenform zu italienisch Carina (Katharina).
Persönlichkeit:
Karina, 4. Jahrhundert; Märtyrin zu Angora unter Kaiser Julian dem Abtrünnigen.

Karl *(m)* althochdeutsch: *charal* =der Freie (ohne Erbgut), Tüchtige; Nebenformen: *Carl, Karle, Karli;* Koseformen: *Kerdel, Kordel, Kari, Kalle, Karlmann;* niederdeutsche Form: *Korl;* bayerisch: *Kare;* lateinisch: *Carolus;* italienisch: *Carlo;* niederländisch: *Karel* und *Carlos;* spanisch und portugiesisch: *Carlos;* dänisch und tschechisch: *Karel, Carel;* französisch: *Charles;* englisch: *Charles, Charley, Charlie, Charly;* polnisch: *Karol;* ungarisch: *Karol(y);* finnisch: *Kaarle.*
Persönlichkeiten der Geschichte:
Karl I., der Große, 742 bis 814; seit 768 König des Frankenreichs, seit 800 Kaiser; schuf europäisches Großreich; förderte Christentum, Wirtschaft, Wissenschaft und Bildung
Karl IV., 1316 bis 1378; König und seit 1355 deutscher Kaiser; baute Hausmacht aus.
Karl V., 1500 bis 1558; König und 1516 bis 1556 römisch-deutscher Kaiser; herrschte über ein Weltreich.
Karl der Kühne, 1433 bis 1477; seit 1467 Herzog von Burgund; in den Burgunderkriegen 1476 von den Schweizern geschlagen; fiel bei Nancy
Karl XII. von Schweden, 1682 bis 1718; seit 1697 König; Feldherr im Nordischen Krieg; 1709 von den Russen besiegt.
Karl Barth, 1886 bis 1968, schweizer. Theologe, Gegner des Nationalsozialismus, Mitbegründer der Dialektischen Theologie.
Karl Böhm, 1894 bis 1981; österreichischer Dirigent; Mozart- und Strauss- Interpret.
Karl F. Braun, 1850 bis 1918; deutscher Physiker; Erfinder der Braunschen Röhre.
Karl Bücher, 1847 bis 1930; deutscher Volkswirtschaftler und Historiker der jüngeren historischen Schule.
Karl Bühler, 1897 bis 1963; deutscher Psychologe; Beiträge zur Denk-, Willens-, Gestalt-, Sprach- und Kinderpsychologie.
Karl Carstens, 1914 bis 1992, deutscher christdemokratischer Politiker; 1979 bis 1984 Bundespräsident.
Karl Dönitz, 1891 bis 1980; deutscher Großadmiral; nach Hitlers Tod deutsches Staatsoberhaupt; vollzog die Kapitulation; mit 10 Jahren Haft vom internationalen Gericht bestraft.
Karl von Drais, 1875 bis 1851; deutscher Erfinder der Draisine, des Vorläufers des Fahrrads.
Karl von Frisch, 1886 bis 1982; österreichischer Zoologe und Verhaltensforscher; Entdecker der Tanzsprache der Bienen.
Karl Jaspers, 1883 bis 1969; deutscher Psychiater und Philosoph; Hauptvertreter der Existenzphilosophie.
Karl Kraus, 1874 bis 1936, Schriftsteller, Zeit- und Sprachkritiker, Begründer der Zeitschrift »Die Fackel«.
Karl Liebknecht, 1871 bis 1919; deutscher kommunistischer Politiker; Führer des Spartakusbundes; mit R. Luxemburg Aufstand in Berlin erschossen.
Karl Marx, 1818 bis 1883; deutscher Philosoph und Politiker, Gründer des Marxismus.
Karl Marx, geboren 1897; deutscher Komponist und Musikpädagoge.

Karl May, 1842 bis 1912; deutscher Schriftsteller; verfaßte zahlreiche spannende Abenteuerromane.

Karl Millöcker, 1842 bis 1899; österreichischer Komponist der klassischen Wiener Operette; auch Dirigent.

Karl F. H. Münchhausen, 1720 bis 1797; heldische Gestalt der Lügengeschichten der »Wunderbaren Reisen zu Wasser und zu Land...«

Karl Renner, 1870 bis 1950; österreichischer sozialistischer Politiker; 1945 bis 1950 Bundespräsident.

Karl Schiller, geboren 1911; deutscher Wirtschaftswissenschaftler und sozialdemokratischer Politiker; regte die »Konzertierte Aktion« der Sozialpartner an.

Karl Friedrich Schinkel, 1871 bis 1841; deutscher Architekt und Maler des Klassizismus in Preußen; seine Großbauten in Berlin bestimmten dessen Stadtbild.

Karl W. Siemens, 1823 bis 1883; Miterfinder des Siemens-Martin-Verfahrens zur Erzeugung von Stahl.

Karl Simrock, 1802 bis 1876; deutscher Schriftsteller und Literaturhistoriker; Übersetzer germanischer und mittelalterlicher Dichtung.

Karl Freiherr vom und zum Stein, 1757 bis 1831; preußischer Politiker; führte als Minister bedeutende Reformen durch; Gegner Napoleons.

Karl Valentin, 1882 bis 1948; deutscher Schriftsteller, Schauspieler und Kabarettist; spielte mit Liesl Karlstadt zeitsatirische Stegreifkomödien.

Karla *(w)* althochdeutsch; deutsche Schreibweise von Carla; weibliche Form zu Karl.

Karlfred *(m)* Doppelname aus Karl und -fred (althochdeutsch: *fridu* = Friede); auch *Karlfried.*

Karlheinz *(m)* Doppelname aus Karl und Heinz (= Heinrich).

Persönlichkeiten der Geschichte:

Karlheinz Böhm, geboren 1928; Schauspieler und Entwicklungshelfer.

Karlheinz Stockhausen, geboren 1928; deutscher Komponist serieller und elektronischer Musik.

Karli *(m)* Nebenform zu Karl.

Karline *(w)* Nebenform zu Karoline.

Karlludwig *(m)* Doppelname aus Karl und Ludwig.

Karlmann *(m)* althochdeutsch: *charlman* = freier Mann; Koseform für Karl.

Karol *(m)* polnische Form von Karl.

Karola *(w)* Nebenform zu Carola.

Karolina *(w)* Nebenform zu Karoline.

Karoline *(w)* Weiterbildung von Carola; Nebenform: *Karolina;* Kurz- und Koseformen: *Karla, Lina, Line, Lini, Linchen, Lining, Lola, Lolo, Charlotte, Lotte, Ina, Ine;* schwedische Kurzform: *Calla.*

Persönlichkeiten der Geschichte:

Karoline Barbara Carré de Malberg, 1829 bis 1891; Gründerin der »Gesellschaft der Töchter des heiligen Franz von Sales«.

Karoline Fliedner, gestorben 1892; Diakonissenmutter im Rheinland

Karoline von Schlegel, 1763 bis 1809, deutsche Schriftstellerin; in ihrem Salon verkehrten alle Frühromantiker.

Karoline, Freifrau von Wolzogen, 1763 bis 1847, Schriftstellerin; Biographin Schillers und dessen Schwägerin.

Károly *(m)* ungarische Form von Karl.

Karpus *(m)* Kurzform für Polykarp.

Persönlichkeit der Geschichte:

Karpus, gestorben um 165; Märtyrer mit Papylus in Pergamon.

Karsten *(m)* Nebenform zu Carsten; niederdeutsche Form von Christian.

Karstine *(w)* niederländische und niederdeutsche Form von Christine.

Karstjen *(w)* niederländische Form von Christine; Nebenform: *Karstine.*

Kasimir *(m)* slawisch: *kasati mir* = Stifter des Friedens; Nebenform und französische Form: *Casimir;* polnisch: *Kazimierz.*

Persönlichkeiten der Geschichte:

Kasimir, 1458 bis 1484; seit 1471 polnischer König; konnte sich gegen Matthias Corvinus nicht durchsetzen.

Kasimir Edschmid, 1890 bis 1966; deutscher Schriftsteller realistischer Romane und Reisebücher.

Kasimira *(w)* die weibliche Form zu Kasimir.

Kaspar *(m)* persisch: Schatzmeister; Nebenformen: *Kasper, Käsper, Kesper, Caspar;* Kurz- und Koseformen: *Kapp, Käpp, Käsch, Kes, Kasperle, Kasperl;* dänische Form: *Jesper;* englisch: *Gaspar, Jasper, Jasp;* französisch: *Gaspard;* italienisch: *Gaspare, Gasparo;* spanisch: *Gasparo;* ungarisch: *Gáspár.*

Persönlichkeit der Geschichte:

Kaspar, mit Melchior und Balthasar einer der »Weisen« aus dem Morgenland, die nach dem Matthäusevangelium (2, 1-12) durch einen Stern zur Krippe in Betlehem geführt wurden.

Kasper *(m)* Nebenform zu Kaspar.

Käsper *(m)* Nebenform zu Kaspar.

Kasperl *(m)* Koseform für Kaspar.

Kasperle *(m)* Koseform für Kaspar.

Kassandra *(w)* griechisch: Frau, die Männer fängt (?); englische Form: *Cassandra.*

Kassian *(m)* lateinisch: *Cassianus,* von Cassius abgeleitet.

Kassius *(m)* lateinisch: *Cassius,* Name eines altrömischen Geschlechts.

Kastor *(m)* griechisch: der Ausgezeichnete (aus dem Stammwort *kas* = sich auszeichnen);Nebenform: *Castor.*

Persönlichkeiten der Geschichte:

Kastor, in der griechischen Mythologie mit Polydeukes (= Pollus) einer der Dioskuren, Söhne der Leda und des Tyndaros oder des Zeus.

Kastor, gestorben um 400; lebte mit Gefährten als Priester und Einsiedler in Karden an der Mosel.

Kastulus *(m)* von lateinisch: *castus* = rein; gewissenhaft.

Persönlichkeit der Geschichte:

Kastulus, gestorben wahrscheinlich um 286; römischer Märtyrer.

Katalin *(w)* ungarische Form von Katharina; auch *Katalyn.*

Katalyn *(w)* ungarische Form von Katharina.

Katarina *(w)* Nebenform zu Katharina.

Kate *(w)* englische Koseform für Katharina.

Käte *(w)* Kurzform für Katharina.

Persönlichkeit der Geschichte:

Käte Haack, 1897 bis 1986; deutsche Schauspielerin der Bühne und des Films; Charakterdarstellerin.

Katerina *(w)* russische Form von Katharina.

Kateřina *(w)* tschechische Form von Katharina.

Katharina *(w)* griechisch: *kathara* = rein, die Reine; Nebenformen: *Katharine, Katarina, Catharina;* Kurz- und Koseformen: *Kathrin, Katrin, Kathe, Käthe, Käte, Katrein, Katreindl, Katri, Kathi, Katti, Kätt, Katl, Kadl, Kätter, Kätterle, Ketterle, Kitti, Kerrin, Krein, Krin, Cathrin, Trina, Trine, Trienchen, Reining, Karin, Kitty, Ina, Ine;* französische Formen: *Cathérine, Trinette;* englisch: *Katherine, Catherine* mit Koseformen: *Kate, Kit, Kitty* und *Kai;* irisch: *Cathlin* und *Kathleen;* italienisch: *Caterina, Catia;* portugiesisch: *Catharina;* spanisch: *Catalina;* tschechisch: *Kateřina, Kačenka;* russisch: *Jekaterina, Katerina;* Koseformen: *Katinka, Katja, Katjana, Katjuschka;* bulgarisch: *Katrina;* Koseform: *Katrischa;* ungarisch: *Katicza, Katalin, Katalyn;* finnisch: *Kaarina.*

Persönlichkeiten der Geschichte:

Katharina von Alexandrien, zur Zeit des Kaisers Maxentius um 307 in Alexandrien Märtyrin; eine der 14 Nothelfer.

Katharina von Bora, 1499 bis 1552; Zisterziensernonne; Luthers Ehefrau.

Katharina von Medici, 1519 bis 1589, Königin und Regentin (1560 bis 63) von Frankreich. Veranlaßte 1572 das Blutbad der Bartholomäusnacht gegen die Hugenotten.

Katharina von Schweden, um 1331 bis 1381; Tochter Birgittas von Schweden; blieb nach Tod ihres Gatten bei ihrer Mutter in Rom; nach deren Tod 1374 erste Vorsteherin des Klosters des Birgittenordens Vadstena.

Katharina von Siena, 1347 bis 1380; Bußschwester vom heiligen Dominikus; pflegte 1374 die Pestkranken; legte durch ihre diplomatischen Fähigkeiten viele Feindschaften bei; bemüht um Reform der Kirche und Rückkehr des Papstes aus Avignon nach Rom; stigmatisiert.

Katharina I. von Rußland, 1684 bis 1727; Gattin Peters des Großen; dessen Nachfolgerin als Zarin.

Katharina II., die Große, 1729 bis 1796; Gattin Zar Peters III., den sie stürzte; ab 1726 Zarin; machte Rußland wieder zur Großmacht.

Katharine *(w)* Nebenform zu Katharina.

Kathe *(w)* Kurzform für Katharina.

Käthe *(w)* Kurz- und Koseform für Katharina.

Persönlichkeiten der Geschichte:

Käthe Dorsch, 1890 bis 1957; deutsche Schauspielerin der Bühne und des Films; Charakterdarstellerin.

Käthe Gold, geboren 1907; österreichische Schauspielerin der Bühne und des Films in klassischen Rollen.

Käthe Kollwitz, 1867 bis 1945; deutsche sozialkritische Bildhauerin und Graphikerin.

Käthe Kruse, 1883 bis 1968; deutsche Kunsthandwerkerin; schuf die »Käthe-Kruse-Puppen«.

Käthemie *(w)* Namensbildung aus Käthe (Katharina) und einer Koseform von Maria.

Katherine *(w)* englische Form von Katharina.

Persönlichkeit:

Katherine Hepburn, geboren 1909; amerikanische Schauspielerin der Bühne und des Films; Shakespeare Darstellerin.

Kathi *(w)* Koseform für Katharina.

Kathinka *(w)* Nebenform zu Katinka.

Kathleen *(w)* irische Form von Katharina; auch *Cathleen* und *Cathlin.*

Kathrin *(w)* Kurzform für Katharina.

Katicza *(w)* ungarische Form von Katharina.

Katina *(w)* bulgarische Form von Katharina; Nebenform: *Catina.*

Katinka *(w)* russische, allgemein slawische Koseform für Katharina; Nebenform: *Kathinka.*

Katja *(w)* russische Koseform für Katharina.

Persönlichkeiten:

Katja Ebstein, geboren 1945; deutsche Schlagersängerin.

Katja Ricciarelli, geboren 1946; italienische Opernsängerin.

Katjana *(w)* Weiterbildung von Katja.

Katjuscha *(w)* russische Verkleinerungs- und Koseform für Jekaterina (Katharina).

Katka *(w)* ungarische Kurzform für Katharina.

Katl *(w)* Koseform für Katharina.

Katna *(w)* Kurz- und Koseform für Katharina.

Kato *(m)* Nebenform von Cato.

Katrein *(w)* Koseform für Katharina.

Katreindl *(w)* Koseform für Katharina.

Katri *(w)* Koseform für Katharina.

Katrin *(w)* Kurzform für Katharina.

Katrina *(w)* Weiterbildung von Katrin.

Katrischa *(w)* bulgarische Koseform für Katharina.

Katsushika *(m)* japanisch.

Kätt *(w)* Koseform für Katharina.

Kätter *(w)* Kurz- und Koseform für Katharina.

Kätterle *(w)* Koseform für Katharina.

Katti *(w)* Koseform für Katharina.

Kay *(m* und *w)* Nebenform zu Kai.

Kaya *(w)* Nebenform zu Kai.

Kea *(w)* Kurzform für auf -kea endende friesische weibliche Vornamen.

Kefas *(m)* ökumenische Form für Kephas (Lutherbibel) und *Cephas* (Vulgata).

Kei *(m)* Nebenform zu Kai.

Keike *(w)* friesischer Vorname.

Keil *(m)* Nebenform zu Kai.

Keith *(m)* schottisch-englisch; war schottischer Orts- und Familienname.

Kelly *(w)* englisch; eigentlich Familienname.

Kelt *(m)* Nebenform zu Ketil.

Kemal *(m)* türkisch.

Persönlichkeit der Geschichte:

Kemal Atatürk, 1881 bis 1931; türkischer Offizier und Politiker; Gründer und Reformer der türkischen Republik.

Ken *(m)* Kurzform für Kenneth.

Kenned *(m)* Nebenform zu Kined.

Kenneth *(m)* englisch, keltischer Herkunft: = hübsch, tüchtig; Kurzform: *Ken;* irische Form: *Canice.*

Keno *(m)* friesische Form von Kuno, Konrad.

Kenzo *(m)* japanisch.

Kerdel *(m)* Koseform für Karl.

Kerima *(w)* türkisch.

Kermit *(m)* angloamerikanisch, keltischer Herkunft: = der Dunkle, Freie; auch Nebenform von englischirisch Jeremy (Jeremias).

Kerrin *(w)* Kurzform für Katharina.

Kerry *(w)* indo-amerikanische Koseform; Bedeutung unklar.

Kersten *(m)* niederdeutsche Form von Christian.

Kersten *(w)* Nebenform zu Kerstin (Christiane).

Kersti *(w)* Nebenform zu Kristina (Christiane).

Kerstin *(w)* niederdeutsche und schwedische Form von Christiane; Nebenformen: *Kersten, Kersti.*

Kerstina *(w)* Nebenform zu Kristina (Christiane).

Kes *(m)* Koseform für Kaspar.

Kesper *(m)* Nebenform zu Kaspar.

Ketel *(m)* Nebenform zu Ketil.

Ketil *(m)* altnordisch: etwa helmtragender Krieger; Nebenformen: *Ketel, Kelt.*

Ketterle *(w)* Koseform für Katharina.

Kevin *(m)* englisch, irischer Herkunft: *Caoimthghin* = hübsch von Geburt.

Kilian *(m)* keltisch, Bedeutung fraglich: Mann in der Zelle, = Mönch oder Kirchenmann; Kurzformen: *Kill, Kille.*

Persönlichkeit der Geschichte:

Kilian, gestorben 689; kam als Glaubensbote nach Franken; wurde Bischof von Würzburg; Märtyrer.

Kill *(m)* Kurzform für Kilian.

Kille *(m)* Kurzform für Kilian.

Kim *(m)* irisch-englisch, aus keltisch *Kimball;* auch bulgarische und schwedische Kurzform für Joachim.

Kim *(w)* amerikanischer weiblicher Vorname; nach dem männlichen Kim.

Kinga *(w)* ungarische Kurzform für Kunigunde.

Kira *(w)* Nebenform zu Kyra.

Kirein *(m)* bayerische Form von Quirin.

Kiri *(m)* elsässische Form von Quirin; Nebenformen: *Kiry, Küri.*

Kirill *(m)* russische Form von Cyrill.

Kirk *(m)* englisch.

Persönlichkeit:

Kirg Douglas, geboren 1916; amerikanischer Filmschauspieler und Filmproduzent.

Kirsi *(w)* Koseform für Kirsten.

Kirsten *(w)* niederdeutsche und skandinavische Kurzform für Christine; Nebenformen: *Kirsti, Kirstin;* Koseform *Kirsi.*

Kirsti *(w)* Nebenform zu Kirsten.

Kirstin *(w)* Nebenform zu Kirsten.

Kirsty *(w)* schottische Koseform für Katharina; Nebenform: *Kitti;* englisch: *Kitty.*

Kiry *(m)* Nebenform zu Kiri (Quirin).

Kit *(m)* englische Koseform für Christian, Christoph.

Kit *(w)* englische Koseform für Katharina.

Kitti *(w)* Koseform für Katharina.

Kitty *(w)* englische Koseform für Katharina.

Kjeld *(m)* dänisch: Helm, Kessel (?); schwedische Form: *Kjöll.*

Persönlichkeit der Geschichte:

Kjeld, gestorben 1150; seit 1145 Dompropst zu Viborg.

Kjöll *(m)* schwedische Form von Kjeld.

Klaas *(m)* niederdeutsche Kurzform für Nikolaus; Nebenformen: *Klas, Claas.*

Klara *(w)* lateinisch: *clara* = hell, leuchtend, berühmt; Nebenformen: *Clara, Clare, Kläre;* Koseform: *Klärle;* Weiterbildungen: *Klarissa, Clarissa, Clarine;* niederländische Form: *Claartje;* französisch: *Claire;* Koseform: *Clairette;* englisch: *Clare* und *Claire;* italienisch: *Chiara.*

Persönlichkeiten der Geschichte:

Klara von Assisi, 1194 bis 1253; Gründerin des Klarissenordens.

Klara Fey, 1815 bis 1894; deutsche Ordensfrau; Gründerin (1848) der Kongregation der Schwestern vom Armen Kinde Jesus und deren Generaloberin.

Kläre *(w)* Nebenform zu Klara; deutsche Schreibweise des französischen *Claire.*

Klarina *(w)* Weiterbildung von Klara.

Klarinda *(w)* Weiterbildung von Klara; Nebenform *Klarinde.*

Klarinde *(w)* Nebenform zu Klarinda.

Klarissa *(w)* Nebenform zu Clarissa.

Klas *(m)* niederdeutsche Kurzform für Nikolaus.

Klasina *(w)* eine weibliche Form zu Klas (Klaas); Nebenform: *Klasine.*

Klaudia *(w)* Nebenform zu Claudia.

Klaudina *(w)* deutsche Schreibweise des französischen Claudine; Nebenform: *Klaudine.*

Klaudine *(w)* Nebenform zu Klaudina.

Klaudinette *(w)* deutsche Schreibweise des französischen Claudinette.

Klaudius *(m)* Nebenform zu Claudius.

Persönlichkeit der Geschichte:

Klaudius, gestorben um 700; Abt des Klosters Condat; zeitweise wohl auch Bischof von Besancon.

Klaus *(m)* Kurzform für Nikolaus; Nebenform: *Claus.*

Persönlichkeiten:

Klaus Kinski, 1926 bis 1991, deutscher Schauspieler der Bühne, des Films und Fernsehens.

Klaus Mann, 1906 bis 1949, deutscher Schriftsteller, Sohn von Thomas Mann. Bekannteste Werke: »Der Wendepunkt«, »Mephisto«, »Der Vulkan«.

Klaus Störtebeker, gestorben 1401; einer der Führer der Vitalienbrüder (Freibeuter und Seeräuber in der Nord- und Ostsee); 1401 geschlagen und in Hamburg enthauptet.

Klausdieter *(m)* Doppelname aus Klaus und Dieter (= Dietrich).

Klausjürgen *(m)* Doppelname aus Klaus und Jürgen (= Georg).

Klemens *(m)* Nebenform zu Clemens; auch: *Klement.*

Persönlichkeiten der Geschichte:

Klemens Maria Hofbauer, 1751 bis 1820; wurde 1784 erster Redemptorist; seit 1808 Volksseelsorger in Wien (»Apostel Wiens«.

Klemens von Metternich, 1773 bis 1859; österreichischer Politiker; Leiter des Wiener Kongresses 1814.

Klement *(m)* Nebenform zu Klemens (Clemens).

Klementia *(w)* Nebenform zu Clementia.

Klementina *(w)* Nebenform zu Clementina.

Klementine *(w)* Nebenform zu Clementina.

Kleopas *(m)* griechisch; ökumenische Form von *Klopas,* von *Kleopas* der Lutherbibel und *Cleopas* der Vulgata; Nebenform: *Kleophas.*

Kleopatra *(w)* griechisch: *kleos* = Ruhm; *pater* = Vater.

Persönlichkeit der Geschichte:

Kleopatra, 69 bis 30 v. Chr.; ägyptische Königin seit 47 durch Cäsar; nach dessen Tod Geliebte des Antonius.

Kleopha *(w)* die weibliche Form zu Kleophas (Kleopas); Nebenform: *Kleophea.*

Kleophas *(m)* Nebenform zur ökumenischen Form Kleopas.

Kleophea *(w)* Nebenform zu Kleopha.

Klivia *(w)* Nebenform zu Clivia.

Klodewig *(m)* Nebenform zu Chlodwig; auch *Klodwig.*

Klorinde *(w)* Nebenform zu Chlorinde.

Klos *(m)* Koseform för Nikolaus; Nebenformen: *Klose, Klösel.*

Klotar *(m)* Nebenform zu Chlothar.

Klothar *(m)* Nebenform zu Chlothar.

Klothild *(w)* Nebenform zu Klothilde.

Klothilde *(w)* althochdeutsch: *hlut* = berühmt; *hiltja* = Kampf; Nebenformen: *Klothild, Chlothilde;* Kurz- und Koseform: *Tilde.*

Klotho *(w)* griechisch: Spinnerin des Lebensfadens.

Klotsinda *(w)* althochdeutsche Form von Glodsind.

Knelles *(m)* Koseform für Cornelius.

Knud *(m)* Nebenform zu Knut.

Knut *(m)* dänisch, aus althochdeutsch: *chnot* = adelig, frei; Nebenformen: *Knud, Kanut;* finnisch: *Knutti.*

Persönlichkeiten der Geschichte:

Knut der Große, um 1000 bis 1035; wurde 1016 König in Dänemark, 1018 bis 1035 in England, 1028 in Norwegen; schuf großes Nordseereich.

Knut der Heilige, 1040 bis 1086; König von Dänemark; in Odense ermordet, Märtyrer.

Knut Hamsun, 1859 bis 1952, norwegischer Dichter.

Knut Rasmussen, 1879 bis 1933, dänischer Polarforscher.

Koba *(w)* Kurzform für Jakoba und Jakobine.

Kobel *(m)* Koseform für Jakob.

Kobes *(m)* Koseform für Jakob.

Köbes *(m)* Koseform für Jakob.
Köbi *(m)* Koseform für Jakob.
Kobus *(m)* Nebenform zu Jakob.
Kohen *(m)* hebräisch: Diener, Priester; jüdische Kurz- und Koseformen: *Kohn, Cohn, Kahn.*
Kohn *(m)* Kurzform für Kohen und Konrad.
Kola *(m)* Kurz- und Koseform für Nikolaus; Nebenform: *Kolas.*
Kolas *(m)* Nebenform zu Kola.
Kolbert *(m)* kol(?); althochdeutsch: *beraht* = glänzend.
Kolja *(m)* russische Kurzform für Nikolaus.
Koloman *(m)* keltisch; Bedeutung unklar; vielleicht: Mönch, Einsiedler; Nebenform: *Coloman;* ungarische Form: *Kálmán.*
Kolomba *(w)* Nebenform zu Columba.
Kolombine *(w)* Weiterbildung von Kolomba; Nebenform zu Colombine.
Kolumba *(w)* Nebenform zu Columba.
Kolumban *(m)* lateinisch: *Columbanus;* Weiterbildung von Kolumbus.
Kolumbus *(m)* lateinisch: *columba* = Taube; Nebenform: *Columbus;* italienische Form: *Colombo;* spanisch: *Colom, Colón.*
Koen *(m)* Koseform für Konrad.
Konde *(m)* Koseform für Konrad.
Kondratij *(m)* russische Form von Konrad.
Köne *(m)* Koseform für Konrad.
Koneke *(w)* Koseform für Kunigunde.
Konert *(m)* Koseform für Konrad.
Konkordia *(w)* Nebenform zu Concordia.
Konne *(m)* Koseform für Konrad.
Konne *(w)* Koseform für Kunigunde.
Konni *(m)* Koseform für Konrad (Connie).
Konni *(w)* Koseform für Cornelia und Konstanze; Nebenform: *Konny* (englisch: Connie).
Konrad *(m)* althochdeutsch: *kuoni* = kühn, tapfer; *rat* = Berater, Beratung; Nebenformen: *Conrad, Kunrad;* Kurz- und Koseformen: *Cord, Kord, Kuno, Kurt, Kunz, Konde, Konne, Konni, Küre, Kudli, Konert, Koert, Köne, Kunike, Koen, Kohn, Cren, Kün, Keno, Radel, Räde, Rädel, Rades, Rätsch;* Verkleinerung: *Konradin;* englische Form: *Conrad;* Koseformen: *Conni, Connie, Conny;* dänisch: *Cort;* italienisch: *Corrado;* russisch: *Kondratij.*

Persönlichkeiten der Geschichte:

Konrad I.,gestorben 918; Herzog der Franken; seit 911 König.

Konrad II., um 990 bis 1039; Salier; 1024 König; seit 1027 Kaiser; stärkte das Kaisertum; gewann 1032 das Königreich Burgund.

Konrad III., 1093 bis 1152; staufischer König seit 1138; Gegenkönig Lothars II., nahm am 2. Kreuzzug teil.

Konrad von Bayern, 1106 bis 1155; Zisterzienser; war in Palästina Einsiedler; erlag auf Rückweg in die Heimat in Bari einer Krankheit.

Konrad von Mondsee, gestorben 1145; Mönch in Siegburg, seit 1127 Abt von Mondsee; Reformer; von Lehensleuten ermordet.

Konrad von Parzham, 1818 bis 1891; Kapuzinerbruder 41 Jahre lang Pförtner in Altötting.

Konrad I. von Salzburg, Graf von Abensberg, 1075 bis 1147; seit 1105 Erzbischof von Salzburg; von politischem Einfluß.

Konrad von Seldenbüren, gestorben 1126 (ermordet); stiftete auf seinem Besitz das Kloster Engelberg, wo er Laienbruder wurde.

Konrad von Weissenau, gestorben

1241; Prämonstratenser in Weissenau (Württemberg); hier Propst; später Abt in Valsecret; 1220 Generalabt; aufgrund von Verleumdungen abgesetzt; 1235 Abt von Cuissy.

Konrad Adenauer, 1876 bis 1967; deutscher Politiker; erster Kanzler der Bundesrepublik Deutschland 1949 bis 1963; Mitgründer der Christlich-Demokratischen Union.

Konrad Duden, 1829 bis 1911; Sprachforscher; gab das nach ihm benannte »Wörterbuch der deutschen Sprache« heraus.

Konrad Lorenz, 1903 bis 1983; österreichischer, Mitgründer der Verhaltensforschung, Nobelpreis.

Konrade *(w)* die weibliche Form zu Konrad; Nebenform: *Konrada.*

Konradin *(m)* Weiterbildung von Konrad.

Konradine *(w)* die weibliche Form zu Konradin.

Konstantia *(w)* lateinische Form: *Constantia;* Nebenform von Konstanze.

Persönlichkeit:

Konstantia, 4. Jahrhundert; Verwandte Kaiser Konstantins; nach der Legende durch Agnes von Rom von unheilbarer Krankheit geheilt.

Konstantin *(m)* lateinisch: *constans* = beständig, standhaft; Nebenformen: *Constantin, Constantinus;* französische Form: *Constantin;* englisch: *Constantine;* romanisch: *Constantino;* italienisch: *Costantino;* südslawisch: *Kostadin, Kosta;* serbokroatisch: *Stanko;* russisch: *Kostja;* ungarisch: *Koszta;* neugriechisch: *Kostis.*

Persönlichkeiten der Geschichte:

Konstantin der Große, 285 bis 337; römischer Kaiser 306 bis 337, ab 325 als Alleinherscher; förderte das Christentum als Staatsreligion; betrieb Verwaltungsreform; erst kurz vor dem Tod getauft.

Konstantin, gestorben 1145; Schüler Bernhards von Clairvaux; war Prior in Troisfontaines; ab 1132 Abt in Orval.

Konstantin Karamanlis, geboren 1907; griechischer Politiker; zeitweise Minister- und Staatspräsident.

Konstantine *(w)* die weibliche Form zu Konstantin; Nebenform: *Constantine.*

Konstantinus *(m)* lateinisch: *Constantinus,* Nebenform zu Konstantin.

Konstanze *(w)* lateinisch: *constantia* = Beständigkeit, Standhaftigkeit; Nebenformen: *Konstantia, Constance, Konstanza;* Kurz- und Koseformen: *Stanze,* Stanzi, Stanzerl; französische Form: *Constance;* englisch: *Constance;* Koseformen: *Conni, Connie, Conny;* italienisch: *Costanza.*

Persönlichkeit der Geschichte:

Konstanze, Tochter des Normannen Königs Roger II. von Sizilien, 1154 bis 1198, heiratete den späteren deutschen Kaiser Heinrich VI. Römisch-deutsche Kaiserin. Mutter Friedrichs II. von Sizilien.

Konz *(m)* Kurz- und Koseform für Konrad.

Koob *(m)* Kurzform für Jakob.

Kora *(w)* griechisch: Mädchen, Jungfrau; Kurzform für Cordula, Cordelia und Cornelia; Verkleinerungsformen: *Korinna, Corinna.*

Körb *(m)* Kurz- und Koseform für Korbinian.

Körbel *(m)* Kurz- und Koseform für Korbinian.

Korbinian *(m)* vermutlich keltisch: sorgenfrei; Nebenform: *Corbinian;* Kurz- und Koseformen: *Körb, Körbel, Körbl, Körblin, Körbling.*

Persönlichkeit der Geschichte:
Korbinian, ca. 670 bis 725; Glaubensbote in Bayern; gründete in Kains bei Mais-Meran ein Kloster, wurde Bischof von Freising.

Körbl *(m)* Kurz- und Koseform für Korbinian.

Kord *(m)* niederdeutsche Kurz- und Koseform für Konrad; Nebenform zu Kurt; auch *Kort* und *Cord.*

Kordel *(m)* Koseform für Karl.

Kordel *(w)* Kurzform für Kordula (Cordula).

Kordelia *(w)* Nebenform zu Cordelia (Cordula).

Kordia *(w)* Kurzform für Konkordia (Concordia).

Kordula *(w)* Nebenform zu Cordula; lateinisch: *Cordelia* (= Herzchen); Kurzform: *Kordel.*

Korinna *(w)* Nebenform zu Corinna.

Korl *(m)* niederdeutsche Form für Karl.

Kornelia *(w)* Nebenform zu Cornelia.

Kornelius *(m)* Nebenform zu Cornelius.

Koert *(m)* Koseform für Konrad.

Korvin *(m)* Nebenform zu Corvin.

Kosima *(w)* Nebenform zu Cosima.

Kosimo *(m)* Nebenform zu Cosimo.

Kosmas *(m)* Nebenform zu Cosmas.

Kosmus *(m)* Nebenform zu Cosmas.

Kosta *(m)* südslawische Kurzform für Konstantin.

Kostadin *(m)* südslawische Form von Konstantin.

Kostis *(m)* neugriechische Form von Konstantin.

Kostja *(m)* russische Kurzform für Konstanin.

Koszta *(m)* ungarische Form von Konstantin.

Kraft *(m)* althochdeutsch: = Kraft, Mut, Macht.

Kratz *(m)* Koseform für Pankraz.

Kre *(w)* Koseform für Kreszentia.

Kredel *(w)* Koseform für Kreszentia; Nebenformen: *Krettel, Kresel.*

Krees *(m)* Koseform für Pankraz.

Kreiel *(m)* bayerische Form von Quirin.

Krein *(m)* rheinische Form von Quirin.

Krein *(w)* Koseform für Katharina.

Krele *(w)* Koseform für Kreszentia.

Krelen *(w)* Koseform für Kreszentia.

Kreon *(m)* griechisch: Herrscher.

Kresel *(w)* Koseform für Kreszentia.

Kreszentia *(w)* lateinisch: *crescens* = wachsend; Nebenform: *Crescentia;* Kurzform: *Kreszenz;* Koseformen: *Kresel, Kredel, Krettel, Krelen, Krele, Kre, Zenz, Zenta, Zenze, Zenzi, Senta, Senz, Senze, Senzel.*

Kreszenz *(w)* Kurzform für Kreszentia.

Krettel *(w)* Koseform für Kreszentia.

Kriemhild *(w)* althochdeutsch: *grima* = Helm; *hiltja* = Kampf; Nebenformen: *Kriemhilde, Krimhild, Krimhilde.*

Persönlichkeit:
Kriemhild, Gestalt der Nibelungensage; Gattin Siegfrieds, später Etzels.

Kriemhilde *(w)* Nebenform zu Kriemhild.

Krien *(m)* rheinische Form von Quirin.

Krijn *(m)* niederländische Form von Quirin.

Krimhild *(w)* Nebenform zu Kriemhild.

Krimhilde *(w)* Nebenform zu Kriemhild.

Krin *(w)* Koseform für Katharina.

Krischan *(m)* niederdeutsche Form von Christian.

Krishna *(m)* indisch; Sanskrit: der Schwarze.

Krispin *(m)* Nebenform zu Crispin; Weiterbildung: *Krispinian(us).*

Krispinian *(m)* Weiterbildung von Krispin (Crispin); Nebenform: *Krispinianus.*

Krispinus *(m)* Nebenform zu Crispin.

Krista *(w)* Nebenform zu Christa.

Krister *(m)* nordische Kurzform für Christian.

Kristian *(m)* schwedische Form von Christian.

Kristiane *(w)* Nebenform zu Christiane.

Kristin *(w)* skandinavische Form von Christiane.

Kristina *(w)* skandinavische Form von Christine (Christiniane); Nebenformen: *Kristine, Kristin, Kerstina.*

Kristine *(w)* Nebenform zu Kristina (Christine).

Kristof *(m)* nordische Form von Christoph.

Kronos *(m)* griechisch: Vollender.

Persönlichkeit der Geschichte:

Kronos, in der griechischen Mythologie Sohn des Uranos, Vater des Zeus.

Krzysztof *(m)* polnische Form von Christoph.

Persönlichkeit:

Krysztof Penderecki, geboren 1933, polnische Komponist.

Kudrun *(w)* Nebenform zu Gudrun.

Kühnemund *(m)* Neubildung aus Kunimund.

Kün *(m)* Koseform für Konrad.

Kuni *(w)* Kurzform für Kunigunde.

Kuniald *(m)* althochdeutsch: *kunni* = Sippe; *ald* = *wald* = der Waltende; Nebenform: *Chuniald.*

Kunibert *(m)* althochdeutsch: *kunni* = Geschlecht, Sippe; *beraht* = glänzend; italienische Form: *Cuniberto.*

Kunigunda *(w)* Nebenform zu Kunigunde.

Kunigunde *(w)* althochdeutsch: *kunni* = Sippe, Geschlecht; *gund* = Kampf; Nebenform: *Kunigunda;* Kurz- und Koseformen: *Kunna, Kuni, Kunissa, Kunni, Kundel, Kunnel, Kunza, Kunniza, Gunda, Gunde, Gundel, Chüngi, Koneke, Konne, Kuneke, Kusa;* italienische Form: *Cunegunda.*

Kunihild *(w)* althochdeutsch: *kunni* = Sippe, Geschlecht; *hiltja* = Kampf.

Kunike *(m)* Koseform für Konrad.

Kunimund *(m)* althochdeutsch: *kunni* = Sippe, Geschlecht; *munt* = Schützer Umbildung: *Kühnemund.*

Kuno *(m)* Kurzform für Konrad und für mit Kuni- beginnende männliche Vornamen; Nebenformen: *Kunz, Kurt;* niederdeutsch: *Küne;* friesisch: *Keno.*

Kunrad *(m)* Nebenform zu Konrad.

Kunz *(m)* Koseform für Konrad.

Kürin *(m)* bayerische Form von Quirin.

Kurt *(m)* Kurzform für Konrad und Kunibert; Nebenformen: *Curd, Kord, Cord.*

Persönlichkeiten der Geschichte:

Kurt Edelhagen, 1920 bis 1982; deutscher Tanzkapellmeister und Komponist.

Kurt Hoffmann, geboren 1910; deutscher Filmregisseur.

Kurt Georg Kiesinger, geboren 1904; deutscher christdemokratischer Politiker; 1966 bis 1969 Bundeskanzler.

Kurt Schumacher, 1895 bis 1952; deutscher sozialdemokratischer Politiker; nach dem 2. Weltkrieg führend beim Wiederaufbau seiner Partei; Gegner der Politik Adenauers.

Kurt Schuschnigg, 1897 bis 1977; österreichischer christlich-sozialer Politiker; als Bundeskanzler 1938 bis 1945 in deutscher Haft.

Kurt Tucholsky, 1890 bis 1935; deutscher linksorientierter pazifistisch-humanistischer Schriftsteller, Publizist und ironisch-satirischer Kritiker.

Kurt Waldheim, geboren 1918; österreichischer Diplomat und Politiker; 1972 bis 1981 Generalsekretär der Vereinten Nationen; 1986 Bundespräsident von Österreich.

Kurt Weill, 1900 bis 1950; deutscher Komponist des zeitkritischen Musiktheaters.

Kurtmartin *(m)* Doppelname aus Kurt (= Konrad) und Martin.

Kus *(m)* Kurz- und Koseform für Dominikus.

Kyra *(w)* griechisch; weibliche Form zu Kyrill (Cyrill); Nebenformen: *Kira, Cyra.*

Kyrill *(m)* Nebenform zu Cyrill; auch *Kyrillus, Kyrillos.*

Kyrilla *(w)* Weiterbildung von Kyra, weibliche Form zu Kyrill (Cyrill); spanische Form: *Cirila.*

Persönlichkeit der Geschichte:

Kyrilla, gestorben um 304; nach der Überlieferung jungfräuliche Märtyrin unter Diokletian zu Cyrene in Libyen.

L

Ladewig *(m)* niederdeutsche Nebenform zu Ludwig.

Ladislaus *(m)* latinisierte Form von Wladislaw.

Laila *(w)* finnisch-lappländisch: = die Weise (?); oder Lallwort der Kindersprache (?); schwedische Form: *Lajla;* englisch: *Leila, Leilah.*

Lajla *(w)* schwedische Form von Laila.

Lajos *(m)* ungarische Form von Ludwig.

Lale *(w)* dänisch und niederdeutsch.

Persönlichkeit:

Lale Andersen, 1910 bis 1972; deutsche Chansonsängerin und Kabarettistin.

Lambert *(m)* Nebenform zu Lamprecht.

Persönlichkeit der Geschichte:

Lambert von Maastricht, Bischof, wurde um 700 gemartret. Nach ihm sind die Lambertus-Lieder benannt, besonders in Münster/Westfalen bekannt.

Lamberta *(w)* die weibliche Form zu Lambert (Lamprecht); Nebenform: *Lambertine.*

Lambertine *(w)* Nebenform zu Lamberta.

Lambrecht *(m)* Nebenform zu Lamprecht.

Lampe *(m)* Kurzform für Lamprecht.

Lampert *(m)* Nebenform zu Lamprecht.

Lamprecht *(m)* althochdeutsch: *lant* = Land (besitzend); *beraht* = glänzend; Nebenformen: *Lampert, Lambrecht, Lambert;* Kurz- und Koseformen: *Lampe, Land, Lando, Lande, Lanz, Lanzo, Lanze.*

Lana *(w)* Koseform für russische und andere slawische auf -lana endende weibliche Vornamen.

Lancelot *(m)* französisch; Bedeutung nicht geklärt; ebenform: *Lanzelot.*

Persönlichkeit der Geschichte:

Lancelot, in der Sage einer der Ritter in der Tafelrunde des Königs Artus.

Landelin *(m)* althochdeutsch: *lant* = Land; Nebenformen: *Landolin, Lando;* Koseform: *Lendle.*

Landfried *äm)* althochdeutsch: *lant* = Land; *fridu* = Friede, Schutz; Nebenformen: *Lantfried, Lantfrid.*

Landino *äm)* Nebenform zu Lando.

Lando *äm)* Kurzform für Lamprecht, Landelin und andere mit Land- gebildete männliche Vornamen; Nebenform: *Landino.*

Landoald *äm)* althochdeutsch: *lant* = Land; *ald* = bewährt, stark.

Landolf *äm)* althochdeutsch: *lant* = Land; *wolf* = Wolf; Nebenform: *Landulf.*

Landolin *(m)* Nebenform zu Landelin.

Landolt *äm)* althochdeutsch: *lant* = Land; *waltan* = walten, gebieten.

Landrada *äw)* althochdeutsch: *lant* = Land; *rad* = *rat* = Rat, Hilfe.

Persönlichkeit der Geschichte:

Landrada, 7. Jahrhundert; Einsiedlerin; dann Gründerin und Äbtissin des Klosters Münsterbilsen in Belgisch Limburg.

Landrich *(m)* Nebenform zu Landerich.

Landium *(m)* Nebenform zu Landwin.

Landulf *(m)* Nebenform zu Landolf.

Landwin *(m)* Nebenform zu Landewin.

Lantfrid *(m)* Nebenform zu Landfried.

Lantfried *(m)* Nebenform zu Landfried.

Lantpert *(m)* althochdeutsch: *lant* = Land; *pert* = *beraht* = glänzend.

Lantwin *(m)* Nebenform zu Landewin.

Lara *(w)* russische Kurz- und Koseform für Larissa; Nebenform zu Laura; italienische Kurzform für Larisa.

Lares *(m)* Koseform für Hilarius.

Larisa *(w)* italienische Form von Larissa.

Larissa *(w)* altgriechisch nach der Stadt Larissa, dann russisch; Kurz- und Koseform: *Lara;* italienisch: *Larisa.*

Persönlichkeit der Geschichte:

Larissa, 4. Jahrhundert; legendäre Märtyrerin; mit andern auf der Krim bei Gottesdienst lebendig verbrannt.

Larry *(m)* englische Kurzform für Lawrence.

Lars *(m)* schwedische Form von Laurentius; Nebenform: *Lasse.*

Larsina *(w)* norwegische Form von Laurentia.

Laslo *(m)* Eindeutschung des ungarischen László.

Lasse *(m)* schwedische Koseform für Laurentius.

László *(m)* ungarische Form von Ladislaus (Wladislaw).

Persönlichkeit der Geschichte:

László Németh, 1901 bis 1975; ungarischer Schriftsteller des Populismus.

Laetitia *(w)* lateinische Form von Lätizia.

Lätizia *(w)* lateinisch: *laetitia* = Freude; nach dem Gedächtnistag der »Sieben Freuden Marias« am 5. Juli: Verkündigung, Heimsuchung, Geburt Jesu, Anbetung der Weisen, Wiederfinden Jesu im Tempel, Auferstehung Jesu, Mariä Aufnahme in den Himmel; Nebenformen: *Laetitia, Letitia, Letizia;* Kurzformen: *Titia, Tizia.*

Laetus *(m)* lateinisch: *laetus* = froh.

Lauks *(m)* Koseform für Lukas.

Laura *(w)* italienische Kurzform für Laurentia; englische Form: *Laura;* französisch: *Laure;* französische Verkleinerungsform: *Laurette;* italienisch: *Lauretta.*

Lauren *(w)* englische Form von Laurentia.

Laurena *(w)* englische Form von Laurentia.

Laurence *(m)* englische Form von Laurentius.

Persönlichkeit der Geschichte:

Laurence Olivier, geboren 1907; englischer Schauspieler und Regisseur.

Laurence *(w)* französische Form von Laurentia.

Laurencia *(w)* ungarische Form von Laurentia.

Laurens *(m)* niederländische Form von Laurentius.

Laurense *(w)* norwegische Form von Laurentia.

Laurent *(m)* französische Form von Laurentius.

Laurentia *(w)* die weibliche Form zu Laurentius; Nebenform: *Laurenzia;* Kurz- und Koseformen: *Laura, Lenze;* englische Formen: *Laureen, Lauren, Laurena;* französisch: *Laurence;* italienisch: *Lorenza;* niederländisch: *Laurentia, Laurina;* norwegisch: *Larsina, Laurense, Laurine;* ungarisch: *Laurencia.*

Laurentius *(m)* lateinisch: Mann aus dem mittelitalienischen Laurentum; oder: mit Lorbeer geschmückt(?); deutsche Form: *Lorenz;* Nebenform: *Laurenz;* Koseform: *Löns;* italienisch: *Lorenzo;* niederländisch: *Laurens;* schwedisch: *Laurits, Lars, Lasse;* dänisch: *Laurids;* englisch: *Laurence, Lawrence;* tschechisch: *Vavřinec;* ungarisch: *Lörinez.*

Laurenz *(m)* Nebenform zu Laurentius; Kurzform: *Lenz.*

Lauretta *(w)* italienische Verkleinerungsform von Laura.

Laurette *(w)* französische Verkleinerungsform von Laure (Laura).

Laurids *(m)* dänische Form von Laurentius.

Laurin *(m)* Herkunft ungeklärt.

Persönlichkeit der Geschichte:

Laurin, Zwergkönig in der Dietrichsage der Heldendichtung.

Laurina *(w)* niederländische Form von Laurentia.

Laurine *(w)* norwegische Form von Laurentia; auch die weibliche Form zu Laurin oder Weiterbildung von Laura.

Laurits *(m)* schwedische Form von Laurentius.

Lauritz *(m)* deutsche Form des dänischen Laurids (Laurentius).

Laux *(m)* Koseform für Lukas.

Larvina *(w)* Nebenform zu Lavinia.

Lavinia *(w)* lateinisch; Bedeutung fraglich; möglich: aus der Stadt Lavinium stammend; Nebenform: *Lavina.*

Lawrence *(m)* englische Form von Laurentius.

Lazarus *(m)* hebräisch: *el hasar, Elasar* = Gott hilft; entspricht dem deutschen Namen »Gotthelf«; Nebenform *Lazar;* französische Form: *Lazare;* italienisch: *Lazzaro;* ungarisch: *Lázár.*

Persönlichkeit der Geschichte:

Lazarus, im Neuen Testament Zeitgenosse Jesu; von ihm vier Tage nach seinem Tod zum Leben erweckt.

Lazzaro *(m)* italienische Form von Lazarus.

Lea *(w)* hebräisch: *leah* = die Ermüdete oder Wildkuh; Nebenformen: *Lee* und *Lia.*

Leander *(m)* griechisch: *Leandros* = Mann aus dem Volk.

Persönlichkeit der Geschichte:

Leander, um 540 bis 600; seit 579 Erzbischof von Sevilla; bemüht um Bekehrung der arianischen Westgoten und das dritte Konzil von Toledo 589.

Leandra *(w)* die weibliche Form zu Leander.

Leart *(m)* Koseform für Leonhard.

Leberecht *(m)* Nebenform zu Lebrecht.

Lebold *(m)* Nebenform zu Leopold.

Lebrecht *(m)* althochdeutsch: *liuti* = Volk; *beraht* = glänzend; oder pietistische Neubildung; Nebenform: *Leberecht.*

Lebuin *(m)* Nebenform zu Liafwin.

Leda *(w)* griechisch; Bedeutung nicht geklärt.

Persönlichkeit der Geschichte:

Leda, Gestalt der griechischen Mythologie.

Lee *(m und w)* englisch-amerikanisch; Bedeutung ungeklärt.

Lee *(w)* Nebenform zu Lea.

Leen *(m)* Koseform für Leonhard.

Leent *(m)* Koseform für Leonhard.

Leffe *(m)* Koseform für Leif.

Leffert *(m)* Nebenform zu Liebhard und Liebrecht.

Legardis *(w)* Nebenform zu Luitgard.

Léger *(m)* französische Form von Leodegar.

Lehar *(m)* Koseform für Leonhard.

Lei *(m)* Koseform für Eligius, Leo und Leonhard.

Lei *(w)* Koseform für Adelheid.

Leibold *(m)* Nebenform zu Leopold.

Leies *(m)* Koseform für Elia.

Leif *(m)* nordisch: Sohn, Erbe, Hinterlassenschaft; Kurzform für mit *leifr* gebildete männliche Vornamen; Koseform: *Leffe.*

Leila *(w)* persisch: Nacht, die Dunkle; auch englische Form von Laila.

Leilah *(w)* englische Form von Laila.

Leindel *(m)* Koseform für Leonhard.

Leli *(w)* Koseform für Helene und Magdalena.

Lelia *(w)* italienisch, vom altrömischen Frauennamen *Laelia;* Bedeutung unklar.

Lelio *(m)* die männliche Form zu Lelia.

Lena *(w)* Kurzform für Helene und Magdalena; auch dänisch und norwegisch.

Lenard *(m)* oberdeutsche Nebenform zu Leonhard.

Lenardo *(m)* italienische Form von Leonhard.

Lenchen *(w)* Koseform für Helene und Magdalena.

Lendle *(m)* Koseform für Landelin.

Lene *(w)* Kurzform für Helene und Magdalena.

Leneke *(w)* Koseform für Helene und Magdalena.

Lenel *(m)* Koseform für Leonhard.

Lenel *(w)* Kurzform für Helene und Magdalena.

Leneli *(w)* Koseform für Helene und Magdalena.

Lenelies *(w)* Doppelname aus Helene und Elisabeth.

Lenelore *(w)* Doppelname aus Helene und Eleonore.

Leni *(w)* Kurzform für Helene und Magdalena.

Persönlichkeit:

Leni Riefenstahl, geboren 1902; deutsche Filmschauspielerin, Regisseurin und Photographin.

Lenka *(w)* slawische Kurzform für Helene und Magdalena; Nebenform: *Lenke.*

Lenke *(w)* Nebenform zu Lenka.

Lennart *(m)* niederdeutsche und schwedische Nebenform zu Leonhard; auch *Lennert.*

Lenne *(m)* Koseform für Leonhard.

Lennert *(m)* Nebenform zu Lennart (Leonhard).

Lenore *(w)* Nebenform zu Leonore.

Lenz *(m)* Kurzform für Laurenz (Laurentius) und Leonhard.

Lenza *(w)* die weibliche Form zu Lenz; Koseform: *Lenzi.*

Lenze *(w)* Kurz- und Koseform für Laurentia.

Lenzi *(w)* Kurz- und Koseform für Lenza.

Leo *(m)* lateinisch: *leo* = Löwe; oder Kurzform für Leopold und Leonhard; Nebenform: *Leon;* Koseform: *Lei;* englische Form: *Lion;* französisch: *Léo, Léon;* englische und französische Verkleinerungsform: *Lionel (Lyonel);* italienisch: *Leone;* russisch: *Lew.*

Persönlichkeit der Geschichte:

Leo I., der Große, gestorben 461; seit 440 Papst; Hüter des Glaubens und der Rechte des Papsttums; bewahrte 452 Rom vor den Hunnen.

Leo Blech, 1871 bis 1958; deutscher Dirigent und Komponist.

Leo Fall, 1873 bis 1925; österreichischer Operettenkomponist.

Leo von Klenze, 1784 bis 1864; deutscher klassizistischer Architekt; Hofbaumeister Ludwigs I. von Bayern.

Leo (Lew) Tolstoi, 1828 bis 1910; russischer Schriftsteller, einer der größten der Weltliteratur.

Leo D. Trotzki, 1879 bis 1940; sowjetrussischer Politiker; schuf die Rote Armee; Gegner Stalins, daher des Landes verwiesen.

Leo Slezak, 1873 bis 1946; österreichischer Opern- und Konzertsänger.

Léo *(m)* französische Form von Leo.

Leoba *(w)* Nebenform zu Lioba.

Leocadia *(w)* Herkunft und Bedeutung fraglich; Nebenform: *Leokadia.*

Leodegar *(m)* althochdeutsch: *liuti* = Leute, Volk; *ger* = Speer; Nebenformen: *Leodegar, Ludger, Lutgar, Lutger, Liudger, Liutiger;* französische Form: *Léger.*

Leodeger *(m)* Nebenform zu Leodegar.

Leodewin *(m)* Nebenform zu Luitwin.

Leogard *(w)* Nebenform zu Luitgard.

Leokadia *(w)* Nebenform zu Leocadia.

Leon *(m)* Nebenform zu Leo.
Persönlichkeit:
Leon Jessel, 1871 bis 1942; deutscher Operettenkomponist.

Léon *(m)* französische Form von Leo; auch Kurzform für Léonard (Leonhard).
Persönlichkeit:
Léon Blum, 1872 bis 1950; französischer Politiker; Begründer der sozialistischen Partei Frankreichs.

Leona *(w)* die weibliche Form zu Leo; Kurzform für mit Leo- gebildete weibliche Vornamen; Nebenformen: *Leoni, Leonia, Leonie;* Koseformen: *Loni, Lonni.*

Leonard *(m)* englische Form von Leonhard.
Persönlichkeit der Geschichte:
Leonard Bernstein, 1918 bis 1990; amerikanischer Dirigent und Komponist.

Léonard *(m)* französische Form von Leonhard.

Leonarda *(w)* Nebenform zu Leonharda (Leonhard).

Leonardo *(m)* italienische Form von Leonhard; Nebenform: *Lionardo.*
Persönlichkeiten der Geschichte:
Leonardo da Vinci, 1452 bis 1519; italienischer Maler, Bildhauer, Architekt, Naturforscher und Erfinder.

Leone *(m)* italienische Form von Leo.

Leonhard *(m)* althochdeutsch; *liuti* = Leute, Volk; oder: lateinisch: *leo* = Löwe; *harti* = stark; Nebenformen: *Leonhardi, Lienhard, Leonard;* Kurz- und Koseformen: *Lenard, Lennart, Lennert, Linnart, Lienert, Lienet, Liendel, Lieni, Leindel, Lenel, Lernet, Leret, Leart, Lehar, Liart, Liert, Leen, Leent, Lenne, Lei, Len, Lenz, Hard, Hrdl;* englische Form: *Leonard;* französisch: *Léonard;* italienisch: *Leonardo;* russisch: *Leonid.*
Persönlichkeiten der Geschichte:
Leonhard, 6. Jahrhundert; nach der Legende Einsiedler in Noblac (Diözese Limoges), wo er ein Kloster gründete; Wohltäter der Gefangenen, Kranken, Bauern und Pferde (Leonhardiritt!).
Leonhard Euler, 1707 bis 1783; schweizerischer Mathematiker.
Leonhard Frank, 1882 bis 1961, deutscher Schriftsteller (»Links wo das Herz sitzt«).

Leonharda *(w)* die weibliche Form zu Leonhard; Nebenform: *Leonarda.*

Leonhardi *(m)* Nebenform zu Leonhard.

Leoni *(w)* Nebenform zu Leona.

Leonia *(w)* Nebenform zu Leona.

Leonid *(m)* russische Form von Leonhard und von griechisch Leonides.
Persönlichkeit der Geschichte:
Leonid Breschnew, 1906 bis 1982; sowjetrussischer Politiker; ab 1966 Generalsekretär des Zentralkomitees der russischen Kommunistischen Partei.

Leonidas *(m)* griechisch: *leon* = Löwe; russische Form: *Leonid.*

Leonie *(w)* Nebenform zu Leona; französische Form: *Léonie.*

Leonor *(m)* spanisch, männliche Form zu Leonore.

Leonore *(w)* Kurzform für Eleonora; Nebenform: *Lenore.*

Leontine *(w)* die weibliche Form zu Leontinus; englische Form: *Leontyne.*

Leontinus *(m)* lateinisch: aus Leontini in Sizilien stammend.

Leontius *(m)* lateinisch: *leo* = Löwe; Koseform: *Löns.*

Leontyne *(w)* englische Form von Leontine.

Leopard *(m)* lateinisch; Bedeutung unklar.

Leopold *(m)* althochdeutsch: *liuti* = Leute, Volk; *bald* = kühn; ältere

Formen *Luitpold, Liutpold;* Nebenformen: *Leupold, Lippold, Lüpold, Leibold, Lebold;* Kurz- und Koseformen: *Polt, Polte, Polde, Poldes, Poldi, Poldl, Pold, Boldi;* französische Form: *Léopold;* italienisch: *Leopoldo, Poldo;* ungarisch: *Lipót.*

Persönlichkeiten der Geschichte:

Leopold I., 1676 bis 1747; preußischer Feldmarschall; schuf preußische Armee (»Der Alte Dessauer«).

Leopold Figl, 1902 bis 1965; christlich-sozialer österreichischer Politiker; schloß als Bundeskanzler 1955 den österreichischen Staatsvertrag.

Leopold Mozart, 1719 bis 1787, Lehrer und Komponist, Vater von Wolfgang Amadeus Mozart.

Leopold von Ranke, 1795 bis 1886, deutscher Historiker.

Leopold Stokowski, 1882 bis 1977, amerikanischer Dirigent.

Léopold *(m)* französische Form von Leopold.

Leopolda *(w)* die weibliche Form zu Leopold; Nebenform: *Leopolde.*

Leopoldine *(w)* Weiterbildung von Leopolda.

Leoš *(m)* tschechisch.

Leret *(m)* Koseform für Leonhard.

Lernet *(m)* oberdeutsche Koseform für Leonhard.

Leschek *(m)* deutsche Schreibweise des polnischen Leszek.

Leslie *(w)* englisch und französisch; geht auf schottischen Familiennamen zurück; ist englisch auch Männername.

Lester *(m)* englisch; Bedeutung nicht geklärt; vielleicht ehedem Familienname.

Persönlichkeiten der Geschichte:

Lester Bowles Pearson, 1897 bis 1972; kanadischer Politiker; Mitbegründer der NATO.

Leszek *(m)* polnische Form von Alexander; deutsche Schreibweise: *Leschek.*

Letitia *(w)* Nebenform zu Lätizia.

Letizia *(w)* Nebenform zu Lätizia.

Letta *(w)* Kurz- und Koseform für Violetta und ähnliche; Nebenformen: *Letteke, Letti, Letty.*

Letteke *(w)* Nebenform zu Letta.

Letti *(w)* Nebenform zu Letta.

Letty *(w)* Nebenform zu Letta.

Leutgard *(w)* Nebenform zu Luitgard.

Leuthold *(m)* Nebenform zu Luithold.

Leutwein *(m)* Nebenform zu Luitwin.

Leutwin *(m)* Nebenform zu Luitwin.

Lev *(m)* Nebenform zu Lew.

Leve *(m)* friesische Koseform für Levin.

Levek *(w)* niederdeutsche Kurzform für mit Lieb- gebildete weibliche Vornamen.

Leven *(m)* friesische Koseform für Levin.

Levi *(m)* hebräisch: *levi* = anhänglich; Nebenform: *Levy.*

Levin *(m)* niederdeutsche Form von Liebwin; Nebenform: *Lewin;* friesische Koseformen: *Leve, Leven, Lewe.*

Lewin *(m)* Nebenform zu Levin und Liafwin.

Lewis *(m)* englische Form von Ludwig.

Lex *(m)* Kurz- und Koseform für Alexander.

Lexa *(w)* Kurz- und Koseform für Alexandra (Alexander).

Lexel *(m)* Kurz- und Koseform für Alexander.

Li *(w)* Kurz- und Koseform für Elisabeth und andere mit -li- gebildete weibliche Vornamen.

Lia *(w)* Koseform für Julia und Elisabeth; auch Nebenform von Lea.

Liana *(w)* Nebenform zu Liane.

Liane *(w)* Kurzform für Juliana; auch nach der Schlingpflanze Liane (?); Nebenform: *Liana.*

Liart *(m)* Kurz- und Koseform für Leonhard.

Liawizo *(m)* Nebenform zu Liebizo.

Liberat *(m)* lateinisch: *liberatus* = der Befreite.

Persönlichkeit der Geschichte:

Liberat Weiß, 1675 bis 1716; der erste Missionar in Äthiopien; Franziskaner; in Gondar zu Tode gesteinigt; Märtyrer.

Liberia *(w)* die weibliche Form zu Liberius (Liborius).

Liberius *(m)* Nebenform zu Liborius.

Liberta *(w)* die weibliche Form zu früherem Liebert; althochdeutsch: *liob* = lieb; *beraht* = glänzend; Nebenform: *Liberte.*

Liberte *(w)* Nebenform zu Liberta.

Libet *(w)* Nebenform zu Liesbeth (Elisabeth); auch *Libeth.*

Libeth *(w)* Nebenform zu Libet.

Libgard *(w) (m)* Nebenform zu Liebgard.

Libgart *(w)* Nebenform zu Liebgard.

Liborius *(m)* von lateinisch: *libare,* griechisch: *leibein, beides* = Gott opfern; Nebenform: *Liberius;* Kurzformen: *Borries Börries, Borris, Börre, Bors.*

Libusa *(w)* Nebenform zu Libussa.

Libussa *(w)* slawisch, nach tschechisch *Luboslaw* = Liebe, Liebling; Nebenform: *Libusa.*

Persönlichkeit der Geschichte:

Libussa, sagenhafte Gründerin der Stadt Prag, vom Volk zur Regentin ausgewählt aufgrund von Klugheit, weisen Gesetzen und gerechter Verwaltung.

Lida *(w)*Kurz- und Koseform für Adelheid, Ludmilla und Luise; Nebenform: *Lide.*

Lidda *(w)* Nebenform zu Liddi.

Lidia *(w)* Nebenform zu Lydia und Ludwina.

Lidmila *(w)* Nebenform zu Ludmilla.

Lidvina *(w)* Nebenform zu Lidwina.

Lidvine *(w)* französische Form von Lidwina.

Lidwiga *(w)* Nebenform zu Luitwina.

Lidwina *(w)* Nebenform zu Luitwina; Nebenform: *Lidvina;* französische Form: *Lidvine.*

Liebegard *(w)* Nebenform zu Liebgard.

Liebel *(m)* Koseform für Gottlieb und andere mit -lieb gebildete männliche Vornamen.

Liebert *(w)* Nebenform zu Liebrecht.

Liebetraud *(w)* Nebenform zu Liebtraud.

Liebfried *(m)* althochdeutsch: *liob* = lieb; *fridu* = Friede.

Liebgard *(w)* althochdeutsch: *liob* = lieb; *gard* = Zaun, Schutz, Schützerin; Nebenformen: *Liebegard, Libgard, Libgart.*

Liebhard *(m)* althochdeutsch: *liob* = lieb; *harti* = stark, kühn; Nebenformen: *Lippert, Leffert, Liefert, Lievert.*

Liebhild *(w)* althochdeutsch: *liob* = lieb; *hiltja* = Kampf.

Liebizo *(m)* althochdeutsch: *liob* = lieb; *wit* = weit, stark; Nebenform: *Liawizo.*

Liebrecht *(m)* althochdeutsch: *liob* = lieb; *beraht* = glänzend; Nebenformen: *Liebert, Leffert;* auch Nebenform zu Luitbrecht.

Liebtraud *(w)* althochdeutsch: *liob* = lieb; *trud* = Stärke, Kraft; Nebenformen: *Liebetraud, Liebtrud.*

Liebtrud *(w)* Nebenform zu Liebtraud.

Liebwald *(m)* althochdeutsch: *liob* = lieb; *waltan* = walten, gebieten.

Liebward *(m)* althochdeutsch: *liob* = lieb; *wart* = Hüter, Schützer; Nebenform: *Liebwart.*

Liebwart *(m)* Nebenform zu Liebward.
Liebwin *(m)* althochdeutsch: *liob* = lieb; *wini* = Freund; niederdeutsche Form: Levin.
Liefert *(m)* Nebenform zu Liebhard.
Liendel *(m)* Koseform für Leonhard.
Lienert *(m)* Koseform für Leonhard.
Lienhard *(m)* oberdeutsche und schweizerische Nebenform zu Leonhard.
Lienhart *(m)* oberdeutsche und schweizerische Nebenform zu Leonhard.
Leini *(m)* Koseform für Leonhard.
Liert *(m)* Kurz- und Koseform für Leonhard.
Lies *(w)* Kurzform für Elisabeth.
Liesa *(w)* Kurzform für Elisabeth.
Liesbeth *(w)* Kurzform für Elisabeth; Nebenformen: *Lisbeth, Libet.*
Liese *(w)* Kurzform für Elisabeth.
Lisel *(w)* Kurzform für Elisabeth.
Lieselore *(w)* Doppelname aus Elisabeth und Eleonore; Nebenform: *Liselore.*
Lieselotte *(w)* Doppelname aus Elisabeth und Charlotte; Nebenform: *Liselotte;* Koseformen: *Lilotte, Lilo.*
Liesemarie *(w)* Doppelname aus Elisabeth und Maria.
Liesi *(w)* Koseform für Elisabeth.
Lieske *(m)* Koseform für Elia.
Liesl *(w)* Kurz- und Koseform für Elisabeth.
Persönlichkeit der Geschichte:
Liesl Karlstadt, 1892 bis 1960; deutsche Volksschauspielerin; seit 1915 Partnerin von Karl Valentin.
Lievert *(m)* Nebenform zu Liebhard.
Lil *(w)* Koseform für Elisabeth und Lilian; Nebenform: *Lill.*
Persönlichkeit der Geschichte:
Lil Dagover, 1897 bis 1980; deutsche Schauspielerin des Stumm- und Tonfilms sowie der Bühme.
Lili *(w)* Koseform für Elisabeth, Julia und Lilian; Nebenform: *Lilli.*
Lilian *(w)* von lateinisch: *lilium* = Lilie; oder Weiterbildung von Lilly; Nebenform: *Liliane;* Koseformen: *Lil, Lili, Lilli;* italienische Form: *Liliana.*
Persönlichkeit der Geschichte:
Lilian Harvey, 1907 bis 1968; englisch-deutsche Filmschauspielerin.
Liliana *(w)* italienische Form von Lilian.
Liliane *(w)* Nebenform zu Lilian.
Lilli *(w)* Koseform für Elisabeth, Julia und Lilian.
Persönlichkeit:
Lilli Palmer, 1914 bis 1986; deutsch-britische Schauspielerin der Bühne und des Films.
Lilo *(w)* Koseform für Lieselotte.
Lilotte *(w)* Koseform für Lieselotte.
Limone *(w)* nach der italienischen Zitrusfrucht Limone.
Lina *(w)* Kurzform für Evelin, Karoline, Pauline und andere auf -lina (-line) endende weibliche Vornamen; Nebenform: *Line;* französische Koseform: *Linette.*
Linchen *(w)* Koseform für Karoline.
Linda *(w)* Kurzform für Dietlinde, Rosalinde und andere auf -linde endende weibliche Vornamen.
Linde *(w)* Nebenform zu Linda.
Lindgard *(w)* althochdeutsch: lind = mild; *gard* = Zaun. Schutz, Schützerin; Nebenform: *Lindgart.*
Lindgart *(w)* Nebenform zu Lindgard.
Lindtraud *(w)* ältere Form von Lintrud; Nebenform: *Lindtrud.*
Lindtrud *(w)* Nebenform zu Lindtraud.
Linette *(w)* französische Koseform für Line (Lina).
Lini *(w)* Koseform für Karoline.
Lining *(w)* niederdeutsche Koseform für Karoline.
Linnart *(m)* schwedische Nebenform zu Lennart (Leonhard).

Lintrud *(w)* althochdeutsch: *lind* = mild; *trud* = Kraft, Stärke; ältere Formen: *Lindtrud, Lindtraud.*

Linus *(m)* griechisch: der Betrauerte, der Klagende; auch Kurzform für auf -linus endende männliche Vornamen.

Lioba *(w)* westgotisch: die Liebe, Liebende; oder Kurzform für Liobgid; Nebenformen: *Leoba, Liuba, Ljuba.*

Liobgid *(w)* althochdeutsch: *liob* = lieb; altenglisch: *gyth* = Kampf.

Lion *(m)* Nebenform zu Leo und zum französischen Léon; Verkleinerungsform: *Lionel.*

Persönlichkeit der Geschichte:

Lion Feuchtwanger, 1884 bis 1958; deutscher Romanschriftsteller.

Lionardo *(m)* italienische Nebenform zu Leonardo (Leonhard).

Lionel *(m)* französische und englische Verkleinerungsform von Leo, Lion; italienische Form: *Lionello.*

Persönlichkeit der Geschichte:

Lionel Hampton, geboren 1913; amerikanischer Jazzmusiker des Swing.

Lionello *(m)* italienische Form von Lionel.

Lionne *(w)* französische weibliche Form zu Lion (Léon).

Lipa *(w)* russische Kurzform für Olympia.

Lipo *(m)* slawische Form von Philipp.

Lipp *(m)* Kurz- und Koseform für Philipp.

Lipperl *(m)* Koseform für Philipp.

Lippi *(m)* Koseform für Philipp.

Lipl *(m)* Kurz- und Koseform für Philipp.

Lippo *(m)* italienische Kurzform für Filippo (Philipp).

Lippold *(m)* Nebenform zu Leopold; ältere Form von Luitpold (Leopold).

Lipps *(m)* Kurz- und Koseform für Philipp.

Lis *(w)* Kurzform für Elisabeth; englische Form: *Liz.*

Lisa *(w)* italienische Kurzform für Elisabeth.

Lisabeth *(w)* Kurzform zu Elisabeth.

Lisanne *(w)* Doppelname aus Elisabeth und Anna.

Lisbeth *(w)* Kurzform für Elisabeth.

Lise *(w)* Kurzform für Elisabeth.

Persönlichkeit der Geschichte:

Lise Meitner, 1878 bis 1968; österreichische Physikerin der Atom- und Kernphysik.

Lisebeth *(w)* Kurzform für Elisabeth.

Liselore *(w)* Nebenform zu Lieselore.

Liselott *(w)* Nebenform zu Lieselotte.

Liselotte *(w)* Nebenform zu Lieselotte; auch *Liselott.*

Persönlichkeit der Geschichte:

Liselotte von der Pfalz, 1652 bis 1722; Gattin Herzog Philipps I. von Orléans; bekannt durch ihre Schilderung des französischen Hoflebens.

Lisenka *(w)* slawische Koseform für Elisabeth.

Lisetta *(w)* italienische Kurzform für Elisabeth.

Lisette *(w)* französische Kurzform für Elisabeth.

Lisia *(w)* italienische Weiterbildung von Lisa (Elisabeth).

Lisiane *(w)* französische Weiterbildung von Lisa (Elisabeth); Nebenformen: *Lysiane, Lysianne.*

Liska *(w)* Nebenform zu Lisken.

Lisken *(w)* schwedische Koseform für Elisabeth; Nebenform: *Liska.*

Lissa *(w)* Koseform für Elisabeth und Melitta.

Lisse *(w)* Koseform für Elisabeth.

Lissi *(w)* Koseform für Elisabeth.

Lissy *(w)* Koseform für Elisabeth.

Litt *(m)* Kurzform für Hippolyt.

Litthard *(m)* Nebenform zu Luithard.

Litz *(w)* Koseform für Felicitas.

Liudolf *(m)* Nebenform zu Luidolf.
Liutbald *(m)* Nebenform zu Luitbald.
Liutberga *(w)* Nebenform zu Luitberga.
Liutbert *(m)* Nebenform zu Luitbert.
Liutbrand *(m)* Nebenform zu Luitbrand.
Liutgard *(w)* Nebenform zu Luitgard.
Liutger *(m)* Nebenform zu Luitger (Leodegar).
Liuthard *(m)* Nebenform zu Luithard.
Liutiger *(m)* Nebenform zu Leodegar.
Liutolf *(m)* Nebenform zu Luidolf.
Liutpold *(m)* ältere Form von Leopold.
Liutrud *(w)* althochdeutsch: *liut* = Leute, Volk; *trud* = treu, stark.
Liv *(w)* nordisch: *hlif* = Wehr, Schutz; oder: *liv* = Leben.
Persönlichkeit:
Liv Ullmann, geboren 1938; norwegische Schauspielerin, besonders des Films; seit 1980 Sonderbotschafterin von UNICEF.
Livia *(w)* die weibliche Form zu Livius.
Livinus *(m)* latinisierte Form von Liafwin.
Livio *(m)* italienische Form von Livius.
Livius *(m)* lateinisch: aus dem altrömischen Geschlecht der Livier stammend; italienische Form: *Livio.*
Liz *(w)* englische Kurzform für Elisabeth.
Liza *(w)* englische Kurzform für Elisabeth.
Persönlichkeit:
Liza Minelli, geboren 1946; amerikanische Schauspielerin, Sängerin und Tänzerin.
Lizzi *(w)* englische Kurzform für Elisabeth und Alice (Alexandra).
Lizzy *(w)* englische Kurzform für Elisabeth und Alice (Alexandra).
Ljuba *(w)* slawisch: Liebe, Liebende; auch Nebenform zu Lioba.
Ljubica *(w)* Sanskrit: Liebchen (?).
Ljubinka *(w)* slawische Koseform für Ljuba; Nebenform: *Lubinka.*
Ljubomir *(m)* slawisch: *ljubow* = Liebe; *mir* = Friede.
Ljudomir *(m)* altslawisch: *ljudi* = Leute, Volk; *mir* = Friede.
Loana *(w)* Nebenform zu Luana oder Weiterbildung von Lona.
Lobgott *(m)* pietistische Neubildung des 17./18. Jahrhunderts.
Lodewik *(m)* niederdeutsche und niederländische Form von Ludwig.
Lodovico *(m)* italienische Form von Ludwig.
Lois *(m)* Kurzform für Alois.
Loisa *(w)* Koseform für Aloisia; Nebenform: *Loysa.*
Loisl *(m)* bayerische Koseform für Alois (Aloisius).
Loki *(w)* Koseform für Hannelore.
Lola *(w)* spanische Koseform für Charlotte, Dolores, Karoline; Nebenform: *Lolo.*
Persönlichkeit der Geschichte:
Lola Montez, 1818 bis 1861; schottische Tänzerin; Geliebte König Ludwigs I. von Bayern.
Lolita *(w)* spanisch;
Koseform für Lola.
Lolo *(w)* Nebenform zu Lola.
Lona *(w)* Nebenform zu Loni und Malina; auch norwegische Kurzform für Magdalena.
Lone *(w)* Nebenform zu Loni.
Longinus *(w)* von lateinisch: *longus* = lang.
Loni *(w)* Kurz- und Koseform für Apollonia, Eleonora und Leonie; Nebenformen: *Lona, Lone, Lony, Lonni.*
Lonni *(w)* Nebenform zu Loni.

Lonny *(w)* englische Koseform für Apollonia.

Lony *(w)* Nebenform zu Loni.

Lope *(m)* spanisch: = Wolf; Nebenform: *Lopez.*

Lora *(w)* Kurzform für Eleonora und Laura; Nebenform: *Lore.*

Lorchen *(w)* Koseform für Eleonora.

Lore *(w)* Kurzform für Eleonora und Laura.

Loredana *(w)* italienisch; von lateinisch: *laurus* = Lorbeer.

Lorelies *(w)* Doppelname aus Eleonora und Elisabeth.

Lorella *(w)* Weiterbildung von Laura.

Loremarie *(w)* Doppelname aus Eleonora und Maria.

Lorenz *(m)* deutsche Form von Laurentius; Kurz- und Koseformen: *Lore, Lori, Löhr, Löns, Lenz, Renz;* italienische Form: *Lorenzo.*

Lorenza *(w)* italienische Form von Laurentia; Koseform: *Lorenzina.*

Lorenzo *(m)* italienische Form von Lorenz (Laurentius); Koseform: *Renzo, Rienzio.*

Loretta *(w)* italienische Form von Lauretta; nach dem italienischen Wallfahrtsort Loreto (französisch: Notre Dame de Lorette); Nebenform: *Loritta;* französische Form: *Lorette;* bulgarisch: *Lorita.*

Lorette *(w)* französische Form von Loretta.

Loretto *(m)* die männliche Form zu Loretta.

Loris *(w)* Nebenform zu Lorina.

Lorita *(w)* bulgarische Form von Loretta.

Lothar *(m)* althochdeutsch *Chlothar: hluth* = berühmt; *hari* = *heri* = Heer; Nebenform: *Lotar;* niederdeutsche Formen: *Lüder, Lüders;* italienisch und spanisch: *Lotario.*

Lottchen *(w)* Nebenform zu Lotte.

Lotte *(w)* Koseform für Charlotte und Karoline; Nebenformen: *Lotti, Lottchen.*

Persönlichkeiten der Geschichte:

Lotte Lehmann, 1888 bis 1976, deutsch-amerikanische Sängerin (Lyrisch-dramat. Sopran). Emigrierte 1939 in die USA.

Lotte Lenya, 1900 bis 1981, Schauspielerin und Sängerin; wurde als Seeräuber-Jenny in Brechts Dreigroschen-Oper bekannt. Heiratete Kurt Weill, emigrierte 1933 in die USA.

Lottelies *(w)* Doppelname aus Charlotte und Elisabeth; Nebenformen: *Lotteliese, Lottlisa.*

Lotteliese *(w)* Nebenform zu Lottelies.

Lotti *(w)* Nebenform zu Lotte.

Lottlisa *(w)* Nebenform zu Lottelies.

Lotz *(m)* Kurz- und Koseform für Ludwig.

Lotze *(m)* Kurz- und Koseform für Ludwig.

Louis *(m)* französische Form von Ludwig.

Persönlichkeiten der Geschichte:

Louis Ferdinand, 1772 bis 1806; Prinz von Preußen; Heerführer in den Koalitionskriegen.

Louis Daniel Armstrong, 1900 bis 1971; afroamerikanischer Jazztrompeter und -sänger.

Louis Daguerre, 1787 bis 1851, französischer Maler, Miterfinder der Photographie.

Louis Pasteur, 1822 bis 1895; französischer Chemiker und Bakteriologe.

Louis Spohr, 1784 bis 1859, deutscher Komponist und Dirigent.

Louise *(m)* die weibliche Form zu französisch Louis; Kurz- und Koseform: *Lou;* Nebenformen: *Lowis, Lowisa.*

Lovis *(m)* niederdeutsche Nebenform zu Ludwig; auch *Lowis.*

Persönlichkeit der Geschichte:
Lovis Corinth, 1858 bis 1925; deutscher Maler und Graphiker; ein Hauptvertreter des deutschen Impressionismus; 1915 Leiter der Berliner Sezession.

Lovisa *(w)* niederdeutsche Nebenform zu Luise; auch: *Lowisa, Lowise.*

Lowik *(m)* niederländische Form von Ludwig.

Lowis *(m)* Nebenform zu Lovis.

Loy *(m)* Koseform für Eligius oder Lodewik (Ludwig); Nebenform: *Loi.*

Loysa *(w)* Nebenform zu Loisa.

Lu *(w)* Kurz- und Koseform für Luise und andere mit Lu- beginnende weibliche Vornamen.

Lubinka *(w)* slawische Nebenform zu Ljubinka.

Lubomierski *(m)* polnisch: friedliebend.

Luc *(m)* Kurzform für Lucien.

Lucas *(m)* Nebenform zu Lukas.
Persönlichkeit der Geschichte:
Lucas Cranach der Ältere, 1472 bis 1553; deutscher Maler und Graphiker der Reformationszeit.

Luchino *(m)* italienisch.
Persönlichkeiten der Geschichte:
Luchino Visconti, 1906 bis 1976; italienischer neorealistischer Regisseur der Bühne und des Films.

Lucia *(w)* die weibliche Form zu Lucius, etwa: leuchtend; Nebenformen: *Luzia, Lucie, Luzie;* Koseformen: *Lutzel, Luzi, Luz, Luzeile, Zeia, Zeieli, Zeje, Zizi, Zeigen;* Weiterbildung: *Lucinde;* französische Form: *Lucie;* italienisch: *Lucia;* englisch: *Lucy.*

Lucian *(m)* Weiterbildung von Lucius; lateinische Form: *Lucianus;* deutsche Schreibweise: *Luzian.*

Luciana *(w)* die weibliche Form zu Lucian; Nebenform: *Luciane.*

Luciane *(w)* Nebenform zu Luciana.

Lucie *(w)* französische Form und Nebenform zu Lucia.

Lucien *(m)* französische Form von Lucius; Kurzform: *Luc.*

Lucienne *(w)* die weibliche Form zu französisch Lucien (Lucius).

Lucilla *(w)* Weiterbildung von Lucia; Nebenformen: *Lucille, Luzilla.*

Lucille *(w)* Nebenform zu Lucilla.

Lucinde *(w)* Weiterbildung von Lucia; Nebenform: *Luzinde.*

Lucius *(m)* von lateinisch: *lux* = Licht bei Tagesanbruch geboren (?); deutsche Schreibweise: *Luzius;* französische Form: *Lucien,* Kurzform: *Luc.*

Luckhard *(w)* Nebenform zu Luitgard.

Lucréce *(w)* französische Form von Lukretia.

Lucretia *(w)* lateinische Form von Lukretia (Lukretius), französische Form: Lucréce.

Lucretius *(m)* lateinische Form von Lukretius.

Lucrezia *(w)* italienische Form von Lukretia.

Luculla *(w)* Koseform für Luitgard.

Lucy *(w)* die englische Form von Lucia.

Lud *(w)* Kurzform für Ludmilla.

Ludanus *(m)* lateinische Form von Ludan.

Ludbert *(m)* Nebenform zu Luitbert.

Lude *(m)* Nebenform zu Lüde; Koseform für Ludwig.

Lüde *(m)* niederdeutsch-friesische Kurzform für mit Luit- gebildete männliche Vornamen; Nebenformen: *Lude, Ludeke, Lüdeke, Luideke.*

Lüdeke *(m)* Nebenform zu Lüde; Kurzform für Ludwig; Kosename für Luidolf.

Ludger *(m)* Nebenform zu Leodegar und Luitger.

Persönlichkeit der Geschichte:
Ludger, Heiliger, friesischer Missionar, wurde 804 der erste Bischof von Münster.

Ludgera *(w)* die weibliche Form zu Ludger.

Ludi *(m)* Kurzform für Ludwig.

Ludmila *(w)* Nebenform zu Ludmilla.

Ludmila *(w)* slawisch: *ljud* = Leute, Volk; *milyj* = lieb; Nebenformen: *Ludmila, Lidmila;* Kurz- und Koseformen: *Lud, Lulu, Lida, Lidda, Liddi, Liddy, Mila, Milina, Milena, Militza, Milka.*

Ludolf *(m)* althochdeutsch: *hluth* = berühmt; *wolf* = Wolf.

Ludolfa *(w)* die weibliche Form zu Ludolf.

Ludolfine *(w)* Weiterbildung von Ludolfa.

Ludovica *(w)* lateinische Form von Ludwiga.

Ludovico *(m)* italienische Form von Ludwig.

Ludovicus *(m)* lateinische Form von Ludwig.

Ludowika *(w)* slawische Form und Nebenform zu Ludwiga.

Ludvig *(m)* dänische und schwedische Form von Ludwig.

Ludvik *(m)* tschechische Form von Ludwig; auch allgemein slawisch.
Persönlichkeit der Geschichte:
Ludvik Svoboda, 1895 bis 1979; tschechischer General und kommunistischer Politiker.

Ludvika *(w)* slawische Form von Ludwiga.

Ludwig *(m)* althochdeutsch: *hluth* = berühmt, oder: *hlotho* = Schar; *wig* = Kampf, Krieg; fränkische Form: *Chlodwig;* latinisiert: *Ludovicus;* Kurz- und Koseformen: *Lude, Ludi, Luggi, Lüdeke, Lücke, Lutz, Lotz, Lotze, Luwi, Ludel, Luthe, Lu, Wiggerl, Wiggl, Wigg, Wickel, Wickes;* niederdeutsche Formen: *Ladewig, Lovis, Lowis, Lodwijk;* niederländisch: *Lodewik, Lowik;* dänisch und schwedisch: *Ludvig;* englisch: *Lewis;* französisch: *Louis;* italienisch: *Ludovico, Lodovico;* Kurzformen: *Luigi, Gigi, Gigio, Vico, Gino;* spanisch und portugiesisch: *Luis;* tschechisch: *Ludvik;* slawisch: *Ludvik, Ludwik;* ungarisch: *Lajos.*
Persönlichkeiten der Geschichte:
Ludwig der Fromme, 778 bis 840; fränkischer Kaiser seit 814; unter ihm ging Reichseinheit verloren.
Ludwig der Deutsche, um 805 bis 876; seit 843 König des Ostfrankenreichs, das sich zum Deutschen Reich entwikkelte.
Ludwig II. von Bayern, 1845 bis 1886; ab 1864 König; Erbauer von Prachtschlössern.
Ludwig XIV. von Frankreich, 1638 bis 1715; der »Sonnenkönig«; absolutistischer Monarch; erreichte den Höhepunkt der französischen Machtstellung.
Ludwig Beck, 1880 bis 1944; deutscher General; Gegner von Hitlers Kriegsplänen; trat 1938 zurück; aktiv in der Widerstandsbewegung; 1944 erschossen.
Ludwig van Beethoven, 1770 bis 1827; deutscher Komponist von Sinfonien, Kammermusiken, Streichquartetten, Klavierwerken, Solosonaten.
Ludwig Bölkow, geboren 1912; deutscher Konstrukteur der Luft- und Raumfahrtindustrie.
Ludwig Erhard, 1897 bis 1977; deutscher christdemokratischer Politiker; begründete die Soziale Marktwirtschaft; 1963 bis 1966 Bundeskanzler.
Ludwig Feuerbach, 1804 bis 1872, deutscher Philosoph.

Ludwig Ganghofer, 1855 bis 1920, populärer Romanschriftsteller.
Ludwig Mies van der Rohe, 1886 bis 1969, bedeutender deutscher Architekt, Direktor des Bauhauses.
Ludwig Richter, 1803 bis 1884, deutscher Maler und Zeichner.
Ludwig Tieck, 1773 bis 1853, deutscher Dichter. Schloß sich der Jenaer Frühromantik an.
Ludwig Thoma, 1867 bis 1921; deutscher zeitkritischer Schriftsteller.
Ludwig Uhland, 1787 bis 1862; deutscher Schriftsteller; Haupt der »Schwäbischen Dichterschule«.
Ludwig Wittgenstein, 1889 bis 1951; deutscher Philosoph; Vertreter der analytischen Philosophie und des Pragmatismus sowie einer neuen Theorie der Psychologie.

Ludwiga *(w)* die weibliche Form zu Ludwig; latinisiert: *Ludovica, Ludowika;* Koseformen: *Fieke, Fike, Fikchen, Vike;* französische Form: *Louise;* italienisch: *Luigia;* spanisch: *Luisa;* polnisch: *Ludwika;* slawisch: *Ludvika, Ludwika, Ludowika.*

Ludvik *(m)* slawische Form von Ludwig.

Ludwika *(w)* slawische Form von Ludwiga; Nebenform *Ludowika.*

Ludwina *(w)* Nebenform zu Luitwina; auch: *Lidwiga, Lidia, Lidwina.*

Luggi *(m)* österreichische und schweizerische Koseform für Ludwig.

Luidolf *(m)* althochdeutsch: *liut* = Leute, Volk; *wolf* = Wolf; Nebenformen: *Luitolf, Liutolf, Liudolf;* Kurz- und Koseformen: *Ludeke, Lüdeke, Lülf, Luf, Lauf.*

Luigi *(m)* italienische Form von Ludwig und Alois.

Luigia *(w)* italienische Form von Ludwiga.

Luis *(m)* spanische und rätoromanische Form von Ludwig.
Persönlichkeit der Geschichte:
Luis Trenker, geboren 1892; deutscher Bergsteiger, Filmschauspieler und -regisseur sowie Schriftsteller.

Luisa *(w)* italienische, spanische und rätoromanische Form von Luise und Ludwiga.

Luise *(w)* deutsche Form von französisch Louise; Nebenform von Ludwiga; Kurz- und Koseformen: *Lu, Lulu, Lida, Lidda, Liddi, Liddy, Lide, Wise, Wisele;* italienische und spanische, auch rätoromanische Form: *Luisa.*
Persönlichkeiten der Geschichte:
Luise, Königin von Preußen, 1776 bis 1810. Bat nach der Niederlage von 1806 persönlich Napoléon um mildere Friedensbedingungen.
Luise Ulrike, 1720 bis 1782, Schwester Friedrichs der Große, Königin von Schweden.
Luise Rinser, geb. 1911, deutsche Schriftstellerin.
Luise Schröder, 1887 bis 1957, deutsche Politkerin (SPD).
Luise Ullrich, geboren 1911; deutsche Schauspielerin der Bühne und des Films; auch Schriftstellerin.

Luisella *(w)* romanische Verkleinerung von Luisa; Nebenform: *Luiselle.*

Luiselle *(w)* Nebenform zu Luisella.

Luiselotte *(w)* Doppelname aus Luise und Charlotte.

Luitbald *(m)* althochdeutsch: *liut* = Leute, Volk; *bald* = kühn; ältere Form von Luitpold; Nebenformen: *Liutbald, Lupold.*

Luitberga *(w)* althochdeutsch: *liut* = Leute, Volk; *berga, burg* = Schutz; Nebenformen: *Liutberga, Luitburga, Liudbirg, Lutbirg.*

Luitbert *(m)* althochdeutsch: *liut* = Leute, Volk; *beraht* = glänzend; Nebenformen: *Liutbert, Luitbrecht, Liebrecht.*

Luitbrand *(m)* althochdeutsch: *liut* =

Leute, Volk; *brant* = Feuer, Schwert; Nebenformen: *Liutbrand, Luitprand.*

Luitbrecht *(m)* Nebenform zu Luitbert; auch *Liebrecht.*

Luitburga *(w)* Nebenform zu Luitberga.

Luitfrid *(m)* Nebenform zu Luitfried; auch *Leutfried.*

Luitfried *(m)* althochdeutsch: *liut* = Leute, Volk; *fridu* = Friede; Nebenform: *Luitfrid.*

Luitfriede *(w)* die weibliche Form zu Luitfried.

Luitgard *(w)* althochdeutsch: *liut* = Leute, Volk; *gard* = Schutz; Nebenformen: *Liutgard, Lutgard, Leutgard, Leogard, Legardis, Leukardis, Luckhard, Lukardis, Lükardis;* Kurz- und Koseformen: *Lucke, Luckele, Lücke, Luculla.*

Luitger *(m)* althochdeutsch: *liut* = Leute, Volk; *ger* = Speer; Nebenformen: *Ludger, Liutger.*

Luitgund *(w)* althochdeutsch: *liut* = Leute, Volk; *gund* = Kampf, Krieg.

Luithard *(m)* althochdeutsch: *liut* = Leute, Volk; *harti* = stark, fest; Nebenformen: *Liuthard, Litthard.*

Luither *(m)* althochdeutsch: *liut* = Leute, Volk; *heri* = Heer.

Luithild *(w)* althochdeutsch: *liut* = Leute, Volk; *hiltja* = Kampf.

Luithold *(m)* althochdeutsch: *liut* = Leute, Volk; *waltan* = herrschen, gebieten; ältere Form: *Luitwald;* Nebenform: *Leuthold.*

Luitolf *(m)* Nebenform zu Luidolf.

Luitpold *(m)* ältere Form von Leopold; Nebenformen: *Luitbald, Lippold.*

Luitprand *(m)* Nebenform zu Luitbrand.

Luitprecht *(m)* Nebenform zu Luitbert.

Luitwald *(m)* ältere Form von Luithold.

Luitwin *(m)* althochdeutsch: *liut* = Leute, Volk; *wini* = Freund; Nebenformen: *Liutwin, Lutwin, Leodewin, Leutwin, Leutwein.*

Luitwine *(w)* die weibliche Form zu Luitwin; Nebenform: *Lutwine.*

Lukácz *(m)* ungarische Form von Lukas.

Lukan *(m)* lateinisch: *Lucanus* = Lukaner.

Lukardis *(w)* Nebenform zu Luitgard; auch *Lükardis.*

Lükardis *(w)* Nebenform zu Lukardis (Luitgard).

Lukarz *(m)* polnische Form von Lukas.

Lukas *(m)* griechisch: *Lukas* = aus dem unteritalischen Lukanien stammend; lateinische Form: *Lucas;* Kurz- und Koseformen: *Luks, Lauks, Laux, Lux;* polnische Form: *Lukarz;* ungarisch: *Lukácz.*

Persönlichkeiten der Geschichte:

Lukas Cranach, 1472 bis 1553, der Ältere, deutscher Maler, Holzschnitzer und Kupferstecher; ein Hauptmeister des 16. Jahrhunderts.

Lukas Cranach der Jüngere, 1515 bis 1586, Maler, führte die Werkstatt seines Vaters weiter. Seine Stärke: Portraits.

Lüke *(m)* niederdeutsche Kurzform für mit Luit- gebildete männliche Vornamen; Nebenform: *Lüken.*

Lüken *(m)* Nebenform zu Lüke.

Lukerja *(w)* russische Form von Lukretia.

Lükke *(w)* nordisch: = Glück.

Lukretia *(w)* die weibliche Form zu Lukretius; Nebenformen: *Lucretia, Lukrezia;* französische Form: *Lucréce;* italienisch: *Lucrezia;* russisch: *Lukerja.*

Lukretius *(w)* lateinisch: *Lucretius* = aus dem Geschlecht der Lukretier.

Luks *(m)* Koseform für Lukas.

Lul *(m)* latinisiert *Lullus;* Nebenform: *Lull.*
Lulu *(w)* Koseform für Ludmilla und Luise; Nebenform zu Loulou.
Persönlichkeit der Geschichte:
Lulu von Strauß und Torney, 1873 bis 1956, deutsche Dichterin.
Lunetta *(w)* amerikanisch; von lateinisch: *luna* = Mond.
Lupold *(m)* Nebenform zu Luitbald.
Lüpold *(m)* Nebenform zu Leopold.
Lüppe *(m)* Nebenform zu Lübbe.
Lüppo *(m)* Nebenform zu Lübbe.
Lupus *(m)* lateinisch: *lupus* = Wolf.
Lutbirg *(w)* Nebenform zu Luitberga.
Lutgar *(m)* Nebenform zu Leodegar.
Lutgard *(w)* Nebenform zu Luitgard.
Lutger *(m)* Nebenform zu Leodegar.
Luthe *(m)* Koseform für Ludwig.
Luther *(m)* Nebenform zu Lothar.
Lütjen *(m)* friesische Kurzform für mit Luit- gebildete männliche Vornamen.
Lütmer *(m)* niederdeutsch-friesische Form eines älteren Namens *Luitmar* (althochdeutsch: *liut* = Volk; *mari* = berühmt; Nebenform: *Lüttmer.*
Luto *(m)* Nebenform zu Ludo.
Lutrud *(w)* Nebenform zu Liutrud.
Lutter *(m)* Nebenform zu Lothar.
Lüttmer *(m)* Nebenform zu Lütmer.
Lutwin *(m)* Nebenform zu Luitwin.
Lutwine *(w)* Nebenform zu Luitwine.
Lutz *(m)* Koseform für Ludwig und Lukas.
Lutzel *(w)* Koseform für Lucia.
Luwi *(m)* Kurzform für Ludwig.
Lux *(m)* Kurz- und Koseform für Lukas.
Luz *(w)* Koseform für Lucia.
Luzeile *(w)* Koseform für Lucia.
Luzi *(w)* Koseform für Lucia.
Luzia *(w)* Nebenform zu Lucia.
Luzian *(m)* deutsche Schreibweise von Lucian.
Luzie *(w)* Nebenform zu Luzia.
Luzilla *(w)* Nebenform zu Lucilla.
Luzinde *(w)* Nebenform von Lucinde.
Luzius *(m)* Nebenform zu Lucius.
Lyda *(w)* Nebenform zu Lydia.
Lydia *(w)* griechisch-lateinisch: Lydierin; Nebenform: *Lyda;* Koseformen: *Lida, Lidda, Liddi, Liddy, Lide.*
Lyndon *(m)* englisch-amerikanisch.
Lyonel *(m)* amerikanische Form von Leo.
Lys *(w)* Kurz- und Koseform für Elisabeth.

M

Mabel *(w)* englische Koseform zu älterem *Amabel* (Amabella); von lateinisch: *amabilis* = liebenswert; Kurzform: Mab.

Mabella *(w)* englische Form von Amabella.

Macaire *(m)* französische Form von Makarius.

Macarius *(m)* lateinisch, Nebenform zu Makarius.

Machus *(m)* Kurzform für Epimach.

Maciej *(m)* polnische Form von Matthias.

Mack *(m)* Kurz- und Koseform für Markward.

Madalen *(w)* Nebenform zu Magdalena.

Madalena *(w)* Nebenform zu Maddalena (Magdalena).

Maddalena *(w)* italienische Form von Magdalena; Nebenform: *Madalena.*

Maddie *(w)* englische Koseform für Magdalena.

Maddy *(w)* englische Koseform für Magdalena.

Made *(w)* deutsche Koseform und englische Kurzform für Magdalena.

Madej *(m)* polnische Form von Amadeus.

Madel *(w)* Koseform für Magdalena; auch norwegische Koseform.

Madalberta *(w)* Doppelname aus Magdalena und Berta; *beraht* = glänzend.

Madeleine *(w)* französische Form von Madalena; deutsche Form: *Madalen* oder *Madlene;* französische Koseform: *Madelon.*

Persönlichkeit der Geschichte:

Madeleine de Scudéry, 1607 bis 1701; französische Schriftstellerin der zeitgenössischen preziösen Literatur.

Madelena *(w)* spanische Form von Magdalena; italienische Nebenform zu Magdalena.

Madelina *(w)* Nebenform zu Magdalina (Magdalena).

Madeline *(w)* englische Form von Magdalena.

Madelon *(w)* französische Koseform für Magdalena.

Mades *(m)* Koseform für Matthias.

Madge *(w)* englische Koseform für Margaret (Margareta).

Madgy *(w)* englische Koseform für Margaret (Margareta).

Madi *(w)* Koseform für Magdalena.

Mädi *(w)* verdeutschtes englisches Mady, Koseform für Magdalena; Nebenform: *Mädy.*

Madina *(w)* Kurz- und Koseform für Magdalena.

Madlen *(w)* nach französischem Madeleine; Koseform für Magdalena; Nebenform: *Madlene.*

Madlene *(w)* Nebenform zu Madleen.

Madlenka *(w)* slawische Form für Magdalena.

Madlon *(w)* Koseform für Magelone.

Mado *(w)* Koseform für Magdalena.

Madrisa *(w)* Nebenform zu Maris.

Mady *(w)* englische Koseform für Magdalena.

Mädy *(w)* Nebenform zu Mädi.

Mae *(w)* englische Koseform für Mary, May.

Persönlichkeit:

Mae West, 1892 bis 1980; amerikanische Schauspielerin der Bühne und des Films; auch Drehbuchautorin.

Mafalda *(w)* italienische und portugiesische Form von Matilda (Mathilde); Nebenform: *Matelda.*

Mag *(w)* englische Kurzform für Margaret (Margareta).

Magalonne *(w)* französische Form von Magelone.

Magda *(w)* deutsche, italienische und dänische Kurzform für Magdalena.

Magdalen *(w)* Nebenform zu Magdalena.

Magdalena *(w)* hebräisch-griechisch: (Maria) *Magdalene* = aus Magdala (= Magada) am See Genezaret Stammende; Nebenformen: *Magdalen, Madalen;* Kurz- und Koseformen: *Magda, Alena, Made, Madel, Madi, Mädi, Madeli, Magel, Lena, Lene, Leni, Lenel, Leneli, Lenchen, Leneke, Malen, Malene, Malena, Magdali, Mado, Madelon, Madina;* englische Formen: *Magdalen, Madeline, Mady, Maddy, Maudlin, Maudin, Maud, Maggy;* französische Formen: *Madeleine, Madelon;* italienisch: *Maddalena, Madalena, Madelena;* Koseform: *Magda;* schwedisch: *Malin, Malina, Malen, Lona;* dänisch: *Magdalene, Magdelone;* Koseformen: *Magda, Lena, Lene;* norwegisch: *Magdelone, Madel, Magli, Malene, Lena, Lona;* spanisch: *Madelena;* slawisch: *Madlenka, Lenka;* russisch auch: *Magdalina, Madelina;* ungarisch: *Magdolna, Aléna.*

Magdalene *(w)* Nebenform und dänische Form von Magdalena.

Magdali *(w)* Kurzform für Magdalena.

Magdalina *(w)* russische Form von Magdalena; Nebenform: *Madelina.*

Magdelone *(w)* dänische und norwegische Form für Magdalena.

Magdolna *(w)* ungarische Form von Magdalena; Koseform: *Aléna.*

Magelone *(w)* Nebenform zu Magdalena; Koseform: *Madlon;* französische Form: *Magalonne;* dänisch-norwegisch: *Magdelone;* slowenisch: *Makalonca.*

Magenhild *(w)* nordische Form von Mathilde; Nebenform: *Magna.*

Magg *(w)* englische Kurzform für Margaret (Margareta).

Magga *(w)* Nebenform zu Maggi.

Maggi *(w)* englische Kurzform für Margaret (Margareta); Nebenformen: *Nagga, Maggie, Maggy, Meggie, Meggy.*

Maggie *(w)* englische Kurzform für Margaret.

Maggy *(w)* englische Koseform für Magdalena und Margaret (Margareta).

Maglie *(w)* norwegische Koseform für Magdalena.

Magna *(w)* die weibliche Form zu Magnus; auch Nebenform zu Magenhild (Mathilde).

Magnar *(w)* norwegisch, aus althochdeutsch: *magan* = Kraft; *heri* = Heer.

Magnerich *(w)* althochdeutsch: *magan* = Kraft; *rihhi* = mächtig, reich.

Magnus *(w)* lateinisch: *magnus* = groß, angesehen; war altrömischer Beiname; nordische Form: *Maans;* italienisch: *Magno;* dänisch: *Magnus;* swedisch: *Magnus;* Nebenform: *Maans;* finnisch: *Manno.*

Mahalia *(w)* amerikanisch.
Persönlichkeit:
Mahalia Jackson, 1911 bis 1972; farbige amerikanische Gospelsängerin.

Mahaut *(w)* französische Kurzform für Mathilde.

Maia *(w)* Kurzform für Maria.

Mai-Britt *(w)* skandinavischer Doppelname aus Maria und Britta.

Maidi *(w)* Nebenform zu Maidie.

Maidie *(w)* amerikanische Koseform für Margaret (Margareta); Nebenform: *Maidi.*

Maie *(w)* friesische Koseform für Maria.

Maija *(w)* finnische Form von Maja.

Maik *(m)* eindeutschende Form für das englische *Mike* (Michael); Nebenformen: *Maiko, Meik;* auch friesische Koseform für Meinhard.

Maike *(w)* niederdeutsch-friesische Koseform für Maria; Nebenformen: *Maika, Maiken, Meika, Meike;* schwedische Form: *Majken.*

Mailin *(w)* Herkunft und Bedeutung fraglich.

Maio *(m)* Kurzform für mit althochdeutsch *magan-* oder *megin-* (=Mein-) gebildete männliche Vornamen; Nebenformen: *Majo, Meio;* auch rumänischer Vorname.

Mairin *(w)* irische Verkleinerungsform von Maire (Maria).

Maita *(w)* Herkunft und Bedeutung fraglich; vielleicht zu Margarita oder Margita in Zusammenhang.

Maj *(w)* schwedische Kurzform für Maja (Maria).

Maja *(w)* nach der griechischen oder altrömischen Göttin des Wachstums *Maja* oder *Maria* (Maigöttin); auch Koseform für Maria, Marianne und Margit; schwedische und dänische Form: *Maja;* Koseform: *Majse;* finnisch: *Maija.*

Maje *(w)* friesische Koseform für Maria.

Majken *(w)* schwedische Koseform für Maria.

Majo *(m)* Nebenform zu Maio.

Majse *(w)* schwedische und dänische Koseform für Maja.

Makalonca *(w)* slowenische Form von Magelone.

Makarie *(w)* die weibliche Form zu Makarius.

Makarij *(w)* russische Form von Makarius.

Makarius *(w)* lateinisch; griechisch: *Makarios; makarios* = selig; Nebenform: *Macarius;* französische Form: *Macaire;* russisch: *Makarij.*

Mala *(w)* Kurzform für mit *Mal-* oder *-mal-* gebildete weibliche Vornamen, wie Amalia, Malwine; Nebenformen: *Male, Mali.*

Malberta *(w)* Kurzform für Amalberta.

Malchen *(w)* Koseform für Amalia.

Malchus *(m)* hebräisch-griechischer Herkunft.

Male *(w)* Koseform für Amalia; allgemein: Nebenform zu Mala.

Maleen *(w)* Koseform für Magdalena.

Malen *(w)* Nebenform zu Malina; Koseform für Magdalena.

Malena *(w)* Koseform für Magdalena.

Malene *(w)* Kurzform und norwegische Nebenform zu Magdalena.

Malenka *(w)* slawische Koseform für Melanie.

Malfriede *(w)* althochdeutsch: *mahal* = Gerichtsplatz; *fridu* = Friede.

Mali *(w)* Nebenform zu Mala; Koseform für Amalia.

Malika *(w)* Herkunft und Bedeutung fraglich.

Malin *(w)* Nebenform zu Malina.

Malina *(w)* schwedische Form von Magdalena; Nebenformen: *Maline, Malin, Malen, Lona;* englische Koseform für Magdalena.

Malinde *(w)* amerikanische Form von Magdalena.

Maline *(w)* Nebenform zu Malina.

Malli *(w)* Koseform für Amalia und Magdalena; Nebenform: *Mally.*

Mally *(w)* Nebenform zu Malli.

Malte *(m)* dänische und schwedische Kurzform für Helmwald, Helmold; Bedeutung fraglich; dänisch auch: *Molte.*

Malvida *(w)* Herkunft und Bedeutung fraglich; Nebenformen: *Malve, Malwida.*

Malvina *(w)* Nebenform zu Malwine.

Malwin *(m)* althochdeutsch: *mahal* = Gerichtsplatz, Rat; *wini* = Freund; englische Formen: *Melvin, Melvyn.*

Malwina *(w)* Nebenform zu Malwine.

Malwine *(w)* die weibliche Form zu Malwin; Nebenformen: *Malwina, Malvina, Malvine;* Kurz- und Koseformen: *Mala, Male, Mali.*

Mamertinus *(m)* lateinische Weiterbildung von Mamertus.

Mamertus *(m)* lateinisch nach dem römischen Kriegsgott Mars.

Mami *(w)* amerikanische Koseform für Maria.

Mamme *(w)* friesische Koseform; Herkunft fraglich; Nebenform: *Mammo.*

Mana *(w)* Koseform für Manuela (Emanuela).

Manasse *(m)* hebräisch; *menasche* = vergessen machend (ist Jahwe).

Mand *(m)* Kurzform für Amadeus; Nebenform: *Mandes.*

Manda *(w)* Kurzform für Amanda; Nebenform: *Mandi;* englische Form: *Mandy.*

Mandi *(w)* Nebenform zu Manda (Amanda).

Mandus *(m)* Kurzform für Amandus.

Mandy *(m)* Kurzform für Amandus.

Mandy *(w)* englische Form von Manda (Amanda).

Manegolt *(m)* ältere Form von Mangold.

Maneke *(m)* Koseform für Mangold.

Manel *(m)* Kurzform für Emanuel.

Manes *(m)* Koseform für Hermann; allgemein Kurzform für mit Man- oder -man(n) gebildete männliche Vornamen.

Manfred *(m)* althochdeutsch: *man* = Mann; *fridu* = Friede; Nebenformen: *Manfried, Manfrid;* Koseformen: *Fred, Mani, Many;* italienische Form: *Manfredo.*

Persönlichkeiten der Geschichte:

Manfred, 1232 bis 1266, König von Sizilien, Sohn Kaiser Friedrichs II.

Manfred von Brauchitsch, geboren 1905, deutscher Rennfahrer.

Manfred von Richthofen, 1892 bis 1918; im Ersten Weltkrieg 1916 bis 1918 erfolgreichster deutscher Jagdflieger.

Manfreda *(w)* weibliche Form zu Manfred.

Manfrid *(m)* Nebenform zu Manfred.

Manfried *(m)* Nebenform zu Manfred.

Mango *(m)* bulgarische Kurzform für Emanuel; Nebenform: *Manko.*

Manhard *(m)* althochdeutsch: *man* = Mann; *harti* = stark; Nebenform: *Manhart.*

Manhart *(m)* Nebenform zu Manhard.

Mani *(m)* Kurzform für Emanuel, Hermann, Manfred.

Mania *(w)* Nebenform zu Manja.

Manila *(w)* Herkunft und Bedeutung fraglich.

Manina *(w)* Herkunft und Bedeutung fraglich.

Manja *(w)* slawische Kurz- und Koseform für Maria; Nebenform: *Mania.*

Manjana *(w)* Weiterbildung von Manja.

Manko *(w)* bulgarische Kurzform für Emanuel.

Mann *(m)* Kurzform für Hermann.

Männe *(m)* Koseform für Hermann.

Manno *(m)* Koseform für Hermann.

Mannon *(w)* Nebenform zu Manon.

Mano *(m)* slawische Kurzform für Emanuel; Kurzform für Thoman.

Manolita *(w)* Koseform für Manuela.

Manolito *(w)* spanische Verkleinerungsform von Manolo.

Manolo *(m)* italienische und spanische Koseform für Emanuel.

Manon *(w)* französische Koseform für Maria und Marianne; Nebenform: *Mannon.*

Maans *(w)* schwedische Nebenform zu Magnus.

Mansuetus *(m)* lateinisch: *mansuetus* = sanft.

Manu *(m)* Kurzform für Emanuel.

Manuel *(m)* Kurzform für Emanuel; auch spanische Form für Emanuel; Koseform: *Manu;* italienische Form: *Manuele.*

Manuela *(w)* italienische und spanische Form von Emanuela (Emanuel); Nebenform: *Manuella;* Koseformen: *Manolita, Nela.*

Manuele *(m)* italienische Form von Manuel (Emanuel).

Manuella *(w)* Nebenform zu Manuela.

Many *(m)* Koseform für Manfred.

Mara *(m)* russische Koseform für Makar (Makarius) und Markus.

Mara *(w)* hebräisch: *marah* = bitter; auch Kurzform für Maralda; russische Kurz- und Koseform für Marija (Maria) und Margarita (Margareta).

Marald *(m)* althochdeutsch: *marah* = Pferd, Streitroß; *waltan* = walten, gebieten; Nebenform: *Marhold.*

Maralda *(w)* die weibliche Form zu Marald.

Marbert *(m)* althochdeutsch: *marah* = Pferd, Streitroß; *beraht* = glänzend.

Marbod *(m)* althochdeutsch: *mari* = berühmt, oder: *marah* = Pferd, Streitroß; *boto* = Bote, Gebieter; Nebenform: *Marbot.*

Marc *(m)* Nebenform zu Mark; Kurzform für Marcus; französische Form von Markus; allgemein Kurzform für mit Marc-, Mark- gebildete männliche Vornamen.

Persönlichkeiten der Geschichte:

Marc Aurel, 121 bis 180; ab 161 römischer Kaiser, unter dem der Niedergang Roms einsetzte.

Marc Chagall, 1887 bis 1985; französischer Maler russischer Herkunft; von Bedeutung für Expressionismus und Surrealismus.

Marcel *(m)* französische Form von lateinisch Marcellus (Marzellus).

Persönlichkeit:

Marcel Lefebvre, geboren 1905; französischer katholischer Theologe; Traditionalist und Gegner der Beschlüsse des zweiten Vatikanischen Konzils; vom Papst als Bischof suspendiert.

Marcel Marceau, geb. 1923, französischer Pantomime. Gilt als Erneuerer der Pantomime: Figur »Bip«!

Marcel Proust, 1871 bis 1922, französischer Schriftsteller. Hauptwerk: »Auf der Suche nach der verlorenen Zeit«.

Marcelin *(m)* französische Form von Marcellinus.

Marcelina *(w)* spanische Form von Marcellina.

Marceline *(w)* französische weibliche Form zu Marcel und Marcelin; Kurzformen: *Celine, Celina;* französisch: *Céline.*

Marcella *(w)* die weibliche Form zu Marcellus; Nebenform: *Marzella;* Verkleinerungsform: *Marcellina* (Marcelline); Kurzformen: *Cella, Zella.*

Marcellina *(w)* Weiterbildung von Marcella; Nebenformen: *Marcelline, Marzellina, Marzelline;* Kurzform: *Cellina;* spanische Form: *Marcelina;* französisch: *Marceline.*

Marcelline *(w)* Nebenform zu Marcellina.

Marcellinus *(m)* lateinisch, Verkleinerungsform von Marcus (Markus); Nebenform: *Marzellinus.*

Marcello *(m)* italienische Form von Marcellus.

Persönlichkeit:

Marcello Mastroianni: geboren 1924; italienischer Filmschauspieler.

Marcellus *(m)* Weiterbildung von lateinisch Marcus (Markus); deutsche Schreibweise: *Marzellus;* Kurz- und Koseformen: *Marzel, Marzolf, Marzlof, Marzluff, Merzluft;* italienische Form: *Marcello,* französisch: *Marcel.*

Marcin *(m)* polnische Form von Martin.

Marco *(m)* italienische und spanische Form von Marcus (Markus); Nebenform: *Marko.*

Persönlichkeit der Geschichte:

Marco Polo, 1254 bis um 1325; venezianischer Weltreisender; 1271 Chinareise.

Marcus *(m)* lateinische Form von Markus.

Persönlichkeiten der Geschichte:

Marcus Antonius, um 82 v. Chr. bis 31 n. Chr.; römischer Politiker und Feldherr; rächte Cäsar.

Marcus Ulpius Trajan, 53 bis 117; ab 98 römischer Kaiser, unter dem das Römische Reich seine größte Ausdehnung erreichte.

Mareen *(w)* Nebenform von Maren.

Marei *(w)* oberdeutsche Koseform für Maria; Nebenform: *Mareile.*

Mareike *(w)* Koseform für Maria; von niederländisch *Marijke;* Nebenform: *Marieke.*

Mareile *(w)* oberdeutsch-schweizerische Koseform für Maria.

Mareilies *(w)* Doppelname aus Marei (Maria) und Elisabeth.

Marek *(m)* polnische und tschechische Form von Markus.

Marelcek *(m)* slawische Form von Markus.

Maren *(w)* friesische Kurzform für Maria; auch dänische Form von Marina; Nebenformen: *Mareen, Marene.*

Marene *(m)* Nebenform zu Maren.

Maret *(w)* ungarisch-baltische Kurzform für Margareta; Nebenformen: *Mareta, Marete.*

Mareta *(w)* Nebenform zu Maret.

Marete *(w)* Nebenform zu Maret.

Marfa *(w)* russische Form von Martha.

Marfee *(w)* Herkunft und Bedeutung fraglich.

Marga *(w)* Kurz- und Koseform für Margareta.

Margaret *(w)* englische Form von Margareta; auch niederländische Form.

Persönlichkeit:

Margaret Thatcher, geboren 1925; konservative englische Politikerin; wurde 1979 Premierministerin.

Margareta *(w)* orientalisch-griechisch: *margarites* = Perle; lateinisch: *margarita* = Perle; Nebenformen: *Margarete;* älter: *Margaretha, Margarethe, Margarita;* Kurz- und Koseformen: *Margret, Margit, Margot, Marga, Märget, Mega, Meigel, Meta, Metta, Greta, Greda, Grete, Grede, Greet, Gretchen, Gretel, Gredel, Grethe, Gried, Griet, Greten, Grit, Gritli, Grita, Gritt, Gritta, Grittchen, Gritschi, Grutschi, Reda, Redel, Retchen, Rita;* englische Form: *Margaret;* Koseformen: *Maggi, Magga, Maggie, Maggy, Mag, Madge, Madgy, Margery;* schottisch: *Marjorie;* französisch: *Marguerite;* italienisch: *Margherita, Marghita, Marghitta;* Koseform: *Ghita;* niederländisch: *Margaret, Margriet;* spanisch, bulgarisch und russisch: *Margarit(h)a;* russisch auch: *Margalita;* schwedisch: *Margareta, Margita, Margit;* finnisch: *Marketta;* dänisch: *Merete;* slawisch: *Margita, Margit.*

Margarete *(w)* Nebenform zu Margareta.

Margaretha *(w)* ältere Form von Margareta.

Margarethe *(w)* ältere Form von Margareta.

Persönlichkeiten der Geschichte:
Margarete, 1353 bis 1412, Königin von Dänemark, Norwegen und Schweden, schloß die Kalmarer Union.
Margarethe II., geboren 1940; seit 1972 Königin von Dänemark.
Margarete von Navarra, 1492 bis 1549, Königin von Frankreich und Schwester König Franz I. Förderte die Renaissance und gewährte den Hugenotten Zuflucht.
Margarete von Parma, 1522 bis 1586, Generalstatthalterin der Niederlande; Tochter Karls V.

Margarita *(w)* Nebenform zu Margareta.

Margaritha *(w)* spanische, bulgarische und russische Form von Margareta.

Margery *(w)* englische Koseform für Margaret (Margareta).

Margherita *(w)* italienische Form von Margareta; Nebenform: *Marghita.*

Marghita *(w)* Nebenform zu Margherita (Margareta); auch *Marghitta.*

Marghitta *(w)* Kurzform sowie schwedische und ungarische Koseform für Margareta.

Margit *(w)* Kurzform sowie schwedische und ungarische Koseform für Margareta.

Margita *(w),* schwedische und ungarische Nebenform zu Margareta.

Margitta *(w)* Weiterbildung von Margit (Margareta); Nebenformen: *Margita, Margitte.*

Margitte *(w)* Nebenform zu Margitta.

Margo *(w)* russische Form von Margot.

Margot *(w)* Kurzform für Margareta.

Margret *(w)* Kurzform für Margareta.

Margreth *(w)* Kurzform für Margareta.

Margriet *(w)* niederländische Form von Margareta.

Margrit *(w)* Kurzform für Margareta.

Marguerite *(w)* französische Form von Margareta.

Maria *(w)* aramäisch: *mirjasm* = die Schöne (?), Jahwe Liebende (?), Bittere (?); oft auch männlicher Zweitname; Koseformen: *Marei, Mareile, Mariechen, Maia, Maja, Mia, Mizzi, Mieze, Miezel, Mimi, Mirl, Ria;* niederdeutsch-friesische Koseformen: *Maricke, Mai, Maie, Maika, Maike, Meika, Meike, Maje, Mite, Miete, Mike, Mieke, Maryse;* englische Formen: *Mary, Molly, May, Polly;* irisch: *Maura, Maureen;* amerikanisch: *Marilyn, Mani;* finnisch: *Maija;* schwedisch: *Maja, Maj, Majse, Majken;* französisch: *Marie, Marion, Manon, Mannon, Mia;* italienisch: *Maria, Maris, Marisa, Mariella, Marietta;* spanisch: *María, Marita;* polnisch: *Marya;* tschechisch: *Marie, Marinka, Mařenka, Maruška;* russisch: *Marija, Mascha, Maika, Maschinka, Schura;* ältere russische und bulgarische Form: *Mariam;* ungarisch: *Marika.*

Persönlichkeiten der Geschichte:
Maria, Mutter Jesu.
Maria Magdalena, Zeitgenossin Jesu; durch ihn von Krankheit geheilt, begleitete sie ihn durch Galiläa und diente ihm.
Maria Theresia, 1717 bis 1780; ab 1740 römisch-deutsche Kaiserin; führte Siebenjährigen Krieg gegen Friedrich den Großen; reformierte Verwaltung und gründete Schulen.
Maria Callas, 1923 bis 1977; griechische Opernsängerin (dramatischer Sopran).
Maria Cebotari, 1910 bis 1949, internationale Sopranistin.
Maria Ivogün, 1891 bis 1987, deutsche Koloratursängerin.
Maria Montessori, 1870 bis 1952; italienische Ärztin und Pädagogin; begründete autoritätsfreie Unterrichtsmethode.

Maria Schell, geboren 1926; schweizerische Schauspielerin der Bühne und seit 1942 des Films.

Maria Stader, geboren 1918, eine der gefeiertsten Konzertsängerinnen ihrer Zeit.

Maria Stuart, 1542 bis 1587; war 1558 bis 1567 Königin von Schottland; wurde durch Königin Elizabeth I. von England in Haft genommen und hingerichtet.

Mariam *(w)* ältere russische und bulgarische Form von Maria.

Mariamne *(w)* Nebenform zu Mirjam (=Maria).

Mariana *(w)* Weiterbildung von Maria; Nebenform: *Mariane;* auch dänische Form von Marianne und weibliche Form zu Marianus.

Mariandl *(w)* Koseform für Marianne.

Marianna *(w)* Doppelname aus Maria und Anna; oder von hebräisch *Mariamne;* oder Weiterbildung von Maria; Nebenform: *Marianna;* Koseformen: *Mariandel, Mariandl;* friesische Kurzform: *Janne;* italienische Form: *Marianna;* Koseform: *Nanna;* französisch: *Marianne.*

Persönlichkeit:

Marianne Hoppe, geboren 1911; deutsche Schauspielerin der Bühne und des Films; Charakterdarstellerin.

Marianus *(w)* lateinische Form von Marian.

Marie *(w)* deutsche Nebenform zu Maria; französische Form von Maria; wird französisch auch als Beiname zu männlichen Vornamen gebraucht.

Persönlichkeiten der Geschichte:

Marie Antoinette, 1755 bis 1793; ab 1770 französische Königin; Gattin Ludwigs XVI.; Tochter Maria Theresias und Franz I. von Österreich; hingerichtet.

Marie Curie, 1867 bis 1934; französisch-polnische Chemikerin; Mitentdeckerin von Radium und Polonium.

Marie Jeanne Dubarry, 1743 bis 1793; Mätresse Ludwigs XV. von Frankreich; in der Französischen Revolution hingerichtet.

Marie Joseph de La Fayette, 1757 bis 1834; französischer General und Politiker; entwarf Erklärung der Menschenrechte.

Mariechen *(w)* Koseform für Maria.

Mariele *(w)* Koseform für Maria; Nebenform: *Marile.*

Marielen *(w)* Doppelname aus Maria und Helene oder Magdalena; Nebenform: *Marlene, Marilen.*

Marielies *(w)* Doppelname aus Maria und Elisabeth; Nebenformen: *Marilis, Marilisa.*

Mariella *(w)* italienische Verkleinerungsform von Maria.

Marielle *(w)* französische Verkleinerungs- und Koseform für Maria.

Marielore *(w)* Doppelname aus Maria und Eleonore.

Marieluise *(w)* Doppelname aus Maria und Luise.

Marierose *(w)* Doppelname aus Maria und Rosa; englische Form: *Maryrose.*

Marietheres *(w)* Doppelname aus Maria und Theresia; Nebenform: *Mariethres.*

Marietta *(w)* italienische Verkleinerungsform von Maria; Koseform: *Etta.*

Mariette *(w)* französische Verkleinerungs- und Koseform für Marie (Maria).

Marigard *(w)* althochdeutsch: *mari* = berühmt; *gard* = Zaun, Schutz.

Marija *(w)* russische Form von Maria.

Marika *(w)* ungarische und schwedische Form von Maria.

Persönlichkeit:
Marika Rökk, geboren 1913; deutsche Tänzerin, Schauspielerin und Sängerin ungarischer Herkunft.

Marile *(w)* Nebenform zu Mariele.

Marilen *(w)* Nebenform zu Marielene.

Marilis *(w)* Nebenform zu Marielies.

Marilisa *(w)* Nebenform zu Marielies.

Marilu *(w)* italienischer Doppelname aus Maria und Luise.

Marilyn *(w)* englisch-amerikanische Verkleinerungs- und Koseform für Mary (Maria); Nebenformen: *Marilyne, Marylin, Maryline.*

Marilyne *(w)* Nebenform zu Marilyn.

Marin *(m)* Nebenform und französische Form von Marinus.

Marina *(w)* die weibliche Form zu Marinus; oder Weiterbildung von Maria; auch französische, italienische, englische und schwedische Form.

Marinka *(w)* tschechische Koseform für Maria; Nebenformen: *Mařenka, Maruška.*

Marino *(m)* italienische Form von Marinus.
Persönlichkeit:
Marino Marini, 1901 bis 1980; italienischer Bildhauer, Maler und Graphiker.

Marinus *(m)* lateinisch; von der See stammend, am Meer wohnend; oder: Weiterbildung von Marius; Nebenform: *Marin;* italienische Form: *Marino;* französisch: *Marin.*

Mario *(m)* italienische Form von Marius.
Persönlichkeiten:
Mario Adorf, geboren 1930; deutscher Schauspieler; Charakterdarsteller.
Mario Del Monaco, geboren 1915; italienischer Opernsänger (Tenor).
Mario Lanza, 1921 bis 1959; amerikanischer Opern- und Schlagersänger (Tenor).

Mariola *(w)* italienische Weiterbildung von Maria.

Mariolino *(m)* italienische Verkleinerungs- und Koseform für Mario (Marius).

Marion *(w)* französische Koseform für Maria.
Persönlichkeit:
Marion Gräfin Dönhoff, geboren 1909; deutsche Publizistin.

Mariona *(w)* Weiterbildung von Marion; Nebenformen: *Marionna, Marionne.*

Marionna *(w)* Nebenform zu Mariona.

Marionne *(w)* Nebenform zu Marisa.

Maris *(w)* Nebenform zu Marisa.

Marisa *(w)* italienischer Doppelname aus Maria und Elisabeth oder Isabella; Nebenformen: *Maris, Marise, Madrisa;* niederländische Form: *Maryse.*

Marischka *(w)* Koseform für Maria; nach ungarischer Form: *Mariska.*

Marise *(w)* Nebenform zu Marisa.

Marisibill *(w)* Doppelname aus Maria und Sibylle; Nebenform: *Marizebill.*

Mariska *(w)* ungarische Koseform für Marisa (Maria).

Marit *(w)* schwedische Kurz- und Koseform für Margit.

Marita *(w)* spanische Koseform für Maria (Maria) und Margareta; italienische Neben- oder Verkleinerungsform: *Maritta.*

Maritta *(w)* italienische Neben- oder Verkleinerungsform zu Marita.

Marius *(m)* lateinisch: vom altrömischen Geschlecht der Marier stammend; oder: Mann vom Meer, am Meer wohnend; Nebenform: *Maro;* italienische Form: *Mario.*

Marizebill *(w)* Nebenform zu Marisibill.

Marja *(w)* slawische Form von Maria.

Marjorie *(w)* schottische Form von Margareta; Nebenform: *Marjory.*

Marjory *(w)* Nebenform zu Marjorie.

Mark *(m)* dänische, niederländische und russische Form von Markus; deutsche Kurzform für Markus, allgemein für mit Mark- gebildete männliche Vornamen: Nebenformen: *Marc, Marke, Marko.*

Persönlichkeit der Geschichte:

Mark Twain, 1835 bis 1910; amerikanischer Romanschriftsteller und Verfasser von Reiseberichten und Satiren.

Marke *(m)* Nebenform zu Mark.

Marketa *(w)* slawische Form von Margareta; Nebenform: *Markyta.*

Marketta *(w)* finnische Form von Margareta.

Markhelm *(m)* althochdeutsch: *mari* = berühmt, oder: *marcha* = Marke, Grenze; *helm* = Helm, Schutz.

Marko *(m)* Nebenform zu Marco sowie zu Mark; auch schwedische und slawische Form von Markus.

Markolf *(m)* althochdeutsch: *mari* = berühmt, oder *marcha* = Marke, Grenze; *wolf* = Wolf; Nebenform: *Markulf.*

Marks *(m)* Kurz- und Koseform für Markus.

Markulf *(m)* Nebenform zu Markolf.

Markus *(m)* lateinisch: *Marcus* = Sohn des altrömischen Kriegsgottes Mars oder ihm geweiht; Nebenform: *Marcus;* Kurz- und Koseformen: *Mark, Marke, Marko, Marks, Marx, Merk, Merkel, Merkle;* englische Form: *Mark;* französisch: *Marc;* italienisch und spanisch: *Marco;* polnisch und tschechisch: *Marek;* slawisch: *Marko, Marelcek.*

Persönlichkeit der Geschichte:

Markus, Verfasser des zweiten Evangeliums des Neuen Testaments; Begleiter des Barnabas und Paulus auf dessen erster Missionsreise; später mit Barnabas auf Zypern; 61 bis 63 in Rom; danach in Ephesus.

Markward *(m)* althochdeutsch: *marcha* = Mark, Grenze; *ward* = Wart, Schütze; Nebenformen: *Markwart, Marquard;* Kurz- und Koseformen: *Mark, Marke, Mack, Merkel, Merkle;* schwedische Form: *Markvard.*

Markwart *(m)* Nebenform zu Markward.

Markyta *(w)* slawische Nebenform zu Marketa.

Marle *(w)* Kurzform für Marlene.

Marleen *(w)* Kurzform für Marlene.

Marlen *(w)* Kurzform für Marlene.

Marlene *(w)* Nebenform zu Marielene; Nebenformen: *Marlina, Marline;* Kurzformen: *Marleen, Marlen, Marle.*

Persönlichkeit:

Marlene Dietrich, 1901 bis 1992, deutsch-amerikanische Filmschauspielerin und Sängerin.

Marlies *(w)* Doppelname aus Maria und Luise oder Elisabeth; Nebenformen: *Marliese* und *Marlis.*

Marliese *(w)* Nebenform zu Marlies.

Marlina *(w)* Nebenform zu Marlene.

Marline *(w)* Nebenform zu Marlene.

Marlis *(w)* Nebenform zu Marlies.

Marlit *(w)* Nebenform zu Marlitt.

Marlitt *(w)* Neubildung; Herkunft und Bedeutung fraglich; Nebenform: *Marlitt.*

Marlo *(m)* Nebenform zu Marlon.

Marlon *(m)* Herkunft und Bedeutung unklar; vielleicht englisch-italienische Koseform für den altenglischen Namen *Marlow;* Nebenform: *Marlo.*

Persönlichkeit:

Marlon Brando, geboren 1924; amerikanischer Filmschauspieler und -regisseur.

Maro *(m)* Nebenform zu Marius.

Marquard *(m)* Nebenform zu Markward.

Mart *(m)* niederdeutsche Form von Martin.

Marta *(w)* Nebenform zu Martha; auch die italienische Form.

Märtel *(m)* Koseform für Martin.

Marten *(m)* niederdeutsche Form von Martin; auch niederländische, dänische und schwedische Form.

Märten *(m)* niederdeutsche Form von Martin.

Martha *(m)* hebräisch: *marta* = Herrin, oder: *marah* = bitter; Nebenformen: *Marta, Marthe;* italienische Form: *Marta;* schwedisch: *Märta;* russisch: *Marfa;* englisch: *Maud, Mat.*

Persönlichkeit der Geschichte:

Martha, im Neuen Testament Schwester des Lazarus und der Maria; setzte nach des Lazarus Tod alle Hoffnung auf Jesus, der dann den Bruder Tod erweckte.

Marthe *(w)* Nebenform zu Martha.

Marti *(m)* Koseform für Martin.

Marti *(w)* Koseform für Martina.

Märti *(m)* Koseform für Martin.

Martin *(m)* lateinisch: *Martinus:* Sohn des altrömischen Kriegsgottes Mars oder ihm geweiht; Nebenformen: *Marten, Märten, Merten, Mertin;* Kurz- und Koseformen: *Mart, Martel, Märtel, Märte, Marti, Märti, Martili, Tienes;* englische und französische Form: *Martin;* italienisch: *Martino;* spanisch: *Martín;* niederländisch: *Martinus, Marten, Maarten, Maartinus, Maart;* schwedisch: *Marten;* dänisch: *Marten, Morten;* polnisch: *Marcin;* russisch: *Martin;* ungarisch: *Mártoni.*

Persönlichkeiten der Geschichte:

Martin, 316 bis 397, Heiliger, gründete die ersten abendländischen Klöster, war Bischof von Tours und teilte, der Legende nach, seinen Mantel mit einem Armen.

Martin Behaim, 1459 bis 1507; deutscher Astronom und Seefahrer; schuf ersten Globus.

Martin Buber, 1878 bis 1965, jüdischer Religionsphilosoph.

Martin Heidegger, 1889 bis 1976; deutscher Philosoph; Begründer der Existentialontologie.

Martin Held, 1908 bis 1992; deutscher Bühnen- und Filmschauspieler; Charakterdarsteller.

Martin Luther, 1483 bis 1546; deutscher Reformator; ursprünglich Augustinermönch; begründete in Auseinandersetzung mit der katholischen Kirche die deutsche Reformation; schuf deutsche Bibelübersetzung.

Martin Luther King, 1929 bis 1968; amerikanischer Bürgerechtler und baptistischer Prediger; betrieb gewaltlose Beseitigung der Rassendiskriminierung; ermordet.

Martin Niemöller, 1892 bis 1984; deutscher evangelischer Theologe; gründete 1933 Pfarrernotbund, den Vorläufer der Bekennenden Kirche gegen die nationalsozialistische Ideologie.

Martin Schongauer, 1453 bis 1491, deutscher Maler und Kupferstecher.

Martin Walser, geb. 1927, Erzähler.

Martín *(m)* spanische Form von Martin.

Martina *(w)* die weibliche Form zu Martin; Nebenform: *Martine;* Koseform: *Marti;* französische Form: *Martine;* englisch und italienisch: *Martina.*

Martine *(w)* deutsche Nebenform und französische Form von Martina (Martin).

Martino *(m)* italienische Form von Martin.

Martinus *(m)* lateinische und niederländische Form von Martin.

Martje *(w)* friesische Koseform für Martha.

Mártoni *(m)* ungarische Form von Martin.

Marula *(w)* slawische Form von Maria.

Maruschka *(w)* slawische Koseform für Maria und Marinka; Nebenformen: *Marusja, Maruška.*

Marusja *(w)* Nebenform zu Maruschka.

Maruška *(w)* Nebenform zu Maruschka.

Marvin *(m)* englisch; althochdeutsch: *mari* = berühmt; *wini* = Freund; Nebenformen: *Marwin, Merwin.*

Marwald *(w)* althochdeutsch: *marah* = Pferd, Streitroß; *waltan* = walten, gebieten.

Marwin *(m)* Nebenform zu Marvin.

Marx *(m)* Koseform für Markus.

Mary *(w)* englische Form von Maria.

Marya *(w)* polnische Form von Maria.

Maryla *(w)* polnische Koseform für Marya (Maria).

Marylin *(w)* Nebenform zu Marilyn.

Persönlichkeit:

Marylin Monroe, 1926 bis 1962; amerikanische Filmschauspielerin.

Maryline *(w)* Nebenform zu Marilyn.

Marylis *(w)* englischer Doppelname aus Mary und Elisabeth.

Marylou *(w)* englischer Doppelname aus Mary und Louise.

Maryrose *(w)* englische Form von Marierose.

Maryvonne *(w)* französischer Doppelname aus Marie und Yvonne.

Marzel *(m)* Kurzform für Marzellus (Marcellus).

Marzella *(w)* Nebenform zu Marcella.

Marzellina *(w)* Nebenform zu Marcellina.

Marzelline *(w)* Nebenform zu Marcellina.

Marzellinus *(m)* Nebenform zu Marcellinus.

Marzellus *(m)* Nebenform zu Marcellus.

Marzlof *(m)* Kurzform für Marzellus (Marcellus).

Marzluff *(m)* Kurz- und Koseform für Marzellus (Marcellus).

Marzolf *(m)* Kurzform für Marzellus.

Maes *(m)* Nebenform zu Maas (Thomas).

Mascha *(w)* russische Koseform für Marija (Maria).

Maschinka *(w)* russische Koseform für Marija (Maria).

Masetto *(m)* italienische Verkleinerungs- und Koseform für Maso (Thomas); Nebenform: *Masino.*

Masino *(m)* italienische Kurzform für Tommaso (Thomas).

Maso *(m)* italienische Kurzform für Tommaso (Thomas).

Massimiliano *(m)* italienische Form von Maximilian.

Massimo *(m)* italienische Form von Maximus.

Mat *(w)* englische Kurzform für Martha.

Matěj *(m)* tschechische Form von Matthias.

Matelda *(w)* Nebenform zu Mathilde.

Mateusz *(m)* polnische Form von Matthäus.

Mathew *(m)* englische Form von Matthias.

Mathias *(m)* Nebenform zu Matthias.

Mathies *(m)* Nebenform zu Matthias.

Mathieu *(m)* französische Form von Matthäus und Matthias.

Mathilda *(w)* Nebenform zu Mathilde; auch englische Form.

Mathilde *(w)* althochdeutsch: *mahti* = Macht, Kraft; *hiltja* = Kampf; ältere

Form: *Mechthild;* Nebenformen: *Mathilda, Matilde;* Kurz- und Koseformen: *Metta, Mette, Tilde, Till, Tilla, Tilly;* niederdeutsch: *Tilje, Teljesche;* englische Form: *Mathilda;* Koseformen: *Maud, Maudie;* italienisch: *Matilda, Matilde, Mafalda;* portugiesisch: *Mafalda;* französisch: *Mathilde, Mahaut, Maude.*

Persönlichkeit der Geschichte:

Mathilde, um 890 bis 968; Gattin König Heinrichs I. und Mutter Ottos I.; gründete die Klöster Quedlinburg, Engern, Nordhausen und Pölde.

Mathis *(m)* niederdeutsche Kurzform für Matthias.

Matilda *(w)* Nebenform und italienische Form von Mathilde.

Matilde *(w)* Nebenform zu Mathilde.

Matouš *(m)* tschechische Form von Matthäus.

Mattäus *(m)* ökumenische Form von Matthäus.

Mattea *(w)* italienische Form von Matthäa.

Matteo *(m)* italienische Form von Matthäus und Matthias.

Mattes *(m)* Kurzform für Matthias.

Matthäa *(w)* die weibliche Form zu Matthäus; italienische Form: *Mattea.*

Matthaios *(m)* griechische Form von Matthäus.

Matthäus *(m)* griechisch: *Matthaios;* Nebenform zu Matthias; ökumenische Form: *Mattäus;* englische Form: *Mathew;* französisch: *Matthieu;* italienisch: *Matteo;* tschechisch: *Matouš;* polnisch: *Mateusz;* russisch: *Matwei.*

Persönlichkeiten der Geschichte:

Matthäus, Apostel Jesu; ihm wird das erste Evangelium des Neuen Testaments zugeschrieben; soll nach der Legende in Äthiopien Märtyrer geworden sein.

Matthäus Merian, 1593 bis 1650; schweizerischer Kupferstecher und Topograph.

Matthäus Daniel Pöppelmann, 1662 bis 1736; bedeutender deutscher Baumeister; Schöpfer des Dresdener Spätbarocks.

Mattheis *(m)* Nebenform zu Matthias.

Matthias *(m)* griechisch; hebräisch: = Geschenk Gottes; ökumenische Form: *Mattias;* Nebenformen: *Matthäus, Mathias, Mathies, Mathis, Mattheis;* Kurz- und Koseformen: *Mattes, Mades, Matz, Thieß, Theiß, Teiwes, Tebes, Tews, Teus, Theuß, Teves, Tigges, Deis, Debes, Heis, Heß;* bayerisch: *Hias, Hiasel, Hiasl, Hiesel;* englische Form: *Mathew, Matty;* französisch: *Mathieu, Mattieu;* italienisch: *Mattia;* tschechisch: *Matěj;* polnisch: *Maciej;* Koseform: *Tyciak;* russisch: *Marfij;* finnisch: *Matti.*

Persönlichkeiten der Geschichte:

Matthias, Apostel Jesu; ersetzte Judas im Apostelkollegium; soll in Judäa, später in Äthiopien das Evangelium verkündet haben.

Matthias Claudius, 1740 bis 1815; deutscher Volksschriftsteller.

Matthias Erzberger, 1875 bis 1921, deutscher Staatsmann.

Matthias Grünwald, um 1465 bis 1528, bedeutender deutscher Maler.

Matthias J. Schleiden, 1804 bis 1881; deutscher Botaniker; Mitbegründer der Zellbiologie.

Matthias Wiemann, 1902 bis 1969, berühmter deutscher Bühnen- und Filmschauspieler.

Matti *(m)* finnische Form von Matthias.

Mattia *(m)* italienische Form von Matthias.

Matty *(m)* englische Koseform für Matthias.

Matty *(w)* englische Koseform für Martha.

Maturin *(m)* von lateinisch: *maturus* = reif; englische Form: *Mathurin;* italienisch: *Maturino;* lateinisch: *Maturinus.*

Maturino *(m)* italienische Form von Maturin.

Maturinus *(m)* lateinische Form von Maturin.

Matwei *(m)* russische Form von Matthäus.

Matz *(m)* Koseform für Matthias.

Maud *(w)* englische Koseform für Magdalena, Margareta, Martha und Mathilde; Nebenformen: *Maudin, Maudlin, Maudie.*

Maude *(w)* französische Kurzform für Mathilde.

Maudie *(w)* Nebenform zu Maud.

Maudlin *(w)* Nebenform zu Maud.

Mauno *(m)* finnische Form von Magnus.

Maura *(w)* lateinisch: *maura* = Mohrin; weibliche Form zu Maurus; auch irische Form von Maria; Verkleinerungsform: *Maureen, Mairin.*

Maureen *(w)* irische Verkleinerungsform von Maura (Maria), englische Form von Mary.

Maurelius *(m)* lateinische Verkleinerungsform von Maurus; Nebenform: *Maurillius;* spanische Form: *Morillo, Murillo.*

Maurice *(m)* englische und französische Form von Mauritius (Moritz).

Persönlichkeiten der Geschichte:

Maurice Chevalier, 1889 bis 1972; französischer Chansonnier und Filmschauspieler.

Maurice Ravel, 1875 bis 1937; französischer impressionistischer Komponist.

Maurice Utrillo, 1883 bis 1955; französischer Maler und Graphiker; von Impressionismus und Kubismus bestimmt.

Mauricio *(m)* spanische Form von Mauritius.

Maurilius *(m)* Nebenform zu Maurelius.

Maurilla *(w)* italienische Weiterbildung von Maura.

Maurin *(m)* lateinisch: *Maurinus.*

Maurina *(w)* italienische Weiterbildung von Maura.

Maurinus *(m)* lateinische Form von Maurin.

Mauritius *(m)* Weiterbildung von Maurus; deutsche Form: *Moritz;* italienisch: *Maurizio;* spanisch: *Mauricio;* englisch: *Maurice, Morris;* französisch: *Maurice;* schwedisch: *Maurits;* tschechisch: *Moric;* ungarisch: *Moricz.*

Persönlichkeit der Geschichte:

Mauritius, gestorben um 280 bis 300; Offizier der Thebaischen Legion von Christen, die nach der Legende unter Kaiser Maximianus Herkulius in Ägypten den Martertod erlitten.

Maurits *(m)* schwedische Form von Mauritius (Moritz).

Mauriz *(m)* Nebenform zu Maurizio.

Maurizio *(m)* italienische Form von Mauritius; Nebenform: *Mauriz.*

Mauro *(m)* italienische Form von Maurus.

Maurus *(m)* lateinisch: *maurus* = Maure (Mohr) aus der römischen Provinz Mauretanien.

Mawe *(m)* Kurz- und Koseform für Bartholomäus.

Max *(m)* Kurzform für Maximilian.

Persönlichkeiten der Geschichte:

Max Beckmann, 1884 bis 1950; deutscher expressionistischer Maler und Graphiker der Sezession.

Max Brod, 1884 bis 1969, deutscher Schriftsteller.

Max Ernst, 1891 bis 1976; deutsch-amerikanischer surrealistischer Maler, Graphiker und Bildhauer.

Max Frisch, geboren 1911; schweizerischer Schriftsteller; Dramatiker.
Max Halbe, 1865 bis 1944, deutscher Dichter (»Der Strom«).
Max Horkheimer, 1895 bis 1973; deutscher Sozialphilosoph und Soziologe; Mitbegründer der Kritischen Theorie.
Max Liebermann, 1847 bis 1935; deutscher impressionistischer Maler und Graphiker.
Max Ophüls, 1902 bis 1957; deutscher Filmregisseur und Schriftsteller.
Max Pallenberg, 1877 bis 1934; österreichischer Schauspieler; Charakterkomiker.
Max Pechstein, 1881 bis 1955; expressionistischer deutscher Maler und Graphiker; Mitbegründer der »Brücke«.
Max F. Perutz, geboren 1914; österreichisch-englischer Chemiker.
Max von Pettenkofer, 1818 bis 1901; deutscher Begründer der wissenschaftlichen Hygiene.
Max Planck, 1858 bis 1947; deutscher Physiker; Begründer der Quantenphysik.
Max Reger, 1873 bis 1916; deutscher Komponist, Organist und Dirigent.
Max Reinhardt, 1873 bis 1943; einflußreicher österreichischer Regisseur und Theaterleiter.
Max von Schenkendorf, 1783 bis 1817, deutscher Lyriker.
Max Slevogt, 1868 bis 1932, Maler und Grafiker, Impressionist.
Max von Sydow, geboren 1929; schwedischer Filmschauspieler.
Max Tau, 1897 bis 1976; deutscher Schriftsteller; setzte sich für Frieden und Völkerverständigung ein.
Max Weber, 1864 bis 1920; deutscher Nationalökonom, Soziologe und Politiker; Mitgründer der Deutschen Gesellschaft für Soziologie.
Max Wertheimer, 1880 bis 1943; österreichischer Psychologe und Philosoph; Mitgründer der Berliner Schule der Gestaltpsychologie.

Maxbert *(m)* Doppelname aus Maximilian und Albert.

Maxentius *(m)* lateinisch: *maximus* = der Größte, erhaben.

Maxi *(m)* Kurz- und Koseform für Maximilian.

Maxi *(w)* Kurz- und Koseform für Maximiliane.

Maxim *(m)* Kurzform für Maximilian und Maximin.
Persönlichkeit der Geschichte:
Maxim Gorki, 1868 bis 1936; russischer Schriftsteller; begründete den sozialistischen Realismus.

Maxime *(w)* die weibliche Form zu Maxim.

Maximian *(m)* lateinisch; Weiterbildung von Maximus.

Maximilian *(m)* Doppelname aus lateinisch: *maximus* = der Größte (Maximus als römischer Beiname) und *Aemilianus* = aus dem Geschlecht der Ämilier stammend; Kurzform: *Max;* englische Form: *Maximilian;* französisch: *Maximilien, Maxence;* italienisch: *Massimiliano.*
Persönlichkeiten der Geschichte:
Maximilian I., 1459 bis 1519; seit 1493 deutscher Kaiser; unter ihm wurde Habsburg mächtigste Dynastie in Europa.
Maximilian I. von Bayern, 1573 bis 1651, ab 1623 Kurfürst, bedeutendster Herrscher Bayerns, gewährte Religionsfreiheit.
Maximilian Ferdinand Joseph, 1832 bis 1867 (erschossen); 1864 bis 1867 Kaiser von Mexiko.
Maximilian Kolbe, 1894 bis 1941; polnischer Franziskaner; opferte sich im Konzentrationslager Auschwitz für einen jungen polnischen Familienvater,

der als Geisel hingerichtet werden sollte.
Maximilian Schell, geboren 1930; schweizerischer Schauspieler der Bühne und des Films; auch Schriftsteller.

Maximiliana *(w)* Nebenform zu Maximiliane.

Maximiliane *(w)* die weibliche Form zu Maximilian; Nebenform: *Maximiliana;* Koseformen: *Maxe, Maxi.*

Maximilien *(m)* französische Form von Maximilian.
Persönlichkeit der Geschichte:
Maximilien de Robespierre, 1758 bis 1794 (hingerichtet); französischer Revolutionär; führte Schreckensherrschaft.

Maximin *(m)* Weiterbildung von Maximus; lateinisch: *Maximinus.*

Maximinian *(m)* lateinisch: *Maximinianus;* Weiterbildung von Maximus.

Maximinianus *(m)* lateinische Form von Maximinian.

Maximinus *(m)* lateinische Form von Maximin.

Maximo *(m)* spanische Form von Maximus.

Maximus *(m)* lateinisch: *maximus* = der Größte; französische Form: *Maxime;* italienisch: *Massimo.*

Maxwell *(m)* englisch-amerikanisch.
Persönlichkeit der Geschichte:
Maxwell Anderson, 1888 bis 1959; amerikanischer Schriftsteller und Journalist; Dramatiker.

May *(w)* englische Koseform für Mary.

Maya *(w)* Nebenform zu Maja.

Mazelin *(m)* Herkunft und Bedeutung fraglich.

Mechel *(m)* Kurz- und Koseform für Michael.

Mechheld *(w)* Nebenform zu Mechthild.

Mechthild *(w)* althochdeutsch: *maht* = Macht, Kraft; *hiltja* = Kampf; ältere Form von Mathilde; Nebenformen: *Mechthilde, Mechtheld, Mechtilde, Mechtild.*
Persönlichkeiten der Geschichte:
Mechthild von Dießen, gestorben 1160; aus Andechs; früh im Kanonissenstift Dießen, später dessen Meisterin; vorübergehend ab 1153/1154 Äbtissin im Kloster Edelstetten.
Mechthild von Magdeburg, etwa 1209 bis 1290; seit 1230 Begine in Magdeburg; legte ab 1250 als erste ihre mystischen Erlebnisse in deutscher Sprache nieder; lebte später zwölf Jahre im Zisterzienserinnenkloster Helfta, wo sie auch starb.

Mechthilde *(w)* Nebenform zu Mechthild.

Mechtild *(w)* Nebenform zu Mechthild.

Mechtilde *(w)* Nebenform zu Mechthild.
Persönlichkeit der Geschichte:
Mechtilde Fürstin Lichnowsky, 1859 bis 1958; österreichische Schriftstellerin und Lyrikerin.

Medard *(m)* althochdeutsch: *maht* = Macht, Kraft; *harti* = stark; latinisiert: *Medardus;* die französische Form: *Médard.*

Médard *(m)* französische Form von Medard.

Medardus *(m)* lateinische Form von Medard.

Medea *(w)* griechisch-lateinisch; von griechisch: *medon* = herrschend.

Medes *(m)* Kurzform für Nikomedes.

Meenken *(m)* Koseform für Meinrad.

Mees *(m)* Koseform für Bartholomäus.

Meffried *(m)* Nebenform zu Meinfried.

Mega *(w)* Kurz- und Koseform für Margareta.

Meggie *(w)* englische Nebenform zu Maggi.

Meggy *(w)* englische Nebenform zu Maggi.

Meginhard *(m)* Nebenform zu Meinhard.

Meginwerk *(m)* Nebenform zu Meinwerk.

Mehmed *(m)* arabisch.

Mehne *(m)* Kurz- und Koseform für Meinrad.

Meier *(m)* Nebenform zu Meir.

Meigel *(w)* Koseform für Margareta.

Meike *(w)* Nebenform zu Maike.

Meiko *(m)* friesische Koseform für Meinhard.

Mein *(m)* Kurzform für Meinrad.

Meina *(w)* Kurzform für Amöna; friesische Kurzform für mit Mein- gebildete weibliche Vornamen; Nebenformen: *Mena, Menna.*

Meinald *(m)* althochdeutsch: *magan* = *megin* = Kraft, Stärke; *waltan* = walten, gebieten; Nebenformen: *Meinhold, Meinold, Meinwalt.*

Meinard *(m)* Nebenform zu Meinhard.

Meinarde *(w)* Nebenform zu Meinharde (Meinhard).

Meinbert *(m)* althochdeutsch: *magan* = *megin* = Stärke, Kraft; *beraht* = glänzend.

Meinberta *(w)* die weibliche Form zu Meinbert.

Meinbod *(m)* althochdeutsch: *magan* = *megin* = Kraft; *boto* = Bote.

Meindert *(m)* niederdeutsche und niederländische Nebenform zu Meinhard.

Meiner *(m)* Kurzform für Meinhard.

Meinert *(m)* niederdeutsche und niederländische Nebenform zu Meinhard.

Meinfrid *(m)* Nebenform zu Meinfried.

Meinfried *(m)* althochdeutsch: *magan* = *megin* = Kraft; *fridu* = Friede; Nebenformen: *Meinfrid, Menfried, Meffried.*

Meingoz *(m)* althochdeutsch: *magan* = *megin* = Kraft; *goz* = Gote.

Meinhard *(m)* althochdeutsch: *magan* = *megin* = Kraft; *harti* = stark; Nebenformen: *Maginhart, Meginhard, Meindert, Meiner, Meinert, Menard, Menhard;* friesische Kurz- und Koseformen: *Maik, Maiko, Meik, Meiko, Meiner, Menne, Menz, Meinke.*

Persönlichkeit der Geschichte:

Meinhard, gestorben 1196; Augustinerchorherr in Segeberg (Holstein); wurde 1186 Bischof der Liven.

Meinharde *(w)* die weibliche Form zu Meinhard; Nebenform: *Meinarde.*

Meinhild *(w)* althochdeutsch: *magan* = *megin* = Kraft; *hiltja* = Kampf; Nebenform: *Meinhilde.*

Meinhilde *(w)* Nebenform zu Meinhild.

Meinhold *(m)* Nebenform zu Meinald.

Meinholde *(w)* die weibliche Form zu Meinhold (Meinald).

Meinke *(m)* Koseform für Meinhard.

Meino *(m)* friesische Kurzform für mit Mein- gebildete männliche Vornamen.

Meinold *(m)* Nebenform zu Meinald.

Meinolf *(m)* althochdeutsch: *magan* = *megin* = Kraft; *wolf* = Wolf; Nebenform: *Meinulf.*

Persönlichkeit der Geschichte:

Meinolf, 9. Jahrhundert; 836 Archidiakon in Paderborn; Begründer des Klosters Bödekken.

Meinrad *(m)* althochdeutsch: *magan* = *megin* = Kraft; *rat* = Ratschlag, Ratgeber; Nebenformen: *Menrad, Mehnert;* Kurz- und Koseformen: *Mehne, Meenken, Menke, Meino, Mein, Radel, Rädel.*

Meinrade *(w)* die weibliche Form zu Meinrad.

Meinrich *(m)* Nebenform zu Menrich.

Meinwalt *(m)* Nebenform zu Meinald.

Meinwerk *(m)* althochdeutsch: *magan* = *megin* = Kraft; Nebenform: *Meginwerk.*

Meio *(m)* Nebenform zu Maio.

Meir *(m)* hebräisch: *me'ir* = leuchtend; Nebenformen: *Meier, Meijer.*

Mekel *(m)* Kurzform für Michael.

Mela *(w)* Kurzform für Melanie und Melitta.

Melana *(w)* slawische Koseform für Melanie.

Melania *(w)* seltene Nebenform zu Melanie.

Melanie *(w)* von griechisch: *melaina* = die Schwarze, Dunkle; Nebenformen: *Melania, Meline;* Kurz- und Koseform: *Mela;* englische Form: *Melanie;* französisch: *Mélanie;* slawische Koseformen: *Malenka, Melana, Melanka, Menka.*

Persönlichkeit der Geschichte:

Melanie, 383 bis 439; machte aus ihrem Haus in Rom ein Pilgerheim; gründete auf dem Ölberg im Heiligen Land ein Frauenkloster, wo sie bis zu ihrem Tod verblieb.

Mélanie *(w)* französische Form von Melanie.

Melanka *(w)* slawische Koseform für Melanie.

Melcher *(m)* Nebenform zu Melchior.

Melches *(m)* Nebenform zu Melchior.

Melchi *(m)* Nebenform zu Melchior.

Melchior *(m)* hebräisch: *melek* = König; *or* = Licht; Nebenformen: *Melcher, Melches, Melchi;* Koseform: *Melk.*

Persönlichkeit der Geschichte:

Melchior; bekannter Name eines der nach dem Bericht bei Matthäus 2, 1—12 aus dem Morgenland unter Leitung eines Sterns zur Anbetung des Kindes nach Betlehem gekommenen Magiers; mit Kaspar und Balthasar die »Drei Könige«.

Melina *(w)* griechisch-lateinisch, von lateinisch: *melina* = von der Insel Melos (?); Nebenform: *Meline.*

Persönlichkeit:

Melina Mercouri, geboren 1925; griechische Schauspielerin und Chansonsängerin und Politikerin.

Melinda *(w)* Herkunft und Bedeutung nicht klar.

Meline *(w)* Nebenform zu Melanie und Melina.

Melisande *(w)* auf gotisch Amalaswintha zurückgehend (?); französische Form: *Mélisande.*

Mélisande *(w)* französische Form von Melisande.

Melissa *(w)* Nebenform zu Melitta.

Melitta *(w)* von griechisch: *melitta* = Biene; Nebenformen: *Melitina, Melissa;* Kurzformen: *Mela, Lissa.*

Melk *(m)* Kurz- und Koseform für Melchior.

Mellitus *(m)* lateinisch: *mellitus* = honigsüß.

Melusine *(w)* französischer Herkunft, nach einer Meeresfee dieses Namens in einer altfranzösischen Sage.

Melvin *(m)* englische Form von Malwin; Nebenformen: *Melvyn, Melwin.*

Melvyn *(m)* englische Form von Malwin.

Mena *(w)* Kurzform für Amöna; Nebenform zu Meina.

Menachem *(m)* jüdisch; hebräisch: *menachem* = Tröster.

Persönlichkeit der Geschichte:

Menachem Begin, 1913 bis 1992; israelitischer Politiker; erreichte als Ministerpräsident 1977 bis 1981 Aussöhnung mit Ägypten.

Menard *(m)* niederdeutsche Nebenform zu Meinhard; latinisierte Form: *Menardus.*

Menardus *(m)* latinisierte Form von Menard.

Mendel *(m)* jüdische Kurzform für Emanuel.

Menfried *(m)* Nebenform zu Meinfried.

Menzel *(m)* Koseform für Mangold.

Menka *(w)* slawische Koseform für Melanie.

Menke *(m)* Koseform für Meinrad.

Menna *(w)* Nebenform zu Meina.

Mennas *(m)* Herkunft und Bedeutung fraglich.

Menne *(m)* Koseform für Meinhard.

Menno *(m)* Kurzform für mit Mein- beginnende männliche Vornamen.

Persönlichkeit der Geschichte:

Menno Simons, 1496 bis 1561; Gründer der Evangelischen Taufgesinnten oder Mennoniten.

Menrich *(m)* althochdeutsch: *magan* = *megin* = Kraft; *rihhi* = reich, mächtig; Nebenform: *Meinrich.*

Menz *(m)* Kurz- und Koseform für Meinhard.

Merbot *(m)* althochdeutsch: *mari* = berühmt; *boto* = Bote, Gebieter.

Mercedes *(w)* vom spanischer Marienfest »Nuestra Señora de las mercedes«, lateinisch: »Maria de mercede redemptionis captivorum« (Maria von der Gnade der Gefangenenerlösung) als Vorname entstanden.

Meret *(w)* schweizerische Koseform für Emerentia.

Merete *(w)* dänische Form von Margareta.

Meriel *(w)* Nebenform zu Muriel.

Merkel *(m)* Koseform für Markus und Markward.

Merkle *(m)* Koseform für Markus und Markward.

Merle *(w)* englisch-amerikanisch; von lateinisch: *merula* = Amsel (?).

Merta *(w)* Kurzform für Emerentia.

Merten *(m)* niederdeutsche Nebenform zu Martin.

Mertin *(m)* Nebenform zu Martin.

Merwin *(m)* Nebenform zu Marvin.

Merzluft *(m)* Koseform für Marzellus (Marcellus).

Meta *(w)* Kurzform für Margareta; Nebenform: *Metta.*

Metha *(w)* Koseform für Mathilde.

Methodius *(m)* lateinisch; von griechisch: *methodos* = Ordnung.

Persönlichkeit der Geschichte:

Methodius, gestorben 885; mit seinem Bruder Cyrillus Glaubensbote bei den Chasaren, seit 863 in Mähren; ihr Versuch, die slawische Sprache als Liturgiesprache zu verwenden, fand die Billigung Papst Hadrians II., nach des Cyrillus Tod 869 wurde Methodius Erzbischof für Pannonien und Mähren.

Methusalem *(m)* hebräisch: *Todespfeil;* ökumenische Form: *Metuschelach;* englische Form: *Methuselah.*

Methuselah *(m)* englische Form von Methusalem.

Metta *(w)* Nebenform zu Meta (Margareta) und Mathilde sowie Mechthild.

Mette *(w)* niederdeutsche Kurzform für Mathilde oder Mechthild.

Metuschelach *(m)* ökumenische Form von Methusalem.

Meus *(m)* Kurzform für Bartholomäus.

Mew *(m)* Koseform für Bartholomäus.

Mewes *(m)* Kurz- und Koseform für Bartholomäus und Matthias.

Mia *(w)* Koseform für Maria.

Persönlichkeit:

Mia Farrow, geboren 1945; amerikanische Schauspielerin der Bühne, des Films und des Fernsehens.

Micaela *(w)* italienische und spanische Form von Michaela (Michael).

Micha *(m)* ökumenische Form von *Michäas* und *Michea;* auch Kurzform für Michael.

Michäas *(m)* hebräisch-griechisch; ökumenische Form: Micha.

Michael *(m)* hebräisch: *mi-ka-el* = Wer ist wie Gott?; Kurzformen: *Michel, Mechel, Mekel, Geel;* italienische Form: *Michele;* spanisch und portugiesisch: *Miguel;* französisch: *Michel;* englisch: *Michael, Mike, Mick;* niederländisch: *Michiel;* schwedisch: *Mikael, Mickel;* dänisch: *Mikkel;* polnisch: *Mihal;* russisch: *Michail.*

Persönlichkeiten der Geschichte:

Michael, im Alten Testament Erzengel als Vorkämpfer der Gott treu ergebenen Engel gegen Luzifer; Schutzherr der Kirche und Patron der Deutschen.

Michael Faraday, 1791 bis 1867; englischer Physiker und Chemiker.

Michael Faulhaber, 1869 bis 1952; deutscher katholischer Theologe; 1911 Bischof von Speyer, 1917 Erzbischof von München-Freising, 1921 Kardinal; Gegner des Nationalsozialismus.

Michael Pacher, 1435 bis 1498; deutscher Bildschnitzer und Maler des Übergangs von der Spätgotik zur Renaissance.

Michaela *(w)* die weibliche Form zu Michael; italienische und spanische Form: *Micaela;* französisch: *Michèle, Michelle.*

Michail *(m)* russische Form von Michael.

Persönlichkeiten der Geschichte:

Michail Glinka, 1804 bis 1857; russischer Komponist nationalrussischer Musik.

Michail Wassiljewitsch Lomonossow, 1711 bis 1765; russischer Wissenschaftler und Schriftsteller; erneuerte die russische Sprache; gründete die erste russische Universität in Moskau.

Michal *(m)* Nebenform zu Mikal.

Michalina *(w)* Weiterbildung von Michaela; Nebenform: *Michaline.*

Michaline *(w)* Nebenform zu Michalina.

Michel *(m)* Nebenform zu Michael; auch französische Form von Michael.

Persönlichkeit:

Michel Piccoli, geboren 1925; französischer Filmschauspieler.

Michela *(w)* italienische Form von Michaela (Michael).

Michelangelo *(m)* italienischer Doppelname aus Michael und lateinisch: *angelus* = Engel; nach dem Erzengel Michael.

Persönlichkeit der Geschichte:

Michelangelo Bounarroti, 1475 bis 1564; italienische Bildhauer, Maler und Architekt; Hauptmeister der Hochrenaissance.

Michèle *(m)* italienische Form von Michael.

Michele *(w)* französische Form von Michaela (Michael).

Micheline *(w)* englische und französische Weiterbildung von Michaela (Michael).

Michelle *(w)* französische Form von Michaela (Michael).

Michiel *(m)* niederländische Form von Michael.

Michol *(w)* Nebenform zu Mikal.

Mick *(m)* englische Koseform für Michael.

Mickael *(m)* schwedische Kurzform für Mikael (Michael).

Mie *(w)* Koseform für Maria.

Mieczyslaw *(m)* polnisch: Schwertfried.

Mieke *(w)* Kurzform für Marieke, Koseform für Maria.

Mies *(m)* Kurz- und Koseform für Bartholomäus und Jeremias.

Mieze *(w)* Koseform für Maria.

Miezel *(w)* Koseform für Maria.

Migele *(w)* Koseform für Emilia.

Miggi *(w)* Koseform für Emilia.

Mignon *(w)* französisch: *mignon* = zart, allerliebst; Koseform: *Mignonne.*

Mignonne *(w)* französische Koseform für Mignon.

Miguel *(m)* spanische und portugiesische Form von Michael.

Persönlichkeiten der Geschichte:

Miguel de Cervantes, 1547 bis 1616; spanischer Schriftsteller; schuf den europäischen Prosaroman.

Miguel de Unamuno, 1864 bis 1936; spanischer Philosoph und Schriftsteller.

Mihal *(m)* polnische Form von Michael.

Mihály *(m)* ungarische Form von Michael.

Mikael *(m)* schwedische Form von Michael.

Mikal *(w)* hebräisch; Nebenformen: *Michal, Michol.*

Mike *(m)* englische Form von Michael.

Mike *(w)* Koseform für Maria.

Mikis *(m)* griechische Form von Michael.

Mikkel *(m)* dänische Form von Michael.

Miklas *(m)* slawische Form von Nikolaus.

Miklós *(m)* ungarische Form von Nikolaus; Nebenformen: *Mikós, Mikus.*

Mikola *(m)* slawische Form von Nikolaus.

Mikolas *(m)* slawische Form von Nikolaus.

Mikós *(m)* ungarische Nebenform zu Miklós.

Mikosch *(m)* slawische Form von Nikolaus.

Mikulas *(m)* slawische Form von Nikolaus.

Mikuláš *(m)* tschechische Form von Nikolaus.

Mikus *(m)* Nebenform zu Miklós.

Mil *(w)* Koseform für Emilia.

Mila *(w)* Kurzform für Ludmilla; slawische Form von Emilia.

Milada *(w)* tschechische Form von Amalia.

Milan *(m)* slawische Form von Emil; auch Kurzform für Miloslaw.

Milana *(w)* Weiterbildung von Mila.

Milda *(w)* Kurzform für mit Mil- oder Mild- (althochdeutsch: *milti* = Güte) gebildete weibliche Vornamen.

Mildburg *(w)* althochdeutsch: *milti* = Milde, Güte; *burg* = Schutz; Nebenform: *Mildburgis.*

Mildburgis *(w)* Nebenform zu Mildburg.

Mildred *(w)* englische Form von Miltraut.

Persönlichkeit der Geschichte:

Mildred, gestorben 734; ab 695 Äbtissin des Klosters Minster auf der Insel Thanet in Kent (England).

Mildred Scheel, 1932 bis 1985, Ärztin und Begründerin der Deutschen Krebshilfe.

Mildrud *(w)* Nebenform zu Miltraut.

Milena *(w)* Koseform für Ludmilla; auch Weiterbildung von Mila.

Miles *(m)* englisch.

Persönlichkeit:

Miles Davis, geboren 1926; afroamerikanischer Jazzmusiker (Trompeter).

Milie *(w)* Kurzform für Emilia.

Milina *(w)* Koseform für Ludmilla.

Militza *(w)* Koseform für Ludmilla.

Milka *(w)* hebräisch: Königin; auch Koseform für Ludmilla.

Milko *(m)* Kurz- und Koseform für Miloslaw.

Milla *(w)* Koseform für Emilia und Ludmilla.

Milli *(w)* Koseform für Emilia und Ludmilla.

Milly *(w)* englisch; Koseform für Amalia.

Miloš *(m)* tschechische Kurzform für Bohumil.

Miloslav *(m)* Nebenform zu Miloslaw.

Miloslaw *(m)* russisch: *milyj* = lieb; *slawa* = Ruhm; Nebenform: *Miloslav.*

Miltraut *(w)* althochdeutsch: *milti* = Milde, Güte; *rat* = Rat, Ratgeber; Nebenform: *Mildrud;* englische Form: *Mildred.*

Milva *(w)* italienisch; von lateinisch: *milva* = Taubenfalke.

Persönlichkeit:

Milva, geboren 1939; italienische Sängerin, besonders Chansonsängerin.

Mimi *(w)* Koseform für Maria.

Mimmi *(w)* Koseform für Maria.

Mina *(w)* Kurzform für Hermine und Wilhelmine.

Mine *(w)* Kurzform für Hermine und Wilhelmine.

Mineke *(w)* niederdeutsche und niederländische Koseform für Hermine und Wilhelmine.

Minerva *(w)* griechisch-lateinisch: *menos — mens* = Geist.

Persönlichkeit der Geschichte:

Minerva, etruskisch-römische Göttin des Handwerks; Schutzgöttin der Stadt Rom.

Minette *(w)* französische Weiterbildung von Mine (Minna); Koseform für Wilhelmine.

Mini *(m)* Koseform für Dominikus.

Minka *(m)* tschechische Koseform für Wilhelm.

Minka *(w)* slawische Form von Minna; polnische Koseform für Wilhelmine.

Minna *(w)* althochdeutsch: *minna* = Liebe; auch Kurzform für Hermine und Wilhelmine; Nebenformen: *Minna, Minne, Mine;* niederdeutsch: *Minning;* slawisch: *Minka;* französisch: *Minette.*

Minne *(w)* Nebenform zu Minna.

Minning *(w)* niederdeutsche Form von Minna.

Mira *(w)* lateinisch: *mira* = erstaunlich, wunderbar; Kurzform für Mirabella.

Mirabell *(w)* Nebenform zu Mirabella.

Mirabella *(w)* italienisch; aus lateinisch: *mira* = wunderbar; *bella* = schön oder: *mirabilis* = bewundernswert; Nebenformen: *Mirabell, Mirabelle;* Kurz- und Koseformen: *Mira, Mirella, Miretta, Mirette, Mirete, Bella;* französische Form: *Mireille.*

Mirabelle *(w)* Nebenform zu Mirabella.

Miranda *(w)* lateinisch: *miranda* = die zu Bewundernde; Nebenform: *Mirande.*

Mirco *(m)* slawische Form von Emmerich und Miroslaw.

Mireille *(w)* französische Form von Mirabella.

Persönlichkeit:

Mireille Mathieu, geboren 1946; französische Konzert- und Schlagersängerin.

Mirek *(m)* slawische Verkleinerungsform von Jaromir und Miro-slaw.

Mirella *(w)* italienische Kurzform für Mirabella.

Mirette *(w)* Koseform für Mira und Mirabella; Nebenformen: *Miretta, Mirete.*

Miriam *(w)* Nebenform zu Mirjam.

Mirjam *(w)* hebräisch-aramäisch: *mirjam;* Bedeutung fraglich; griechisch, lateinisch und deutsch: Maria; Nebenform: *Miriam.*

Mirko *(m)* slawische Kurz- und Koseform für Emmerich und Miroslaw.

Mirl *(w)* oberdeutsche Koseform für Maria und Annemarie.

Miroslav *(m)* Nebenform zu Miroslaw.

Miroslaw *(m)* slawisch: *mir* = Friede; *slawa* = Ruhm; Nebenform: *Miroslav;* Kurz- und Koseformen: *Mirco, Mirek, Mirko.*

Mischa *(m)* russische Kurzform von Michail (Michael).

Mite *(w)* Koseform für Maria.

Mithradates *(m)* persisch: nach dem Sonnengott Mithras.

Mitja *(m)* russische Kurz- und Koseform für Dimitri = Dmitry (Demetrius); slawische Nebenformen: *Mitko, Mito.*

Mitko *(m)* Nebenform zu Mitja.

Mito *(m)* Nebenform zu Mitja.

Mitzi *(w)* Koseform für Maria.

Modest *(m)* deutsche Form von Modestus.

Persönlichkeit der Geschichte:

Modest Mussorgskij, 1839 bis 1881; russischer Komponist; von Einfluß auf russische und europäische Neue Musik.

Modesta *(w)* die weibliche Form zu Modestus; Nebenform: *Modeste.*

Modeste *(w)* Nebenform zu Modesta.

Modesto *(m)* italienische Form von Modestus.

Modestus *(m)* lateinisch: *modestus* = bescheiden; deutsch: *Modest;* italienische Form: *Modesto.*

Modoald *(m)* althochdeutsch: *muot* = Geist, Sinn: *waltan* = walten, gebieten.

Mogens *(m)* dänische Nebenform zu Magnus.

Mohammed *(m)* arabisch: gepriesen; Nebenform: *Muhamed.*

Persönlichkeit der Geschichte:

Mohammed, 570 bis 632; Prophet und Begründer des Islams.

Moira *(w)* griechisch: *moira* = Schicksal, Glück.

Moise *(m)* französische Form von Moses.

Molly *(w)* englische Koseform für Mary.

Molte *(m)* dänische Nebenform zu Malte.

Mombert *(m)* althochdeutsch: *muni* = Gedanke; *beraht* = glänzend; Nebenformen: *Mombrecht, Mumbert, Mumprecht;* Kurz- und Koseformen: *Momme, Mommo.*

Mombrecht *(m)* Nebenform zu Mombert.

Mona *(w)* Kurzform für Monika; englischer Vorname, von irisch: *muadh* = edel.

Monika *(w)* lateinisch: *monere* = ermahnen; Nebenform: *Monica;* Kurzformen: *Moni, Mone, Mona, Mike;* italienische Form: *Monica;* französische: *Monique.*

Monique *(w)* französische Form von Monika.

Montague *(m)* englisch; ursprünglich Familienname; Kurzform: *Monty.*

Montgomery *(m)* englisch; ursprünglich Familienname; Kurzform: *Monty.*

Persönlichkeit:

Montgomery Clift, 1920 bis 1966; amerikanischer Bühnen- und Filmschauspieler; Charakterdarsteller.

Monty *(m)* englische Kurzform für Montague und Montgomery.

Morandus *(m)* lateinisch; deutsche Form: *Morand.*

Morgan *(m)* englisch; keltischen Ursprungs: *muir* = Meer; zum Meer gehörend, meergeborgen.

Moric *(m)* tschechische Form von Mauritius (Moritz).

Moricz *(m)* ungarische Form von Mauritius (Moritz).

Morillo *(m)* spanische Form von Maurelius.

Moritz *(m)* deutsche Form von Mauritius; österreichisch: *Moriz;* französisch: *Maurice;* englisch: *Morris.*

Persönlichkeiten der Geschichte:

Moritz Prinz von Oranien, 1567 bis 1625, Statthalter der Niederlande.

Moritz, Kurfürst von Sachsen, 1521 bis 1553, kämpfte in Schmalkalchischen Krieg auf der Seite Karls V. Begründer der Fürstenschulen.

Moritz von Schwind, 1804 bis 1871, deutscher Maler der Romantik.

Morris *(m)* englische Form von Mauritius (Moritz).

Morten *(m)* dänische und norwegische Form von Martin.

Mortimer *(m)* englisch; ursprünglich Familienname nach dem normannischen Ort Mortemer.

Moses *(m)* hebräisch: *moscheh;* ägyptisch: = Sohn, Kind; oder: aus dem Wasser herausgezogen; ökumenische Form: *Mose;* englisch: *Moses;* französisch: *Moise;* jüdisch: *Moshe.*

Persönlichkeiten der Geschichte:

Moses (Mose), wohl im 13. Jahrhundert v. Chr.; religiöser und politischer Führer des israelitischen Volkes; aus dem Stamm Levi; führte es durch die Wüste zum Gelobten Land.

Moses Mendelssohn, 1729 bis 1786; deutsch-jüdischer Aufklärungsphilosoph; förderte die Emanzipation der Juden in Deutschland.

Moshe *(m)* jüdische Form von Moses.

Persönlichkeit der Geschichte:

Moshe Dayan, 1915 bis 1981; israelischer Politiker und Offizier; Oberbefehlshaber im Sinaifeldzug gegen Ägypten.

Mros *(m)* slawische Form von Ambrosius.

Mstislaw *(m)* russisch.

Muck *(m)* Kurz- und Koseform für Nepomuk; Nebenformen: *Mucke, Muckel;* bayerisch: *Muckl.*

Mucke *(m)* Nebenform zu Muck.

Muckel *(m)* Nebenform zu Muck.

Muckl *(m)* bayerische Koseform für Nepomuk.

Muhamed *(m)* Nebenform zu Mohammed.

Mumbert *(m)* Nebenform zu Mombert.

Mumme *(m)* Nebenform zu Momme.

Mumprecht *(m)* Nebenform zu Mombert.

Mund *(m)* Kurzform für Irmund.

Mündel *(m)* Koseform für Siegmund.

Mündelein *(m)* Koseform für Siegmund.

Mundi *(m)* Kurz- und Koseform für Irmund und Siegmund.

Muriel *(w)* englisch; irischen Ursprungs: *muir* = Meer; *geal* = glänzend; Nebenform: *Meriel.*

Murillo *(m)* spanische Form von Maurelius.

Murray *(m)* englisch.

Nada *(w)* Kurzform für Nadjeschda; Koseform für Ferdinanda.

Nadeschda *(w)* Nebenform zu Nadjeschda.

Nadežda *(w)* slawische Form von Nadjeschda.

Nadia *(w)* niederländische Nebenform zu Nadja; auch italienische Form von Nadjeschda.

Nadina *(w)* Nebenform zu Nadine.

Nadine *(w)* englische und niederländische Form von Nadjeschda; Nebenform: *Nadina.*

Nadinka *(w)* ungarische Form von Nadjeschda.

Nadja *(w)* russische Kurzform für Nadjeschda; Nebenform: *Nadia.*

Persönlichkeiten:

Nadja Boulanger, 1887 bis 1979, französische Komponistin und Musikpädagogin.

Nadja Tiller, geboren 1929; österreichisch-deutsche Filmschauspielerin.

Nadjeschda *(w)* slawisch: *Nadežda* = Hoffnung; Nebenform: *Nadeschda;* Kurzformen: *Nada, Nadia, Nadja;* niederländische und englische Form: *Nadine;* italienisch: *Nadia;* ungarisch: *Nadinka;* russische Kurzform: *Nadja.*

Nael *(w)* Kurzform für Petronella.

Naemi *(w)* Nebenform zu Noemi.

Nahum *(m)* hebräisch: *nachum* = trostreich, Tröster; Nebenform: *Naum.*

Persönlichkeit der Geschichte:

Nahum Goldmann, 1895 bis 1982; zionistischer Politiker und Schriftsteller; ab 1949 Präsident des Jüdischen Weltkongresses, 1956 bis 1978 der Zionistischen Weltorganisation.

Naja *(w)* grönländisch = kleine Schwester.

Näl *(w)* Koseform für Petronella.

Nana *(w)* italienische Koseform für Johanna, französische für Anna.

Persönlichkeit:

Nana Mouskouri, geboren 1936; griechische Schlagersängerin.

Nancy *(w)* englische Koseform für Anne (Anna).

Nandel *(m)* Kurzform für Ferdinand.

Nandel *(w)* Koseform für Anna.

Nando *(m)* Kurzform für mit *nantha* (germanisch = kühn) gebildete männliche Vornamen; Nebenform: *Nanno.*

Nandolf *(m)* germanisch: *nantha* ≐ mutig, kühn; althochdeutsch: *wolf* = Wolf.

Nándor *(m)* ungarische Form von Ferdinand.

Nane *(w)* Koseform für Christiane; oberdeutsche Form für Anna.

Nanina *(w)* Koseform für Anna.

Nanine *(w)* französische Verkleinerungs- und Koseform für Anna.

Nanja *(w)* russische Koseform für Anastasija (Anastasia).

Nanna *(w)* nordisch: kühn; auch Koseform für Amanda, Anna, Johanna; auch für italienisch Marianna.

Nanne *(w)* Koseform für Anna und Marianne; Nebenform: *Nanni.*

Nannerl *(w)* Koseform für Anna.

Nannette *(w)* französische Verkleinerungs- und Koseform für Anna; Nebenformen: *Nanette, Nanetta.*

Nanni *(w)* Nebenform zu Nanne.

Nanno *(m)* Nebenform zu Nando; allgemein: friesische Kurzform für mit Nant- gebildete männliche Vornamen.

Nannon *(w)* englische Form für Nanon.

Nanny *(w)* englische Koseform für Anne (Anna).

Nanon *(w)* französische Koseform für Anna; englische Form: *Nannon.*

Nante *(m)* niederdeutsch-friesische Kurz- und Koseform für Ferdinand.

Nantje *(w)* friesische Kurzform für mit Nant- gebildete weibliche Vornamen.

Nantwig *(m)* germanisch: *nantha* = kühn; althochdeutsch: *wig* = Kampf.

Nantwin *(m)* germanisch: *nantha* = kühn; althochdeutsch: *wini* = Freund.

Naomi *(w)* Nebenform zu Noemi.

Napoleon *(m)* romanisch: Tal- oder Waldlöwe; oder: nach dem italienischen Ortsnamen Napolioni; italienische Form: *Napoleone;* französisch: *Napoléon.*

Persönlichkeit der Geschichte:

Napoleon I., 1769 bis 1821; Kaiser der Franzosen 1804 bis 1814/1815; führte zahlreiche europäische und afrikanische Kriege.

Nastasja *(w)* russische Kurzform für Anastasija (Anastasia).

Nastija *(w)* russische Koseform für Anastasija (Anastasia).

Nastjenka *(w)* russische Koseform für Anastasija (Anastasia).

Nat *(m)* englische Kurzform für Nathanael.

Persönlichkeit der Geschichte:

Nat »King« Cole, 1917 bis 1965; afroamerikanischer Jazzmusiker (Pianist und Sänger).

Nata *(w)* Koseform für Agnes, Renata, russisch: Natalija (Natalia).

Natalia *(w)* die weibliche Form zu Natalis; Nebenform: *Natalie;* französische Form: *Nathalie;* russisch: *Natalija;* Koseform *Natascha.*

Natalie *(w)* Nebenform zu Natalia.

Persönlichkeit:

Natalie Sarraute, geb. 1902, französische Schriftstellerin.

Natalija *(w)* russische Form von Natalia; Nebenform: *Natalja;* Koseform: *Natascha.*

Natalina *(w)* Weiterbildung von Natalia.

Natalis *(m)* lateinisch: *(dies) natalis* = Geburtstag (Christi); Vorname für an Weihnachten Geborene; italienische Form: *Natale;* französisch: *Noël.*

Natalja *(w)* russische Nebenform zu Natalija.

Natan *(m)* ökumenische Form von Nathan.

Natanael *(m)* ökumenische Form von Nathanael.

Natascha *(w)* russische Koseform für Natalija (Natalia).

Nate *(w)* Kurzform für Renate (Renata).

Nathan *(m)* hebräisch: *n'thanja* = Jahwe hat gegeben; Kurzform für Jonathan oder Nathanael; ökumenische Form: *Natan.*

Persönlichkeit:

Nathan, im Alten Testament Prophet zur Zeit Davids und Salomons.

Nathan Milstein, geb. 1904, einer der besten Violinisten des 20. Jahrhunderts, lebt seit 1929 in den USA.

Nathanael *(m)* hebräisch: *nathana'el* = Gott hat gegeben; ökumenische Form: *Natanael;* englische Form: *Nathaniel.*

Nathaniel *(m)* englische Form von Nathanael.

Naum *(m)* Nebenform zu Nahum.

Nazi *(m)* Kurz- und Koseform für Ignatius.

Nebelung *(m)* Nebenform zu Nibelung.

Neel *(m)* englische Koseform für Edward (Eduard), Edmund, Edwin; auch deutsche Kurzform für Cornelius.

Neela *(w)* Nebenform zu Neele.

Neele *(w)* Kurz- und Koseform für Cornelia (Cornelius); Nebenform: *Neela.*

Neelke *(m)* Kurz- und Koseform für Cornelius.

Neelkea *(w)* friesische Kurz- und Koseform für Cornelia (Cornelius).

Neeltje *(w)* friesische Kurz- und Koseform für Cornelia (Cornelius).

Nees *(w)* Koseform für Agnes.

Neeske *(w)* Koseform für Agnes.

Nehemia *(m)* hebräisch: *nehemja* = Jahwe hat getröstet; ökumenische Form; in der Vulgata: *Nehemias.*

Nehemias *(m)* in der Vulgata Form von Nehemia.

Neidhard *(m)* althochdeutsch: *nit* = Mißgunst; *harti* = hart, stark; Nebenformen: *Neidhardt, Neithard, Nithard.*

Neidhardt *(m)* Nebenform zu Neidhard.

Persönlichkeiten der Geschichte:

Neidhardt von Gneisenau, 1760 bis 1831; ab 1825 preußischer Generalfeldmarschall; englisch-amerikanischer Heerführer.

Neidhardt von Reuenthal, um 1180 bis nach 1237; mittelhochdeutscher ritterlicher Lyriker. Seine realistische Lyrik sprengte die Regeln und Konventionen des hohen Minnesangs.

Neil *m*, englisch-amerikanisch.

Persönlichkeit:

Neil Amstrong, geboren 1930; amerikanischer Astronaut; betrat am 20. 7. 1969 als erster Mensch den Mond.

Neisa *(w)* Koseform für Agnes.

Neithard *(m)* Nebenform zu Neidhard.

Nel *(m)* englische Kurzform für Daniel.

Nela *(w)* Koseform für Manuela; friesische Kurzform für Cornelia (Cornelius); Nebenform: *Nele.*

Nella *(w)* Koseform für Cornelia (Cornelius), Helene und Petronella; Nebenform: *Nelleke.*

Nelleke *(w)* Nebenform zu Nella.

Nelles *(m)* Kurz- und Koseform für Cornelius.

Nelli *(w)* Koseform für Helene, Cornelia und andere.

Nelly *(w)* englische Koseform für Eleonora.

Nelson *(m)* englisch; ursprünglich ein Orts- und Herkunftsname.

Nepomuk *(m)* Vorname nach Herkunftsort Pomuk in Böhmen; Kurz- und Koseformen: *Muck, Mucke, Muckel, Muckl.*

Persönlichkeit:

Joh. Nepomuk David, 1895 bis 1977, Komponist und Musikpädagoge.

Neres *(m)* Koseform für Rainer.

Nereus *(m)* nach dem griechischen Meergott Nereus.

Nero *(m)* lateinisch; sabinischer Herkunft: stark und streng.

Persönlichkeit der Geschichte:

Nero, 37 bis 68; ab 54 römischer Kaiser; führte despotische Regierung und verfolgte nach dem Brand Roms das Christentum.

Nestor *(m)* griechisch = Heimkehrer.

Netta *(w)* Koseform für Agnes, Annette, Antoinette, Jeanette, Johanna; Nebenformen: *Nette, Netti, Netty.*

Nettchen *(w)* Koseform für Johanna.

Nibelung *(m)* nach den Nibelungen der deutschen Sage; Nebenformen: *Nebelung, Nevelong, Nevelingk.*

Nie *(m)* Kurz- und Koseform für Nikolaus.

Niccolò *(m)* italienische Form von Nikolaus.

Persönlichkeiten der Geschichte:

Niccolò Machiavelli, 1469 bis 1527; italienischer Geschichtsschreiber und Politiker aus Florenz; schrieb in »Il principe« die Lehre von der Staatsräson.

Niccolò Paganini, 1782 bis 1840; italienischer Violinvirtuose und Komponist.

Nicholas *(m)* englische Form von Nikolaus.

Nick *(m)* Koseform für Nikolaus.

Nicki *(m)* Koseform für Nikolaus.

Nicla *(w)* Nebenform zu italienisch Nicola.

Nico *(m)* Kurzform für Nikolaus.
Persönlichkeit der Geschichte:
Nico Dostal, 1895 bis 1981; österreichischer Operetten- und Filmkomponist.

Nicodemo *(m)* italienische Form von Nikodemus.

Nicol *(m)* Kurzform für Nikolaus.

Nicola *(m)* italienische Form von Nikolaus.

Nicola *(w)* die weibliche Form zu Nikolaus; Nebenform: *Nicla;* französische Form: *Nicolle, Nicolette;* italienisch: *Nicoletta;* russisch: *Nikolaja.*

Nicolaas *(m)* niederländische Form von Nikolaus; Nebenform: *Caes.*

Nicolae *(m)* rumänische Form von Nikolaus.
Persönlichkeit der Geschichte:
Nicolae Ceaucescu, 1918 bis 1990; rumänischer Politiker; seit 1974 Staatspräsident als Vorsitzender des Staatsrats.

Nicolai *(m)* Nebenform zu Nikolai.
Persönlichkeiten:
Nicolai Gedda, geboren 1925; schwedischer Sänger russisch-schwedischer Herkunft (Tenor); besonders Mozartinterpret.
Nicolai Hartmann, 1882 bis 1950, deutscher Philosoph. Entwickelte eine realistische Ontologie.

Nicolas *(m)* französische Form von Nikolaus; deutsche Schreibweise: *Nikolas.*

Nicolaus *(m)* Nebenform zu Nikolaus.

Nicole *(w)* französische weibliche Form zu Nicolas (Nikolaus); Nebenform: *Nicolle.*

Nicoletta *(w)* italienische weibliche Form zu Niccoló und Nicola (Nikolaus); deutsche Schreibweise: *Nikoletta;* italienische Koseform: *Coletta;* französische Form: *Nicolette;* Koseform: *Colette.*

Nicolette *(w)* französische Verkleinerungsform von Nicole.

Nicoline *(w)* Nebenform zu Nikoline.

Nicolle *(w)* französische Nebenform zu Nicole (Nikolaus).

Nidgar *(m)* Nebenform zu Nidger.

Nidger *(m)* althochdeutsch: *nid* = Mißgunst; *ger* = Speer; Nebenformen: *Nidgar, Nitker.*

Niels *(m)* Kurz- und Koseform für Nikolaus und Cornelius; auch dänische Form von Nils (Nikolaus).
Persönlichkeit der Geschichte:
Niels Bohr, 1885 bis 1962; dänischer Physiker; entwickelte Bohrsches Atommodell.

Nielsine *(w)* niederdeutsch-friesische weibliche Form zu Niels.

Nieres *(m)* Koseform für Rainer.

Niesa *(w)* Koseform für Agnes.

Nigg *(m)* Koseform für Nikolaus.

Nik *(m)* russische Koseform für Nikolai (Nikolaus).

Nike *(w)* griechisch: *nike* = Sieg; auch Kurzform für Monika.

Niketius *(m)* lateinisch-griechisch (*nike* = Sieg).

Niki *(w)* Kurz- und Koseform für Nikola.

Nikita *(m)* russische Koseform für Nikolai (Nikolaus).
Persönlichkeit der Geschichte:
Nikita Chruschtschow, 1894 bis 1971; sowjetrussischer Politiker; 1953 bis 1964 Partei- und Regierungschef.

Niklas *(m)* Nebenform zu Nikolaus.

Niklaus *(m)* Nebenform zu Nikolaus.

Niko *(m)* Koseform für Nikolaus.

Nikodemus *(m)* griechisch: *nike* = Sieg; *demos* = Volk; italienische Form: *Nicodemo.*

Nikol *(m)* Kurzform für Nikolaus.

Nikola *(w)* deutsche Schreibweise für Nicola.

Nikolai *(m)* russische Form von Nikolaus; Nebenform: *Nikolaj.*

Persönlichkeiten der Geschichte:

Nikolai Gogol, 1809 bis 1852; ukrainisch-russischer Schriftsteller; Begründer des literarischen Realismus.

'ikolai Podgorny, 1913 bis 1983; sowjetrussischer Politiker; 1965 bis 1977 Staatspräsident der Sowjetunion.

Nikolai Rimskij-Korsakow, 1844 bis 1908; russischer Komponist der Jungrussischen Schule.

Nikolaus *(m)* griechisch: *nike* = Sieg; *laos* = Volk; Nebenformen: *Nicolaus, Nikolas, Niklas, Niklaus;* Kurz- und Koseformen: *Nikol, Nickel, Nikki, Nick, Niko, Niki, Nicol, Nicolo, Nico, Nitsche, Klaus, Klas, Klaas, Klos, Klose, Klüsel, Klobes, Claus, Claas, Clois, Clos, Niels, Nils, Nisse, Nigg, Kola, Kolas;* englische Formen: *Nicholas, Colin;* französisch: *Nicolas;* spanisch: *Nicolás;* italienisch: *Nicola, Niccoló, Cola;* niederländisch: *Nicolaas, Claas;* schwedisch: *Nils;* dänisch: *Niels;* russisch: *Nikolai, Nikolaj, Nik;* slawisch: *Miklas, Mikola, Mikolas, Mikosch, Mikula, Mikulas;* tschechisch: *Mikuláš;* polnisch: *Mikolaj;* rumänisch: *Nicolae;* ungarisch: *Miklós, Mikós, Mikus.*

Persönlichkeiten der Geschichte:

Nikolaus V., Papst, 1397 bis 1455, bedeutender Humanist und Begründer der Vatikanischen Bibliothek.

Nikolaus von der Flüe, 1417 bis 1487, schweizerischer Einsiedler und Mystiker.

Nikolaus II., 1868 bis 1918; letzter Zar von Rußland; in der Revolution erschossen.

Nikolaus Kopernikus, 1473 bis 1543; deutscher Astronom und Humanist; erkannte die Sonne als Zentrum des Planetensystems.

Nikolaus von Kues, 1401 bis 1464, spätmittelalterlicher Philosoph und Theologe.

Nikolaus Lenau, 1802 bis 1850, deutscher Lyriker.

Nikolaus Ludwig Graf von Zinzendorf, 1700 bis 1760, Begründer der Herrenhuter Brüdergemeinde, Dichter geistlicher Lieder.

Nikoletta *(w)* deutsche Schreibweise von Nicoletta.

Nikoline *(w)* Weiterbildung von Nikola; Nebenform: *Nicoline.*

Nikos *(m)* griechisch: *nike* = Sieg.

Nina *(w)* Koseform für Anna, Antonia, Christiane, Katharina; allgemein für auf -ina oder -rina endende weibliche Vornamen; Nebenform: *Nine.*

Nine *(w)* Nebenform zu Nina.

Ninetta *(w)* italienische Verkleinerungsform von Nina.

Ninette *(w)* französische Verkleinerungsform von Nina.

Ninina *(w)* spanische Koseform für Marcelina.

Ninja *(w)* Koseform für Nina; nach spanisch-portugiesisch *Niña.*

Nino *(m)* italienische Verkleinerungsform von Giovanni (Johannes).

Nithard *(m)* Nebenform zu Neidhard.

Nivard *(w)* fränkisch (aus 8. Jahrhundert).

Nives *(w)* italienisch; *neve* = Schnee; schneeweiß.

Niwes *(m)* von italienisch: *neve* = Schnee.

Noach *(m)* ökumenische Form von Noah.

Noah *(m)* hebräisch: *noach* = der Ruhe bringt; Form des Namens in der Lutherbibel; in der Vulgata: *Noe;* ökumenische Form: *Noach.*

Noe *(m)* in der Vulgata Form für Noah.

Noël *(m)* französisch, von lateinisch: *(dies) natalis* = Geburtstag (Christi); Name für an Weihnachten Geborene.

Noelle *(w)* die französische weibliche Form zu Noël.

Noeme *(w)* Nebenform zu Noemi.

Noemi *(w)* hebräisch: *no'omi* = die Liebliche; Form der Vulgata; ökumenische Form: *Noomi;* Nebenformen: *Noeme, Naemi.*

Nofretete *(w)* ägyptisch.

Persönlichkeit der Geschichte:

Nofretete, um 1350 v. Chr.; Gattin des ägyptischen Königs Amenophis IV. Echnaton.

Noitburg *(w)* Nebenform von Notburg.

Nolda *(w)* Kurzform für Arnolda (Arnold).

Nolde *(m)* niederdeutsche Kurzform für Arnold; Nebenform: *Nolte.*

Nolte *(m)* Nebenform zu Nolde.

Nona *(w)* englisch und schwedisch; nach der altrömischen Geburtsgöttin Nona.

Nonfried *(m)* germanisch: *nantha* = kühn; althochdeutsch: *fridu* = Friede.

Nonna *(w)* schwedische Koseform für Eleonora und Yvonne; Nebenform: *Nonny;* auch ostfriesische Kurzform für mit Nant- gebildete weibliche Vornamen; Nebenform: *Nonneke.*

Nonne *(m)* friesische Kurzform für mit Nant- (germanisch: *nantha* = kühn) gebildete männliche Vornamen; Nebenform: *Nonno.*

Nonneke *(w)* Nebenform zu Nonna.

Nonnie *(w)* niederländische Form von Eleonora.

Nonno *(m)* Nebenform zu Nonne.

Nonnosus *(m)* lateinisch.

Nonny *(w)* Nebenform zu Nonna.

Noor *(w)* Koseform für Eleonora.

Nora *(w)* Kurzform für Eleonora und Norberta.

Norbert *(m)* germanisch: *northo* = Kraft; oder althochdeutsch: *nord* = Norden; *beraht* = glänzend; Nebenform: *Nordbert.*

Persönlichkeit der Geschichte:

Norbert Wiener, 1894 bis 1964; amerikanischer Mathematiker; Begründer der Kybernetik und der Informationstheorie.

Norberta *(w)* die weibliche Form zu Norbert; Kurzform: *Nora.*

Nordbert *(m)* Nebenform zu Norbert.

Nordrun *(w)* althochdeutsch: *nord* = Norden; *runa* = Zauber.

Nordwin *(w)* althochdeutsch: *nord* = Norden; *wini* = Freund.

Nore *(w)* Kurzform für Eleonora.

Noreen *(w)* irische Verkleinerungsform von Nora.

Norfried *(m)* althochdeutsch: *nord* = Norden; *fridu* = Friede.

Norgard *(w)* althochdeutsch: *nord* = Norden; *gard* = Gehege, Schutz.

Norhild *(w)* althochdeutsch: *nord* = Norden; *hiltja* = Kampf; Nebenform: *Norhilde.*

Norhilde *(w)* Nebenform zu Norhild.

Norina *(w)* italienische Weiterbildung von Nora.

Norine *(w)* Koseform zu Honorine.

Norma *(w)* englisch, von lateinisch: *norma* = Gebot, Richtschnur.

Norman *(m)* englisch-amerikanisch = Normanne, oder: starker Mann (Norbert).

Norwid *(m)* althochdeutsch: *nord* = Norden; *wid* = Wald.

Norwin *(m)* althochdeutsch: *nord* = Norden; *wini* = Freund.

Notburg *(w)* althochdeutsch: *not* = Not; *burg* = Schutz; Nebenformen: *Notburga, Notburgis, Noitburg.*

O

Obbe *(m)* friesische Kurzform für mit Od- beginnende männliche Vornamen; Nebenformen: *Obba, Obbo.*

Obbo *(m)* Nebenform zu Obbe.

Oberon *(m)* eingedeutschte Form des französischen *Auberon;* Nebenform zu Alberich.

Oberto *(m)* italienische Form von Hubert.

Oceana *(w)* Nebenform zu Ozeana.

Ocke *(m)* Nebenform zu Okke.

Octave *(m)* französische Form von Oktavius.

Octavia *(w)* die weibliche Form zu Octavius.

Octavianus *(m)* lateinische Form von Oktavian; französische Form: *Octavien.*

Octavien *(m)* französische Form von Octavianus.

Octavio *(m)* italienische und spanische Form von Octavius.

Octavius *(m)* lateinisch: *octavus* = der achte; Name nach dem altrömischen Geschlecht der Octavier; deutsche Schreibweise: *Oktavius;* französische Form: *Octave;* spanisch: *Octavio;* italienisch: *Octavio, Ottavio.*

Oda *(w)* Koseform für Ottilie; allgemein Kurzform für mit Od- oder Ot-gebildete weibliche Vornamen; Nebenformen: *Ota, Uda;* modernere Form: *Uta, Ute;* französisch: *Odette.*

Odalberga *(w)* Nebenform zu Odilberga.

Odalbert *(m)* Nebenform zu Udalbert.

Odalberta *(w)* Nebenform zu Odilberta.

Odalfried *(m)* Nebenform zu Udalfried.

Odalinde *(w)* althochdeutsch: *odal* = Besitz, Reichtum; *lind* = mild, oder: *linta* = Lindenholzschild; Nebenform: *Olinde.*

Odalrich *(m)* althochdeutsch: *odal* = Besitz, Reichtum; *rihhi* = reich; ältere Form von Ulrich.

Odalwig *(m)* Nebenform zu Udalwig.

Oddar *(m)* wohl niederdeutsch von Odde (= Otto).

Odde *(m)* niederdeutsch-friesische Kurzform für mit Od- gebildete männliche Vornamen.

Ode *(m)* friesische Kurzform für mit Od- oder Ot- beginnende männliche Vornamen; Nebenform: *Odo.*

Odemar *(m)* Nebenform zu Otmar.

Oden *(m)* Nebenform zu Odin.

Odette *(w)* französische Weiterbildung von Oda.

Odila *(w)* Verkleinerungsform von Oda; Kurzform für mit Odil- beginnende weibliche Vornamen; Nebenform: *Otila.*

Odilberga *(w)* altsächsisch: *odhil* = Besitz, Heimat; althochdeutsch: *berga* = Schutz; Nebenform: *Odalberga.*

Odilbert *(m)* altsächsisch: *odhil* = Besitz, Heimat; althochdeutsch: *beraht* = glänzend.

Odilberta *(w)* die weibliche Form zu Odilbert; Nebenform: *Odalberta.*

Odile *(w)* französische Form von Odilia (Ottilie).

Odilgard *(w)* altsächsisch: *odhil* = Erbgut, Besitz; althochdeutsch: *gard* = Zaun, Schutz; Nebenform: *Odilgart.*

Odilgart *(w)* Nebenform zu Odilgard.

Odilia *(w)* Nebenform zu Ottilie; niederdeutsche Verkleinerungsform von Oda; Koseform: *Udel.*

Odilie *(w)* Nebenform zu Ottilie.

Odilo *(m)* Verkleinerungsform von Otto.

Odin *(m)* nordisch: der Rasende; schwedische Nebenform: *Oden.*

Persönlichkeit der Geschichte:
Odin, der nordgermanische Gott Wotan.

Odina *(w)* Weiterbildung von Oda; Nebenform: *Odine.*

Odino *(m)* Weiterbildung von Odo; Nebenform: *Oteno.*

Odo *(m)* niederdeutsche Form von Otto; allgemein Kurzform für mit Od- oder Ot- beginnende männliche Vornamen.
Persönlichkeit der Geschichte:
Odo von Cluny, um 878 bis 942; seit 927 der zweite Abt von Cluny; betrieb die cluniazensische Reform.

Odoardo *(m)* italienische Nebenform zu Eduard.

Odofred *(m)* ältere Form von Otfrid.

Odomar *(m)* Nebenform zu Otmar; auch *Odemar.*

Ödön *(m)* ungarische Form von Edmund.
Persönlichkeit der Geschichte:
Ödön von Horváth, 1901 bis 1938; österreichischer sozialkritischer Schriftsteller.

Odulf *(m)* altsächsisch: *ot* = Erbgut, Besitz; althochdeutsch: *wolf* = Wolf; Nebenform: *Otulf.*

Odwin *(m)* angelsächsisch: *ot* = Erbgut, Besitz; althochdeutsch *wini* = Freund.

Odysseas *(m)* griechisch, nach Odysseus gebildet.

Odysseus *(m)* griechisch: *odyssesthai* = zürnen, grollen; lateinische Formen: *Ulixes, Ulysses.*
Persönlichkeit der Geschichte:
Odysseus, in der griechischen Sage König auf Ithaka; Held von Homers »Odyssee« und »Ilias«.

Offe *(m)* friesische Kurzform für mit Od- oder Ot- beginnende männliche Vornamen; Nebenform: *Offo.*

Offo *(m)* Nebenform zu Offe und Koseform für Udalfried.

Ogier *(m)* französische Form von Edgar.

Ohlsen *(m)* niederdeutsche Form von Ulrich.

Okka *(w)* friesische Kurzform für mit Od- oder Ot- beginnende weibliche Vornamen.

Okke *(m)* friesische Kurzform für mit Od- oder Ot- beginnende männliche Vornamen; Nebenformen: Ocke, Okko.

Okko *(m)* Nebenform zu Okke.

Oktavia *(w)* die weibliche Form zu Oktavius.

Oktavian *(m)* deutsche Form des lateinischen Octavianus; Nebenform: *Oktavianus.*

Oktavianus *(m)* Nebenform zu Oktavian.

Oktavius *(m)* deutsche Schreibweise von Octavius.

Ola *(m)* norwegische Nebenform zu Olav (Olaf).

Olaf *(m)* schwedisch: *aai leif* = Ahnensproß; Nebenform: *Olav;* Kurzform: *Ole;* lateinische Formen: *Olaus, Olavus;* norwegisch: *Olav, Ola;* schwedisch: *Olav* und *Olof;* niederdeutsch und dänisch: *Oluf, Ole.*
Persönlichkeiten der Geschichte:
Olaf (Olav) V., geboren 1903; König von Norwegen seit 1957; ging 1940 nach London ins Exil.
Olaf Gulbransson, 1873 bis 1958; norwegischer Maler und Zeichner; Karikaturist am »Simplicissimus«.

Olaus *(m)* lateinische Form von Olaf; Nebenform: *Olavus.*

Olav *(m)* Nebenform und norwegisch-schwedische Form von Olaf.

Olavus *(m)* Nebenform zu Olaus.

Olberich *(m)* Nebenform zu Alberich.

Olbers *(m)* niederdeutsche Form von Oliver.

Olbricht *(m)* Nebenform zu Udalbert.

Oldřich *(m)* tschechische Form von Ulrich.
Oldrik *(m)* Nebenform zu Adalrich.
Oldvig *(m)* Nebenform zu Oldwig.
Oldwig *(m)* Nebenform zu Adalwig und Udalwig; auch: *Oldvig.*
Ole *(m)* Koseform für Olaf; Kurzform für mit Ol-, Ul- oder Od- beginnende männliche Vornamen; Nebenform: *Ule.*
Oleg *(m)* russische Form von Helge.
Persönlichkeit:
Oleg Popow, geboren 1930; sowjetrussischer Artist; Clown des Moskauer Staatszirkus.
Olf *(m)* Kurzform für auf -wolf endende männliche Vornamen.
Olfert *(m)* friesische Form von Wolfhard; auch Koseform für Udalfried.
Olga *(w)* russische Form von Helga; Koseformen: *Olguscha, Guscha, Olla, Olli, Olly.*
Olger *(m)* altsächsisch: *ot* = Erbgut, Besitz (?); althochdeutsch: *ger* = Speer.
Olguscha *(w)* Koseform für Olga.
Olinde *(w)* Nebenform zu Odalinde.
Oliva *(w)* Nebenform zu Olivia.
Persönlichkeit der Geschichte:
Oliva, 2. Jahrhundert; jungfräuliche Märtyrin unter Hadrian.
Olive *(w)* französische und englische Form von Olivia.
Oliver *(m)* englisch; nach nordisch: *Olafr;* lateinisch: *Oliverus, Oliverius,* (*olivarius* = Ölbaumpflanzer); niederdeutsch: *Olbers;* Koseform: *Olf;* französische Form: *Olivier;* italienisch: *Oliviero.*
Persönlichkeiten der Geschichte:
Oliver Cromwell, 1599 bis 1658; englischer puritanischer Politiker; revolutionärer Staatsführer.
Oliver Goldsmith, 1728 bis 1774; englischer Schriftsteller und Arzt.
Oliverius *(m)* Nebenform zu Oliverus (Oliver).
Oliverus *(m)* lateinische Form von Oliver, Nebenform: *Oliverius.*
Olivia *(w)* die weibliche Form zu Oliver; Kurz- und Koseformen: *Olla, Olli, Olly, Livy;* französische Formen: *Oliva, Olive;* englisch: *Olive.*
Olivier *(m)* französische Form von Oliver.
Oliviero *(m)* italienische Form von Oliver.
Olla *(w)* Kurz- und Koseform für Olivia und Olga; Nebenformen: *Olli, Ollie, Olly.*
Olli *(w)* Nebenform zu Olla.
Ollie *(w)* Nebenform zu Olla.
Olly *(w)* Nebenform zu Olla.
Olmes *(m)* Koseform für Hieronymus.
Olof *(m)* schwedische Form von Olaf.
Persönlichkeit der Geschichte:
Olof Palme, 1927 bis 1986; schwedischer sozialdemokratischer Politiker.
Olofa *(w)* die weibliche Form zu Olof; Nebenformen: *Olova, Oluva.*
Olova *(w)* Nebenform zu Olofa.
Olrik *(m)* nordische Nebenform zu Ulrich und Adalrich.
Oltman *(m)* althochdeutsch: *adal* = edel; *man* = Mann.
Oluf *(m)* niederdeutsche und dänische Form von Olaf.
Oluva *(w)* Nebenform zu Olofa.
Olympia *(w)* die weibliche Form zu Olympus; russische Koseform: *Lipa.*
Olympus *(m)* griechisch: vom Berg Olymp.
Omar *(m)* arabische Form von Georg.
Omer *(m)* Koseform für Otmar.
Omke *(m)* Nebenform zu Ommo.
Omko *(m)* Nebenform zu Ommo.
Ommar *(m)* Nebenform zu Otmar.
Ommeke *(m)* Nebenform zu Ommo.

Ommo *(m)* Koseform für Otmar; allgemein friesische Kurzform für mit Od- oder Ot- beginnende männliche Vornamen; Nebenformen: *Omko, Omke, Ommeke.*

Ondra *(m)* russische Form von Andreas.

Onimus *(m)* Kurzform für Hieronymus.

Onno *(m)* Koseform für Arnold; Nebenform: *Unno.*

Onofrio *(m)* italienische Form von Onuphrius.

Onorato *(m)* italienische Form von Honoratus.

Onoria *(w)* italienische weibliche Form zu Onorio; Weiterbildung: *Onorina.*

Onorina *(w)* Weiterbildung von Onoria.

Onorio *(m)* italienische Form von Honorius.

Onuphrius *(m)* griechisch: Eselshüter; italienische Form: *Onofrio.*

Oomer *(m)* Koseform für Otmar.

Oomke *(m)* Koseform für Otmar.

Oona *(w)* irisch; Bedeutung fraglich; englische Form: *Una.*

Oper *(m)* Koseform für Otmar.

Operli *(m)* Koseform für Otmar.

Ophelia *(w)* griechisch: *opheleia* = Nutzen, Hilfe.

Öpsch *(m)* Koseform für Otmar.

Optatus *(m)* lateinisch: *optatus* = erwünscht.

Orane *(w)* französische Form von Orania und Urania.

Orania *(w)* lateinisch: = Oranierin; Nebenform: Urania; französische Form: *Orane.*

Orazio *(m)* italienische Form von Horaz.

Orbán *(m)* ungarische Form von Urban.

Orell *(m)* schweizerische Nebenform zu Aurelius.

Orla *(w)* Kurzform für Orsola (Ursula).

Orlando *(m)* italienische Form von Roland.

Persönlichkeit der Geschichte:

Orlando di Lasso, um 1532 bis 1594; niederländischer Komponist weltlicher und kirchlicher Vokalmusik.

Ornella *(w)* italienische Verkleinerungsform von Orania (Urania).

Orpheus *(m)* griechisch.

Persönlichkeit der Geschichte:

Orpheus, in der griechischen Mythologie Sohn des Apollo und der Muse Kalliope; Gatte der Eurydike; mythischer Sänger und Dichter.

Orschel *(w)* Nebenform zu Orscheli (Ursula).

Orscheli *(w)* schweizerische Koseform für Ursula; Nebenform: *Orschel.*

Orseli *(w)* schweizerische Koseform für Ursula.

Orseline *(w)* italienische Nebenform zu Orsola (Ursula).

Orsina *(w)* italienische Nebenform zu Orsola (Ursula).

Orsine *(w)* italienische Nebenform zu Orsola (Ursula).

Orsola *(w)* italienische Form von Ursula.

Orsolya *(w)* ungarische Form von Ursula.

Orson *(m)* englisch-amerikanisch.

Persönlichkeit:

Orson Welles, geboren 1915; amerikanischer Schauspieler, besonders Filmschauspieler und -regisseur.

Ortfrid *(m)* althochdeutsch: *ort* = Schwert; *fridu* = Friede; Nebenform: *Ortfried.*

Ortfried *(m)* Nebenform zu Ortfrid.

Ortger *(m)* althochdeutsch: *ort* = Schwert; *ger* = Speer.

Orthia *(w)* Kurz- und Koseform für Dorothea; Nebenform: *Orthja.*

Orthild *(w)* althochdeutsch: *ort* = Schwert; *hiltja* = Kampf; Nebenform *Orthilde.*

Orthilde *(w)* Nebenform zu Orthild.

Orthja *(w)* Nebenform zu Orthia (Dorothea).

Orthold *(m)* Nebenform zu Ortwald.

Ortlieb *(m)* althochdeutsch: *ort* = Schwert; *liob* = lieb; Nebenform: *Ortlib.*

Ortlind *(w)* althochdeutsch: *ort* = Schwert; *lind* = mild; Nebenform *Orlinde.*

Ortlinde *(w)* Nebenform zu Ortlind.

Ortluf *(m)* Nebenform zu Ortulf.

Ortnid *(m)* althochdeutsch: *ort* = Schwert; *nid* = Neid, Mißgunst, Feindschaft; Nebenform *Ortnit.*

Ortrud *(w)* althochdeutsch: *ort* = Schwert; *trud* = stark; Nebenform *Ortraud.*

Ortrun *(w)* althochdeutsch: *ort* = Schwert; *runa* = Rune, Zeichen, Geheimnis, Zauber.

Ortulf *(m)* althochdeutsch: *ort* = Schwert; *wolf* = Wolf; Nebenform: *Ortluf, Ortolf.*

Ortwald *(m)* althochdeutsch: *ort* = Schwert; *waltan* = walten, gebieten; Nebenformen: *Orthold, Ortolt.*

Ortwein *(m)* Nebenform zu Ortwin.

Ortwin *(m)* althochdeutsch: *ort* = Schwert; *wini* = Freund; Nebenform: *Ortwein.*

Orville *(m)* englisch-amerikanisch.

Persönlichkeit der Geschichte:

Orville Wright, 1871 bis 1948; Flugzeugtechniker; mit seinem Bruder Wilbur Pionier des Motorflugs.

Osbert *(m)* Nebenform zu Ansbert.

Osberta *(w)* die weibliche Form zu Osbert (Ansbert).

Oscar *(m)* Nebenform zu Oskar; auch die englische Form.

Persönlichkeit der Geschichte:

Oscar Wilde, 1854 bis 1900; englischer Schriftsteller irischer Herkunft; Vertreter des englischen Ästhetizismus.

Oseas *(m)* Nebenform zu Hosea.

Oskar *(m)* neuere Form von Ansgar; Nebenform und englische Form: *Oscar.*

Persönlichkeiten der Geschichte:

Oskar Maria Graf, 1894 bis 1967; bayerischer sozialkritischer und pazifistischer Schriftsteller.

Oskar Kokoschka, 1886 bis 1980; österreichischer Schriftsteller und expressionistischer Maler und Graphiker.

Oskar Loerke, 1884 bis 1941, deutscher Lyriker

Oskar von Miller, 1855 bis 1934; deutscher Elektroingenieur; gründete 1903 das Deutsche Museum in München.

Oskar Straus, 1870 bis 1954, österreichischer Komponist (»Ein Walzertraum«).

Osmar *(m)* germanisch: *ans* = Gott; althochdeutsch: *mari* = berühmt; Nebenform: *Usmar.*

Osmond *(m)* französische Form von Osmund.

Osmund *(m)* germanisch: *ans* = Gott; althochdeutsch: *munt* = Schützer; französische Form *Osmond;* englisch: Esmond.

Ossip *(m)* russische Form von Josef.

Ostara *(w)* angelsächsisch: im Ostermonat Geborene.

Osterhild *(w)* althochdeutsch: *ostar* = nach Osten; *hiltja* = Kampf; Nebenform: *Osterheld.*

Osterlind *(w)* althochdeutsch: *ostar* = nach Osten; *lind* = mild.

Oswald *(m)* neuere Form von Answald.

Persönlichkeiten der Geschichte:

Oswald Spengler, 1880 bis 1936; deutscher Geschichts- und Kulturphilosoph; bekannt ist sein Hauptwerk: »Untergang des Abendlandes«.

Oswald von Wolkenstein, 1377 bis 1445, Tiroler Minnesänger.

Oswalda *(w)* die weibliche Form zu Oswald; Nebenform: *Oswalde.*

Oswalde *(w)* Nebenform zu Oswalda (Oswald).

Oswin *(m)* germanisch: *ans* = Gott; angelsächsisch: *wini* = Freund.

Oswine *(w)* die weibliche Form zu Oswin.

Ot *(m)* Kurzform für mit Ot-, Od- oder Ott- beginnende männliche Vornamen.

Ota *(m)* tschechische Form von Otto.

Ota *(w)* Nebenform zu Oda.

Otberga *(w)* althochdeutsch: *ot* = Erbgut, Besitz; *berga, burg* = Schutz; Nebenformen: *Otburg, Otburga.*

Otbert *(m)* althochdeutsch: *ot* = Erbgut, Besitz; *beraht* = glänzend; Nebenformen: *Edbert, Autbert.*

Oteno *(m)* Nebenform zu Odino.

Otfrid *(m)* althochdeutsch: *ot* = Erbgut, Besitz; *fridu* = Friede; ältere Form: *Odofred;* Nebenformen: *Otfried, Ottfried;* provenzalisch: *Audafrei.*

Otfried *(m)* Nebenform zu Otfrid.

Otfriede *(w)* die weibliche Form zu Otfried (Otfrid).

Otger *(m)* althochdeutsch: *ot* = Erbgut, Besitz; *ger* = Speer; Nebenform: *Otker.*

Otgund *(w)* althochdeutsch: *ot* = Erbgut, Besitz; *gund* = Kampf; Nebenform: *Otgunde.*

Otgunde *(w)* Nebenform zu Otgund.

Othello *(m)* Verkleinerungsform von Otto; auch englische Form.

Othelm *(m)* Nebenform zu Uthelm.

Othild *(w)* althochdeutsch: *ot* = Erbgut, Besitz; *hiltja* = Kampf; Nebenform: *Othilde.*

Othilde *(w)* Nebenform zu Othild.

Othmar *(m)* Nebenform zu Otmar.

Othon *(m)* französische Form von Otto.

Otila *(w)* Nebenform zu Odila.

Otker *(m)* Nebenform zu Otger.

Otli *(m)* Kurz- und Koseform für Otmar.

Ötli *(m)* Kurz- und Koseform für Otmar.

Otlinde *(w)* althochdeutsch: *ot* = Erbgut, Besitz; *lind* = mild; Nebenformen: *Ottlinde, Utlinde.*

Otmar *(m)* althochdeutsch: *ot* = Erbgut, Besitz; *mari* = berühmt; Nebenformen: *Othmar, Odomar, Audomar, Edmar, Ommar;* Kurz- und Koseformen: *Oper, Operli, Otli, Ötli, Öpsch, Ommo, Ummo, Omer, Oomer, Oomke.*

Otmund *(m)* althochdeutsche Form von Edmund.

Ott *(m)* Kurzform für mit Ott- beginnende männliche Vornamen.

Ottavio *(m)* italienische Form von Oktavius.

Otte *(m)* Kurzform für mit Ot- oder Ott- beginnende männliche Vornamen; auch schwedische Form von Otto.

Ottegebe *(w)* althochdeutsch: *ot* = Erbgut, Besitz; *geba* = Gabe; Nebenform: *Ottogebe.*

Ottel *(w)* Kurzform für Ottilie.

Ottfried *(m)* Nebenform zu Otfrid.

Otthein *(m)* Kurzform für Ottheinrich.

Ottheinrich *(m)* Doppelname aus Otto und Heinrich; Kurzform: *Otthein.*

Ottheinz *(m)* Doppelname aus Otto und Heinz (= Heinrich).

Otthermann *(m)* Doppelname aus Otto und Hermann.

Otti *(w)* Kurz- und Koseform für mit Ot- beginnende weibliche Vornamen.

Ottilia *(w)* Nebenform zu Ottilie.

Ottilie *(w)* althochdeutsch: *ot* = Erbgut, Besitz; Nebenformen: *Ottilia, Odilie, Odilia, Utilie;* Kurz- und Koseformen: *Ottel, Otti, Oda, Udel, Dilia, Dille,*

Dilli, Dela, Dele, Della, Dilge, Tilg, Tilch, Till, Tilla, Tilli; französische Form: *Odilie.*

Ottlinde *(w)* Nebenform zu Otlinde.

Ottmar *(m)* Nebenform zu Otmar.

Persönlichkeit der Geschichte:

Ottmar Mergenthaler, 1854 bis 1899; deutscher Uhrmacher und Techniker; erfand 1884 die Linotype-Setzmaschine.

Otto *(m)* germanisch-althochdeutsch: *ot* = Erbgut, Besitz; auch Kurzform für mit Ot- oder Od- gebildete männliche Vornamen; Koseform: *Ottel;* niederdeutsche Form: *Odo, Udo;* Verkleinerungsformen: *Odilo, Othello;* französische Formen: *Othon, Otton;* italienisch: *Ottone;* englisch: *Othello;* russisch: *Otton;* ungarisch: *Etelka;* tschechisch: *Ota.*

Persönlichkeiten der Geschichte:

Otto I., der Große, 912 bis 973; seit 936 deutscher König, seit 962 Kaiser; vereinigte Reich und Italien; siegte 955 über die Ungarn.

Otto Bierbaum, 1865 bis 1910, deutscher Schriftsteller und Lyriker.

Otto von Bismarck, 1815 bis 1898; deutscher Politiker; preußischer Ministerpräsident; erreichte 1871 Gründung des deutschen Kaiserreichs; wurde dessen erster Reichskanzler bis 1890.

Otto Brahm, 1856 bis 1912; deutscher Theaterkritiker und -leiter; Wegbereiter des naturalistischen Dramas und Theaters.

Otto Dibelius, 1880 bis 1947; deutscher evangelischer Theologe; Mitglied der Bekennenden Kirche; wurde suspendiert; 1949 bis 1961 Vorsitzender des Rats der Evangelischen Kirche in Deutschland.

Otto Dix, 1891 bis 1969; deutscher expressionistischer Maler und Graphiker.

Otto W. Fischer, geboren 1915; österreichischer Schauspieler der Bühne und des Films.

Otto Grotewohl, 1894 bis 1964; deutscher sozialistischer Politiker; war seit 1949 Ministerpräsident der ehemaligen Deutschen Demokratischen Republik.

Otto von Guericke, 1602 bis 1686; deutscher Naturforscher; bewies Luftdruck der Erde; schuf erstes Barometer.

Otto Hahn, 1897 bis 1968; deutscher Chemiker und Atomforscher; entdeckte Kernspaltung des Urans.

Otto Eduard Hasse (O. E.), 1903 bis 1978, deutscher Bühnen- und Filmschauspieler.

Otto Klemperer, 1885 bis 1973, Dirigent.

Otto Lilienthal, 1848 bis 1896 (abgestürzt); deutscher Flugingenieur; Erfinder des Segelflugzeugs.

Otto Nicolai, 1810 bis 1849, Opernkomponist (»Die lustigen Weiber von Windsor«).

Ottokar *(m)* germanisch-althochdeutsch: *ot* = Erbgut, Besitz; *wakar* = wachsam.

Ottomar *(m)* Nebenform zu Otmar.

Ottorino *(m)* italienische Weiterbildung von Otto.

Otwald *(m)* althochdeutsch: *ot* = Erbgut, Besitz; *waltan* = gebieten.

Otward *(m)* althochdeutsch: *ot* = Erbgut, Besitz; *wart* = Hüter.

Otwin *(m)* althochdeutsch: *ot* = Erbgut, Besitz; *wini* = Freund.

Otwine *(w)* die weibliche Form zu Otwin.

Ovid *(m)* lateinisch: *Ovidius* (= Schäfer).

Owe *(m)* friesische Form von Uwe; Nebenform: *Ove.*

Owen *(m)* englische Form von Eugen.

Oxana *(w)* ukrainische Form von Xenia.

P

Pablo *(m)* spanische Form von Paul.
Persönlichkeiten der Geschichte:
Pablo Casals, 1876 bis 1973; spanischer Cellist, Komponist und Dirigent.
Pablo Neruda, 1904 bis 1973; chilenischer Schriftsteller des sozialistischen Realismus und Diplomat.
Pablo Ruiz Picasso, 1881 bis 1973; spanisch-französischer Maler, Graphiker, Bildhauer und Keramiker; vielseitiger Vertreter der modernen Kunst, die er maßgebend beeinflußte.

Pachomius *(m)* griechisch: = stark.

Paco *(m)* spanische Koseform für Francisco (Franz).

Pad *(m)* englische Kurz- und Koseform für Patrick (Patricius).

Paddy *(m)* englische Kurz- und Koseform für Patrick (Patricius).

Pado *(m)* Nebenform zu Bado.

Padraic *(m)* irische Koseform für Patricius.

Pafnuti *(m)* russische Form von Paphnutius.
Persönlichkeit der Geschichte:
Pafnuti L. Tschebyschew, 1821 bis 1894; russischer Mathematiker.

Pai *(m)* friesische Koseform für Paul.

Paische *(w)* Koseform für Beatrix.

Paitza *(w)* Koseform für Beatrix.

Pál *(m)* ungarische Form von Paul.

Pál *(m)* schwedische Form von Paul.

Palle *(m)* friesisch-niederländische Form für Paul; auch Kurzform für mit Bald- gebildete männliche Vornamen; auch schwedisch-dänische Form von Paul.

Palmira *(w)* die weibliche Form zu Palmiro.

Palmiro *(m)* italienisch; von Palmsonntag (lateinisch: Palmarum) hergeleitet.

Paloma *(w)* spanisch: *paloma* = Taube.

Pals *(m)* friesische Form von Paul.

Pamela *(w)* englisch; Herkunft und Bedeutung fraglich; vielleicht von griechisch: *pan* = alles, ganz; *melos* = Lied, Gesang.

Pamelina *(w)* erweiterte Form von Pamela.

Pancho *(m)* spanische Koseform für Francisco (Franz).

Panrace *(m)* französische Form von Pankraz.

Pancracy *(m)* polnische Form von Pankraz.

Pancras *(m)* englische Form von Pankraz.

Pancratia *(w)* lateinische Form von Pankrazia.

Pancratius *(m)* lateinische Form von Pankraz.

Pandelis *(m)* griechisch.

Pandita *(w)* Sanskrit; ein indischer Ehrentitel, kein Vorname.

Pandora *(w)* griechisch: *pan* = alles, ganz; *doron* = Geschenk.

Panja *(w)* russische Kurzform für auf -nja endigende Vornamen.

Pankratia *(w)* Nebenform zu Pankrazia.

Pankratius *(m)* latinisierte Form von Pankraz.

Pankraz *(m)* griechisch: *pan* = alles, ganz; *kratos* = Kraft, Macht: Allherrscher; latinisierte Formen: *Pancratius, Pankratius;* Kurz- und Koseformen: *Kratz, Gratz, Gratzel, Grätz, Krees;* englische Form: *Pancras;* französisch: *Pancrace;* polnisch: *Pancracy.*

Pankrazia *(w)* die weibliche Form zu Pankraz; Nebenform: *Pankratia;* latinisiert: *Pancratia.*

Pantaleon *(m)* griechisch: *pan* = alles, ganz; *leon* = Löwe; oder *eleemon* = barmherzig; Nebenform: *Pantelermon;* Kurz- und Koseformen: *Bantel, Bandel, Bantle, Banterle, Panthel, Pantlin, Bendel, Bendele.*

Pantelermon *(m)* Nebenform zu Pantaleon.

Panthel *(m)* Kurz- und Koseform für Pantaleon.

Pantlin *(m)* Kurz- und Koseform für Pantaleon.

Paola *(w)* italienische Form von Paula (Paul).

Paolo *(m)* italienische Form von Paul.

Persönlichkeiten der Geschichte:

Paolo Ucello, um 1397 bis 1475; italienischer Maler der florentinischen Frührenaissance.

Paolo Veronese, 1528 bis 1588; italienischer Maler der venezianischen Spätrenaissance.

Paphnutius *(m)* koptisch: Gott gehörig; russische Form: *Pafnuti.*

Paris *(m)* französische Kurzform für Patricius.

Parsifal *(m)* Nebenform zu Parzival.

Parsival *(m)* Nebenform zu Parzival.

Parzifal *(m)* Nebenform zu Parzival.

Parzival *(m)* altfranzösisch: *Perceval;* aus: *percer* und *val* = das Tal durchdringen; Nebenformen: *Parzifal, Parcival, Parcifal, Parsifal, Parsival;* englische Form: *Parcival;* Koseform: *Percy;* französisch: *Parcifal.*

Pascal *(m)* französische Form von Paschalis.

Pascale *(w)* französische weibliche Form zu Pascal (Paschalis).

Pascaline *(w)* französische Weiterbildung von Pascale.

Pascha *(m)* russische Koseform für Pawel (Paul).

Paschalis *(m)* lateinisch; hebräischen Ursprungs: an Ostern Geborener; französische und englische Form: *Pascal;* italienisch: *Pasquale;* spanisch: *Pascual.*

Pascual *(m)* spanische Form von Paschalis.

Persönlichkeit der Geschichte:

Pascual Jordan, 1902 bis 1980; deutscher Bio- und Geophysiker.

Pasquale *(m)* italienische Form von Paschalis.

Pat *(m)* englische Kurzform für Patrick.

Pat *(w)* englische Kurzform für Patricia.

Paternus *(m)* lateinisch: *paternus* = väterlich.

Patric *(m)* Kurzform für Patricius.

Patrice *(m)* französische Form von Patricius.

Persönlichkeit der Geschichte:

Patrice Lumumba, 1925 bis 1961 (wurde ermordet); kongolesischer Politiker, der sich aktiv für die Befreiung des Kongo einsetzte.

Patricia *(w)* die weibliche Form zu Patricius; Nebenform: *Patrizia;* französische und englische Form: *Patricia;* englische Koseformen: *Pat, Patsy, Patty;* italienisch: *Patrizia.*

Persönlichkeit der Geschichte:

Patricia, gestorben um 665; am byzantinischen Hof des Kaisers Konstans II.; pilgerte, vor einer Verehelichung fliehend, nach Rom und weihte sich Gott.

Patricius *(m)* lateinisch: *patricius* = dem römischen Adel, den Patriziern zugehörig; deutsche Schreibweise: *Patrizius;* Kurzform: *Patric;* irische Form: *Patrick;* Koseform: *Padraic;* englisch: *Patrick;* Koseformen: *Pad, Paddy;* französisch: *Patrice.*

Patrick *(m)* irisch-englische Form von Patricius; Nebenform: *Patrik.*

Persönlichkeit der Geschichte:

Patrick, um 385 bis um 461; aus Britannien nach Irland versklavt; floh und wurde Theologe; Glaubensbote in Irland und Missionsbischof; Patron Irlands.

Patrik *(m)* Nebenform zu Patrick.

Patroklos *(m)* griechische Form von Patroklus.

Persönlichkeit der Geschichte:
Patroklos, in der griechischen Sage der Freund des Achilles; von Hektor mit Hilfe Apollos umgebracht.

Patroklus *(m)* griechisch: *Patroklos;* Nebenform: *Patroclus;* Kurz- und Koseformen: *Trockel, Trockels.*

Patsy *(w)* englische Koseform für Patricia.

Patty *(w)* englische Koseform für Patricia.

Paul *(m)* griechisch: *pauros* = klein; latinisiert: *Paulus;* Weiterbildung *Paulinus;* friesisch-niederländische Koseform: *Palle;* westfriesisch: *Paale, Pals;* englische und französische Form: *Paul;* italienisch: *Paolo;* spanisch: *Pablo;* dänisch: *Poul* und *Pal;* schwedisch: *Pal, Paal;* tschechisch: *Pavel;* polnisch und russisch: *Pawel;* ungarisch: *Pál;* finnisch: *Paavo.*

Persönlichkeiten der Geschichte:
Paul Abraham, 1892 bis 1960; ungarischer Komponist von Operetten und Filmmusik.
Paul Cézanne, 1839 bis 1906; französischer nachimpressionistischer Maler.
Paul Claudel, 1868 bis 1955, französischer Dichter (»Der seidene Schuh«).
Paul Dahlke, 1904 bis 1984; deutscher Bühnen- und Filmschauspieler; Charakterdarsteller.
Paul Dessau, 1894 bis 1979; deutscher Komponist; vertonte Dramen von B. Brecht.
Paul Ehrlich, 1854 bis 1915; deutscher Chemiker und Mediziner; begründete die Chemotherapie.
Paul Gauguin, 1848 bis 1903; französischer Maler, Graphiker und Bildhauer; leitete den Expressionismus ein.
Paul Gerhard, 1607 bis 1676, evangelischer Archidiakonus und Kirchenliederdichter (»Befiehl du deine Wege...«).
Paul von Heyse, 1830 bis 1914, deutscher Dichter, mit E. Geibel Mittelpunkt des Münchner Dichterkreises. 1910 Nobelpreis.
Paul Hindemith, 1895 bis 1963; deutscher Komponist und Dirigent.
Paul von Hindenburg, 1847 bis 1934; deutscher Generalfeldmarschall im Ersten Weltkrieg; siegte bei Tannenberg und an den Masurischen Seen; 1925 bis 1934 Reichspräsident; berief 1933 Hitler als Reichskanzler.
Paul Hörbiger, 1894 bis 1981; österreichischer Schauspieler und Sänger.
Paul Klee, 1879 bis 1940; schweizerisch-deutscher abstrakter Maler und Graphiker; Kunsttheoretiker.
Paul Kuhn, geboren 1928; deutscher Jazzpianist, Kapellmeister und Komponist.
Paul von Lettow-Vorbeck, 1870 bis 1964; deutscher General; im Ersten Weltkrieg Kommandeur der deutschen Schutztruppe in Ostafrika.
Paul Lincke, 1866 bis 1946; deutscher Operetten-, Tanzmusik- und Schlagerkomponist.
Paul Newman, geboren 1925; amerikanischer Schauspieler, Regisseur und Filmproduzent.
Paul Niehans, 1882 bis 1971; schweizerischer Arzt, schuf die Zellulartherapie.
Paul Valéry, 1871 bis 1945, französischer Dichter und Lyriker.

Paula *(w)* die weibliche Form zu Paul; Koseform: *Päule;* französische Form: *Paule;* italienisch: *Paola;* polnisch und russisch: *Pawla.*

Persönlichkeit:
Paula Wessely, geboren 1907; österreichische Schauspielerin; Charakterrollen; auch Filmschauspielerin.

Paule *(w)* französische Form von Paula (Paul).

Pauletta *(w)* Verkleinerungsform von Paula (Paul); Neben- und französische Form: *Paulette.*

Paulette *(w)* französische Verkleinerungsform von Paule; auch Nebenform zu Pauletta.

Paulin *(m)* Weiterbildung von Paul; lateinisch: *Paulinus.*

Persönlichkeit der Geschichte:

Paulin von Aquileja, vor 750 bis 802; als Grammatiklehrer von Karl dem Großen an die Palastschule in Aachen berufen; 787 Patriarch von Aquileja; Glaubensbote bei den Awaren.

Paulina *(w)* Nebenform zu Pauline; Kurzform: *Lina, Line.*

Pauline *(w)* Weiterbildung von Paula; Nebenform: *Paulina;* Kurzformen: *Line, Lina;* englische Form: *Pauline.*

Paulinus *(m)* lateinische Form von Paulin.

Paulus *(m)* lateinische Form von Paul.

Persönlichkeit der Geschichte:

Paulus, um 10 v. Chr. bis um 64 bis 67; jüdischer Name Saulus; war Christenverfolger bis zu einer Christuserscheinung vor Damaskus, die ihn bekehrte; Heidenapostel in Kleinasien, Mazedonien und Griechenland; erkämpfte für die »Heidenchristen« auf dem Apostelkonzil die Freiheit vom mosaischen Gesetz; in Rom durchs Schwert hingerichtet.

Pavel *(m)* tschechische Form von Paul.

Persönlichkeit:

Pavel Kohout, geboren 1928; tschechischer Schriftsteller und Regisseur; Mitgründer der »Charta 77«; seit 1978 in Österreich.

Pawel *(m)* polnische und russische Form von Paul.

Pawla *(w)* polnische und russische Form von Paula (Paul).

Pay *(m)* nordfriesische Koseform für Paul.

Pearl *(w)* englisch-amerikanisch.

Persönlichkeit der Geschichte:

Pearl S. Buck, 1892 bis 1973; amerikanische Schriftstellerin; Tochter eines Chinamissionars.

Peco *(m)* Nebenform zu Peko (Peter).

Peder *(m)* dänische Form von Peter.

Pedro *(m)* spanische und portugiesische Form von Peter.

Peeke *(m)* friesische Form von Peter.

Peekje *(w)* friesische Form von Petra (Peter).

Peer *(m)* skandinavische Form von Peter.

Peet *(m)* niederländische Form von Peter.

Peetje *(w)* niederländische Form von Petra (Peter).

Peg *(w)* englische Koseform für Margareta.

Peggy *(w)* englische Koseform für Margareta *(Meggy).*

Pekka *(m)* finnische Koseform für Peter.

Pekko *(m)* Nebenform zu Peko (Peter).

Peko *(m)* friesische Koseform für Peter; Nebenformen: *Peco, Pekko.*

Pel *(m)* englische Koseform für Peregrine (Peregrinus).

Pelagia *(w)* die weibliche Form zu Pelagius.

Pelagius *(m)* lateinisch; von griechisch: *pelagios* = zum Meer gehörend, seegeboren.

Penelope *(w)* griechisch: *pene* = Gewebe; *lepein* = auflösen; englische Koseform: *Penny.*

Persönlichkeit der Geschichte:

Penelope, in der griechischen Sage die treue Gattin des Odysseus, Mutter Telemachs.

Penny *(w)* englische Koseform für Penelope.

Pepe *(m)* spanische Koseform für José (Josef).

Pepeta *(w)* Nebenform zu Pepita.

Pepi *(m)* Koseform für Josef; Nebenform: *Peppi.*

Pepi *(w)* bayerisch-österreichische Koseform für Josefa; Nebenform: *Peppi.*

Pepillo *(m)* spanische Verkleinerungsform von Pepe (Josef).

Pépin *(m)* französische Form von Pippin.

Pepino *(m)* italienische und spanische Form von Pippin.

Pepita *(w)* spanische Koseform für Josefa; Nebenform: *Pepeta.*

Pepito *(m)* spanische Koseform für Pepe (Josef).

Peppe *(w)* Koseform für Josefine.

Peppi *(m)* Koseform für Josef.

Peppi *(w)* Koseform für Josefa und Josefine.

Peppina *(w)* italienische Koseform für Giuseppina (Josefine).

Peppo *(m)* italienische Koseform für Josef.

Per *(m)* skandinavische Form von Peter.

Perceval *(m)* altfranzösische Form von Parzival.

Percy *(m)* englische Koseform für Percival (Parzival); oder: nach ursprünglichem Familiennamen des normannischen Ortes Perci gebildet.

Perdita *(w)* englisch; lateinisch: *perdita* = die Verlorene.

Peregrin *(m)* deutsche Form von Peregrinus.

Peregrina *(w)* die weibliche Form zu Peregrinus.

Peregrine *(m)* englische Form von Peregrinus; Koseform: *Perry.*

Peregrinus *(m)* lateinisch: *peregrinus* = fremd, ausländisch; deutsch: *Peregrin, Pilgrim;* englische Form: *Peregrine;* Koseformen: *Pel, Perry.*

Pérez *(m)* spanische Form von Peter.

Perfectus *(m)* lateinisch: *perfectus* = vollendet, vollkommen.

Perikles *(m)* griechisch.

Persönlichkeit der Geschichte:

Perikles, um 490 bis 429 v. Chr.; athenischer Politiker; Feldherr der Athener im Peloponnesischen Krieg.

Perino *(m)* italienische Verkleinerungsform von Pero.

Pernetta *(w)* Nebenform zu Petronilla (Petronella).

Pernilla *(w)* dänisch-schwedische Form von Petronilla (Petronella); Nebenform: *Pernille.*

Pernille *(w)* Nebenform zu Pernilla.

Pero *(m)* italienische Kurzform für Piero, Pietro (Peter).

Perpetua *(w)* die weibliche Form zu Perpetuus.

Perpetuus *(m)* lateinisch: *perpetuus* = beständig.

Perette *(w)* französische Form von Petra.

Perrin *(m)* französische Nebenform zu Pierre (Peter).

Perry *(m)* englische Kurz- und Koseform für Peregrinus.

Perry *(w)* englische Kurz- und Koseform für Peregrine (Peregrina).

Petar *(m)* bulgarische Form von Peter.

Peter *(m)* griechisch: *petros = petra* = Fels; lateinische Form: *Petrus;* Kurz- und Koseformen, teils friesisch und niederdeutsch: *Pit, Pitter, Piet, Pietsch, Petschke, Peco, Peeke, Peko, Pekko, Peet, Peer, Petz, Pitz;* niederländische Formen: *Petrus, Peer, Piet, Pieter, Pier;* dänisch: *Peder;* skandinavisch: *Per, Peer;* englisch: *Peter, Pierce;* französisch: *Pierre, Pierrot, Perrin;* italienisch: *Pietro, Piero, Pero;* spanisch: *Pedro, Pérez;* portugiesisch: *Pedro;* tschechisch: *Petr;* polnisch: *Piotr, Pietrek;* russisch: *Petr, Pjotr,*

Petruschka; bulgarisch: *Petar, Petko, Penčo;* ungarisch: *Péter, Petö;* finnisch: *Pietari;* Koseform: *Pekka.*

Persönlichkeiten der Geschichte:

Peter I., der Große, 1672 bis 1725; seit 1682 Zar von Rußland; schuf den modernen russischen Staat; gründete 1703 Sankt Petersburg als neue Hauptstadt.

Peter Alexander, geboren 1926; österreichischer Filmschauspieler, Schlagersänger und Showmaster.

Peter Anders, 1908 bis 1954; deutscher Opernsänger (Tenor).

Peter Bamm, 1897 bis 1975; deutscher Schriftsteller.

Peter Frankenfeld, 1913 bis 1979; deutscher Schauspieler und Showmaster.

Peter Henlein, um 1480 bis 1542; Nürnberger Mechaniker; erfand Taschenuhr.

Peter Kreuder, 1905 bis 1982; deutscher Komponist von Film- und Schlagermusik; auch Dirigent.

Peter Lorre, 1904 bis 1964; österreichisch-amerikanischer Filmschauspieler; Charakterdarsteller.

Peter Rosegger, 1843 bis 1918; österreichischer Volksschriftsteller.

Peter Paul Rubens, 1577 bis 1640; flämischer Barockmaler religiöser, historischer und mythologischer Bilder; von großem Einfluß.

Peter Tschaikowskij, 1840 bis 1893; russischer Komponist von Opern, Balletten, Orchester- und Klaviermusik.

Peter Ustinov, geboren 1921; englischer Schauspieler, Schriftsteller und Regisseur russisch-französischer Herkunft.

Peter Vischer der Ältere, um 1460 bis 1529, deutscher Erzgießer, Schöpfer des Sebaldusgrabes in St. Sebald in Nürnberg. Die 1488 gegründete Gießhütte wurde zur berühmtesten in Deutschland.

Péter *(m)* ungarische Form von Peter; Nebenform: *Petö.*

Petko *(m)* bulgarische Form von Peter.

Petö *(m)* ungarische Nebenform zu Péter.

Petr *(m)* tschechische und russische Form von Peter.

Petra *(w)* die weibliche Form zu Peter; friesische Koseformen: *Peterke, Petje, Petke, Peekje;* niederländische Form: *Peetje;* französisch: *Pierette, Perrette, Pierrine;* italienisch: *Pietra, Pierina.*

Petrina *(w)* Weiterbildung von Petra; Koseform für Petronella; Nebenform: *Petrine.*

Petrine *(w)* Nebenform zu Petrina.

Petrissa *(w)* Koseform für Petronella.

Petronella *(w)* Verkleinerungsform von Petronia; Nebenformen: *Petronelle, Petronilla;* Kurz- und Koseformen: *Petrina, Petrissa, Peterken, Peterse, Petersche, Nella, Nilla, Nille, Näl, Nale, Nael, Näulgen.*

Petronelle *(w)* Nebenform zu Petronella.

Petronia *(w)* die weibliche Form zu Petronius.

Petronius *(m)* lateinisch; zum altrömischen Geschlecht der Petronier gehörend.

Petrus *(m)* lateinische Form von Peter.

Persönlichkeit der Geschichte:

Petrus, Apostel; von Jesus berufen und Kephas (=Fels) genannt, auf den er seine Kirche bauen wollte; Wortführer der Apostel; 48 bis 50 auf dem Jerusalemer Apostelkonzil; nach Wirksamkeit in Antiochien und Kleinasien in Rom, wo er den Martertod erlitt.

Petruschka *(m)* russische Koseform für Peter.

Petulus *(m)* englisch; vielleicht von lateinisch: *petullus* = mutwillig, frech.

Petz *(m)* Kurz- und Koseform für Peter; auch Kurzform für Bernhard.

Phädra *(m)* die weibliche Form zu Phädrus.

Persönlichkeit der Geschichte:

Phädra, in der griechischen Sage Tochter des Königs Minos von Kreta; Gattin des Theseus.

Phädrus *(m)* griechisch: *phaidros* = glänzend, strahlend; französische Form: *Phèdre.*

Persönlichkeit der Geschichte:

Phädrus, Grieche; Schüler des Sokrates und Freund Platons.

Phèdre *(m)* französische Form von Phädrus.

Phia *(w)* Kurzform für Sophia (Sophie).

Phie *(w)* Kurzform für Sophie.

Phil *(m)* englische Kurz- und Koseform für Philip (Philipp).

Phila *(w)* von griechisch: *philein* = lieben.

Philates *(m)* griechisch: = Liebhaber der Wahrheit.

Philander *(m)* griechisch: = Männerfreund.

Phileas *(m)* von griechisch: *philein* = lieben.

Philemon *(m)* griechisch: *philemon* = liebend, freundlichen Sinnes.

Philhard *(m)* Doppelname aus Philipp und Gerhard; oder althochdeutsch: *filu* = viel; *harti* = stark.

Philibert *(m)* ältere Form von Filibert.

Philine *(w)* von griechisch: *philein* = lieben.

Philip *(m)* englische Form von Philipp.

Philipp *(m)* griechisch: *philos* = Freund; *hippos* = Pferd; Kurz- und Koseformen: *Fips, Flips, Lipp, Lipperl, Lippi, Lippl, Lipps, Lipus, Lippus, Phlip, Pippo, Phipp;* lateinische Form: *Philippus;* englisch: *Philip;* Koseform: *Phil;* französisch: *Philippe;* italienisch: *Filippo;* Kurzform: *Lippo;* spanisch: *Felipe;* slawisch: *Filip, Filo, Lipo;* ungarisch: *Fülöp, Filko.*

Persönlichkeiten der Geschichte:

Philipp II., um 382 bis 336 v. Chr., König von Makedonien, Vater Alexanders des Großen.

Philipp II. von Spanien, 1527 bis 1598, Sohn Kaiser Karls V., seit 1556 König; Vorkämpfer der katholischen Reform; siegreich gegen Frankreich, Portugal und Türken; mit Abfall der spanischen Niederlande und Untergang der Armada Beginn des Niedergangs der spanischen Weltmacht.

Philipp Melanchthon, 1497 bis 1560, Humanist und Reformator, Freund Martin Luthers.

Philipp Reis, 1834 bis 1874, deutscher Physiker, erfand das Telefon.

Philipp Otto Runge, 1777 bis 1810; deutscher Maler und Schriftsteller; begründete die deutsche Romantik.

Philipp Scheidemann, 1865 bis 1928, deutscher Politiker.

Philippa *(w)* die weibliche Form zu Philipp; Nebenform: *Philippe;* italienische Form: *Filippa;* Koseform: *Pippa;* spanisch: *Felipa;* slawisch: *Filipa.*

Philippe *(m)* französische Form von Philipp.

Philippe *(w)* Nebenform zu Philippa.

Philippina *(w)* Nebenform zu Philippine.

Philippine *(w)* Weiterbildung von Philippa (Philipp); Nebenform: *Philippina;* Kurz- und Koseformen: *Pine, Pinchen, Bina, Bine;* französische Form: *Philippine.*

Philippus *(m)* lateinische Form von Philipp.
Persönlichkeit der Geschichte:
Philippus, einer der 12 Apostel des Kreises um Jesus in Galiläa.

Philo *(m)* von griechisch: *philein* = lieben; allgemein Kurzform für mit Phil- beginnende männliche Vornamen.

Philomela *(w)* Nebenform zu Philomele.

Philomele *(w)* griechisch: *philos* = Freund; *melos* = Lied, Gesang; Nebenformen: *Philomela, Filomela.*

Philomena *(w)* Nebenform zu Philomene.

Philomene *(w)* griechisch: *philomene* = Geliebte; Nebenform: *Philomena;* italienische Form: *Filomena;* Kurzform: *Filo.*

Pilotheus *(m)* griechisch: *philein* = lieben; *theos* = Gott; Gottlieb.

Phipp *(m)* Koseform für Philipp.

Phlip *(m)* Kurz- und Koseform für Philipp.

Phöbe *(w)* von griechisch: *phoibos* = leuchtend; Nebenform: *Phoebe.*

Phoebe *(w)* Nebenform zu Phöbe.

Phyllis *(w)* von griechisch: *phyllon* = Blatt, Zweig, Laub.

Pia *(w)* die weibliche Form zu Pius.

Pier *(m)* friesische, niederländische und italienische Kurzform für Peter.
Persönlichkeit der Geschichte:
Pier Paolo Pasolini, 1922 bis 1975; italienischer Filmregisseur und Schriftsteller; Vertreter des Neorealismus und der Gesellschaftskritik; ermordet.

Pierce *(m)* englische Nebenform zu Peter.

Pierina *(w)* italienische Weiterbildung von Piera.

Pierke *(w)* friesische Koseform für Petra; Nebenformen: *Pierkje, Piertje.*

Pierkje *(w)* Nebenform zu Pierke.

Pierluigi *(m)* italienischer Doppelname aus Pietro und Luigi.

Piero *(m)* italienische Form von Peter.

Pierre *(m)* französische Form von Peter.
Persönlichkeiten der Geschichte:
Pierre Brasseur, 1905 bis 1972; französischer Bühnen- und Filmschauspieler; Charakterdarsteller; auch Schriftsteller.
Pierre Cardin, geboren 1922; französischer Modeschöpfer.
Pierre Curie, 1859 bis 1906; französischer Physiker; entdeckte mit seiner Frau Marie Radium und Polonium.
Pierre Teilhard de Chardin, 1881 bis 1955; Jesuit; französischer Geologe, Paläontologe, Anthropologe und Philosoph.

Pierrette *(w)* französische Form von Petra; oder weibliche Form zu Pierre; Nebenformen: *Perrette, Pierrine.*

Pierrine *(w)* Nebenform zu Pierrette.

Pierrot *(m)* französische Nebenform zu Pierre (Peter).

Piertje *(w)* Nebenform zu Pierke.

Piet *(m)* niederländische Form von Peter.

Pietari *(m)* finnische Form von Peter.

Pieter *(m)* niederdeutsche und niederländische Form von Peter.
Persönlichkeiten der Geschichte:
Pieter der Ältere Brueghel, um 1528 bis 1569; niederländischer Meister der Genre- und Landschaftsmalerei (Bauern-Brueghel).
Pieter der Jüngere Brueghel, um 1564 bis 1628; niederländischer Maler.

Pieterke *(w)* friesische Koseform für Petra.

Pietje *(w)* friesische Koseform für Petra.

Pietrek *(m)* polnische Form von Peter.

Pietro *(m)* italienische Form von Peter.

Pietsch *(m)* Kurz- und Koseform für Peter.

Pilár *(w)* spanisch: *pilár* = Pfeiler, Säule; nach einer Marienerscheinung erbautes Heiligtum »Unsere Liebe Frau von der Säule« in Saragossa.

Pilatus *(m)* lateinisch: mit *pila* = Wurfspieß bewaffnet.

Persönlichkeit der Geschichte:

Pilatus (Pontius Pilatus); 26 bis 36 römischer Prokurator in Judäa; verurteilte nach dem Neuen Testament Jesus zum Tod.

Pilgrim *(m)* deutsche Form von Peregrinus.

Pilo *(m)* slawische Koseform für Philipp.

Pilt *(m)* Koseform für Hippolyt.

Pimen *(m)* russisch.

Pinchen *(w)* Koseform für Philippine.

Pine *(w)* Kurzform für Philippine.

Pinkas *(m)* hebräisch; ursprünglich ägyptisch: = Mohr; Nebenform: *Pinkus.*

Pinkus *(m)* Nebenform zu Pinkas; hebräisch: = der Gesegnete.

Pio *(m)* italienische und spanische Form von Pius.

Pionius *(m)* lateinisch-griechisch.

Piotř *(m)* polnische Form von Peter.

Pipin *(m)* Nebenform zu Pippin.

Pippa *(w)* Koseform für Philippa.

Pippin *(m)* althochdeutsch: Pfeifer; Nebenform: *Pipin;* französische Form: *Pépin;* italienisch und spanisch: *Pepino.*

Persönlichkeiten der Geschichte:

Pippin II., der Mittlere, um 635 bis 714; ab 687 Hausmeier über Franken.

Pippin III., der Jüngere, um 715 bis 768; seit 751 König; siegte über die Langobarden und übergab das Exarchat von Ravenna an den Papst.

Pippo *(m)* italienische Koseform für Filippo (Philipp).

Pirkko *(w)* friesische Koseform für Brigitta.

Pirmin *(m)* Herkunft und Bedeutung fraglich.

Persönlichkeit der Geschichte:

Pirmin, gestorben um 753; Abtbischof wohl westgotischer Herkunft; wirkte als Glaubensbote am Oberrhein; gründete 724 das Kloster Reichenau; beteiligt an weiteren Klostergründungen.

Piroschka *(w)* ungarische Koseform für Priska; Nebenform: *Piroska.*

Piroska *(w)* Nebenform zu Piroschka.

Pit *(m)* englische Kurz- und Koseform für Peter.

Pitt *(m)* rheinische und englische Koseform für Peter.

Pitter *(m)* englische Koseform für Peter.

Pitz *(m)* Kurz- und Koseform für Peter.

Pius *(m)* lateinisch: *pius* = fromm; französische Form: *Pie;* italienisch und spanisch: *Pio.*

Persönlichkeiten der Geschichte:

Pius IX., 1792 bis 1878; seit 1846 Papst; führte das erste Vatikankonzil 1869 bis 1871 durch; dogmatisierte die Lehre von der Unbefleckten Empfängnis Mariä; verlor 1870 den Kirchenstaat.

Pius X., 1835 bis 1914; seit 1903 Papst; Gegner des Modernismus; reformierte Kirchenrecht und Liturgie.

Pius XI., 1857 bis 1939; seit 1922 Papst; erließ richtungweisende Enzykliken für das gesamte kirchliche Leben; schloß 1929 mit Mussolini die Lateranverträge; 1933 Konkordat mit Deutschland.

Pius XII., 1876 bis 1958; seit 1939 Papst; maßgeblich am Konkordat seines Vorgängers mit Deutschland beteiligt; bemühte sich um Verhinderung des

Zweiten Weltkriegs, danach um den Weltfrieden und humanitäre Hilfen; dogmatisierte 1950 die Aufnahme Marias in den Himmel.
Pius Keller, 1825 bis 1904; Augustiner-Eremit; verdient um Reform des Ordens und dessen Ausbreitung in Deutschland.

Pjotr *(m)* russische Form von Peter.

Placida *(w)* die weibliche Form zu Placidus; italienische Formen: *Placida* und *Placidia.*

Placidia *(w)* italienische Nebenform zu Placida.

Placido *(m)* spanische Form von Placidus.
Persönlichkeit:
Placido Domingo, geboren 1941; spanischer Opernsänger (Tenor) und Dirigent.

Placidus *(m)* lateinisch: *placidus* = sanft, friedlich, gütig; schweizerische Kurz- und Koseform: *Plazi;* spanische Form: *Placido.*
Persönlichkeiten der Geschichte:
Placidus von Subiaco, 6. Jahrhundert; Schüler Benedikts von Nursia, Mönch in Subiaco.
Placidus von Disentis, Anfang 8. Jahrhundert; half Sigisbert bei Errichtung einer Zelle in der Nähe von Disentis; wurde ermordet.

Platon *(m)* von griechisch: *platys* = breit, breitschultrig.
Persönlichkeiten der Geschichte:
Platon, 427 bis 347 v. Chr.; griechischer Philosoph; Schüler des Sokrates; Gründer der Akademischen Philosophenschule.
Platon, 4. Jahrhundert; Priester zu Tournai; um 300 Märtyrer.

Plazi *(m)* schweizerische Kurz- und Koseform für Placidus.

Plechelm *(m)* Herkunft und Bedeutung fraglich.

Plektrud *(w)* althochdeutsch: *blic* = Glanz, Blitz; *trud* = Kraft, Stärke; Nebenform: *Plektrudis.*
Persönlichkeit der Geschichte:
Plektrud, gestorben um 725; Gattin Pippins II., des Mittleren; trat später vermutlich in das von ihr gegründete Kloster Sankt Maria im Kapitol ein.

Plektrudis *(w)* Nebenform zu Plektrud.

Ploni *(w)* Kurzform für Apollonia.

Plönn *(w)* Kurz- und Koseform für Apollonia.

Plutarch *(m)* griechisch: *plutos* = Reichtum; *archos* = Herr.
Persönlichkeit der Geschichte:
Plutarch, etwa 50 bis 120; griechischer Schriftsteller, Historiker und Philosoph.

Pol *(m)* niederdeutsche Form von Paul.

Pold *(m)* Koseform für Leopold.

Polde *(m)* Koseform für Leopold.

Poldes *(m)* Koseform für Leopold.

Poldi *(m)* Koseform für Leopold.

Poldi *(w)* Kurz- und Koseform für Leopoldine.

Poldl *(m)* Koseform für Leopold.

Poll *(m)* niederdeutsche Form von Paul.

Polle *(m)* Koseform für Apollonius.

Polli *(w)* Nebenform zu Polly.

Polly *(w)* englische Koseform für Apollonia, Leopoldine und Maria; Nebenform: *Polli.*

Polt *(m)* Koseform für Leopold.

Polte *(m)* Koseform für Leopold.

Polybios *(m)* griechisch: *poly* = viel; *bios* = Leben; langlebig, lateinische Form: *Polybius.*
Persönlichkeit der Geschichte:
Polybios, um 205 bis 123 v. Chr.; griechischer Geschichtsschreiber; schrieb 40 Bücher »Historiae«, besonders über die römische Geschichte von 220 bis 168.

Polybius *(m)* lateinische Form von Polybios.

Polycarpe *(m)* französische Form von Polykarp.

Polycarpus *(m)* lateinische Form von Polykarp.

Polydor *(m)* griechisch: *poly* = viel; *doron* = Geschenk: freigebig; latinisiert: *Polydorus.*

Polydorus *(m)* lateinische Form von Polydor.

Polykarp *(m)* griechisch: *poly* = viel; *karpos* = Frucht; lateinisch: *Polycarpus;* französisch: *Polycarpe.*

Persönlichkeit:

Polykarp Kusch, geboren 1911, amerikanischer Physiker (Quanten- und Atomphysik).

Polyxenia *(w)* griechisch: *poly* = viel, sehr; *xenos* = Gast; gastfreundlich.

Pompejus *(m)* lateinisch: zum altrömischen Geschlecht der Pompejaner gehörend; italienische Form: *Pompeo;* spanisch: *Pompeyo.*

Persönlichkeit der Geschichte:

Pompejus Magnus, 106 bis 48 v. Chr.; römischer Feldherr und Politiker; besiegte in Spanien 77 bis 71 Sertorius, 67 die Seeräuber, 66 bis 62 Mithridates VI.; von Cäsar bei Pharsalus geschlagen; bei Flucht nach Ägypten ermordet.

Pompeo *(m)* italienische Form von Pompejus.

Pompeyo *(m)* spanische Form von Pompejus.

Ponce *(m)* spanische Form von Pontius.

Ponke *(m)* friesisch; Bedeutung fraglich.

Pontian *(m)* Nebenform zu Pontianus.

Pontianus *(m)* lateinisch; Herkunft nicht eindeutig; Weiterbildung von Pontius; Nebenform: *Pontian.*

Pontius *(m)* lateinisch: *pons* = Brücke.

Pop *(m)* Koseform für Robert.

Popko *(m)* Nebenform zu Poppo.

Poppe *(m)* Nebenform zu Poppo.

Poppeke *(m)* Nebenform zu Poppo.

Poppo *(m)* friesische Kurzform für mit Folk- oder Bod- gebildete männliche Vornamen; Nebenformen: *Poppe, Popke, Poppeke, Popko.*

Persönlichkeiten der Geschichte:

Poppo von Schleswig, 10. Jahrhundert; war um 995 Bischof von Schleswig; Glaubensbote der Dänen.

Poppo von Stablo-Malmedy, 978 bis 1048; trat nach Bekehrungserlebnis ins Kloster ein; 1020 Abt der Reichsabtei Stablo und Malmedy; seine Reformbemühungen reichten bis Hersfeld und Sankt Gallen.

Potentin *(m)* lateinisch: *potens* = mächtig.

Persönlichkeit der Geschichte:

Potentin, 4. Jahrhundert; mit seinen Söhnen Felicius und Simplicius legendäre Wallfahrer; lebten in Karden an der Mosel.

Praxedis *(w)* griechisch: = wohltätig.

Persönlichkeiten der Geschichte:

Praxedis (Adelheid), gestorben 1109; russische Adelige; nach Tod ihres ersten Gatten 1089 in zweiter Ehe Gattin des Kaisers Heinrich IV., zog sich 1094 in ein ruthenisches Kloster zurück.

Praxedis, legendäre römische Jungfrau, Tochter eines Senators, die sich gemarterter Christen annahm.

Preciosa *(w)* spanische Form von Pretiosa.

Pretiosa *(w)* lateinisch: *pretiosa* = die Kostbare; deutsche Form: *Preziosa;* spanisch: *Preciosa.*

Preziosa *(w)* deutsche Form von Pretiosa.

Prikt *(m)* lateinisch: *praejectus* = vorgelegt; oder von niederdeutsch: *Prigge.*

Persönlichkeit der Geschichte:

Prikt, 7. Jahrhundert; seit etwa 666

Bischof von Clermont; gründete zwei Frauenklöster und ein Krankenhaus; wurde 674 mit Amarin und Elidius ermordet.

Primus *(m)* lateinisch: *primus* = der erste.

Persönlichkeit der Geschichte:

Primus, gestorben um 304; legendärer Märtyrer in Rom unter Kaiser Diokletian, zusammen mit seinem Bruder Felizian.

Prisca *(w)* Nebenform zu Priska.

Priscilla *(w)* Nebenform zu Priszilla.

Priscillianus *(m)* lateinische Form von Priszillianus.

Priscillus *(m)* lateinische Form von Priszillus.

Priscus *(m)* lateinische Form von Priskus.

Priska *(w)* die weibliche Form zu Priskus; Nebenform: Prisca.

Persönlichkeit der Geschichte:

Priska, 1. Jahrhundert; legendäre junge Märtyrin unter Kaiser Claudius.

Priskus *(m)* lateinisch: *priscus* = alt, ehrwürdig; lateinische Form: *Priscus.*

Priszilla *(w)* Weiterbildung von Priska.

Priszillianus *(m)* Weiterbildung von Priskus.

Priszillus *(m)* Weiterbildung von Priskus.

Probus *(m)* lateinisch: *probus* = rechtschaffen.

Procope *(m)* französische Form von Prokop.

Procopius *(m)* lateinische Form von Prokop.

Prokop *(m)* griechisch: *prokoptein* = vorwärtskommen; lateinische Form: *Procopius;* französisch: *Procope.*

Persönlichkeit der Geschichte:

Prokop, um 1004 bis 1053; gründete ein Benediktinerkloster im Sázawatal; wurde dessen Abt und hielt Liturgie in altslawischer Sprache.

Prosper *(m)* lateinisch: *prosper* = günstig, glücklich; latinisiert: *Prosperus;* französische Form: *Prosper;* italienische Form: *Prospero.*

Persönlichkeit der Geschichte:

Prosper Mérimée, 1803 bis 1870; französischer Schriftsteller tragischer und unheimlicher Romane und Novellen.

Prospero *(m)* italienische Form von Prosper.

Prosperus *(m)* latinisierte Form von Prosper.

Protasius *(m)* griechisch; Bedeutung unklar.

Persönlichkeiten der Geschichte:

Protasius von Lausanne, lebte im 7. Jahrhundert und war Bischof von Lausanne.

Protasius von Mailand, Zeit unbekannt; Märtyrer mit Gervasius.

Protus *(m)* griechisch: *protos* = der erste.

Prudence *(w)* französische Form von Prudentia (Prudens).

Prudens *(m)* lateinisch: *prudens* = klug; französische Form: *Prudent;* italienische Form: *Prudenzio.*

Prudent *(m)* französische Form von Prudens.

Prudentia *(w)* die weibliche Form zu Prudens; französische Form: *Prudence;* italienisch: *Prudenzia.*

Prudenzia *(w)* italienische Form von Prudentia (Prudens).

Prudenzio *(m)* italienische Form von Prudens.

Ptolemäus *(m)* griechisch: *polemos* = Krieg, kriegerisch; englische Form: *Ptolemy;* französisch: *Ptolémée;* italienisch: *Tolommeo.*

Ptolémée *(m)* französische Form von Ptolemäus.

Ptolemy *(m)* englische Form von Ptolemäus.

Publius *(m)* lateinisch; altrömischer Vorname.

Pudens *(m)* lateinisch: *pudens* = sittsam.

Pulcheria *(w)* lateinisch: *pulchra* = die Schöne.

Persönlichkeit der Geschichte:

Pulcheria, 399 bis 453; für ihren Bruder Theodosius II. 414 bis 416 Regentin; 450 Gattin des Markian, der Kaiser wurde; verteidigte den Glauben und setzte die Berufung des Konzils von Chalkedon durch.

Pyrrhos *(m)* griechisch: *pyrrhos* = rötlich, blond; latinisiert: *Pyrrhus.*

Persönlichkeit der Geschichte:

Pyrrhos, um 318 bis 272 v. Chr.; griechischer König von Epirus; besiegte die Römer 280 bei Heraklea und 279 in Apulien; seine Armee wurde aber 275 bei Benevent von den Römern besiegt.

Pyrrhus *(m)* lateinische Form von Pyrrhos.

Quentin *(m)* französische und englische Form von Quintin.

Quint *(m)* Kurzform für Quintus und Quintin(us).

Quintin *(m)* lateinisch: *Quintinus;* Weiterbildung von Quintus; französische und englische Form: *Quentin.*

Quintinus *(m)* lateinische Form von Quintin.

Quintus *(m)* lateinisch: *quintus* = der fünfte; Kurzform: *Quint.*

Quirin *(m)* deutsche Form von Quirinus; landschaftliche Nebenformen: *Krien, Krein, Grein, Cryn, Kirein, Kreiel, Kiri, Kiry, Küri, Kürin*; niederländische Form: *Krijn;* französisch: *Corin.*

Persönlichkeiten der Geschichte:

Quirin von Malmedy, 4. Jahrhundert; Missionar; legendärer Märtyrer.

Quirin von Siscia, gestorben um 308/309; Bischof von Siscia (=Sisek in Jugoslawien); Märtyrer unter Diokletian.

Quirin von Tegernsee, 3. Jahrhundert; nach der Legende unter Kaiser Claudius II. Gothicus Märtyrer in Rom.

Quirinus *(m)* lateinisch: Mann aus Quirinum; deutsche Form: *Quirin.*

Persönlichkeiten der Geschichte:

Quirinus, Kriegsgott der Sabiner.

Quirinus Kuhlmann, 1651 bis 1689; deutscher Schriftsteller schwärmerischer Barocklyrik.

R

Rabea *(w)* hebräisch: *rabja* = Mädchen; türkische Form: *Rabia, Rabiye.*

Rabenalt *(m)* althochdeutsch: *hraban* = Rabe; *waltan* = walten, gebieten; Nebenform: *Rabenold.*

Rabenold *(m)* Nebenform zu Rabenalt.

Rabia *(w)* türkische Form von Rabea:

Rabindranath *(m)* indisch.

Persönlichkeit der Geschichte:

Rabindranath Tagore, 1861 bis 1941; indischer Schriftsteller, Religionsphilosoph und Komponist; verdient um die bengalische Literatursprache.

Rabiye *(w)* türkische Form von Rabea.

Rachel *(w)* hebräisch: *ráchel* = Mutterschaf; ökumenische Form: *Rahel;* Nebenform: *Recha;* französische Form: *Rachel;* italienisch: *Rachele, Rachelle;* spanisch: *Raquel;* russisch: *Rachil.*

Persönlichkeit der Geschichte:

Rachel, im Alten Testament Tochter Labans und Gattin Jakobs.

Rachele *(w)* italienische Form von Rachel; Nebenform: *Rachelle.*

Rachelle *(w)* Nebenform zu Rachele (Rachel).

Rachil *(w)* russische Form von Rachel (Rahel); Koseformen: *Chilja, Chilia.*

Rada *(w)* Kurzform für mit Rade- oder -rada gebildete weibliche Vornamen.

Radbod *(m)* althochdeutsch: *rat* = Rat; *boto* = Bote.

Räde *(m)* Koseform für Konrad.

Radegund *(w)* althochdeutsch: *rat* = Rat; *gund* = Kampf; Nebenformen: *Radegunde, Radegundis.*

Radegunde *(w)* Nebenform zu Radegund.

Radegundis *(w)* Nebenform zu Radegund.

Radek *(m)* slawische Kurzform für Radomil und andere mit Rad- beginnende slawische männliche Vornamen.

Radel *(m)* Koseform für Konrad, Meinrad.

Rädel *(m)* Koseform für Konrad, Meinrad.

Radenko *(m)* südslawische Koseform für mit Rad- gebildete männliche Vornamen.

Rades *(m)* Koseform für Konrad.

Radka *(w)* die weibliche Form zu Radek.

Radko *(m)* slawische Nebenform zu Ratko.

Radlof *(m)* Nebenform von Radulf.

Radmila *(w)* Nebenform zu Radomila (Radomil).

Radmilla *(w)* Nebenform zu Radomila (Radomil); auch *Radmila.*

Radolf *(m)* Nebenform zu Radulf.

Radomil *(m)* slawisch: *rad* = froh, *mily* = lieb.

Radomila *(w)* die weibliche Form zu Radomil; Nebenformen: *Radmila, Radmilla.*

Radulf *(m)* althochdeutsch: *rat* = Rat; *wolf* = Wolf; Nebenformen: *Radolf, Radlof, Ratolf;* friesische Formen: *Redelf, Relf;* Kurz- und Koseformen: *Ralf, Ralph;* französische Form: *Raoul;* englisch: *Ralph;* spanisch: *Raúl.*

Rafael *(m)* ökumenische Form von Raphael.

Persönlichkeit:

Rafael Kubelik, geboren 1914; tschechischer Dirigent und Komponist von Opern, Vokal- und Instrumentalwerken.

Rafaela *(w)* Nebenform zu Raffaela.

Raff *(m)* Kurz- und Koseform für Waltram.

Raffael *(m)* Nebenform von Raphael.

Raffaela *(w)* die weibliche Form zu Raffael (Raphael); Nebenformen: *Raffaele, Rafaela, Raphaela;* italienische Form: *Raffaella.*

Raffaele *(m)* italienische Form von Raphael.

Raffaelo *(m)* italienische Form von Raphael.

Persönlichkeit der Geschichte:

Raffaelo Santi, 1483 bis 1520, italienischer Maler (Sixtinische Madonna).

Ragin *(m)* Nebenform von Ragnar.

Ragna *(w)* nordische Kurzform für Ragnhild und andere mit Ragn- gebildete weibliche Vornamen.

Ragnachar *(m)* Weiterbildung von Ragnar; Nebenform: *Ragner.*

Ragnar *(m)* Koseform für Reinhard; nordische Form von Rainer; Nebenformen: *Ragin, Ragno.*

Ragnulf *(m)* althochdeutsch: *ragin* = Rat; *wolf* = Wolf.

Rahel *(w)* ökumenische Form von Rachel.

Raika *(w)* Kurzform für verschiedene slawische Vornamen.

Raila *(w)* Kurzform für verschiedene slawische Vornamen; finnische Form: *Raili.*

Raimar *(w)* Nebenform zu Reinmar.

Raimbaud *(m)* Nebenform zu Reimbald.

Raimo *(m)* Koseform für Raimund und andere mit Rai- oder Rei- gebildete männliche Vornamen; auch *Reimo.*

Raimond *(m)* Nebenform zu Raimund.

Raimondo *(m)* italienische Form von Raimund.

Raimund *(m)* althochdeutsch: *ragin* = Rat; *munt* = Schutz; Nebenformen: *Reimund, Reinmund;* Kurzformen: *Raimo, Reim, Reime, Rehm;* französische Form: *Raymond;* italienisch: *Raimondo;* spanisch: *Ramón;* englisch: *Raymond;* Kurzform: *Ray.*

Raimunda *(w)* Nebenform zu *Raimunde* (Raimund).

Raimunde *(w)* die weibliche Form zu Raimund; Nebenformen: *Raimunda, Reimunde;* französische Form: *Raymonde.*

Rainald *(m)* Nebenform zu Reinhold.

Persönlichkeit der Geschichte:

Rainald von Dassel, um 1120 bis 1167; Kanzler Friedrich Barbarossas; ab 1159 Erzbischof von Köln.

Rainer *(m)* althochdeutsch: *ragin* = Rat; *hari* = Heer; Nebenformen: *Rackner, Regner, Reinar, Reiner, Renner, Riener;* Koseformen: *Neres, Nieres;* französische Form: *Rainier, Régnier;* latinisiert: *Regnerus.*

Persönlichkeiten der Geschichte:

Rainer Barzel, geboren 1924; christdemokratischer deutscher Politiker.

Rainer Werner Faßbinder, 1946 bis 1982; deutscher Filmregisseur, -produzent und Schriftsteller.

Rainer Maria Rilke, 1875 bis 1926; sprachschöpferischer neuromantischer österreichischer Dichter.

Rainier *(m)* französische Form von Rainer.

Persönlichkeit:

Rainier III., geboren 1923; seit 1949 Fürst von Monaco.

Rainulf *(m)* Nebenform zu Reinulf.

Ralf *(m)* Nebenform zu Ralph; Kurzform für Raduld.

Persönlichkeit:

Ralf Dahrendorf, geboren 1929, deutscher Politiker und Soziologe.

Ralph *(m)* englische Kurzform für Rudolf, Radulf, Ratwolf; Nebenform: *Ralf;* französisch: *Raoul.*

Persönlichkeit der Geschichte:

Ralph Benatzky, 1887 bis 1959, österreichischer Operettenkomponist (»Im weißen Rössl«).

Rambald *(m)* althochdeutsch: *hraban* = Rabe; *bald* = kühn; Nebenformen: *Rambalt, Rambold, Ramwold, Ramphold.*

Rambalt *(m)* Nebenform zu Rambald.

Rambert *(m)* althochdeutsch: *hraban* = Rabe; *beraht* = glänzend.

Ramón *(m)* spanische Form von Raimund.

Ramona *(w)* die weibliche Form zum spanischen Ramón.

Ramphold *(m)* Nebenform zu Rambald.

Randal *(m)* englische Form von Randolf.

Randi *(w)* Kurzform für Ragnhild.

Rando *(m)* Kurzform für mit Rand- gebildete männliche Vornamen.

Randold *(m)* Nebenform zu Randolt.

Randolf *(m)* althochdeutsch: *rant* = Schild; *wolf* = Wolf; Nebenformen: *Randolph, Randulf;* englische Form: *Randal.*

Randolph *(m)* Nebenform zu Randolf.

Randolt *(m)* althochdeutsch: *rant* = Schild; *waltan* = walten, gebieten; Nebenform: *Randold.*

Randwig *(m)* althochdeutsch: *rant* = Schild; *wig* = Kampf; Nebenform: *Rantwig.*

Rangea *(w)* Herkunft und Bedeutung fraglich.

Ranka *(w)* die weibliche Form zu Ranko.

Ranko *(m)* slowenisch: *rany* = früh.

Rantje *(w)* friesische Koseform für mit Rant- beginnende weibliche Vornamen.

Rantwig *(m)* Nebenform zu Randwig.

Raoul *(m)* französische Form von Ralph und Rudolf.

Raphael *(m)* hebräisch: *rapha'el* = es heilt Gott; Form der Lutherbibel; in der Vulgata: *Rafahel;* ökumenische Form: *Rafael;* Nebenform: *Raffael;* italienische Formen: *Raffaele, Raffaelo, Raffaello.*

Persönlichkeit der Geschichte:

Raphael, im Alten Testament Gottesbote; Begleiter des Tobias.

Raphaela *(w)* Nebenform zu Raffaela; auch *Raphaele.*

Raphaele *(w)* Nebenform zu Raphaela (Raffaela).

Rapoto *(m)* Nebenform zu Ratbod.

Rapp *(m)* Kurz- und Koseform für Waltram.

Rappert *(m)* Nebenform zu Ratbert.

Rappo *(m)* Nebenform zu Ratbald.

Rappold *(m)* Nebenform zu Ratbald.

Rappolt *(m)* Nebenform zu Ratbald.

Raquel *(w)* spanische Form von Rachel.

Rasmus *(m)* Kurzform für Erasmus.

Raso *(m)* Nebenform zu Rasso.

Rata *(w)* Kurzform für mit Rat- gebildete weibliche Vornamen.

Ratbald *(m)* althochdeutsch: *rat* = Rat; *bald* = kühn; Nebenformen: *Ratbold, Rappold, Rappolt, Rappo.*

Ratbert *(m)* althochdeutsch: *rat* = Rat; *beraht* = glänzend; Nebenform: *Rappert;* latinisiert: *Ratbertus.*

Ratberta *(w)* die weibliche Form zu Ratbert.

Ratbertus *(m)* latinisierte Form von Ratbert.

Ratbod *(m)* althochdeutsch: *rat* = Rat; *boto* = Bote, Gebieter; ältere Formen: *Ratpot, Rapoto.*

Ratbold *(m)* Nebenform zu Ratbald.

Ratpot *(m)* Nebenform zu Ratbod.

Ratburg *(w)* althochdeutsch: *rat* = Rat; *burg* = Burg, Schutz; Nebenform: *Ratburga.*

Ratburga *(w)* Nebenform zu Ratburg.

Ratfried *(m)* althochdeutsch: *rat* = Rat; *fridu* = Friede.

Ratgard *(w)* althochdeutsch: *rat* = Rat, Beratung; *gard* = Zaun, Schutz.

Ratger *(m)* althochdeutsch: *rat* = Rat; *ger* = Speer.

Rathard *(m)* althochdeutsch: *rat* = Rat; *harti* = hart, stark.

Rather *(m)* althochdeutsch: *rat* = Rat; *hari* = Heer.

Rathild *(w)* althochdeutsch: *rat* = Rat; *hiltja* = Kampf; Nebenform: *Rathilde.*

Rathilde *(w)* Nebenform zu Rathild.

Rathold *(m)* althochdeutsch: *rat* = Rat; *waltan* = walten, gebieten; Nebenform: *Ratold.*

Ratilo *(m)* Verkleinerungsform von Rato.

Ratko *(m)* Kurzform für mit Rat- oder Rad- beginnende männliche Vornamen; slawische Form: *Radko* für Radomir, Radoslaw und andere.

Ratmar *(m)* althochdeutsch: *rat* = Rat; *mari* = berühmt.

Ratmund *(m)* althochdeutsch: *rat* = Rat; *mund* = Schutz.

Rato *(m)* Kurzform für mit Rat- beginnende männliche Vornamen.

Ratold *(m)* Nebenform zu Rathold.

Ratolf *(m)* Nebenform zu Radulf.

Rätsch *(m)* Koseform für Konrad.

Ratward *(m)* althochdeutsch: *rat* = Rat; *ward* = Schützer, Hüter.

Raúl *(m)* spanische Form von Radulf.

Raunhild *(w)* Nebenform zu Runhild.

Raute *(w)* Kurzform für Rautgunde.

Rautgunde *(w)* aus *Raut-* (fraglich, Raute?) und althochdeutsch: *gund* = Kampf; Nebenform: *Rautgundis;* Kurzform: *Raute.*

Rautgundis *(w)* Nebenform zu Rautgunde.

Rauthard *(m)* Nebenform zu Rothard.

Ravi *(m)* indisch.

Persönlichkeit:

Ravi Shankar, geboren 1920; indischer Sitarspieler.

Ray *(m)* englische Kurz- und Koseform für Raimund.

Raya *(w)* Koseform für Raymonde.

Raymond *(m)* englische und französische Form von Raimund.

Raymonde *(w)* französische Form von Raimunde; Koseform: *Raya.*

Rea *(w)* griechisch; nach *Reie,* der Mutter des Zeus; Nebenform: *Rhea.*

Rebecca *(w)* Nebenform zu Rebekka.

Rebecka *(w)* englische und schwedische Form von Rebekka.

Rebekka *(w)* hebräisch: *ribqa* = wohlgenährt, oder: Schmeichlerin (?); ist die ökumenische Form; Nebenform: *Rebecca;* schwedische und englische Form: *Rebecka;* englische Kurzformen: *Beck, Becky.*

Persönlichkeit der Geschichte:

Rebekka, im Alten Testament Gattin Isaaks und Mutter von Esau und Jakob.

Redel *(w)* Kurz- und Kurzform für Margareta.

Redelf *(m)* friesische Form von Radulf; Nebenformen: *Redlef, Redlof;* Kurzform: *Relf.*

Redlef *(m)* Nebenform zu Redelf.

Redlof *(m)* Nebenform zu Redelf.

Rega *(w)* Koseform für Regina.

Regel *(w)* Koseform für Regina und Regula.

Regeli *(w)* Koseform für Regula.

Regelinde *(w)* althochdeutsch: *ragin* = Rat; *lind* = mild, sanft; Nebenformen: *Regelindis, Reilinde.*

Regelindis *(w)* Nebenform zu Regelinde.

Regerl *(w)* Koseform für Regula.

Regi *(w)* Kurzform für Regina.

Regina *(w)* lateinisch: *regina* = Königin; auch als Kurzform für mit althochdeutsch *regin* gebildete weibliche Vornamen; Nebenform: *Regine;* Kurz- und Koseformen: *Rega, Regi, Regel, Gina, Ina, Ine.*

Reginald *(m)* ältere Form von Reinhold.

Reginbald *(m)* althochdeutsch: *ragin* = *regin* = Rat; *bald* = kühn.

Reginbert *(m)* althochdeutsch: *ragin* = *regin* = Rat; *beraht* = glänzend.

Regine *(w)* Nebenform zu Regina; Kurzform: *Ine.*

Régine *(w)* französische Form von Regina; Nebenform zu Reine.

Reginhard *(m)* althochdeutsch: *ragin* = *regin* = Rat; *harti* = hart, stark.

Reginlind *(w)* Nebenform zu Reinlinde.

Regino *(m)* Kurzform für Reginald (Reinhold).

Reginswind *(w)* Nebenform zu Regiswind (Regiswinda).

Regintrud *(w)* althochdeutsch: *ragin* = *regin* = Rat; *trud* = treu, sicher, fest.

Regis *(m)* Kurz- und Koseform für Remigius.

Regiswind *(w)* Nebenform zu Regiswinda.

Regiswinda *(w)* althochdeutsch: *ragin* = Rat; *swind* = stark; Nebenformen: *Regiswinde, Regiswind, Reginswind.*

Regiswinde *(w)* Nebenform zu Regiswinda.

Reglind *(w)* Nebenform zu Reinlinde.

Reglinde *(w)* Nebenform zu Reinlinde.

Reglindis *(w)* Nebenform zu Reinlinde.

Regner *(m)* Nebenform zu Rainer.

Regnerus *(m)* latinisierte Form von Rainer.

Régnier *(m)* französische Form von Rainer.

Regula *(w)* lateinisch: *regula* = Regel, Norm, Ordnung; oder: latinisierte Form aus dem althochdeutschen Stamm *ragin* = *regin* = Rat; Kurz- und Koseformen: *Regel, Regeli, Regerl.*

Regulus *(m)* lateinisch; Verkleinerungsform von *rex* = König.

Rehm *(m)* Kurz- und Koseform für Reimund (Raimund).

Řehoř *(m)* tschechische Form von Gregor.

Reich *(m)* Kurzform für Richard.

Reichard *(m)* Nebenform zu Richard.

Reichelt *(m)* Nebenform zu Reichold.

Reichold *(m)* althochdeutsch: *ragin* = *regin* = Rat; *waltan* = walten, gebieten; Nebenform: *Reichelt.*

Reichwin *(m)* Nebenform zu Richwin.

Reik *(m)* friesische Kurzform für mit Rein- beginnende männliche Vornamen; Nebenform: *Reiko.*

Reikhild *(w)* niederländisch-friesische Form von Richhilde.

Reiko *(m)* Nebenform zu Reik.

Reilinde *(w)* Nebenform zu Regelinde.

Reim *(m)* Kurzform für Reimund (Raimund).

Reimar *(m)* Nebenform zu Reinmar.

Reimara *(w)* die weibliche Form zu Reimar (Reinmar).

Reimbald *(m)* althochdeutsch: *ragin* = *regin* = Rat; *bald* = kühn, stark; Nebenformen: *Reimbold, Reinbald, Reinbold, Rembold, Raimbaud, Rimbaud;* Koseformen: *Reimelt, Remmel, Balde.*

Reimbert *(m)* althochdeutsch: *ragin* = *regin* = Rat; *beraht* = glänzend; Nebenformen: *Reimbrecht, Reinbert, Reinbrecht, Rembert, Rimbert;* niederdeutsch-friesische Form: *Reimert.*

Reimbod *(m)* althochdeutsch: *ragin* = Rat; *boto* = Bote, Gebieter.

Reimbold *(m)* Nebenform zu Reimbald.

Reimbrand *(m)* althochdeutsch: *ragin* = *regin* = Rat; *brant* = Schwert; Nebenform: *Rembrand(t).*

Reimbrecht *(m)* Nebenform zu Reimbert.

Reime *(m)* Kurzform für Reimund (Raimund).

Reimelt *(m)* Koseform für Reimbald.

Reimer *(m)* Nebenform zu Reinmar.

Reimert *(m)* niederdeutsch-friesische Nebenform zu Reimbert.

Reimo *(m)* Nebenform zu Reinmar.

Reimodis *(w)* Nebenform zu Reimute.

Reimund *(m)* Nebenform zu Raimund.

Reimunde *(w)* Nebenform zu Raimunde (Raimund).

Reimut *(m)* althochdeutsch: *ragin* = Rat; *muot* = Sinn, Geist.

Reimute *(w)* die weibliche Form zu Reimut; Nebenform: *Reimodis.*

Reina *(w)* Nebenform zu Regina; allgemein Kurzform für mit Rein- beginnende weibliche Vornamen; auch *Reine.*

Reinald *(m)* Nebenform zu Rainald und Reinhold.

Reinalde *(w)* die weibliche Form zu Reinald (Rainald) und Reinhold.

Reinar *(m)* Nebenform zu Rainer.

Reinaert *(m)* niederländische Form von Reinhard.

Reinbald *(m)* Nebenform zu Reimbald.

Reinbert *(m)* Nebenform zu Reimbert.

Reinberta *(w)* die weibliche Form zu Reinbert (Reimbert).

Reinbold *(m)* Nebenform zu Reimbald.

Reinbot *(m)* althochdeutsch: *ragin* = *regin* = Rat; *boto* = Bote, Gebieter.

Reinbrecht *(m)* Nebenform zu Reimbert.

Reinburga *(w)* althochdeutsch: *ragin* = Rat; *burg* = Burg, Schutz.

Reine *(w)* Nebenform zu Reina (Regina); auch französische Form von Regina; Nebenform: *Régine.*

Reineke *(m)* niederdeutsch-friesische Form von Reinhard; Nebenform: *Reinicke.*

Reinel *(m)* Kurzform für Reinhard; auch *Reinl.*

Reineldis *(w)* Nebenform zu Reinhild.

Reinelt *(m)* Nebenform zu Reinhold.

Reinemer *(m)* Nebenform zu Reinmar.

Reiner *(m)* Nebenform zu Rainer; auch Kurzform für Reinhard.

Reinert *(m)* Nebenform zu Reinhard.

Reinfried *(m)* althochdeutsch: *ragin* = Rat; *fridu* = Friede.

Reinfrieda *(w)* weibliche Form zu Reinfried.

Reingard *(w)* althochdeutsch: *ragin* = Rat; *gard* = Schutz.

Reinhard *(m)* althochdeutsch: *ragin* = *regin* = Rat; *harti* = hart, stark; ältere Form: *Reginhard;* Nebenformen: *Reinert;* niederdeutsch-friesische Form: *Reineke, Reinicke;* Kurz- und Koseformen: *Reiner, Ragner, Reinel, Reini, Reinke, Renke, Renz;* niederländische Form: *Reinaert;* französisch: *Renard.*

Persönlichkeit:

Reinhard Mey, geboren 1942; deutscher Chansonsänger, Liedermacher und Autor.

Reinharda *(w)* Nebenform zu Reinharde (Reinhard).

Reinharde *(w)* die weibliche Form zu Reinhard; Nebenform: *Reinharda.*

Reinhild *(w)* althochdeutsch: *ragin* = *regin* = Rat; *hiltja* = Kampf; Nebenformen: *Reinhilde, Reineldis;* Kurz- und Koseform: *Rendel.*

Reinhilde *(w)* Nebenform zu Reinhild.

Reinhold *(m)* althochdeutsch: *ragin* = göttlicher Rat; *waltan* = walten, herrschen; ältere Formen: *Reinald, Reginald;* Nebenformen: *Rainald, Reinold, Reinwalt, Reinelt, Renald;* Kurz- und Koseformen: *Hold, Holde, Holder, Rendel, Reinsch;* französische Form: *Renaud, Renault;* italienisch: *Rinaldo;* englisch: *Reynold;* schottisch: *Ronald.*

Persönlichkeiten:

Reinhold Messner, geboren 1944; Südtiroler Bergsteiger.

Reinhold Schneider, 1903 bis 1958, deutscher Schriftsteller und Lyriker.

Reinholde *(w)* die weibliche Form zu Reinhold; Nebenformen: *Reinholdis, Reinolde.*

Reinholdis *(w)* Nebenform zu Reinholde.

Reini *(m)* Koseform für Reinhard.

Reinicke *(m)* niederdeutsche Form von Reinhard.

Reinke *(m)* Kurz- und Koseform für Reinhard; allgemein: niederdeutsche Kurzform für mit Rein- beginnende männliche Vornamen.

Reinlinde *(w)* althochdeutsch: *ragin* = *regin* = Rat; *lind* = mild; Nebenformen: *Relind, Relinde, Reglind, Reglinde, Reglindis, Relindis.*

Reinmar *(m)* althochdeutsch: *ragin* = *regin* = Rat; *mari* = berühmt; Nebenformen: *Reinemer, Reimar, Raimar, Reimer, Reimo, Remmer;* friesische Formen: *Remke, Remko.*

Reinmund *(m)* Nebenform zu Raimund.

Reinold *(m)* Nebenform zu Reinhold.

Reinolde *(w)* Nebenform zu Reinalde und Reinholde.

Reinolf *(m)* Nebenform zu Reinulf.

Reinsch *(m)* Koseform für Reinhold.

Reintje *(w)* friesische Kurzform für mit Rein- gebildete weibliche Vornamen.

Reintraud *(w)* althochdeutsch: *ragin* = Rat; *trud* = Kraft, Stärke; Nebenformen: *Reintraude, Reintrud.*

Reintraude *(w)* Nebenform zu Reintraud.

Reintrud *(w)* Nebenform zu Reintraud.

Reinulf *(m)* althochdeutsch: *ragin* = Rat; *wolf* = Wolf; Nebenformen: *Rainulf, Reinolf.*

Reinwald *(m)* Nebenform zu Reinhold.

Reinwalt *(m)* ältere Form von Reinhold.

Reinward *(m)* althochdeutsch: *ragin* = *regin* = Rat; *ward* = Schutz.

Relef *(m)* friesische Kurzform für Radulf; Nebenform: *Relf.*

Relf *(m)* friesische Kurzform für Radulf.

Relinde *(w)* Nebenform zu Reinlinde.

Relindis *(w)* Nebenform zu Reinlinde.

Rémacle *(m)* französische Form von Remaklus.

Rembert *(m)* Nebenform zu Reimbert.

Rembold *(m)* Nebenform zu Reimbald.

Rembrandt *(m)* Nebenform zu Reimbrand.

Persönlichkeit der Geschichte:

Rembrandt Harmensz van Rijn, 1606 bis 1669; holländischer Maler, Zeichner und Radierer von mythologischen, biblischen und Genreszenen sowie zahlreicher Portraits.

Remedius *(m)* lateinisch: Helfer, Heiler, Retter; Nebenform: *Romedius.*

Remi *(m)* französische Form von Remigius.

Remigius *(m)* lateinisch: *remigium* = Rudermannschaft; französische Formen: *Remi, Remy.*

Remmer *(m)* Nebenform zu Reinmar.

Remmert *(m)* niederdeutsch-friesische Form von Reimbert.

Remo *(m)* italienische Form von Remus.

Remus *(m)* lateinisch; nach dem sagenhaften Mitgründer Roms, Bruder des Romulus.

Remy *(m)* französische Form von Remigius.

Rena *(w)* Kurzform für Renata, Irene und Verena.

Renald *(m)* Nebenform zu Reinhold.

Renard *(m)* französische Form von Reinhard.

Renata *(w)* lateinisch: *renata* = die (durch die Taufe) Wiedergeborene; deutsche Form: *Renate;* Kurzformen: *Rena, Rene, Reni;* französische Form: *Renée.*

Renate *(w)* deutsche Form von Renata; Kurzform: *Nate.*

Renato *(m)* italienische Form von Renatus.

Renatus *(m)* lateinisch: *renatus* = der (durch die Taufe) Wiedergeborene; französische Form: *René;* italienisch: *Renato.*

Renaud *(m)* französische Form von Reinhold.

Renault *(m)* französische Form von Reinhold.

René *(m)* französische Form von Renatus.

Persönlichkeiten der Geschichte:

René Clair, 1898 bis 1981; französischer Filmschauspieler und realistischer Regisseur.

René Descartes, 1596 bis 1650; französischer Philosoph, Mathematiker und Naturwissenschaftler; Begründer des neuzeitlichen Rationalismus und der analytischen Geometrie.

René Schickele, 1883 bis 1940, deutsch-französischer Schriftsteller, Expressionist.

Renée *(w)* französische Form von Renata.

Renette *(w)* französische Verkleinerungsform von Renée.

Reni *(w)* Kurzform für Renata, Irene und Verena; Nebenform: *Renie.*

Renka *(w)* friesische Kurzform für Reinharde; Nebenform: *Renke.*

Renke *(m)* Koseform für Reinhard; niederdeutsch-friesische Kurzform für mit Rein- gebildete männliche Vornamen; Nebenform: *Renko.*

Reno *(m)* deutsche Schreibweise von Renault.

Renske *(w)* niederdeutsch-friesische Kurzform für mit Rein- beginnende weibliche Vornamen.

Rentje *(m)* friesische Kurzform für mit Rein- gebildete männliche Vornamen.

Renz *(m)* Kurzform für Lorenz; Koseform für Reinhard.

Renza *(w)* italienische Kurzform von Lorenza (Lorenz).

Renzelin *(w)* Kurzform für Emerentia.

Renzie *(w)* Koseform für Emerentia.

Renzo *(m)* italienische Kurzform für Lorenzo.

Resi *(w)* Koseform für Therese.

Retchen *(w)* Koseform für Margareta.

Rex *(m)* lateinisch: *rex* = König; englische Kurz- und Koseform für Reginold.

Reynold *(m)* englische Form von Reinhold.

Rhea *(w)* Nebenform zu Rea.

Ria *(w)* Kurz- und Koseform für Maria.

Rica *(w)* Kurzform für Ricarda.

Ricarda *(w)* italienische und spanische Form von Richarda (Richard); italienische Nebenform: *Riccarda;* Kurzform: *Rica.*

Persönlichkeit der Geschichte:

Ricarda Huch, 1864 bis 1947, deutsche Dichterin.

Ricardo *(m)* spanische Form von Richard; Kurzform:*Rico.*

Ricci *(m)* Kurzform für Riccardo (Richard).

Ricco *(m)* Kurzform für Riccardo.

Richard *(m)* althochdeutsch: *rihhi* = reich, mächtig; *harti* = stark; Nebenformen: *Reichard, Richert, Rickert;* friesische Formen: *Ridsert, Ridzard, Righard;* niederländische Form: *Rijkert;* Koseform: *Rif;* englisch: *Richard;* Koseformen: *Dick, Dicky, Rick, Ricki, Ricky;* italienisch: *Ricardo, Riccardo;* Kurzformen: *Ricci, Ricco;* spanisch: *Ricardo.*

Persönlichkeiten der Geschichte:

Richard I. Löwenherz, 1157 bis 1199; seit 1189 englischer König; führte den 3. Kreuzzug.

Richard III., 1452 bis 1485; seit 1483 englischer König; unterlag Heinrich VII.

Richard Burton, 1925 bis 1984; britischer Bühnen- und Filmschauspieler; Charakterdarsteller.

Richard Dehmel, 1863 bis 1920, deutscher Lyriker.

Richard Nixon, 1913 bis 1994; amerikanischer republikanischer Politiker; 1969 bis 1974 Präsident; mußte zurücktreten.

Richard Rodgers, 1902 bis 1980, amerikanischer Musicalkomponist.

Richard Strauss, 1864 bis 1949; deutscher Komponist zahlreicher Orchesterwerke und Dirigent.

Richard Stücklen, geboren 1916; deutscher christlich-sozialer Politiker; 1957 bis 1966 Bundespostminister; 1979 bis 1982 Präsident des Deutschen Bundestags.

Richard Tauber, 1891 bis 1948; österreichischer Opern- und Operettensänger (Tenor).

Richard Wagner, 1813 bis 1883; deutscher Komponist; schuf das Musikdrama als Allkunstwerk.

Richard von Weizsäcker, geboren 1920; deutscher Jurist, Wirtschaftsfachmann und christdemokratischer Politiker; 1981 bis 1984 Regierender Bürgermeister von Berlin (West); von 1984 bis 1994 Bundespräsident.

Richarda *(w)* die weibliche Form zu Richard; Nebenformen: *Rikarda, Richardis, Richardine;* Kurz- und Koseformen: *Rika, Rike, Rixe, Riza, Carda, Karda;* italienische Form: *Riccarda*; spanisch: *Ricarda.*

Richardine *(w)* Nebenform zu Richarda.

Richardis *(w)* Nebenform zu Richarda (Richard).

Richbald *(m)* althochdeutsch: *rihhi* = reich, mächtig; *bald* = kühn.

Richbert *(m)* althochdeutsch: *rihhi* = reich, mächtig; *beraht* = glänzend; Nebenformen: *Richbrecht, Rigbert, Rigobert.*

Richbrecht *(m)* Nebenform zu Richbert.

Richeli *(m)* Koseform für Richard.

Richer *(m)* althochdeutsch: *rihhi* = reich, mächtig.

Richhild *(w)* Nebenform zu Richhilde.

Richhilde *(w)* althochdeutsch: *rihhi* = reich, mächtig; *hiltja* = Kampf; Nebenformen: *Richhild, Richild;* Kurz- und Koseformen: *Richi, Rix;* niederländisch-friesische Form: *Reikhild.*

Richi *(m)* Koseform für Richard.

Richi *(w)* Koseform für Richhilde.

Richild *(w)* Nebenform zu Richhilde.

Richlind *(w)* althochdeutsch: *rihhi* = reich, mächtig; *lind* = lind, mild; Nebenformen: *Richlinde, Richlindis.*

Richlindis *(w)* Nebenform zu Richlind.

Richmar *(m)* althochdeutsch: *rihhi* = reich, mächtig; *mari* = berühmt; Nebenform: *Rigomar;* friesische Form: *Rickmer.*

Richmodis *(w)* Nebenform zu Richmute.

Richmut *(m)* althochdeutsch: *rihhi* = reich, mächtig; *muot* = Geist.

Richmute *(w)* die weibliche Form zu Richmut; Nebenform: *Richmodis.*

Richold *(m)* Nebenform zu Richwald.

Richwald *(m)* althochdeutsch: *rihhi* = reich, mächtig; *waltan* = walten, gebieten; Nebenform: *Richold.*

Richwin *(m)* althochdeutsch: *rihhi* = reich, mächtig; *wini* = Freund.

Rick *(m)* englische Kurzform für Richard.

Ricka *(w)* Koseform für Friederike und Kurzform für auf -rike endende weibliche Vornamen.

Rickard *(m)* schwedische Form von Richard.

Ricke *(w)* Kurzform für auf -rike endende weibliche Vornamen.

Rickert *(m)* niederdeutsche Nebenform zu Richard.

Ricky *(m)* englische Kurzform für Richard.

Rico *(m)* italienische Koseform für Enrico (Heinrich); auch Kurzform für italienisch Ricardo (Richard).

Ridolfo *(m)* italienische Form von Rudolf.

Ridsert *(m)* Nebenform zu Ridzard.

Ridzart *(m)* friesische Form von Richard; Nebenform: *Ridsert.*

Riehl *(m)* Koseform für Rudolf.

Riehle *(m)* Koseform für Rudolf.

Riek *(m)* Koseform für Richard; auch niederländische Nebenform zu Rik.

Rieka *(w)* Nebenform zu Rieke.

Rieke *(w)* Koseform für Friederike und andere auf -rike endende weibliche Vornamen; Nebenform: *Rieka.*

Riener *(m)* Nebenform zu Rainer.

Riening *(w)* Koseform für Katharina.

Rienzo *(m)* italienisch; Koseform für Lorenzo.

Rietschel *(m)* Koseform für Rudolf.

Rigbert *(m)* Nebenform zu Richbert.

Righard *(m)* friesische Form von Richard.

Riglef *(m)* Nebenform zu Riklef.

Rigo *(m)* Kurzform für mit Rig- oder Rich- beginnende männliche Vornamen.

Rijkert *(m)* niederländische Form von Richard; Koseform: *Rip.*

Rik *(m)* niederländische Kurzform für Hendrik, Frederik; Nebenform: *Riek.*

Rika *(w)* Kurzform für auf -rike endende weibliche Vornamen; auch Kurz- und Koseform für Richarda.

Rikarda *(w)* Nebenform zu Richarda (Richard).

Rike *(w)* Koseform für Friederike und Henrike (Heinrike) und andere auf -rike endende weibliche Vornamen; Nebenform: *Rikea;* auch Kurz- und Koseform für Richarda (Richard).

Rikea *(w)* Nebenform zu Rike.

Riklef *(m)* althochdeutsch: *rihhi* = reich, mächtig; *leiba* = Erbe, Hinterlassenschaft; Nebenformen: *Riglef, Ricklef.*

Riko *(m)* Kurzform für mit Rik- gebildete männliche Vornamen; auch Verdeutschung von Rico, Ricco.

Rimbaud *(m)* Nebenform zu Reimbald.

Rimbert *(m)* Nebenform zu Reimbert.

Rina *(w)* Kurzform für auf -rina endigende weibliche Vornamen.

Rinaldo italienische Form von Reinhold; Kurzform: *Rino.*

Ringo *(m)* Kurzform für Ringolf und sonstige mit Rin- (*ragin-*, *regin-*) gebildete männliche Vornamen.

Ringolf *(m)* althochdeutsch: *ragin* =

Ruhm; *wolf* = Wolf; Nebenform: *Ringulf.*

Ringulf *(m)* Nebenform zu Ringolf.

Rino *(m)* italienische Kurzform für Rinaldo.

Rip *(m)* niederländische Koseform für Rijkert (Richard).

Risto *(m)* finnische Koseform für Christoph.

Rita *(w)* Koseform für italienisch Margherita (Margareta).

Persönlichkeiten der Geschichte:

Rita Streich, geboren 1920; deutsche Koloratursopranistin; Mozart- und Strauss-Rollen.

Ritsch *(m)* Koseform für Richard.

Rix *(m)* friesische Kurzform für mit Rik- (Rich-) gebildete männliche Vornamen.

Riza *(w)* niederdeutsche Kurzform für Richarda (Richard).

Roald *(m)* norwegische Form von Rodewald.

Persönlichkeit der Geschichte:

Roald Amundsen, 1872 bis 1928; norwegischer Polarforscher; erreichte 1911 als erster den Südpol; 1928 auf Suche nach Nobiles Luftschiff abge-stürzt und verschollen.

Rob *(m)* englische Kurzform für Robert; Nebenform: *Robby.*

Röbbe *(m)* friesische Koseform für Robert.

Robby *(m)* Nebenform zu Rob.

Robel *(m)* Koseform für Robert.

Robeli *(m)* Koseform für Robert.

Robelin *(m)* Koseform für Robert.

Robert *(m)* germanisch *hroth* = Ruhm; althochdeutsch: *beraht* = glänzend; lateinische Formen: *Rodbertus, Rupertus;* Nebenformen: *Robrecht, Rodebert, Rupert, Ruppert, Ruprecht, Rupprecht;* Kurz- und Koseformen: *Rupp, Robel, Roppel, Rob, Robeli, Robi, Robelin, Röbi, Rollo, Bert, Bertes;* friesisch: *Röbbl;* englische Formen: *Robert, Robin;* Koseformen: *Bob, Bobby, Rob, Robby, Hodge, Hob, Hobby;* italienisch und spanisch: *Roberto.*

Persönlichkeiten der Geschichte:

Robert Blum, 1807, erschossen 1848, deutscher Politiker, Führer der demokratischen Linken in der Paulskirche.

Robert Bosch, 1861 bis 1942; deutscher Elektrotechniker.

Robert Wilhelm Bunsen, 1811 bis 1899; deutscher Chemiker; mit Kirchhoff Entdecker der Spektralanalyse; fand Rubidium und Cäsium.

Robert Jungk, 1913 bis 1994, deutscher Schriftsteller und Publizist zu Fragen von Wissenschaft und Technik.

Robert Kennedy, 1917 bis 1963 (ermordet), amerikanischer Politiker, Bruder von John F. Kennedy.

Robert Koch, 1843 bis 1910; deutscher Arzt und Bakteriologe; entdeckte Tuberkelbazillus und Erreger der Cholera.

Robert Musil, 1880 bis 1942, österreichischer Romancier (»Der Mann ohne Eigenschaften«).

Robert Oppenheimer, 1904 bis 1967; amerikanischer Physiker; maßgeblich an der Entwicklung der Atombombe beteiligt.

Robert Schuman, 1886 bis 1963; französischer Politiker; trat für deutsch-französische Verständigung ein; betrieb die Gründung der Montan-Union.

Robert Schumann, 1810 bis 1856, deutscher Komponist der Romantik.

Robert F. Scott, 1868 bis 1912; englischer Antarktisforscher; kam zum Nordpol.

Robert Stolz, 1880 bis 1975; österreichischer Komponist zahlreicher Operetten, Film- und Schlagermusiken.

Roberta *(w)* die weibliche Form zu Robert; Nebenform: *Roberte;* englische Nebenformen: *Robina, Robine.*

Roberte *(w)* Nebenform zu Roberta (Robert).

Robertine *(w)* Weiterbildung von Roberta.

Roberto *(m)* italienische und spanische Form von Robert.

Robi *(m)* Kurz- und Koseform für Robert.

Röbi *(m)* Koseform für Robert.

Robin *(m)* englische Form von Robert.

Robina *(w)* englische Nebenform zu Roberta; auch *Robine.*

Robrecht *(m)* Nebenform zu Robert und Rodebrecht.

Rocco *(m)* italienische Form von Rochus.

Roch *(m)* französische Form von Rochus.

Rochbert *(m)* althochdeutsch: *rohon* = rufen; *beraht* = glänzend; Rochus.

Rochus *(m)* latinisierte Form für früher übliche Vornamen: *Rochbert, Rochwin, Rochwald;* französische Form: *Roch;* italienisch: *Rocco;* spanisch: *Roque;* amerikanische Kurz- und Koseform: *Rock, Rocky.*

Rock *(m)* amerikanische Kurzform für Rochus.

Rocky *(m)* englisch-amerikanische Form von Rochus.

Rodegang *(m)* germanisch: *hroth* = Ruhm; *gang* = Waffengang.

Rodemund *(m)* althochdeutsch: *hruod* = Ruhm; *rihhi* = reich.

Roderic *(m)* französische Form von Roderich.

Roderich *(m)* germanisch: *hroth* = Ruhm; althochdeutsch: *rihhi* = reich, mächtig; englische Form: *Roderik, Rody;* französisch: *Roderic, Rodrigue;* spanisch: *Rodrigo, Rodriguez;* Kurzform: *Ruy;* nordisch und russisch: *Rurik.*

Roderik *(m)* französische Form von Roderich.

Rodewald *(m)* germanisch: *hroth* = Ruhm; althochdeutsch: *waltan* = walten, gebieten; norwegische Form: *Roald.*

Rodewig *(m)* germanisch: *hroth* = Ruhm; althochdeutsch: *wig* = Kampf; Nebenform: *Rudewig.*

Rodger *(m)* Nebenform zu Rüdiger.

Rodolfo *(m)* italienische Form von Rudolf.

Persönlichkeit der Geschichte:

Rodolfo Valentino, 1895 bis 1926; italienisch-amerikanischer Filmschauspieler des Stummfilms.

Rodolphe *(m)* französische Form von Rudolf.

Rodrigo *(m)* spanische Form von Roderich.

Persönlichkeit der Geschichte:

Rodrigo Cid, Diaz de Vivar, um 1043 bis 1099; spanischer Nationalheld; eroberte 1094 das maurische Valencia.

Rodrigue *(m)* französische Form von Roderich.

Rodriguez *(m)* spanische Form von Roderich.

Rodulfo *(m)* spanische Form von Rudolf.

Rody *(m)* englische Kurzform für Roderik (Roderich).

Roger *(m)* normannische, englische und französische Form von Rüdiger; auch deutsche Nebenform; niederländische Form: *Rogier.*

Persönlichkeiten der Geschichte:

Roger II., 1095 bis 1154, normannischer König von Sizilien.

Roger Bacon, um 1214 bis 1294; englischer Mathematiker, Naturwissenschaftler und Philosoph; Franziskaner; löste Philosophie als Profanwissenschaft von der Theologie und nahm den Empirismus voraus.

Roger Vadim, geboren 1928, französischer Filmregisseur.

Rogier *(m)* niederländische Form von Roger (Rüdiger).

Roel *(m)* Nebenform zu Roelof (Rudolf).

Roland *(m)* germanisch: *hroth* = Ruhm; *nantha* = kühn, oder althochdeutsch: *lant* = Land; Nebenformen: *Rodland, Rolland;* englische Form: *Rowland, Rutland;* französisch: *Roland;* italienisch: *Orlando.*

Persönlichkeit der Geschichte:

Roland, Markgraf der Bretagne, Gestalt um Karl den Großen, fiel in einem Gefecht um 778. Die Sage macht ihn zum Helden des Rolandliedes.

Roeland *(m)* niederländisch-friesische Form von Roland.

Rolanda *(w)* die weibliche Form zu Roland; Nebenform: *Rolande.*

Rolande *(w)* Nebenform zu Rolanda (Roland).

Roelef *(m)* friesische Form von Rolf (Rudolph); Nebenformen: *Roelf, Roelof.*

Roleke *(m)* Koseform für Rudolf.

Rolf *(m)* Kurzform von Rudolf.

Persönlichkeiten:

Rolf Boysen, geboren 1920; deutscher Schauspieler des Heldenfachs.

Rolf Hochhuth, geb. 1931, deutscher Schriftsteller und Dramatiker.

Rolf Italiaander, 1913 bis 1991, deutscher Schriftsteller (Reisebücher, Biographien).

Rolf Liebermann, geboren 1910, schweizerischer Komponist, Dirigent und Operndirektor.

Rolfkea *(w)* friesische weibliche Form zu Rolf (Rudolf).

Rolfpaul *(m)* Doppelname aus Rolf und Paul.

Rolland *(m)* Nebenform von Roland.

Rolle *(m)* schwedische Form von Rollo.

Rollekin *(m)* Koseform für Rudolf.

Rollo *(m)* Koseform für Robert, Roland und Rudolf; schwedische Form: *Rolle.*

Rolof *(m)* niederdeutsch-friesische Form von Rudolf; Nebenformen: *Roloff, Roolof, Roluf.*

Roloff *(m)* Nebenform zu Rolof.

Rolph *(m)* englische Form von Rudolf.

Roluf *(m)* Nebenform zu Rolof.

Roma *(w)* Kurzform für Romana.

Romain *(m)* französische Form von Roman.

Romaine *(w)* französische Form von Romana.

Roman *(m)* lateinisch: *Romanus* = Römer; französische Form: *Romain;* italienisch: *Romano;* englisch: *Romeo;* spanisch: *Román;* polnisch: *Romek.*

Persönlichkeit:

Roman Polanski, geboren 1933; polnischer surrealistischer Filmregisseur und Schauspieler.

Román *(m)* spanische Form von Roman.

Romana *(w)* die weibliche Form zu Roman; französische Form: *Romaine.*

Romano *(m)* italienische Form von Roman.

Romedius *(m)* Nebenform zu Remedius.

Romek *(m)* polnische Form von Roman.

Romeo *(m)* italienische Kurzform für Borromeo (Bartholomäus); auch englische Form von Roman.

Romulus *(m)* lateinisch, nach dem Namen des sagenhaften Mitgründers (mit Remus) der Stadt Rom.

Romus *(m)* Kurzform für Hieronymus.

Romy *(w)* Nebenform zu Romi (Rosemarie).

Persönlichkeit der Geschichte:
Romy Schneider, 1938 bis 1982; österreichisch-deutsche Filmschauspielerin; Charakterdarstellerin.

Ron *(m)* englische Kurzform für Ronald.

Rona *(w)* Kurzform für Corona.

Ronald *(m)* englisch-schottische Form von Reinhold; Kurzformen: *Ron, Ronnie, Ronny.*
Persönlichkeit der Geschichte:
Ronald Reagan, geboren 1911; amerikanischer Politiker; ursprünglich Schauspieler; 1980 bis 1989 Präsident der Vereinigten Staaten von Amerika.

Ronimus *(m)* Kurzform für Hieronymus.

Ronni *(w)* Koseform für Veronika.

Ronnie *(m)* englische Koseform für Ronald.

Ronnie *(w)* Nebenform zu Ronny.

Ronny *(m)* englische Koseform für Ronald.

Ronny *(w)* englische weibliche Form zu Ronald; Kurz- und Koseform für Veronika; Nebenform: *Ronnie.*

Roolof *(m)* Nebenform zu Rolof.

Roppel *(m)* Koseform für Robert.

Roque *(m)* spanische Form von Rochus.

Rorik *(m)* friesische Form von Rurik.

Ros *(w)* Kurzform für Rosa.

Rosa *(w)* lateinisch: *rosa* = Rose; auch Kurzform für Rosalinde, Rosamunde und Roswitha; Kurz- und Koseformen: *Ros, Rosl, Rosel, Rösel;* französische und englische Form: *Rose.*
Persönlichkeit der Geschichte:
Rosa Luxemburg, 1871 bis 1919; deutsche sozialistische Politikerin polnischer Herkunft; Mitgründerin der Kommunistischen Partei Deutschlands und des Spartakusbunds; ermordet.

Rosabella *(w)* italienisch: = schöne Rose.

Rosala *(w)* spanische Form von Rosalia.

Rosalie *(w)* Weiterbildung von Rosa; Nebenform: *Rosalia;* Kurz- und Koseformen: *Rosi, Rösel, Rosl, Röschen;* englische Form: *Rosalia;* Kurzformen: *Rose, Sally;* französisch: *Rose;* spanisch: *Rosala;* tschechisch: *Ružena.*

Rosalind *(w)* Nebenform zu Rosalinde.

Rosalinda *(w)* Nebenform zu Rosalinde.

Rosalinde *(w)* althochdeutsch: *hros* = Roß; *linta* = Schild; oder: germanisch: *hroth* = Ruhm; *lind* = mild; Nebenformen: *Rosalinda, Roselinde, Rosalind;* Kurzformen: *Rosa, Linda, Linde.*

Rosamaria *(w)* Nebenform zu Rosemarie.

Rosamond *(w)* englische Form von Rosamunde.

Rosamunda *(w)* Nebenform zu Rosamunde.

Rosamunde *(w)* althochdeutsch: *hros* = Roß; oder: germanisch: *hroth* = Ruhm; *munt* = Schutz; Nebenformen: *Rosmunde, Rosamunda;* englische Form: *Rosamond.*

Rosangela *(w)* Doppelname aus Rosa und Angela.

Rosanna *(w)* Doppelname aus Rosa und Anna.

Rosaria *(w)* Weiterbildung von Rosa.

Rose *(w)* französische und englische Form von Rosa; englische Kurzform für Rosalia (Rosalie).

Rosel *(w)* Koseform für Rosa.

Roselinde *(w)* Nebenform zu Rosalinde.

Roselita *(w)* Weiterbildung von Rosa.

Rosella *(w)* italienische Weiterbildung von Rosa.

Rosellen *(w)* englischer Doppelname aus Rose und Ellen oder Helen.

Rosellina *(w)* italienische Verkleinerungsform von Rosella.

Roselore *(w)* Doppelname aus Rosa und Eleonore.

Rosemarie *(w)* Doppelname aus Rosa und Maria; Nebenformen: *Rosamaria, Rosmarie.*

Rosetta *(w)* italienische Weiterbildung von Rosa.

Rosette *(w)* französische Weiterbildung von Rose (Rosa).

Rosi *(w)* Kurzform für Rosalie, Rosina.

Rosina *(w)* lateinisch: = rosig; Weiterbildung von Rosa; Nebenform: *Rosine;* Kurzform: *Rosi;* polnische Form: *Rozyna.*

Rosine *(w)* Nebenform zu Rosina; auch Koseform für Euphrosyne.

Rosita *(w)* spanische Weiterbildung von Rosa.

Rosl *(w)* Koseform für Rosa.

Rosmargret *(w)* Doppelname aus Rosa und Margareta.

Rosmarie *(w)* Nebenform zu Rosemarie.

Rosmunde *(w)* Nebenform zu Rosamunde.

Rossana *(w)* italienische Form von Roxana.

Roswin *(m)* althochdeutsch: *hros* = Roß, Pferd; *wini* = Freund.

Roswita *(w)* Nebenform zu Roswitha.

Roswitha *(w)* althochdeutsch: *hruod* = Ruhm; *swinths* = stark; Nebenformen: *Hroswita, Roswita;* ältere Formen: *Hroswitha, Hrosvita;* Kurzform: *Rosa.*

Persönlichkeit der Geschichte:

Roswitha von Gandersheim, um 935 bis 975, Nonne, erste deutsche Dichterin.

Rothard *(m)* germanisch: *hroth* = Ruhm; althochdeutsch: *harti* = hart, stark; Nebenformen: *Rudhard, Ruthard, Ruthart, Rauthard.*

Rotraud *(w)* Nebenform zu Rotraut.

Rotraut *(w)* germanisch: *hroth* = althochdeutsch: *hruod* = Ruhm; *trut* = *trud* = stark; Nebenformen: *Rotraud, Rotrud;* Kurzform: *Traute.*

Rotrud *(w)* Nebenform zu Rotraut.

Rowena *(w)* englische Kurzform vielleicht altenglische Wurzel: *hreod* = Ruhm; *wine* = Freund.

Rowland *(m)* englische Form von Roland.

Roxana *(w)* wohl persisch: die Glänzende; Nebenformen: *Roxane, Roxanne;* italienische Form: *Rossana.*

Roxane *(w)* Nebenform zu Roxana.

Roy *(m)* keltisch-englisch: *roy* = rot.

Rozyna *(w)* polnische Form von Rosina.

Ruben *(m)* hebräisch: *re'uben* = sehet, ein Sohn!; englische Form: *Reuben;* spanisch: *Rubén.*

Rudbert *(m)* germanisch: *hroth* = althochdeutsch: *hruod* = Ruhm; *beraht* = glänzend.

Rüdeger *(m)* Nebenform zu Rüdiger.

Rudel *(m)* Kurzform für Rudolf.

Rudewig *(m)* Nebenform zu Rodewig.

Rudgar *(m)* Nebenform zu Rüdiger.

Rudger *(m)* Nebenform zu Rüdiger.

Rudi *(m)* Kurzform für Rudolf.

Persönlichkeiten der Geschichte:

Rudi Carrell, geboren 1934; niederländischer Schauspieler und Fernseh-Showmaster.

Rudi Dutschke, 1940 bis 1979; einer der Hauptführer der studentischen Bewegung 1965 bis 1968.

Rudibert *(m)* germanisch: *hroth* = Ruhm; althochdeutsch: *beraht* = glänzend; oder Nebenform zu Rodebert.

Rüdiger *(m)* germanisch: *hroth* = althochdeutsch: *hruod* = Ruhm; *ger* = Speer; Nebenformen: *Rodger, Rudgar, Rudger, Rüdger, Rutger, Rütger;* niederdeutsch: *Rötger;* englische und französische Form: *Roger;* niederländisch: *Rogier;* italienisch: *Ruggero, Ruggiero.*

Rudmar *(w)* germanisch: *hroth* = Ruhm; althochdeutsch: *mari* = berühmt; Nebenform: *Rutmar.*

Rudo *(m)* Kurzform für Rudolf.

Rudolf *(m)* germanisch: *hroth* = althochdeutsch: *hruod* = Ruhm; *wolf* = Wolf; ältere Schreibweise: *Rudolph;* Kurz- und Koseformen: *Rudi, Rolf, Dolf, Dolfi, Dulf, Rude, Rudel, Rudo, Rüdel, Rütt, Ruef, Ruoff, Ruetsch, Rüetsch, Rietschel, Riehl, Riehle, Röhle, Rühle, Rülke, Rilke, Rolof, Roleke, Rollekin, Roll, Rollo, Rulle, Hrolf, Rode, Rodeke;* englische Formen: *Rudolph, Ralph, Rolph;* schweizerisch: *Ruodi;* niederländisch: *Roelof, Roel;* französisch: *Rodolphe, Raoul;* italienisch: *Rodolfo, Ridolfo;* spanisch: *Rudolfo.*

Persönlichkeiten der Geschichte:

König Rudolf I. von Habsburg, 1218 bis 1291, Stammvater der Habsburger.

Rudolf Binding, 1867 bis 1938, deutscher Schriftsteller.

Rudolf Diesel, 1858 bis 1913; deutscher Ingenieur; erfand den Dieselmotor.

Rudolf Eucken, 1846 bis 1926; deutscher Philosoph und Kulturreformer; begründete den Neoidealismus.

Rudolf Mößbauer, geboren 1929, deutscher Physiker, erhielt 1961 den Nobelpreis.

Rudolf Alexander Schröder, 1878 bis 1962, deutscher Dichter und Übersetzer.

Rudolf Steiner, 1861 bis 1925, österreichischer Anthroposoph.

Rudolf Virchow, 1821 bis 1902, deutscher Pathologe, Begründer der Zellularpathologie; auch Sozialpolitiker.

Rudolfa *(w)* die weibliche Form zu Rudolf.

Rudolfina *(w)* Weiterbildung von Rudolfa.

Rudolfine *(w)* Weiterbildung von Rudolfa.

Rudolfo *(m)* italienische Form von Rudolf.

Rudolph *(m)* ältere Schreibweise von Rudolf; auch englische Form.

Rüetsch *(m)* Koseform für Rudolf.

Ruffino *(m)* italienische Form von Rufinus (Rufus).

Ruffo *(m)* italienische Form von Rufus.

Rufina *(w)* die weibliche Form zu Rufinus.

Rufinus *(m)* lateinische Weiterbildung von Rufus; englische Form: *Griffith;* französisch: *Roux;* italienisch: *Ruffino.*

Rufus *(m)* lateinisch: *rufus* = rothaarig; italienische Form: *Ruffo.*

Ruggero *(m)* italienische Form von Rüdiger.

Ruggiero *(m)* italienische Form von Rüdiger.

Rumena *(w)* bulgarische weibliche Form zu Rumen; Nebenform: *Rumjana.*

Rumjana *(w)* Nebenform zu Rumena.

Rumold *(m)* germanisch: *hroth* = althochdeutsch: *hruod* = Ruhm; *waltan* = walten, gebieten; Nebenform: *Rumolt.*

Rumolt *(m)* Nebenform zu Rumold.

Runa *(w)* Kurzform für mit Run- oder -run gebildete weibliche Vornamen; Nebenform: *Rune.*

Rune *(m)* schwedische Kurzform für mit Run- gebildete männliche Vornamen.

Runhild *(w)* althochdeutsch: *runa* =

Geheimnis, Zauber; *hiltja* = Kampf; Nebenform: *Runhilde.*

Runhilde *(w)* Nebenform zu Runhild.

Ruodi *(m)* schweizerische Form für Rudolf.

Ruoff *(m)* Nebenform zu Rudolf.

Rupert *(m)* Nebenform zu Robert; lateinisch: *Rupertus.*

Persönlichkeit der Geschichte:

Rupert Mayer, 1876 bis 1945; Jesuit; im Ersten Weltkrieg Divisionspfarrer (beinamputiert); Männerseelsorger in München; bekämpfte den Nationalsozialismus; kam ins Konzentrationslager Sachsenhausen; 1941 von da infolge Krankheit ins Kloster Ettal, wo er starb.

Ruperta *(w)* die weibliche Form zu Rupert(us).

Rupertus *(m)* lateinische Form von Rupert (Robert).

Rupp *(m)* Kurz- und Koseform für Rupert (Robert).

Ruppert *(m)* Nebenform zu Robert.

Rupprecht *(m)* Nebenform zu Robert.

Ruprecht *(m)* Nebenform zu Robert.

Rurik *(m)* nordische und russische Form von Roderich.

Rut *(w)* ökumenische Form von Ruth.

Rutgard *(w)* althochdeutsch: *hruod* = Ruhm; *gard* = Schutz; Nebenformen: *Rutgart, Rodegard.*

Rutgart *(w)* Nebenform zu Rutgard.

Rutger *(m)* Nebenform zu Rüdiger.

Ruth *(w)* hebräisch: *ruth* = Freundschaft; ökumenische Form: *Rut.*

Persönlichkeit der Geschichte:

Ruth, im Alten Testament Ahne des Königs David; Heldin des alttestamentlichen Buchs »Ruth«.

Ruthard *(m)* Nebenform zu Rothard.

Ruthart *(m)* Nebenform zu Rothard.

Ruthild *(w)* althochdeutsch: *hruod* = Ruhm; *hiltja* = Kampf; oder (?): Doppelname aus Ruth und Hilda; Nebenform: *Rodehild.*

Rutland *(m)* englische Form von Roland.

Rutlib *(m)* Nebenform zu Rutlieb.

Rutlieb *(m)* althochdeutsch: *hruod* = *hruom* = Ruhm; *liob* = lieb; Nebenform: *Rutlib.*

Rutmar *(m)* Nebenform zu Rudmar.

Rütt *(m)* Kurzform für Rudolf.

Rüttger *(m)* Nebenform zu Rüdiger.

Ruven *(m)* Nebenform zu Rouven (Ruben).

Sabina *(w)* Nebenform, lateinische und englische Form von Sabine.

Sabine *(w)* die weibliche Form zu Sabinus; lateinische und englische Form: *Sabina;* französisch: *Sabine;* Kurz- und Koseformen: *Sab, Sabelein, Sabi, Wina, Bina, Bine, Bineli.*

Sabinus *(m)* lateinisch: = aus dem Stamm der Sabiner.

Sabrina *(w)* angloamerikanisch; nach der Nymphe des englischen Severnflusses.

Sacha *(m)* französische Form von Sascha.

Sachar *(m)* russische und jüdische Form von Zacharias; Nebenform: *Sacher.*

Sacharja *(m)* ökumenische Form von Zacharias.

Sacher *(m)* Nebenform zu Sachar (Zacharias).

Sachso *(m)* althochdeutsch: = Sachse; war Beiname; Nebenform: *Sasso.*

Sadie *(w)* amerikanische Koseform für Sara.

Said *(m)* arabisch: = glücklich.

Saladin *(m)* arabisch: = Glaubensheil; Nebenform: *Salentin;* englische und französische Form: *Saladin;* italienisch: *Saladino.*

Persönlichkeit der Geschichte:

Saladin, 1137 bis 1193; im 3. Kreuzzug siegreich gegen die Kreuzfahrer.

Salim *(m)* Kurzform für Salomo.

Salinde *(w)* Kurzform für Rosalinde.

Salka *(w)* russische und bulgarische Kurzform für Salwija.

Sally *(m)* Koseform für Salomo und Samuel; Nebenformen: *Salli, Sallie, Sallo.*

Sally *(w)* englische Koseform für Rosalia (Rosalie) und Sara.

Salome *(w)* hebräisch: *schelomith* = der Friedliche; ökumenische Form; französisch: *Salomé;* arabisch: *Suleima.*

Salomo *(m)* hebräisch: sch'lomo = Friedensfürst; ökumenische Form; Nebenformen: *Salomon, Solomon;* englische Form: *Solomon;* französisch: *Salomon;* italienisch: *Salomone;* arabisch: *Selim;* persisch-türkisch: *Soliman, Suleiman;* jüdisch: *Schelomo*; Kurzform: *Sally;* Nebenformen: *Salli, Sallie, Sallo.*

Persönlichkeit der Geschichte:

Salomo, 10. Jahrhundert v. Chr.; im Alten Testament Sohn Davids; gerechter und weiser König Israels.

Salomon *(m)* Nebenform zu Salomo.

Salomone *(m)* italienische Form von Salomo.

Salonius *(m)* lateinisch: aus Salonae stammend.

Salvador *(m)* spanische Form von Salvator.

Persönlichkeit der Geschichte:

Salvador Dali, 1904 bis 1989; spanischer Maler; vom Futurismus beeinflußter Surrealist.

Salvator *(m)* lateinisch: Retter, Erlöser; italienische Form: *Salvatore*; spanisch: *Salvador.*

Salvatore *(m)* italienische Form von Salvator.

Persönlichkeit:

Salvatore Adamo, geboren 1953; italienischer Chansonnier.

Salvina *(w)* von lateinisch: *salvus* = gesund, unversehrt; Nebenform: *Salwa.*

Salwa *(w)* Nebenform zu Salvina.

Salwija *(w)* slawisch; nach lateinisch: *salvus* = gesund, unversehrt; russische, bulgarische Kurzform: *Salka.*

Sam *(m)* englische Kurzform für Samuel.

Samantha *(w)* amerikanisch; hebräischer Herkunft: = Hörende, Gehorsame.

Samel *(m)* Nebenform zu Samuel.

Sameli *(m)* schweizerische Form von Samuel.

Samira *(w)* arabisch: = Unterhalterin.

Sammy *(m)* englische Koseform für Samuel.

Sampson *(m)* griechische und englische Form von Simson.

Samson *(m)* Nebenform zu Simson; in der Vulgata verwendet.

Persönlichkeit der Geschichte:

Samson, im Alten Testament israelitischer Richter; kämpfte gegen die Philister.

Samuel *(m)* hebräisch: *sch'mu'el* = von Gott erhört; Nebenformen: *Samel, Sammel;* schweizerisch: *Sameli;* niederdeutsch: *Zamel;* Koseformen: *Salli, Sallie, Sallo, Sally;* jüdische Formen: *Schemuel, Schmul, Shmuel;* englisch: *Samuel;* Koseformen: *Sam, Samy, Sammy;* ungarisch: *Samu.*

Persönlichkeiten der Geschichte:

Samuel Beckett, 1906 bis 1989, irischer Dramatiker (»Warten auf Godot«).

Samuel Hahnemann, 1755 bis 1843, Begründer der Homöopathie.

Samuel F. B. Morse, 1791 bis 1872; amerikanischer Maler; erfand den Morseapparat (Maschinentelegraph).

Samy *(m)* englische Koseform für Samuel.

Sancha *(w)* spanische weibliche Form zu Sancho; Nebenform: *Sancia.*

Sanco *(m)* spanisch; von lateinisch: *sanctus* = heilig.

Sander *(m)* Kurz- und Koseform für Alexander.

Sándor *(m)* ungarische Form von Alexander.

Sandra *(w)* Kurzform für italienisch Alessandra (Alexandra); Nebenform: *Sandria.*

Sandrad *(m)* wohl von Sander (Alexander).

Sandria *(w)* Nebenform zu Sandra.

Sandrina *(w)* Weiterbildung von Sandra; Nebenform: *Sandrine.*

Sandrine *(w)* Nebenform zu Sandrina; Kurzform für Alexandrine.

Sandro *(m)* italienische Koseform für Alessandro (Alexander).

Persönlichkeit der Geschichte:

Sandro Botticelli, 1444/45 bis 1510; italienischer Maler; ein Hauptmeister der italienischen Renaissance.

Sandy *(m)* englische Koseform für Alexander.

Sandy *(w)* englische Koseform für Sandra und Alexandra.

Sanj *(w)* russische Koseform für Aleksandra (Alexander).

Sanja *(m)* russische Koseform für Aleksandr (Alexander).

Sanna *(w)* Kurz- und Koseform für Susanne.

Sannchen *(w)* Kurz- und Koseform für Susanne.

Sanne *(w)* Kurz- und Koseform für Susanne.

Sannerl *(w)* Koseform für Susanne.

Sansón *(m)* spanische Form von Samson (Simson).

Sansone *(m)* italienische Form von Samson (Simson).

Santiago *(m)* spanisch: = heiliger Jakob; Koseform: *Diego.*

Santo *(m)* italienisch; von lateinisch: *sanctus* = heilig.

Saphira *(w)* hebräisch-griechisch: *saphira* = die Schöne; nach dem Edelstein Saphir.

Sara *(w)* hebräisch: *sarah* = Fürstin; ökumenische Form; Nebenformen: *Sarah, Zarah, Zara;* englische Koseform: *Sally.*

Sarah *(w)* Nebenform zu Sara.

Sascha *(m)* russische Kurz- und Koseform für Aleksandr (Alexander).

Sascha *(w)* russische Kurz- und Koseform für Aleksandra (Alexander).

Sasso *(m)* niederdeutsche Form von Sachso.

Saturnina *(w)* die weibliche Form zu Saturninus.

Saturninus *(m)* lateinische Weiterbildung von Saturnus; Nebenform: *Saturnin.*

Saturnus *(m)* lateinisch; nach dem altitalischen Gott Saturnus.

Saul *(m)* hebräisch: *scha'ul* = erbeten, gefragt; lateinische Form: *Saulus.*

Saverio *(m)* italienische Form von Xaver.

Savinien *(m)* französische Form von Sabinus.

Scarlet *(w)* englisch-amerikanisch: *scarlet* = scharlachrot; Rothaar; Nebenform: *Scarlett.*

Scarlett *(w)* Nebenform zu Scarlet.

Schack *(m)* eingedeutschte Form von französisch Jacques (Jakob).

Schaggi *(m)* eingedeutschte Form von französisch Jacques (Jakob).

Schalom *(m)* hebräisch: *schalom* = Friede.

Schang *(m)* Koseform für Johannes; verdeutschte Form von französisch Jean.

Schäng *(m)* Koseform für Johannes.

Schani *(m)* österreichische Koseform für Johannes.

Scheifart *(m)* Nebenform zu Siegfried.

Schelomo *(m)* jüdische Form von Salomo.

Schemuel *(m)* jüdische Form von Samuel.

Schetzel *(m)* Nebenform zu Gislenus.

Schmul *(m)* jüdische Form von Samuel.

Scholastika *(w)* griechisch-lateinisch: *scholastica* = Lernende (Schülerin), Gelehrte.

Schöntraud *(w)* moderner Doppelname aus *schön* und althochdeutsch: *trud* = Kraft.

Schorsch *(m)* Koseform für Georg, nach der Aussprache des französischen Georges.

Schura *(m)* russische Koseform für Aleksandr (Alexander).

Schura *(w)* russische Koseform für Aleksandra (Alexander), Marija (Maria) und Susanne.

Schwabhild *(w)* althochdeutsch: *svaba* = Schwäbin; *hiltja* = Kampf.

Schwanhilde *(w)* althochdeutsch: *swanna* = Schwan; *hiltja* = Kampf; Nebenformen: *Swanhild, Swanhilde, Sunhild, Sunhilde.*

Scipio *(m)* lateinisch: *scipio* = Stab; italienische Form: *Scipione;* Beiname des altrömischen Geschlechts der Cornelier.

Scipione *(m)* italienische Form von Scipio.

Scott *(m)* englisch: = Schotte; ursprünglich Familienname.

Sczepan *(m)* slawische Form von Stephan.

Sean *(m)* englisch-amerikanisch; Bedeutung fraglich.

Seb *(m)* Koseform für Eusebius.

Sebald *(m)* lateinisch: *Sebaldus;* aus althochdeutsch: Siegbald; Nebenform: *Sebold;* Kurz- und Koseformen: *Baldus, Baltes;* italienische Form: *Sebaldo.*

Sebastian *(m)* von griechisch: *sebastos* = verehrungswürdig; lateinische Form: *Sebastianus;* niederdeutsch: *Bestian;* Kurz- und Koseformen: *Bastian, Bastin, Bastle, Bastl, Bästel, Bast, Best, Bestlin, Basch, Baschel, Bäschele, Janes, Wastel, Wastl, Watschel;* französische Formen: *Sébastien, Bastien;* italienisch: *Sebastiano;* tschechisch: *Sebesta;* polnisch: *Sobek.*

Persönlichkeit der Geschichte:
Sebastian Kneipp, 1821 bis 1897; deut-

scher katholischer Priester und Naturheilkundiger; entwickelte in Wörishofen Kalt- und Warmwasseranwendungen zu Heilzwecken.

Sebastiane *(w)* die weibliche Form zu Sebastian; französische Form: *Sébastienne.*

Sebastiano *(m)* italienische Form von Sebastian.

Sébastien *(m)* französische Form von Sebastian.

Sébastienne *(w)* die französische weibliche Form zu Sébastien (Sebastian).

Sebe *(m)* friesische Koseform für Siegbald und Siegbert; Nebenform zu Sibo.

Sebel *(m)* Koseform für Josef.

Sebert *(m)* Nebenform zu Siegbert.

Sebesta *(m)* tschechische Form von Sebastian.

Sebi *(m)* Koseform für Eusebius und Josef.

Sebo *(m)* friesische Koseform für Siegbald.

Sebold *(m)* Nebenform zu Siegbald.

Secharja *(m)* die ökumenische Form von Zacharias.

Secundus *(m)* lateinische Form von Sekundus.

Sefa *(w)* Kurzform für Josefa und Josefine.

Sefchen *(w)* Koseform für Josefine.

Sefe *(w)* Kurzform für Josefine.

Seffi *(w)* Koseform für Josefa und Josefine.

Segelke *(m)* niederdeutsch-friesische Koseform für mit Sieg- gebildete männliche Vornamen.

Segelke *(w)* niederdeutsch-friesische Koseform für mit Sieg- gebildete weibliche Vornamen.

Segest *(m)* althochdeutsch: *sigu* = Sieg; *gest* = Gast.

Segimer *(m)* althochdeutsch: *sigu* = Sieg; *mari* = berühmt.

Segimund *(m)* Nebenform zu Siegmund.

Seibold *(m)* süddeutsche Form von Siegbald.

Seidel *(m)* Koseform für Siegbert und Siegfried.

Seifert *(m)* Nebenform zu Siegfried.

Seifrid *(m)* Nebenform zu Siegfried.

Seifried *(m)* Nebenform zu Siegfried.

Seiz *(m)* Koseform für Siegbert.

Sekundus *(m)* lateinisch: *secundus* = der Zweite.

Selastika *(w)* Nebenform zu Scholastika.

Selim *(m)* arabische Form von Salomo.

Selina *(w)* englische Form von Celine; lateinisch: *Coelina;* italienisch: *Celestina;* Nebenform: *Seline.*

Selinde *(w)* Koseform für Sieglinde.

Seline *(w)* Nebenform zu Selina.

Selke *(w)* niederdeutsch-niederländisch; Bedeutung fraglich.

Selma *(w)* Kurzform für Anselma und Salome; englische Form: *Zelma.*

Persönlichkeit der Geschichte:

Selma Lagerlöf, 1858 bis 1940, schwedische Erzählerin.

Selmar *(m)* althochdeutsch: *sal* = Saal (der Männer); *mari* = berühmt.

Semjon *(m)* russische Form von Simon.

Senda *(w)* Nebenform zu Senta.

Seneca *(m)* lateinischer altrömischer Beiname.

Persönlichkeit der Geschichte:

Seneca der Jüngere, 4 v. Chr. bis 65 n. Chr.; römischer Philosoph; Erzieher des Kaisers Nero.

Senofonte *(m)* italienische Form von Xenophon.

Sens *(w)* Koseform für Vincentia.

Sensa *(w)* Koseform für Innozentia.

Senta *(w)* Koseform für Kreszentia und Vincentia; Nebenform: *Senda.*

Senz *(w)* Koseform für Kreszentia.
Senze *(w)* Koseform für Kreszentia.
Sepp *(m)* Kurzform für Josef.
Seppel *(m)* Koseform für Josef.
Seppele *(m)* Koseform für Josef.
Seppeli *(w)* Koseform für Josefine.
Sepperle *(m)* Koseform für Josef.
Seppi *(m)* Koseform für Josef.
Seppl *(m)* Koseform für Josef.
Seppo *(m)* Koseform für Josef.
Septimius *(m)* lateinisch; Weiterbildung von Septimus.
Septimus *(m)* lateinisch: *septimus* = der Siebte.
Serafin *(m)* Nebenform zu Seraphin.
Serafín *(m)* spanische Form von Seraphin.
Seraphin *(w)* von hebräisch: *saraph;* Bedeutung unsicher; lateinisch: *Seraphinus;* Nebenform: *Serafin;* spanische Form: *Serafín.*
Seraphina *(w)* Nebenform zu Seraphine.
Seraphine *(w)* die weibliche Form zu Seraphin; Nebenformen: *Seraphia, Seraphina, Serafina, Serafine;* slawische Koseformen: *Sorka, Soroka.*
Seraphinus *(m)* lateinische Form von Seraphin.
Serena *(w)* die weibliche Form zu Serenus.
Serenus *(m)* lateinisch: *serenus* = heiter.
Serge *(m)* französische und russische Form von Sergius; russische Nebenform: *Sergej.*
Sergej *(m)* russische Form von Sergius.
Persönlichkeiten der Geschichte:
Sergej Eisenstein, 1898 bis 1948; sowjetrussischer Filmregisseur; Leiter des Staatlichen Filminstituts.
Sergej Prokofjew, 1891 bis 1953; sowjetrussischer Komponist, Dirigent und Pianist.
Sergej Rachmaninow, 1873 bis 1943; russisch-amerikanischer Komponist, Pianist und Dirigent.
Sergia *(w)* die weibliche Form zu Sergius.
Sergio *(m)* italienische und spanische Form von Sergius.
Sergiu *(m)* rumänische Form von Sergius.
Sergius *(m)* lateinisch; ursprünglich von *servus* = Diener, Knecht; aus dem altrömischen Geschlecht der Sergier; französische Form: *Serge;* italienisch und spanisch: *Sergio;* russisch: *Serge, Sergej;* rumänisch: *Sergiu.*
Servaas *(m)* niederländische Form von Servatius.
Servais *(m)* französische Form von Servatius.
Servas *(m)* ältere Form von Servatius.
Servatius *(m)* lateinisch; Weiterbildung von: *servatus* = gerettet; deutsche Form: *Servaz;* Kurz- und Koseformen: *Zerves, Zirves, Vaaz, Vaes;* niederländisch: *Servaas;* französisch: *Servais.*
Set *(m)* ökumenische Form von Seth.
Seth *(m)* hebräisch: *seth* = (Ersatz-) Sproß; Form der Lutherbibel und Vulgata; ökumenische Form: *Set.*
Seufert *(m)* Nebenform zu Siegfried.
Severa *(w)* die weibliche Form zu Severus.
Severianus *(m)* lateinische Weiterbildung von Severus.
Severin *(m)* Weiterbildung von Severus; rheinische Kurz- und Koseformen: *Frein, Freins, Frin, Frins, Fring, Frings;* niederdeutsch: *Sören;* lateinische Form: *Severinus;* französisch *Séverin*; nordisch: *Sören, Soren.*
Séverin *(m)* französische Form von Severin.
Severina *(w)* die weibliche Form zu Severin; Nebenform: *Severine.*

Severine *(w)* Nebenform zu Severina (Severin).

Severinus *(m)* lateinische Form von Severin.

Severus *(m)* lateinisch: *severus* = streng.

Seves *(m)* Kurzform für Eusebius.

Sextus *(m)* lateinisch: *sextus* = Sechster.

Shantala *(w)* aus dem Indischen erfundener Mädchenname; von zuständigem Amtsgericht als zulässig erklärt.

Sharon *(w)* amerikanisch.

Sheila *(w)* englische Form des irischen *Sile.*

Shirin *(w)* englische Form von Schirin.

Shirley *(w)* englisch-amerikanisch, nach Ortsname; Bedeutung fraglich.

Persönlichkeiten:

Shirley McLane, geboren 1934; erfolgreiche amerikanische Filmschauspielerin in zahlreichen Hauptrollen.

Shirley Temple, geboren 1928; amerikanische Filmschauspielerin; war Kinderstar.

Shmuel *(m)* jüdische Form von Samuel.

Shura *(m)* russische Koseform für Aleksandr (Alexander); Nebenform: *Schura.*

Siade *(w)* friesische weibliche Kurzform zu Siard; Nebenformen: *Sierd, Siertje, Sierje.*

Siard *(m)* friesische Kurzform für Sieghard; Nebenformen: *Siaard, Sjard, Sierd, Siert.*

Sib *(w)* englische Kurzform für Sibylle.

Sibe *(m)* Nebenform zu Sibo; Kurzform für Siegbert.

Sibilla *(w)* Nebenform zu Sibylle.

Sibille *(w)* Nebenform zu Sibylle.

Sibo *(m)* Kurzform für mit Sieg- oder Sig- gebildete männliche Vornamen; Nebenformen: *Sibe, Siebo, Sebe.*

Sibrand *(m)* Nebenform zu Siegbrand.

Sibylla *(w)* Nebenform zu Sibylle.

Sibylle *(w)* griechisch: *dios bule* = Ratschluß des Zeus; Nebenformen: *Sibylla, Sibilla, Sibille, Sibylle, Cibilla;* Kurz- und Koseformen: *Bilka, Bilke, Billa, Bille, Billein, Billeili, Biel, Beleke, Bela, Bele, Beele, Bilgen, Bielgen, Beilgen, Beeltgen;* englische Formen: *Sibyl, Sybil;* Kurzform: *Sib.*

Siccard *(m)* französische Form von Sieghard.

Sida *(w)* Kurzform für Sidonie.

Sidney *(m)* angelsächsisch.

Persönlichkeit der Geschichte:

Sidney Bechet, 1897 bis 1959; afro-amerikanischer Jazzmusiker (Saxophon und Klarinette).

Sidonie *(w)* die weibliche Form zu Sidonius; Nebenform: *Sidonia;* Kurz- und Koseformen: *Sida, Sitta, Sidel;* französische Form: *Sidonie;* tschechisch: *Zdenka.*

Sidonius *(m)* von hebräisch: *sidon,* aus der Stadt Sidon in Phönizien stammend; tschechische Form: *Zdenko.*

Siebert *(m)* Nebenform zu Siegbert.

Siebo *(m)* Nebenform zu Sibo; Kurzform zu Siebold und Siegbald.

Siebold *(m)* Nebenform zu Siegbald.

Siegbald *(m)* althochdeutsch: *sigu* = Sieg; *bald* = kühn; Nebenformen: *Sigbald, Sigibald, Sebald, Sebold;* Kurzformen: *Sebe, Sebo, Sibo, Siebo.*

Siegbert *(m)* althochdeutsch: *sigu* = Sieg; *beraht* = glänzend; Nebenformen: *Siegbrecht, Siebert, Sigbert, Sigibert, Sigisbert, Seibert, Sebert;* Kurz- und Koseformen: *Siebe, Siebel, Seib, Seibel, Sitt, Sebe, Sibe, Seiz, Siegel, Sizzo, Seidel.*

Siegberta *(w)* die weibliche Form zu Siegbert.

Siegbod *(m)* althochdeutsch: *sigu* = Sieg; *bod, boto* = Bote, Gebieter.

Siegbold *(m)* Nebenform zu Siegbald.

Siegbrand *(m)* althochdeutsch: *sigu* = Sieg; *brand* = Feuer, Schwert.

Siegbrecht *(m)* Nebenform zu Siegbert.

Siegburg *(w)* althochdeutsch: *sigu* = Sieg; *burg* = Schutz, Zuflucht; Nebenform: *Siegburga.*

Siegburga *(w)* Nebenform zu Siegburg.

Siegel *(m)* Koseform für Siegbert und Siegmund.

Sieger *(m)* althochdeutsch: *sigu* = Sieg; *heri* = Heer.

Siegerich *(m)* althochdeutsch: *sigu* = Sieg; *rihhi* = reich, mächtig; Nebenform: *Siegrich;* niederdeutsche Koseform: *Sierk, Sirk, Sirke.*

Siegfried *(m)* althochdeutsch: *sigu* = Sieg; *fridu* = Friede; Nebenformen: *Seifert, Seufert, Sifrid, Seifried, Seifrid, Scheifart, Sievert;* nordisch: *Sigfrid;* Kurz- und Koseformen: *Seit, Seidel, Sizzo, Sigi, Siggi.*

Persönlichkeiten:

Siegfried Lenz, geboren 1926, deutscher Schriftsteller.

Siegfried Wagner, 1869 bis 1930, Komponist, Dirigent und Leiter der Bayreuther Festspiele, Sohn Richard Wagners.

Siegfriede *(w)* die weibliche Form zu Siegfried.

Sieghard *(m)* althochdeutsch: *sigu* = Sieg; *harti* = stark, kühn; Nebenformen: *Sieghart, Siegert;* friesische Fornem: *Siard, Sierd;* französisch: *Siccard.*

Sieghart *(m)* Nebenform zu Sieghard.

Siegheld *(m)* Neubildung aus Sieg und Held.

Sieghelm *(m)* althochdeutsch: *sigu* = Sieg; *helm* = Helm, Schutz.

Sieghild *(w)* althochdeutsch: *sigu* = Sieg; *hiltja* = Kampf; Nebenformen: *Sieghilde, Sighild.*

Sieglinde *(w)* althochdeutsch: *sigu* = Sieg; *linta* = Schild, oder: *lind* = mild; Nebenformen: *Siglinde, Sigelind.*

Siegmar *(m)* althochdeutsch: *sigu* = Sieg; *mari* = berühmt; Nebenformen: *Sigmar, Sigimar.*

Siegmona *(w)* aus italienisch: *Sigismonda* (Siegmunda).

Siegmund *(m)* althochdeutsch: *sigu* = Sieg; *munt* = Schutz, Schützer; ältere Form: *Sigismund;* Nebenformen: *Sigmund, Sigismund, Sigimund;* Koseformen: *Siesmund, Süßmund, Siegel, Mundi, Mündel, Mündelein;* englische Form: *Sigismund;* französisch: *Sigismond;* italienisch: *Sigismondo, Gismondo;* polnisch: *Zygmunt;* ungarisch: *Zsigmond.*

Siegmunda *(w)* die weibliche Form zu Siegmund; Nebenformen: *Siegmunde, Sigismunda, Sigismunde;* italienische Form: *Sigismonda, Gismonda.*

Siegmunde *(w)* Nebenform zu Siegmunda.

Siegolf *(m)* althochdeutsch: *sigu* = Sieg; *wolf* = Wolf; Nebenform: *Siegulf.*

Siegrad *(w)* althochdeutsch: *sigu* = Sieg; *rat* = Rat, Ratgeber.

Siegram *(m)* althochdeutsch: *sigu* = Sieg; *hraban* = Rabe.

Siegrich *(m)* Nebenform zu Siegerich.

Siegrid *(w)* Nebenform zu Sigrid.

Siegrun *(w)* althochdeutsch: *sigu* = Sieg; *runa* = Zauber, Geheimnis; Nebenformen: *Siegrune, Sigrun, Sigrune, Sirun.*

Siegrune *(w)* Nebenform zu Siegrun.

Siegtraud *(w)* althochdeutsch: *sigu* = Sieg; *trud* = Kraft; Nebenformen: *Siegtrud, Sigtrud.*

Siegtrud *(w)* Nebenform zu Siegtraud.

Siegulf *(m)* Nebenform zu Siegolf.

Siegwald *(m)* althochdeutsch: *sigu* = Sieg; *waltan* = walten, gebieten; ältere Form: *Sigiswald.*

Siegward *(m)* althochdeutsch: *sigu* = Sieg; *wart* = Hüter; Nebenformen: *Sigwart, Sigurd.*

Siegwin *(m)* altchodeutsch: *sigu* = Sieg; *wini* = Freund.

Sieke *(w)* niederdeutsch-friesische Kurzform für mit Sieg- oder Sig- gebildete weibliche Vornamen.

Seim *(m)* Kurz- und Koseform für Simon.

Siesmund *(m)* Koseform für Siegmund.

Sievert *(m)* Nebenform zu Siegfried; niederdeutsch-friesische Form von Siegward; Nebenformen: *Sievertje, Siewert.*

Sievertje *(m)* Nebenform zu Sievert.

Siewert *(m)* Nebenform zu Sievert.

Sifrid *(m)* Nebenform zu Siegfried.

Sigberg *(w)* althochdeutsch: *sigu* = Sieg; *bergan* = schützen.

Sigbert *(m)* Nebenform zu Siegbert.

Sigbod *(m)* Nebenform zu Siegbod.

Sigebald *(m)* Nebenform zu Siegbald.

Sigelind *(w)* Nebenform zu Sieglinde.

Sigewin *(m)* Nebenform zu Siegwin.

Sigfrid *(m)* nordische Form von Siegfried.

Sigga *(w)* nordische Koseform für Sigrid; Nebenform: *Siggan.*

Siggan *(w)* Nebenform zu Sigga.

Sigge *(m)* Nebenform zu Sigi.

Siggi *(m)* Nebenform zu Sigi.

Siggo *(m)* Nebenform zu Sigi.

Sighard *(m)* ältere Form von Sieghard.

Sigi *(m)* Kurz- und Koseform für mit Sieg- oder Sig- gebildete männliche Vornamen; Nebenformen: *Sigge, Siggi, Siggo, Sigo.*

Sigi *(w)* Kurz- und Koseform für mit Sieg- oder Sig- gebildete weibliche Vornamen; Nebenform: *Siggi.*

Sigibald *(m)* Nebenform zu Siegbald.

Sigibert *(m)* Nebenform zu Siegbert.

Sigimar *(m)* ältere Form von Siegmar.

Sigimund *(m)* Nebenform zu Siegmund.

Sigisbert *(m)* Nebenform zu Siegbert.

Sigismond *(m)* französische Form von Siegmund.

Sigismonda *(w)* italienische Form von Siegmunda.

Sigismund *(m)* Nebenform und englische Form für Siegmund.

Persönlichkeit der Geschichte:

Sigismund, gestorben 524; seit 516 König der Burgunder; ließ einen Sohn aus erster Ehe umbringen, wofür er Buße leistete; von den Franken besiegt, wurde er ertränkt.

Sigismunde *(w)* Nebenform zu Siegmunda.

Sigiswald *(m)* ältere Form von Siegwald.

Siglind *(w)* Nebenform zu Sieglinde.

Siglinde *(w)* Nebenform zu Sieglinde.

Sigmar *(m)* Nebenform zu Siegmar.

Sigmund *(m)* Nebenform zu Siegmund.

Persönlichkeit der Geschichte:

Sigmund Freud, 1856 bis 1939; österreichischer Neurologe, Nervenarzt und Psychologe; begründete mit J. Breuer die Psychoanalyse.

Signe *(w)* nordisch; von altnordisch: *sigr* = althochdeutsch: *sigu* = Sieg.

Sigo *(m)* Nebenform zu Sigi.

Sigrid *(w)* nordisch; altnordisch: *sigr* = Sieg; *fridhr* = schön; Nebenform: *Siegrid;* schwedische Formen: *Siri, Sirid;* finnisch: *Sirii, Sirin.*

Sigrun *(w)* Nebenform zu Siegrun.

Sigrune *(w)* Nebenform zu Siegrun.

Sigtrud *(w)* Nebenform zu Siegtraud.
Sigune *(w)* nordisch; von altisländisch: *sigr* = althochdeutsch: *sigu* = Sieg; *unn* = Welle; Kurzform für mit Sieg- *(sigu)* gebildete weibliche Vornamen.
Sigurd *(m)* nordische Form von Siegward.
Sigwart *(m)* Nebenform zu Siegward.
Silas *(m)* Kurzform für Silvanus.
Silesia *(w)* lateinisch: *Silesia* = Personifizierung von Schlesien.
Silesius *(m)* lateinisch: = Schlesier.
Persönlichkeit der Geschichte:
Silesius, Angelus Silesius, schlesischer Bote; eigentlich Johann Scheffler, 1624 bis 1677; schlesischer Mystiker (»Cherubinischer Wandersmann«).
Silja *(w)* niederdeutsche Koseform für Cäcilia und Gisela.
Silke *(w)* niederdeutsche Kurz- und Koseform für Cäcilia und Gisela; Nebenformen: *Silka, Sylke.*
Silko *(m)* niederdeutsch, friesisch und schwedisch; entspricht dem weiblichen Silke.
Silva *(w)* schwedische und tschechische Form von Silvie.
Silvain *(m)* französische Form von Silvanus.
Silvan *(m)* Nebenform zu Silvanus.
Silvana *(w)* die weibliche Form von Silvanus.
Silvano *(m)* italienische Form von Silvanus.
Silvanus *(m)* von lateinisch: *silva* = Wald; Nebenformen: *Silvan, Sylvanus;* Kurzform: *Silas;* französische Formen: *Silvain, Sylvain;* italienisch: *Silvano.*
Silvelin *(w)* Koseform für Silva und Silvia.
Silvester *(m)* von lateinisch: *silva* = Wald; Nebenform: *Sylvester;* Kurz- und Koseformen: *Vester, Fester;* französische Form: *Silvestre.*
Persönlichkeit der Geschichte:
Silvester, Römer; gestorben 335; wurde 314 Bischof (Papst) von Rom.
Silvestre *(m)* französische Form von Silvester.
Silvetta *(w)* Weiterbildung von Silvia; Nebenform: *Sylvetta;* französische Form: *Silvette.*
Silvette *(w)* französische Form von Silvetta.
Silvia *(w)* die weibliche Form zu Silvius; Nebenform: *Sylvia;* französische Formen: *Silvie, Sylvie;* schwedisch und finnisch: *Sylvi.*
Silvie *(w)* französische Form von Silvia.
Silvina *(w)* Weiterbildung von Silvia; Nebenform: *Sylvina.*
Silvio *(m)* italienische Form von Silvius.
Silvius *(m)* von lateinisch: *silva* = Wald; italienische Form: *Silvio.*
Simbert *(m)* Nebenform zu Sindbert.
Simeon *(m)* Nebenform zu Simon.
Similde *(w)* erster Teil fraglich; althochdeutsch: *hiltja* = Kampf.
Simon *(m)* hebräisch: *schimon* = Erhörung; Nebenformen: *Simeon, Symeon;* Kurz- und Koseformen: *Siem, Sima, Syma;* bayerisch: *Simmerl;* englisch: *Simon;* Kurzform: *Sim;* französisch: *Simon, Siméon;* italienisch: *Simone;* russisch: *Semjon, Senka.*
Simón *(m)* spanische Form von Simon.
Persönlichkeit der Geschichte:
Simón Bolivar, 1783 bis 1830; südamerikanischer Befreier von Venezuela, Kolumbien und anderer Länder von der spanischen Herrschaft.
Simona *(w)* Nebenform zu Simone.
Simone *(w)* die weibliche Form zu Simon; Nebenform: *Simona; Simone* auch die französische und italienische Form.
Simonetta *(w)* Weiterbildung von Simone; französische Form: *Simonette.*

Simonette *(w)* französische Form von Simonetta.

Simplicianus *(m)* Weiterbildung von Simplicius; Nebenform: *Simplizianus.*

Simplicius *(m)* von lateinisch: *simplex* = einfach, schlicht, einfältig; Nebenform: *Simplizius.*

Simplizianus *(m)* Nebenform zu Simplicianus.

Simplizius *(m)* Nebenform zu Simplicius.

Simson *(m)* hebräisch: *schim'schon* = kleine Sonne; Nebenform: *Samson;* griechische Form: *Sampson;* englisch: *Sampson;* italienisch: *Sansone;* spanisch: *Sansón.*

Sina *(w)* Kurzform für auf -sina endende weibliche Vornamen; auch hebräisch: = Zier; englische Form: *Sinah.*

Sinah *(w)* englische Form von Sina.

Sindbald *(m)* Nebenform zu Sintbald.

Sindbert *(m)* althochdeutsch: *sind* = Weg, Richtung; *beraht* = glänzend; Nebenformen: *Sintbert, Simbert.*

Sindolf *(m)* althochdeutsch: *sind* = Weg, Richtung; *wolf* = Wolf; Nebenform: *Sindulf.*

Sindulf *(m)* Nebenform zu Sindolf.

Sine *(w)* Koseform für Euphrosyne.

Sinikka *(w)* finnisch; von russisch: *sinij* = blau.

Sinja *(w)* Kurzform für Euphrosyne und Gesine; Nebenform: *Sinje.*

Sinje *(w)* Nebenform zu Sinja.

Sintbald *(m)* althochdeutsch: *sind* = Weg, Richtung; *bald* = kühn; Nebenform: *Sindbald.*

Sintbert *(m)* Nebenform zu Sindbert.

Sintram *(m)* althochdeutsch: *sind* = Weg, Richtung; *hraban* = Rabe.

Sira *(w)* Kurzform für Sirena.

Sirach *(m)* hebräisch: = Pfeifer; ökumenische Form.

Sirena *(w)* italienisch; von griechisch: *seiren;* lateinisch: *Sirena* = Sirene.

Sireno *(m)* ältere italienische männliche Form zu Sirena; Kurzform: *Siro.*

Siri *(w)* schwedische Form von Sigrid; Nebenform: *Sirid.*

Sirid *(w)* Nebenform zu Siri (Sigrid).

Sirii *(w)* finnische Form von Sigrid; Nebenform: *Sirin.*

Sirimavo *(w)* srilankisch.

Sirin *(w)* finnische Nebenform zu Sirii (Sigrid).

Sirk *(m)* niederdeutsche Koseform für Siegerich; Nebenformen: *Sirke, Sierk.*

Sirke *(m)* Nebenform zu Sirk (Siegerich).

Sirkka *(w)* finnisch: Sproß (?); Nebenform: *Sirka.*

Siro *(m)* italienische Kurzform für Sireno.

Sirun *(w)* Nebenform zu Siegrun.

Siska *(w)* schwedische Kurzform für Franziska.

Sissa *(w)* schwedische Kurz- und Koseform für Cäcilia und Elisabeth; Nebenformen: *Sissan, Sissi.*

Sissan *(w)* Nebenform zu Sissa.

Sissi *(w)* Kurz- und Koseform, auch schwedische, für Cäcilia und Elisabeth.

Sissy *(w)* Koseform für Elisabeth; englisch auch für Cecily (Cäcilia).

Sisto *(m)* italienische Form von Sixtus.

Sita *(w)* Koseform für Zita; italienische Nebenform zu Zita; Nebenformen: *Sitta, Sittah.*

Sitta *(w)* Kurz- und Koseform für Sidonie; auch Nebenform zu Sita (Zita).

Sittah *(w)* Nebenform zu Sita (Zita).

Siv *(w)* Nebenform zu Siw.

Siverd *(m)* friesische Form von Siegward; Nebenformen: *Sivert, Siwert.*

Sivert *(m)* Nebenform zu Siverd (Siegward).

Siw *(w)* nordisch: *siw* = Verwandte, Braut, Gattin.

Siwert *(m)* Nebenform zu Siverd (Siegward).

Sixt *(m)* Kurzform für Sixtus.

Sixta *(w)* die weibliche Form zu Sixtus.

Sixte *(m)* französische Form von Sixtus.

Sixtina *(w)* Weiterbildung von Sixta.

Sixtus *(m)* lateinisch; von griechisch: *xystos* = glatt; mit Einfluß von Sextus; Kurzform: *(w)* Sixt; französische Formen: *Sixte, Xiste;* italienisch: *Sisto.*

Sizzo *(m)* Koseform für Siegbert und Siegfried.

Sjard *(m)* Nebenform zu Siard.

Slava *(m)* slawische Kurzform für mit *slawa* (= Ruhm) gebildete männliche Vornamen; Nebenform: *Slavko.*

Slavka *(w)* slawische Kurzform für mit *slawa* (= Ruhm) gebildete weibliche Vornamen.

Slavko *(m)* Nebenform zu Slava.

Slawomir *(m)* polnisch; slawisch: *slawa* = Ruhm; *mir* = Friede.

Sobek *(m)* polnische Form von Sebastian.

Söff *(w)* Koseform für Sophie.

Soffi *(w)* Koseform für Sophie.

Sofia *(w)* Nebenform zu Sophia (Sophie).

Sofie *(w)* Nebenform zu Sophie.

Sofus *(m)* Nebenform zu Sophus.

Sokrates *(m)* griechisch: *kratos* = Kraft, Stärke.

Persönlichkeit der Geschichte:

Sokrates, um 470 bis 399 v. Chr.; griechischer Philosoph; begründete die klassische Epoche der griechischen Philosophie; Lehrer Platons; wurde hingerichtet.

Sola *(m)* angelsächsisch; Nebenform: *Sualo.*

Solange *(w)* französisch; von lateinisch: *solemnis* = feierlich, festlich.

Soliman *(m)* türkische Form von Salomo.

Solomon *(m)* englische Form von Salomo.

Persönlichkeit der Geschichte:

Solomon R. Guggenheim, 1861 bis 1949; amerikanischer Mäzen. Gründete international bedeutende Gemäldesammlung.

Solveig *(w)* norwegisch; von altnordisch: *salr* = Haus, Saal; *vig* = Kampf; ältere Nebenform: *Solvig.*

Solvig *(w)* ältere Nebenform zu Solveig.

Söncke *(m)* Nebenform zu Sönke.

Sondra *(w)* amerikanisch; Herkunft und Bedeutung fraglich.

Sonja *(w)* russische Form von Sophie; Nebenform: *Sonia.*

Sönke *(m)* niederdeutsch-friesisch: = Söhnchen; auch Kurzform für mit Sun- (= *swan)* gebildete männliche Vornamen; Nebenformen: *Söncke, Sönnich, Süncke, Suno.*

Sonnele *(w)* Koseform für mit Sonn- gebildete weibliche Vornamen.

Sonnfried *(m)* Neubildung aus Sonne; althochdeutsch: *fridu* = Friede.

Sonngard *(w)* Neubildung aus Sonne; althochdeutsch: *gard* = Zaun, Schutz.

Sonnhild *(w)* Neubildung aus Sonne; althochdeutsch: *hiltja* = Kampf.

Sönnich *(m)* Nebenform zu Sönke.

Sonntraud *(w)* Neubildung aus Sonne; althochdeutsch: *trud* = Kraft.

Sontje *(w)* friesische Kurzform für mit Sun- gebildete weibliche Vornamen.

Sopherl *(w)* Koseform für Sophie.

Sophia *(w)* griechische Form von Sophie; Kurzform: *Phia.*

Persönlichkeit:

Sophia Loren, geboren 1934; italienische Filmschauspielerin; Charakterdarstellerin.

Sophie *(w)* griechisch: *sophia* = Weisheit; Nebenformen: *Sophia, Sofie, Sofia;* Kurz- und Koseformen: *Soffi, Söff, Süff, Sopherl, Fei, Fey, Fia, Fie, Fi, Fijgin, Feige, Feigin, Fieke, Fiekchen, Fike, Fiken, Fige, Phie, Vike, Viki, Vikli, Zoffi, Zuff, Züff;* englische Form: *Sophy;* polnisch: *Zofia;* russisch: *Sonja.*
Persönlichkeit der Geschichte:
Sophie Scholl, 1921 bis 1943; antifaschistische Studentin der Münchener Gruppe »Weiße Rose«; mit ihrem Bruder Hans vom Volksgerichtshof zum Tod verurteilt und hingerichtet.

Sophokles *(m)* griechisch: *sophos* = weise; *kleos* = Ruhm.
Persönlichkeit der Geschichte:
Sophokles, 496 bis 406 v. Chr.; altgriechischer Schriftsteller; einer der drei großen Tragödiendichter der Antike.

Sophus *(m)* lateinisch; von griechisch: *sophos* = weise; Nebenform: *Sofus.*

Sophy *(w)* englische Form von Sophie.

Soraya *(w)* persisch; von sanskritisch: *su* = gut; indogermanisch: *raga* = Fürst.

Sören *(m)* nordische und niederdeutsche Form von Severin.

Soren *(m)* skandinavische Form von Severin.

Sorka *(w)* slawische Koseform für Seraphine.

Soroka *(w)* slawische Koseform für Seraphine.

Spencer *(m)* amerikanisch.
Persönlichkeit der Geschichte:
Spencer Tracy, 1900 bis 1967; amerikanischer Filmschauspieler; Charakterdarsteller.

Stach *(m)* Kurzform für Eustachius.

Stachel *(m)* Kurzform für Eustachius.

Staches *(m)* Kurzform für Eustachius.

Stäches *(m)* Kurzform für Eustachius.

Stachi *(m)* Kurzform für Eustachius.

Stachus *(m)* Kurz- und Koseform für Eustachius.

Stan *(m)* englische Kurzform für Stanley; auch Kurz- und Koseform für Stanislaus.

Stana *(w)* slawische Kurzform für Stanislawa (Stanislaus).

Stanek *(m)* Kurz- und Koseform für Stanislaus.

Stanel *(m)* Kurz- und Koseform für Stanislaus.

Stanerl *(m)* Koseform für Stanislaus.

Stanes *(m)* Koseform für Stanislaus.

Stani *(m)* Kurz- und Koseform für Stanislaus.

Staning *(m)* Koseform für Stanislaus.

Stanisl *(m)* Kurz- und Koseform für Stanislaus.

Stanislao *(m)* italienische Form von Stanislaus.

Stanislas *(m)* französische Form von Stanislaus.

Stanislaus *(m)* slawisch: *stan* = Lager; *slawa* = berühmt; Kurz- und Koseformen: *Stan, Stanek, Stanel, Stanerl, Stanes, Stani, Staning, Stanisl, Stanzel, Stanzig, Stas, Stasch;* schlesisch: *Stenz, Stenzel;* französische Form: *Stanislas;* italienisch: *Stanislao;* slawisch: *Stanislaw;* polnisch: *Stanisław.*

Stanislava *(w)* Nebenform zu Stanislawa.

Stanislaw *(m)* slawische Form von Stanislaus.

Stanisław *(m)* polnische Form von Stanislaus.

Stanislawa *(w)* die weibliche Form zu Stanislaw (Stanislaus); Nebenform: *Stanislava.*

Stanko *(m)* serbokroatische Form von Konstantin.

Stanley *(m)* englisch; ursprünglich Familienname nach Ortsbezeichnung.

Stanze *(w)* Kurz- und Koseform für Konstanze.

Stanzerl *(w)* Koseform für Konstanze.

Stanzi *(w)* Koseform für Konstanze.

Stanzig *(m)* Koseform für Stanislaus.

Stas *(m)* Koseform für Stanislaus.

Stasch *(m)* Koseform für Stanislaus.

Stase *(m)* Kurzform für Anastas(ius).

Stase *(w)* Kurzform für Anastasia.

Stasi *(m)* Kurzform für Anastas(ius).

Stasi *(w)* Kurzform für Anastasia.

Stasia *(w)* Kurzform für Anastasia.

Statius *(m)* Kurzform für Eustathius.

Statz *(m)* Kurz- und Koseform für Eustathius.

Steen *(m)* dänische Form für schwedisch-norwegisch Sten.

Stefan *(m)* Nebenform zu Stephan; auch slawische Form.

Persönlichkeiten der Geschichte:

Stefan George, 1868 bis 1933, deutscher Dichter.

Stefan Heym, geboren 1913; deutscher sozialkritischer und politisch-tendenziöser Schriftsteller.

Stefan Lochner, 1410 bis 1441, deutscher Maler.

Stefan Zweig, 1881 bis 1942; österreichischer Schriftsteller von durch Symbolismus, Impressionismus und Psychoanalyse beeinflußten Dramen, Romanen, Dichtungen und Biographien; auch Übersetzer.

Stefana *(w)* Nebenform zu Stephanie (Stephan).

Stefania *(w)* Nebenform zu Stephanie (Stephan).

Stefanida *(m)* russische Form von Stephanie (Stephan).

Stefanie *(w)* Nebenform zu Stephanie (Stephan).

Steff *(m)* Kurz- und Koseform für Stephan.

Steffen *(m)* niederdeutsche Form von Stefan (Stephan).

Stefferl *(m)* Koseform für Stephan.

Stefferl *(w)* Koseform für Stephanie (Stephan).

Steffi *(m)* Kurz- und Koseform für Stephan.

Steffi *(w)* Kurz- und Koseform für Stephanie (Stephan).

Steinhard *(m)* althochdeutsch: Stein; *harti* = hart, stark; Nebenform: *Steinhart.*

Steinhart *(m)* Nebenform zu Steinhard.

Steinmar *(m)* althochdeutsch: Stein; *mari* = berühmt.

Stella *(w)* lateinisch: *stella* = Stern; Koseform für Estella.

Sten *(m)* schwedisch und norwegisch: = Stein, dänische Form: *Steen;* Kurzform für mit Sten- oder -sten gebildete männliche Vornamen.

Stenka *(m)* slawische Form von Stephan.

Stenz *(m)* schlesische Kurzform für Stanislaus; Nebenform: *Stenzel.*

Stenzel *(m)* Nebenform zu Stenz.

Stepan *(m)* slawische Form von Stephan.

Stephan *(m)* von griechisch: *stephanos* = Kranz, Krone; Nebenformen: *Stephen, Stefan, Steffen;* Kurz- und Koseformen: *Steff, Steffel, Stefferl, Steffi;* lateinische Form: *Stephanus;* niederländisch: *Steven;* englisch: *Stephen, Steven, Steve;* französisch: *Stéphane, Étienne;* spanisch: *Esteban, Estevan;* slawisch: *Stefan, Stepan, Stenka, Stepka, Stepko, Sczepan;* ungarisch: *István.*

Stéphane *(m)* französische Form von Stephan.

Stephania *(w)* Nebenform zu Stephanie (Stephan).

Stephanie *(w)* die weibliche Form zu Stephan; Nebenformen: *Stephania,*

Stefanie, Stefania, Stefana; Kurz- und Koseformen: *Stefferl, Steffi, Fanni, Fannie, Fanny;* französische Formen: *Stéphanie, Étiennette, Tienette;* russisch: *Stefanida.*

Stephanus *(m)* griechisch-lateinisch.

Persönlichkeit der Geschichte:

Stephanus, nach dem Neuen Testament Archidiakon; er ist der erste christliche Märtyrer.

Steve *(m)* englische Kurzform für Stephan.

Steven *(m)* niederländische, auch englische Form von Stephan.

Stijn *(m)* niederländische Form von Justin.

Stillfriede *(w)* die weibliche Form zu Stillfried; Nebenform: *Stillfrieda;* Kurzform: *Stilla.*

Stina *(w)* Nebenform zu Stine.

Stine *(w)* friesisch-niederdeutsche Kurz- und Koseform für Christiane, Ernestine, Justina und andere auf -stine endende weibliche Vornamen; Nebenformen: *Stina, Stintje.*

Stintje *(w)* Nebenform zu Stine.

Stoffel *(m)* Kurz- und Koseform für Christoph.

Stoffer *(m)* Kurz- und Koseform für Christoph.

Storm *(m)* niederdeutsch-niederländische Form von Sturmi.

Stuart *(m)* englisch; ursprünglich Geschlechtername der schottischen Könige.

Sturmi *(m)* althochdeutsch: *sturm* = Sturm; niederdeutsch-niederländisch: *Storm;* lateinisch: *Sturmius.*

Suleika *(w)* arabisch: = Verführerin; Nebenform: *Zuleika.*

Suleima *(w)* arabische Form von Salome (Salomo).

Suleiman *(m)* türkische Form von Salomo.

Persönlichkeit der Geschichte:

Suleiman II. der Große, 1496 bis 1566; seit 1520 Sultan der Osmanen; gewann Ungarn, Belgrad und Rhodos; belagerte Wien 1529 erfolglos.

Sulpicia *(w)* lateinische Form von Sulpizie (Sulpiz).

Sulpicius *(m)* lateinische Form von Sulpiz.

Sultana *(w)* rumänisch; vom türkischen Titel Sultan.

Suna *(w)* schwedische Nebenform zu Sunna.

Süncke *(m)* friesische Nebenform zu Sönke.

Suntje *(w)* niederdeutsch-friesische Kurzform für mit Sun- gebildete weibliche Vornamen; Nebenform: *Suntke.*

Suntke *(w)* Nebenform zu Suntje.

Susa *(w)* Kurz- und Koseform für Susanne; auch italienische Form.

Susan *(w)* englische Form von Susanne.

Susanka *(w)* slawische Koseform für Susanne.

Susann *(w)* Kurzform für Susanne.

Susanna *(w)* Nebenform zu Susanne; auch englische und italienische Form.

Persönlichkeit der Geschichte:

Susanna, der Legende nach eine römische Märtyrerin aus der Zeit vor Kaiser Konstantin.

Susanne *(w)* hebräisch: *schuschana* = Lilie; Nebenform: *Susanna;* Kurz- und Koseformen: *Susa, Susann, Suse, Susel, Susen, Susi, Sanna, Sannchen, Sanne, Sannerl, Sanni, Sanny, Zosel, Zusi, Zusel;* englische Formen: *Susanna, Susan, Sucky, Sue;* französisch: *Suzanne, Suzette, Susette;* italienisch: *Susa, Susanna, Susetta;* schwedische Koseform: *Susen;* slawisch: *Susanka;* russisch: *Schura;* ungarisch: *Zsuzsi.*

Suse *(w)* Kurzform für Susanne.

Susel *(w)* Koseform für Susanne.

Susen *(w)* Kurz- und Koseform für Susanne; auch schwedisch.

Susi *(w)* Kurz- und Koseform für Susanne.

Süßmund *(m)* Koseform für Siegmund.

Suzanne *(w)* französische Form von Susanne.

Suzette *(w)* französische Koseform für Suzanne (Susanne).

Sven *(m)* schwedisch: *sven* = Jüngling, junger Krieger; Nebenform: *Swen;* dänische Form: *Svend.*

Persönlichkeit der Geschichte:

Sven Hedin, 1865 bis 1952; schwedischer Forschungsreisender und Reiseschriftsteller; erforschte Innerasien, vorwiegend Tibet.

Swanhild *(w)* Nebenform zu Schwanhilde.

Swanhilde *(w)* Nebenform zu Schwanhilde.

Swante *(w)* Nebenform zu Svante.

Swantje *(w)* Nebenform zu Swaantje.

Swantus *(m)* latinisierte Form von Svante.

Swen *(m)* Nebenform zu Sven.

Swetlana *(w)* russisch; von *swetly* = hell; Nebenform: *Svetlana.*

Swidbert *(m)* Nebenform zu Swindbert.

Swidgard *(w)* althochdeutsch: *swind* = stark; *gard* = Zaun, Schutz.

Swidger *(m)* Nebenform zu Swindger.

Swindbert *(m)* althochdeutsch: *swind* = stark; *beraht* = glänzend; Nebenformen: *Swidbert, Suitbert.*

Swinde *(w)* Kurzform für mit *swind* (= stark) gebildete weibliche Vornamen.

Swindger *(m)* althochdeutsch: *swind* = stark; *ger* = Speer; Nebenformen: *Swidger, Suitger.*

Swjatoslaw *(m)* russisch.

Sybil *(w)* englische Form für Sibylle.

Sybille *(w)* Nebenform zu Sibylle.

Sylke *(w)* Nebenform zu Silke.

Sylvain *(m)* französische Form von Silvanus.

Sylvaine *(w)* die weibliche Form zu Sylvain.

Symphorianus *(m)* lateinische Form von Symphorian.

Sylvanus *(m)* Nebenform zu Silvanus.

Sylvester *(m)* Nebenform zu Silvester.

Sylvetta *(w)* Nebenform zu Silvetta.

Sylvette *(w)* französische Nebenform zu Silvette (Silvetta).

Sylvi *(w)* schwedische und finnische Nebenform zu Silvia.

Sylvia *(w)* Nebenform zu Silvia.

Sylviane *(w)* Weiterbildung von Sylvia (Silvia).

Sylvianne *(w)* Weiterbildung von Sylvia (Silvia).

Sylvie *(w)* englische Form von Silvia.

Sylvina *(w)* Nebenform zu Silvina.

Symeon *(m)* Nebenform zu Simon.

Symphorian *(m)* von griechisch: *symphoros* = förderlich, passend; lateinische Form: *Symphorianus.*

T

Tacitus *(m)* lateinisch: *tacere* = schweigen.
Persönlichkeit der Geschichte:
Tacitus, etwa 55 bis 120; römischer Historiker; schrieb unter anderem die »Germania« über die Germanen.

Taddäus *(m)* ökumenische Form von Thaddäus.

Tade *(m)* friesische Kurzform für mit Diet- oder Thed- gebildete männliche Vornamen; Nebenformen: *Taeike, Taetse, Take;* auch Kurzform für Thaddäus.

Taffy *(w)* englische Koseform für David.

Tage *(m)* dänisch: = Bürge, Gewährsmann.

Tagino *(m)* Weiterbildung von Tage und Nebenform zu Dagino.

Taiga *(m)* russische Koseform; auch Neubildung nach altfriesischer Koseform *Teike.*

Taiga *(w)* russische Koseform.

Taeike *(m)* Nebenform zu Tade.

Take *(m)* Nebenform zu Tade.

Tale *(w)* niederdeutsch-friesische Kurz- und Koseform für Adelheid; Nebenformen: *Talea, Taleja, Taleke, Taletta.*

Taletta *(w)* Nebenform zu Tale.

Talida *(w)* friesische Kurzform für mit Diet- beginnende weibliche Vornamen; auch Koseform für Adelheid.

Talika *(w)* niederdeutsch-friesische Koseform für Adelheid; Nebenformen: *Talka, Talke.*

Talitha *(w)* hebräisch: *talitha* = Mädchen.

Talka *(w)* Nebenform zu Talika.

Talke *(w)* Nebenform zu Talika.

Tam *(m)* Koseform für Thomas.

Tamar *(w)* hebräisch: *tamar* = Dattelpalme; ist ökumenische Form; Nebenformen: *Tamara, Thamar;* russische Koseform: *Toma.*

Tamara *(w)* Nebenform zu Tamar.

Tamás *(m)* ungarische Form von Thomas.

Tamila *(w)* russisch: *tomiti* = peinigen.

Tamina *(w)* die weibliche Form zu Tamino.

Tamino *(m)* von griechisch: *tamias* = Verwalter, Herrscher.

Tammie *(m)* Koseform für Thomas.

Tammo *(m)* niederdeutsch-friesische Koseform für Dankmar; Nebenformen: *Tamme, Tammy, Tanko;* auch Koseform für Thomas.

Tammy *(m)* Nebenform zu Tammo.

Tancredo *(m)* italienische Form von Tankred.

Tania *(w)* romanisierte Nebenform zu Tanja.

Tanja *(w)* russische Kurzform für Tatjana.

Tanjura *(w)* russische Koseform für Tatjana.

Tanko *(m)* Nebenform zu Tammo; allgemein oberdeutsche Kurzform für mit Dank- (= Denken) gebildete männliche Vornamen.

Tankred *(m)* Nebenform zu Dankrad; italienische Form: *Tancredo.*

Tarek *(m)* arabisch; Bedeutung fraglich; Nebenform: *Tarik.*

Tarik *(m)* Nebenform zu Tarek.

Tarsitius *(m)* lateinisch; Bedeutung fraglich.

Tasja *(w)* russische Kurzform für Anastasia; Nebenform: *Tussja.*

Tassilo *(m)* Weiterbildung von Tasso; Nebenform: *Thassilo.*
Persönlichkeit der Geschichte:
Tassilo III., 8. Jahrhundert; Herzog von Bayern; Vasall Pippins; gewann Norital und Vintschgau; eroberte Kärnten von den Awaren zurück; Karl der Große verurteilte ihn 763 zum Tod, begnadigte ihn zu Klosterhaft in Jumiéges; seit 794 in Lorsch.

Tassja *(w)* Nebenform zu Tasja.
Tasso *(m)* altdeutsch; Bedeutung fraglich; italienische Form: *Tasso.*
Tatiana *(w)* Nebenform zu Tatjana.
Tatianus *(m)* Weiterbildung von Tatius.
Tatius *(m)* lateinisch; von griechisch: *tata* = Väterchen; wohl nach einem Sabinerkönig namens Tatius.
Tatjana *(w)* russisch; Nebenform: *Tatiana;* Kurz- und Koseformen: *Tanja, Tanjura, Tania.*
Taetse *(m)* Nebenform zu Tade.
Taylor *(m)* englisch.
Tebbo *(m)* friesische Kurzform für mit Diet- gebildete männliche Vornamen; auch für Theodebert.
Tebes *(m)* Koseform für Matthias.
Ted *(m)* Nebenform zu Teddy.
Teddy *(m)* englische Koseform für Edward (Eduard) und Theodore (Theodor); Nebenform: *Ted.*
Tede *(m)* friesische Kurzform für mit Diet- oder Thed- gebildete männliche Vornamen; Nebenform: *Thede.*
Tede *(w)* friesische Kurzform für mit Diet- oder Thed- gebildete weibliche Vornamen; Nebenform: *Thed.*
Tedje *(m)* niederdeutsche Koseform für Theodor.
Teetje *(m)* friesische Kurzform für mit Diet- gebildete männliche Vornamen; auch von Theodor; Nebenformen: *Tetje, Thetje, Tietje.*
Teilhard *(m)* französisch; Bedeutung fraglich.
Persönlichkeit der Geschichte:
Teilhard de Chardin, 1881 bis 1955; Jesuit; französischer Geologe, Paläontologe, Philosoph und Anthropologe.
Teiwes *(m)* Koseform für Matthias.
Telje *(w)* niederdeutsche Koseform für Mathilde; Nebenform: *Teljesche.*
Teljesche *(w)* Nebenform zu Telje.
Tell *(m)* nach dem schweizerischen Freiheitshelden Wilhelm Tell.
Telsa *(w)* niederdeutsch-friesische Kurzform für Elisabeth; Nebenform: *Telse.*
Telse *(w)* Nebenform zu Telsa.
Temke *(w)* Nebenform zu Themke.
Temmo *(m)* friesische Kurzform für mit Diet- gebildete männliche Vornamen.
Tennessee *(m)* englisch-amerikanisch.
Persönlichkeit der Geschichte:
Tennessee Williams, 1911 bis 1983; amerikanischer sozialkritischer Schriftsteller.
Tenz *(w)* Koseform für Kreszentia.
Teo *(m)* Nebenform zu Theo.
Teodolius *(m)* Nebenform zu Theodolius.
Teodoro *(m)* italienische Form von Theodor.
Teresa *(w)* italienische, spanische und englische Form von Therese.
Persönlichkeit:
Teresa, geboren 1910; als »Mutter Teresa« katholische albanische Ordensfrau; wirkt seit 1946 in den Slums von Kalkutta.
Terézie *(w)* ungarische Form von Therese.
Terka *(w)* ungarische Koseform für Therese.
Ternes *(m)* Kurzform für Maternus.
Terpsichore *(w)* griechisch: *terpsis* = Freude, Glück; *choros* = Reigen, Muse des Tanzes.
Terry *(w)* amerikanische Kurzform für Teresa (Therese).
Tertia *(w)* lateinisch: *tertia* = die dritte; Nebenform: *Terzia.*
Tertullian *(m)* lateinisch: *Tertullianus.*
Tertullianus *(m)* lateinische Form von Tertullian.
Terzia *(w)* Nebenform zu Tertia.
Tess *(w)* Nebenform zu Tessa.
Tessa *(w)* englische Kurzform für Teresa (Therese); Nebenformen: *Tess, Tessy.*

Tessy *(w)* Nebenform zu Tessa.

Tethard *(m)* Nebenform zu Diethard.

Teudelinde *(w)* Nebenform zu Dietlind; auch *Theudelinde.*

Teunis *(m)* niederländische Form für Anton.

Teus *(m)* Koseform für Matthias.

Teutobald *(m)* Nebenform zu Dietbald.

Teutobert *(m)* Nebenform zu Dietbert.

Teutobod *(m)* Nebenform zu Dietbod.

Teutomar *(m)* Nebenform zu Dietmar.

Teutwart *(m)* Nebenform zu Dietward.

Teves *(m)* Koseform für Matthäus (Matthias); Nebenformen: *Tewes, Tews.*

Tewes *(m)* Nebenform zu Teves.

Tews *(m)* Nebenform zu Teves.

Thaddäa *(w)* weibliche Form zu Thaddäus; französische Form: *Thaddée.*

Thaddädl *(m)* bayerische Koseform für Thaddäus.

Thaddäus *(m)* aramäisch: *tadda* = beherzt; Kurzformen: *Tade, Thade, Thadi;* bayerische Koseform: *Thaddädl.*

Thaddée *(w)* französische Form von Thaddäa (Thaddäus).

Thade *(m)* Kurzform für Thaddäus.

Thadi *(m)* Kurzform für Thaddäus.

Thaisen *(m)* friesische Kurzform für Matthias.

Thankmar *(m)* Nebenform zu Dankmar.

Thassilo *(m)* Nebenform zu Tassilo.

Thea *(w)* Kurzform für Dorothea, Theodora und Therese; Nebenform: *Tea.*

Theamaria *(w)* Doppelname aus Thea und Maria.

Thécle *(w)* französische Form von Thekla.

Thed *(m)* und *(w)* Nebenform zu Tede; Koseform für Theodor.

Theda *(w)* niederdeutsche Kurzform für Adelheid, Dorothea, Theodora und Therese sowie für mit Diet- gebildete weibliche Vornamen.

Theida *(w)* friesische Koseform für Adelheit; Nebenform: *Theite.*

Theis *(m)* Kurzform für Matthias.

Theiß *(m)* Kurzform für Matthias.

Theite *(w)* Nebenform zu Theida.

Thekla *(w)* die weibliche Form zu Theokles; friesische Kurzform für mit Theod- gebildete weibliche Vornamen; französische Form: *Thécle.*

Themke *(w)* friesische Kurzform für mit Diet- oder Dank- (= Denken) gebildete weibliche Vornamen; Nebenform: *Temke.*

Theo *(m)* Kurzform für mit Theo- gebildete männliche Vornamen; Nebenform: *Teo.*

Persönlichkeit der Geschichte:

Theo Lingen, 1903 bis 1978; deutsch-österreichischer Schauspieler der Bühne und des Films; Charakterkomiker.

Theobald *(m)* Nebenform zu Dietbald; ältere Formen: *Theodebald, Theudebald, Theubald, Teutobald, Theowald, Thewald;* Kurz- und Koseformen: *Theo, Tibold, Tippelt, Wolt, Wold;* französische Form: *Thibaut;* niederdeutsch: *Deewald;* niederländisch: *Tibout;* englisch: *Theobald.*

Theobert *(m)* Nebenform zu Theodebert (Dietbert).

Theobul *(m)* griechisch: *theos* = Gott; *bule* = Rat.

Theoda *(w)* Kurzform für mit Theo- gebildete weibliche Vornamen.

Theodard *(m)* Nebenform zu Diethard.

Theodebald *(m)* ältere Nebenform zu Dietbald.

Theodebert *(m)* Nebenform zu Dietbert; auch: *Theobert;* friesische Kurzform: *Tebbo.*

Theodelind *(w)* Nebenform zu Dietlind.

Theodelinde *(w)* Nebenform zu Dietlind.

Theodemar *(m)* Nebenform zu Dietmar.

Theoderich *(m)* Nebenform zu Dietrich; Kurzformen: *Theo, Theodo, Thiele, Thilo, Till.*

Persönlichkeit der Geschichte:

Theoderich II., der Große, um 454 bis 526; Gotenkönig; eroberte die Herrschaft über Italien; der Dietrich von Bern der germanischen Sage.

Theodewart *(m)* Nebenform zu Dietward.

Theodfried *(m)* Nebenform zu Dietfried.

Theodo *(m)* Kurzform für Theoderich.

Theodolf *(m)* Nebenform zu Dietwolf.

Theodolinde *(w)* Nebenform zu Dietlind.

Theodolius *(m)* lateinisch; aus griechisch: *Theodulos (theos* = Gott; *dulos* = Knecht); Nebenform: *Teodolius.*

Theodor *(m)* griechisch: *theos* = Gott; *doron* = Geschenk, Gabe; Kurz- und Koseformen: *Theo, Thederl;* niederdeutsch: *Tedje, Thed, Thetje; Dorus, Dores, Döres, Dures;* lateinische Form: *Theodorus;* niederländisch: *Dorus;* englisch: *Theodore;* Koseform: *Tid;* französisch: *Théodore;* italienisch: *Teodoro;* russisch: *Fjodor, Feodor, Fedor;* ungarisch: *Tivadar.*

Persönlichkeiten der Geschichte:

Theodor W. Adorno, 1903 bis 1969; deutscher Philosoph der Kritischen Theorie, Soziologe, Musiktheoretiker und Komponist.

Theodor Fontane, 1819 bis 1898; deutscher realistisch-kritischer Schriftsteller und Journalist; Theaterkritiker.

Theodor Heuss, 1884 bis 1963; deutscher freidemokratischer Politiker; 1949 bis 1959 der erste Bundespräsident der Bundesrepublik Deutschland.

Theodor Körner, 1791 bis 1813, deutscher Dichter des Freiheitskampfes.

Theodor Körner, Edler von Siegringen, 1873 bis 1957; österreichischer General und Politiker; 1951 bis 1957 Bundespräsident von Österreich.

Theodor Mommsen, 1817 bis 1903, deutscher Historiker.

Theodor Storm, 1817 bis 1888; deutscher Schriftsteller, spätromantischer Lyriker und realistischer Novellist.

Theodor H. van de Velde, 1873 bis 1937; niederländischer Gynäkologe und Sexualforscher.

Theodora *(w)* die weibliche Form zu Theodor; Nebenform: *Theodore;* Kurz- und Koseformen: *Thea, Dora, Dore, Doris, Dorle, Dorli, Tedi, Teddy, Dedi;* englische Form: *Theodora;* französisch: *Théodora;* russisch: *Fjodora, Feodora, Fedora.*

Théodora *(w)* französische Form von Theodora.

Theodore *(m)* englische Form von Theodor.

Persönlichkeit der Geschichte:

Theodore Roosevelt, 1858 bis 1919; amerikanischer Politiker; 1901 bis 1909 Präsident der Vereinigten Staaten von Nordamerika.

Théodore *(m)* französische Form von Theodor.

Theodosia *(w)* die weibliche Form zu Theodosius; russische Form: *Feodosia.*

Theodosius *(m)* griechisch-lateinisch; Weiterbildung von Theodor; russische Form: *Feodosi.*

Persönlichkeit der Geschichte:

Theodosius der Große, 347 bis 395; letzter römischer Kaiser des Gesamtreichs.

Theodotus *(m)* griechisch: *theos* = Gott; lateinisch: *datus* = gegeben.

Theodul *(m)* griechisch: *theos* = Gott; *dulos* = Knecht, Diener; Nebenform: *Theodulos.*

Theodula *(w)* die weibliche Form zu Theodul.

Theodulf *(m)* Nebenform zu Dietwolf.

Theodulos *(m)* Nebenform zu Theodul.

Theofrid *(m)* Nebenform zu Dietfried.

Theokles *(m)* griechisch: *theos* = Gott; *kleos* = Ruhm, Ehre.

Theolind *(w)* Nebenform zu Dietlind.

Theonest *(m)* lateinisch: *Theonestus.*

Theonestus *(m)* lateinische Form von Theonest.

Theophano *(w)* griechisch: *theos* = Gott; *phainesthai* = erscheinen; am Fest der Erscheinung des Herrn (6. Januar) geboren.

Theophil *(m)* griechisch: *theos* = Gott; *philos* = Freund; lateinische Form: *Theophilus;* französisch: *Théophile;* italienisch und spanisch: *Teofilo.*

Théophile *(m)* französische Form von Theophil.

Theophilus *(m)* lateinische Form von Theophil.

Theophora *(w)* griechisch: *theos* = Gott; *pherein* = tragen.

Theophrast *(m)* griechisch: *theos* = Gott; *phrasis* = Rede; lateinische Form: *Theophrastus.*

Theophrastus *(m)* lateinische Form von Theophrast.

Theophron *(m)* griechisch: *theos* = Gott; *phronein* = denken.

Theowald *(m)* Nebenform zu Theobald.

Theres *(w)* Nebenform zu Therese.

Theresa *(w)* Nebenform zu Therese.

Therese *(w)* griechisch; ursprünglich Herkunftsname: von der Insel Thera (Santorin) stammend; Nebenformen: *Theresa, Theres, Terese;* Kurz- und Koseformen: *Thea, Thery, Thesi, Thesy, Threschen, Treschen, Resia, Resi, Resli, Reserl;* lateinische Form: *Theresia;* englisch: *Teresa;* Koseformen: *Tess, Tracy;* französisch: *Thérése, Térése;* italienisch und spanisch: *Teresa;* tschechisch: *Terezie;* ungarisch: *Terézie, Terka.*

Persönlichkeit der Geschichte:

Therese Giehse, 1898 bis 1975; deutsche Schauspielerin der Bühne und des Films; Charakterdarstellerin.

Thérése *(w)* französische Form von Therese.

Theresia *(w)* lateinische Form von Therese.

Persönlichkeit der Geschichte:

Theresia von Lisieux (vom Kinde Jesus), 1873 bis 1897; seit 1888 Karmelitin in Lisieux; zweite Patronin Frankreichs.

Theresina *(w)* Weiterbildung von Therese.

Thesi *(w)* Kurz- und Koseform für Therese.

Thesy *(w)* Koseform für Therese.

Thetje *(m)* niederdeutsche Kurz- und Koseform für Theodor; auch Nebenform von Teetje.

Theubald *(m)* Nebenform zu Theobald.

Theudebald *(m)* Nebenform zu Theobald.

Theudelind *(w)* Nebenform zu Dietlind.

Theudelinde *(w)* Nebenform zu Dietlind.

Theuderich *(m)* Nebenform zu Theoderich (Dietrich).

Theuß *(m)* Kurz- und Koseform für Matthias.

Thewald *(m)* Nebenform zu Dietwald und Theobald.

Thibaut *(m)* französische Form von Theobald.

Thibert *(m)* französische Form von Dietbert.

Thiede *(m)* friesische Kurzform für mit Diet- gebildete männliche Vornamen; Nebenform: *Tiede.*

Thiedemann *(m)* Koseform für mit Diet- gebildete männliche Vornamen; Nebenform: *Thielemann.*

Thiel *(m)* Kurz- und Koseform für Dietrich.

Thiele *(m)* Kurzform für Dietrich und Theoderich; niederdeutsche Form für Thilo.

Thielemann *(m)* Nebenform zu Thiedemann.

Thiemo *(m)* Kurzform für Dietmar und Timotheus; Nebenformen: *Tiemo, Tim, Timme, Timmo, Timo.*

Thierri *(m)* französische Form für Dietrich.

Thierry *(m)* französische Form für Dietrich.

Thies *(m)* Nebenform zu Thieß.

Thiess *(m)* Nebenform zu Thieß.

Thieß *(m)* Kurzform für Matthias; Nebenformen: *Thiess, Thies, This.*

Thietmar *(m)* Nebenform zu Dietmar.

Thilde *(m)* Kurzform für Klothilde, Mathilde und Mechthild; Nebenform: *Tilde.*

Thilo *(m)* Kurzform für mit Diet- gebildete männliche Vornamen; Nebenformen: *Tilo, Tillo.*

Thirza *(w)* Nebenform zu Tirza.

This *(m)* Nebenform zu Thieß.

Thom *(m)* Kurzform für Thomas.

Thoma *(m)* Nebenform zu Thomas.

Thoman *(m)* slawisch; Koseform: *Mano.*

Thomas *(m)* hebräisch: *thoma* = Zwilling; ökumenische Form: *Tomas;* Nebenform: *Thoma;* Kurz- und Koseformen: *Thom, Thömel, Thum, Tommes, Dum, Dumes;* schlesisch: *Dehmel; Tam, Tamie, Tammo, Donisl;* rheinische Formen: *Maas, Maes;* nordisch: *Tomas;* dänisch: *Tammes;* englisch: *Thomas;* Kurzformen: *Tommy, Tomy, Tom;* französisch: *Thomas, Thomé;* italienisch: *Tommaso, Tomaso;* Kurzform: *Maso;* Koseformen: *Masetto, Masino;* spanisch: *Tomás*; tschechisch: *Tomáš;* portugiesisch: *Thomé;* polnisch: *Tomasz;* russisch: *Foma;* ungarisch: *Tamás.*

Persönlichkeiten der Geschichte:

Thomas, Apostel, Zeit Christi; soll später Glaubensbote bei Parthern und in Indien gewesen sein, wo er bei Mailapur den Martertod erlitt.

Thomas von Aquin, um 1225 bis 1274; wurde Dominikaner; verband in Philosophie und Theologie die Lehren Augustins und des Aristoteles; einer der bedeutendsten Denker des Mittelalters.

Thomas Becket, 1118 bis 1170; Archidiakon in Canterbury; Lordkanzler Heinrichs II.; seit 1162 Erzbischof von Canterbury; im Glaubensstreit mit dem König; von dessen Edelleuten in der Kathedrale ermordet.

Thomas A. Edison, 1847 bis 1931; amerikanischer Erfinder: Kohlemikrophon, Phonograph, Kohlenfadenlampe und anderes.

Thomas Stearns Eliot, 1888 bis 1965; englischer Schriftsteller; erneuerte die angelsächsische Lyrik und das religiöse Drama.

Thomas Jefferson, 1743 bis 1826; amerikanischer Politiker; 3. Präsident der Vereinigten Staaten von Amerika; verfaßte 1776 die Unabhängigkeitserklärung.

Thomas Edward Lawrence, 1888 bis 1935; englischer Archäologe, Abenteurer und Schriftsteller.

Thomas Mann, 1875 bis 1955; deutscher Schriftsteller des psychologischen Romans und der Novelle; Essayist.

Thomas More, 1478 bis 1535; englischer Humanist und Staatstheoretiker; Lordkanzler; verweigerte Suprematseid; deshalb hingerichtet.

Thomas Münzer, 1488 bis 1525; deutscher Theologe und Revolutionär des Bauernkriegs; einer der führenden Wiedertäufer.

Thomas W. Wilson, 1856 bis 1924; amerikanischer demokratischer Politiker; 1913 bis 1921 Präsident; nach dem Ersten Weltkrieg bemüht um Gründung des Völkerbunds.

Thomas Wolfe, 1900 bis 1938; amerikanischer Schriftsteller: Romane, Dramen und Lyrik.

Thomasia *(w)* die weibliche Form zu Thomas; russische Form: *Fomaida.*

Thomé *(m)* französische Form von Thomas.

Thömel *(m)* Koseform für Thomas.

Thomine *(w)* eine weibliche Form zu Thomas.

Thona *(w)* Kurzform für Antonia; Nebenform: *Tona.*

Thonny *(w)* niederländische Koseform für Antonia; Nebenform: *Tonny.*

Thor *(m)* nordisch: *thor* = kühn.

Persönlichkeiten der Geschichte:

Thor, in der germanischen Mythologie der Gott des Donners: Donar.

Thor Heyerdahl, geboren 1914; norwegischer Naturforscher; fuhr 1947 mit dem Floß Kon-Tiki von Peru nach Tahiti.

Thora *(w)* die weibliche Form zu Thor; auch Kurzform für mit Thor gebildete weibliche Vornamen.

Thoralf *(m)* skandinavisch: *thor* = Gott Donar; *alf* = Elfe; Nebenform: *Toralf.*

Thorben *(m)* dänische Form von Thorbjörn; auch *Torben.*

Thorbern *(m)* Nebenform zu Thorbjörn.

Thorbjörn *(m)* skandinavisch: *thor* = Gott Donar; *björn* = Bär; Nebenformen: *Thorbern, Torbjörn;* dänische Formen: *Thorben, Torben.*

Thorbrand *(m)* skandinavisch: *thor* = Gott Donar; althochdeutsch: *brand* = Schwert; Nebenform: *Torbrand.*

Thordis *(w)* Nebenform zu Tordis.

Thore *(m)* Nebenform zu Tore.

Thorgard *(w)* Nebenform zu Torgard.

Thorger *(m)* ältere Form von Torger.

Thorgert *(m)* Doppelname aus Thor und Gerhard; oder: Erweiterung von Thorger.

Thorgund *(w)* Nebenform zu Torgund.

Thorhild *(w)* Nebenform zu Torhild.

Thorid *(m)* Nebenform zu Thurid.

Thorina *(w)* Nebenform zu Torina.

Thorismund *(w)* Nebenform zu Thurismund.

Thorkell *(m)* skandinavisch: *thor* = Gott Donar; *kell* = Kessel, Helm.

Thorlak *(m)* isländisch; skandinavisch: *thor* = Gott Donar; *lak.*

Thorleif *(m)* skandinavisch: *thor* = Gott Donar; *leif* = Erbe, Hinterlassenschaft; Nebenform: *Torleif.*

Thornton *(m)* englisch-amerikanisch: *thorn* = Turm.

Persönlichkeit der Geschichte:

Thornton Wilder, 1897 bis 1975; amerikanischer Schriftsteller christlich-philosophisch geprägter Romane und Dramen.

Thorolf *(m)* skandinavisch: *thor* = Gott Donar; *wolf* = Wolf; Nebenformen: *Torolf, Torulf.*

Thorsten *(m)* skandinavisch: *thor* = Gott Donar; *sten* = Stein; Nebenform: *Torsten.*

Thorvald *(m)* dänische Form von Thorwald.

Thorwald *(m)* skandinavisch: *thor* = Gott Donar; *waltan* = walten; Nebenform: *Torwald*; dänisch: *Thorvald.*

Threschen *(w)* Koseform für Therese.

Thum *(m)* Koseform für Thomas.

Thünes *(m)* rheinische Koseform für Anton.

Thünnes *(m)* rheinische Koseform für Anton.

Thure *(m)* Nebenform zu Tore.

Thurecht *(m)* Neubildung des Pietismus des 17./18. Jahrhunderts.

Thurid *(m)* skandinavisch: *thor* = Gott Donar; *frithr* = schön; Nebenformen: *Thorid, Torid, Turid.*

Thurismund *(m)* althochdeutsch: *turs* = Riese; *munt* = Schutz; Nebenform: *Thorismund.*

Thuschen *(w)* Koseform für Thusnelda.

Thusnelda *(w)* Herkunft und Bedeutung fraglich; Nebenform: *Thusnelde;* Kurz- und Koseformen: *Thuschen, Nelda.*

Thusnelde *(w)* Nebenform zu Thusnelda.

Thymiane *(w)* nach der Pflanze Thymian.

Thyra *(w)* Nebenform zu Tyra.

Thyrza *(w)* Nebenform zu Tirza.

Tiada *(w)* niederdeutsch-friesische Kurzform für mit Diet- gebildete weibliche Vornamen; Nebenformen: *Tiade, Tjada, Tjade.*

Tiade *(m)* Nebenform zu Tiado.

Tiade *(w)* Nebenform zu Tiada.

Tiado *(m)* niederdeutsch-friesische Kurzform für mit Diet- gebildete männliche Vornamen; Nebenformen: *Tiade, Tjade.*

Tialf *(m)* friesische Kurzform für Dietleib und Dietwolf; Nebenform: *Tjalf.*

Tiana *(w)* Kurzform für Christiane.

Tiard *(m)* friesische Kurzform für Diethard; Nebenform: *Tiart.*

Tiart *(m)* Nebenform zu Tiard.

Tibère *(m)* französische Form von Tiberius.

Tiberio *(m)* italienische Form von Tiberius.

Tiberius *(m)* lateinisch: von Flußgott Tiberis (geschützt); französische Form: *Tibère;* italienisch: *Tiberio;* ungarisch: *Tibor.*

Persönlichkeit der Geschichte:

Tiberius Claudius Nero, 42 v. Chr. bis 37 n. Chr.; römischer Kaiser seit 14 v. Chr.

Tibeta *(w)* friesische Form von Dietberga; Nebenform: *Tibetha.*

Tibetha *(w)* Nebenform zu Tibeta.

Tibold *(m)* Nebenform zu Theobald.

Tibor *(m)* ungarische Form von Tiberius.

Persönlichkeit der Geschichte:

Tibor Déry, 1894 bis 1977; bedeutendster ungarischer Schriftsteller in expressionistischen politischen Romanen, realistischen Dramen und Erzählungen.

Tibout *(m)* niederländische Form von Theobald.

Tiburtius *(m)* lateinisch; Herkunftsbezeichnung: aus Tibur (Tivoli) bei Rom stammend.

Tid *(m)* englische Koseform für Theodore (Theodor).

Tida *(w)* niederdeutsch-friesische Kurzform für Adelheid.

Tiede *(m)* Nebenform zu Thiede.

Tiemo *(m)* Nebenform zu Thiemo.

Tienes *(m)* Koseform für Martin.

Tienette *(w)* französische Koseform für Stéphanie.

Tietje *(w)* Nebenform zu Teetje.

Til *(m)* Kurz- und Koseform für Dietrich und Tilmann.

Tilch *(w)* Koseform für Ottilie.

Tilde *(w)* Kurz- und Koseform für Klothilde und Mathilde.

Tilg *(w)* Koseform für Ottilie.

Till *(m)* Kurzform für Dietrich, Theoderich und Tilmann.

Persönlichkeit der Geschichte:

Till Eulenspiegel, um 1300 bis 1350; legendärer bäuerlicher niederdeutscher Schalksnarr.

Till *(w)* Koseform für Mathilde und Ottilie.

Tilla *(w)* Koseform für Klothilde, Mathilde und Ottilie; Nebenformen: *Tilli, Tilly.*

Persönlichkeit der Geschichte:

Tilla Durieux, 1880 bis 1971; deutsch-französische Schauspielerin; Charakterdarstellerin für Bühne und Film; schrieb auch Romane.

Tilli *(w)* Nebenform zu Tilla.

Tillmann *(m)* Nebenform zu Tilmann.

Tillo *(m)* Kurz- und Koseform für Tilmann und für mit Diet- gebildete männliche Vornamen.

Tilly *(w)* Nebenform zu Tilla.

Tilman *(m)* Nebenform zu Tilmann.

Persönlichkeit der Geschichte:

Tilman Riemenschneider, um 1460 bis 1531; spätgotischer deutscher Bildhauer und -schnitzer im Stil der aufkommenden Renaissance.

Tilmann *(m)* angelsächsisch: *til* = tauglich; *man* = Mann; Nebenformen: *Tillmann, Tilman; Kurzformen: Til, Tilo, Tillo.*

Tilo *(m)* Koseform für Tilmann und für mit Diet- gebildete männliche Vornamen.

Tilse *(w)* niederdeutsch-friesische Koseform für Elisabeth.

Tim *(m)* Nebenform zu Thiemo.

Timerlin *(m)* Herkunft und Bedeutung fraglich.

Persönlichkeit der Geschichte:

Timerlin, legendärer Einsiedler unbekannter Zeit; angeblich Märtyrer.

Timm *(m)* Nebenform für Thiemo.

Timmo *(m)* Nebenform zu Thiemo.

Timo *(m)* Nebenform zu Thiemo.

Timofej *(m)* russische Form von Timotheus.

Timon *(m)* von griechisch: *time* = Ehre.

Timoteo *(m)* italienische und spanische Form von Timotheus.

Timothée *(m)* französische Form von Timotheus.

Timotheus *(m)* von griechisch: *timan* = ehren, fürchten; *theos* = Gott; englische Form: *Timothy;* französisch: *Timothée;* italienisch und spanisch: *Timoteo;* polnisch: *Tymoteusz;* russische Form: *Timofej.*

Persönlichkeit der Geschichte:

Timotheus, 1. christliches Jahrhundert; wohl von Paulus bekehrt, war er dessen ständiger Begleiter; soll erster Bischof von Ephesus gewesen sein.

Timothy *(m)* englische Form von Timotheus.

Tina *(w)* Kurz- und Koseform für mit -tina oder -tine gebildete weibliche Vornamen; Nebenformen: *Tine, Tini.*

Tine *(w)* Nebenform zu Tina.

Tinette *(w)* französische Weiterbildung von Tina oder Verkleinerungsform von Antoinette.

Tini *(w)* Nebenform zu Tina.

Tinka *(w)* russische Koseform für Katinka (Katharina).

Tino *(m)* italienische Kurz- und Koseform für auf -ino endende männliche Vornamen.

Tippelt *(m)* Nebenform zu Theobald.

Tirza *(w)* hebräisch: tirsa = Anmut; Nebenformen: *Thirza, Thyrza.*

Titia *(w)* Kurzform für Lätitia (Lätizia).

Titianus *(m)* lateinisch; Weiterbildung von Tibus; altrömischer Geschlechtername.

Titine *(w)* französische Koseform für Christine.

Tito *(m)* italienische Form von Titus.

Titus *(m)* lateinisch: *titus* = Wildtaube; italienische Form: *Tito.*

Persönlichkeiten der Geschichte:

Titus, 1. christliches Jahrhundert; Apostelschüler; begleitete Paulus zum Apostelkonzil in Jerusalem; nach der Überlieferung später Bischof von Gortyna auf Kreta.

Titus Livius, 59 v. Chr. bis 17 n. Chr.; römischer Historiker; schrieb 142 Bücher über die Geschichte Roms.

Tivadar *(m)* ungarische Form von Theodor.

Tizia *(w)* Kurzform für Lätizia.

Tizian *(m)* Nebenform zu Tiziano.

Persönlichkeit der Geschichte:

Tizian (Tiziano), um 1477 oder 1490 bis 1576; italienischer Maler; Hauptmeister der italienischen Hochrenaissance.

Tiziana *(w)* die weibliche Form zu Tiziano.

Tiziano *(m)* italienische Weiterbildung von Tito (Titus); oder: zum Adelsgeschlecht der Titier gehörig; Nebenform: *Tizian.*

Tjaard *(m)* Nebenform zu Tjard.

Tjada *(w)* Nebenform zu Tiada.

Tjade *(m)* Nebenform zu Tiado und Tjark.

Tjade *(w)* Nebenform zu Tiada.

Tjadina *(w)* Weiterbildung von Tjade.

Tjalf *(m)* Nebenform zu Tialf.

Tjard *(m)* friesische Kurzform für Diethard, Dietward; Nebenform zu Tjaard.

Tjark *(m)* friesische Kurzform für Dietrich; Nebenformen: *Tjarko, Tjade, Tjerk.*

Tjarko *(m)* Nebenform zu Tjark.

Tjerk *(m)* Nebenform zu Tjark.

Tobi *(m)* Kurz- und Koseform für Tobias.

Tobia *(m)* italienische Form von Tobias.

Tobias *(m)* ökumenische Form neben Tobija; Vulgata und Lutherbibel: *Tobia* und *Tobias;* Kurz- und Koseformen: *Tobi, Tobies;* niedersächsisch: *Tewes;* griechische Form: *Tobit;* englisch: *Tobias;* Koseform: *Toby;* italienisch: *Tobia.*

Persönlichkeiten der Geschichte:

Tobias, im Alten Testament: Vater Tobias, durch unerschütterlichen Glauben ausgezeichnet; sein Sohn, der junge Tobias, auf Reise von Erzengel Raphael beschützt; die Geschichte im alttestamentlichen »Buch Tobias« dargestellt, um 200 v. Chr. in Hebräisch oder Aramäisch in Syrien abgefaßt.

Tobies *(m)* Kurz- und Koseform für Tobias.

Tobija *(m)* hebräisch: *tobijjahu* = gut (ist) Jahwe (Gott); andere ökumenische Form von Tobias.

Tobby *(m)* englische Koseform für Tobias.

Toffel *(m)* Koseform für Christoph.

Töffel *(m)* Koseform für Christoph.

Tolommeo *(m)* italienische Form von Ptolemäus.

Tom *(m)* englische Kurzform von Thomas.

Persönlichkeit:

Tom Jones, geboren 1940; englischer Schlagersänger.

Toma *(w)* russische Koseform für Tamar.

Tomas *(m)* ökumenische Form von Thomas.

Tomás *(m)* spanische Form von Thomas.

Tomáš *(m)* tschechische Form von Thomas.

Tomaso *(m)* italienische Form für Thomas.

Tomasz *(m)* polnische Form von Thomas.

Tomheinz *(m)* Doppelname aus Tomas und Heinrich.

Tommaso *(m)* italienische Form von Thomas.

Tommes *(m)* Koseform für Thomas.

Tommy *(m)* englische Koseform für Thomas.
Persönlichkeit der Geschichte:
Tommy Dorsey, 1905 bis 1956; amerikanischer Jazzmusiker.

Toms *(m)* Kurz- und Koseform für Thomas.

Tomy *(m)* englische Koseform für Thomas.

Tona *(w)* Kurzform für Antonia.

Toneli *(w)* Koseform für Antonia.

Tones *(m)* Koseform für Anton.

Toni *(m)* Kurz- und Koseform für Anton; Nebenform: *Tony.*

Toni *(w)* Kurz- und Koseform für Antonia; Nebenform: *Tony.*

Tonia *(w)* Kurzform für Antonia.

Tonies *(m)* Koseform für Anton.

Tonio *(m)* italienische und spanische Kurzform für Antonio (Anton).

Tonis *(m)* Koseform für Anton.

Tonja *(w)* russische Koseform für Antonija (Antonia).

Tönnies *(m)* niederdeutsche Form von Anton.

Tonny *(w)* Koseform für Antonia.

Tony *(m)* Kurz- und Koseform für Anton.

Tony *(w)* Kurz- und Koseform für Antonia.

Tomms *(m)* niederländische Form von Thomas.

Toon *(m)* niederländische Form von Anton.

Topsy *(w)* Koseform für mit Tob- gebildete weibliche Vornamen.

Tora *(w)* nordische Kurzform für mit Tor- oder Thor- gebildete weibliche Vornamen; auch die weibliche Form zu Tore.

Toralf *(m)* Nebenform zu Thoralf.

Torben *(m)* dänische Form von Thorbern (Thorbjörn).

Torbjörn *(m)* Nebenform zu Thorbjörn.

Torbrand *(m)* Nebenform zu Thorbrand.

Tord *(m)* schwedische Kurzform für mit Thor- gebildete männliche Vornamen.

Tordis *(w)* nordisch; aus germanisch: *thor* = Gott Donar; altschwedisch: *dis* = Götter; Nebenform: *Thordis.*

Tore *(m)* nordisch; aus germanisch: *thor* = Gott Donar; isländisch: *verr* = Kämpfer; Nebenformen: *Thure, Ture.*

Torgard *(w)* germanisch: *thor* = Gott Donar; *gard* = Schutz; schwedische Form: *Torgerd;* Nebenform: *Thorgard.*

Torger *(m)* germanisch: *thor* = Gott Donar; *ger* = Schwert; ältere Form: *Thorger.*

Torgerd *(w)* schwedische Form von Torgard.

Torgun *(w)* Nebenform zu Torgund.

Torgund *(w)* germanisch: *thor* = Gott Donar; *gund* = Kampf; Nebenformen: *Torgun, Torgunn.*

Torgunn *(w)* Nebenform zu Torgund.

Torhild *(w)* schwedisch; aus germanisch: *thor* = Gott Donar; *hiltja* = Kampf; Nebenform: *Thorhild, Torhilda.*

Torhilda *(w)* Nebenform zu Torhild.

Toribio *(m)* spanisch; Nebenform: *Turibio;* lateinische Form: *Turibius.*

Torsten *(m)* Nebenform zu Thorsten,

Torulf *(m)* Nebenform zu Thorolf.

Torwald *(m)* Nebenform zu Thorwald.

Tosca *(w)* italienisch: = Toskanerin; Nebenform: *Toska.*

Toska *(w)* Nebenform zu Tosca.

Tove *(m)* schwedischer Vorname.

Tove *(w)* dänische Kurzform für mit Tor- oder Thor- gebildete weibliche Vornamen.

Tozzo *(m)* Nebenform zu Tasso.

Tracy *(w)* englische Koseform für Teresa (Theres).

Trasmund *(m)* althochdeutsch: *tras* = schnell (?); *munt* = Schutz.

Traud *(w)* Kurz- und Koseform für mit -traud gebildete weibliche Vornamen; Nebenformen: *Traudchen, Traude, Traudel, Traudi.*

Traudchen *(w)* Nebenform zu Traud.

Traude *(w)* Nebenform zu Traud.

Traudel *(w)* Nebenform zu Traud.

Traudhild *(w)* althochdeutsch: *trud* = Kraft, Stärke; *hiltja* = Kampf; Nebenformen: *Traudhilde, Trudhild, Trudhilde.*

Traudhilde *(w)* Nebenform zu Traudhild.

Traudi *(w)* Nebenform zu Traud.

Traudlinde *(w)* althochdeutsch: *trud* = Kraft, Stärke; *linta* = Lindenholzschild, oder *lind* = mild; Nebenform: *Trudlinde.*

Traugott *(m)* neugebildeter Doppelname aus *(ver)trauen* und *Gott.*

Traut *(m)* Kurzform für Trudpert.

Traute *(w)* Kurz- und Koseform für mit -traut gebildete weibliche Vornamen; Nebenform: *Trauti.*

Trauthelm *(m)* althochdeutsch: *trud* = Kraft, Stärke; *helm* = Helm, Schutz.

Trauthold *(m)* althochdeutsch: *trud* = Kraft, Stärke; *waltan* = walten, herrschen; ältere Form: *Trautwald.*

Trauti *(w)* Nebenform zu Traute.

Trautmann *(m)* althochdeutsch: *trud* = Kraft, Stärke; *man* = Mann; Nebenform: *Trutmann.*

Trautmar *(m)* althochdeutsch: *trud* = Kraft, Stärke; *mari* = berühmt.

Trautmund *(m)* althochdeutsch: *trud* = Kraft, Stärke; *munt* = Schutz.

Trautwald *(m)* ältere Form von Trauthold.

Trautwein *(m)* althochdeutsch: *trud* = Kraft, Stärke; *wini* = Freund; Nebenformen: *Trudwin, Drudwin.*

Treschen *(w)* Koseform für Therese.

Tressa *(w)* angloamerikanische Kurzform für Teresa (Therese).

Treumund *(m)* Neubildung aus altsächsisch: *triuwi* = Treue; althochdeutsch: *munt* = Schutz.

Treumunde *(w)* die weibliche Form zu Treumund.

Trienchen *(w)* Koseform für Katharina.

Trina *(w)* Koseform für Katharina.

Trine *(w)* Koseform für Katharina.

Trinette *(w)* französische Koseform für Katharina.

Trinidad *(w)* spanisch: *trinidad* = Dreieinigkeit.

Tristan *(m)* keltisch.

Tristram *(m)* englische Form von Tristan.

Trix *(w)* Kurz- und Koseform für Beatrix; Nebenformen: *Trixa, Trixi, Trixy.*

Trixa *(w)* Nebenform zu Trix.

Trixi *(w)* Nebenform zu Trix.

Trixy *(w)* Nebenform zu Trix.

Trockel *(m)* Kurz- und Koseform für Patroklus; Nebenform: *Trockels.*

Trockels *(m)* Nebenform zu Trockel (Patroklus).

Trudbert *(m)* Nebenform zu Trudpert.

Trudberta *(w)* die weibliche Form zu Trudbert (Trudpert).

Trudchen *(w)* Nebenform zu Trude.

Trude (w) Kurz- und Koseform für mit Trud- oder -trud gebildete weibliche Vornamen; Nebenformen: *Trudchen, Trudel, Trudi.*

Trudel *(w)* Nebenform zu Trude.

Trudeliese *(w)* Doppelname aus Gertrud und Elisabeth; Nebenform: *Trudelise.*

Trudelise *(w)* Nebenform zu Trudeliese.

Trudgard *(w)* althochdeutsch: *trud* = Kraft, Stärke; *gard* = Zaun, Schützerin.

Trudhild *(w)* Nebenform zu Traudhild.

Trudhilde *(w)* Nebenform zu Traudhild.

Trudi *(w)* Nebenform zu Trude.

Trudlinde *(w)* Nebenform zu Traudlinde.

Trudwin *(m)* Nebenform zu Trautwein.

Truitgen *(w)* Koseform für Gertrud.

Truman *(m)* englisch-amerikanisch.

Trutbald *(m)* althochdeutsch: *trud* = Kraft, Stärke; *bald* = kühn.

Trutmann *(m)* Nebenform zu Trautmann.

Trutz *(m)* alter deutscher Name: *trutz* = *trotz* = Widerspruch, Gegenwehr.

Tryggve *(m)* skandinavisch: *trygg* = treu, zuverlässig; ist auch schwedische Form; dänisch und norwegisch: *Trygve;* isländisch: *Tryggvi.*

Tryggvi *(m)* isländische Form von Tryggve.

Trygve *(m)* norwegische und dänische Form von Tryggve.

Tugendreich *(m)* pietistische Neubildung des 17./18. Jahrhunderts.

Tuisko *(m)* Herkunft und Bedeutung fraglich.

Tulla *(w)* Kurz- und Koseform für Ursula; Nebenformen: *Tulle, Tulli, Tully.*

Tünnes *(m)* rheinische Koseform für Anton.

Turandot *(w)* keltisch: = spröd (?).

Ture *(m)* Nebenform zu Tore.

Turibio *(m)* Nebenform zu Toribio.

Turibius *(m)* lateinische Form von Toribio.

Turid *(m)* Nebenform zu Thurid.

Tycho *(m)* von griechisch: *tyche* = Schicksal, Glück; Nebenform: *Tychon;* dänische Form: Tyge.

Persönlichkeit der Geschichte:

Tycho Brahe, 1546 bis 1601; dänischer Astronom; erbaute Sternwarten.

Tychon *(m)* Nebenform zu Tycho.

Tyciak *(m)* polnische Koseform für Matthias.

Tyge *(m)* dänische Form von Tycho.

Tymoteusz *(m)* polnische Form von Timotheus.

Tyra *(w)* schwedisch; aus altdänisch *Thyrvi* über *Torvi* zu *Thyra;* germanisch: *thor* = Gott Donar; althochdeutsch: *wig* = Kampf.

U

Ubaldo *(m)* italienische Form von Ubald (Hugbald).

Ubbo *(m)* friesische Koseform für mit Ulf- oder Od- gebildete männliche Vornamen; auch Kurzform für Ubaldo (Ubald), Udalbert und Udalfried.

Uberto *(m)* italienische Form von Hubert.

Ubo *(m)* Kurzform für Ubaldo (Ubald).

Uda *(w)* Nebenform zu Oda und Uta.

Udalbert *(m)* althochdeutsch: *uodal* = Erbgut, Heimat; *beraht* = glänzend; Nebenformen: *Ulbricht, Ulbrich, Odalbert, Olbricht;* Kurzform: *Ubbo.*

Udalfried *(m)* althochdeutsch: *uodal* = Erbgut, Heimat; *fridu* = Friede; Nebenformen: *Odalfried, Ulfried, Ulfrid, Ulfert, Olfert;* friesische Koseformen: *Uffo, Uke, Ubbo, Offo.*

Udalrich *(m)* ältere Form von Ulrich.

Udalschalk *(m)* althochdeutsch: *uodal* = Erbgut, Heimat; Nebenform: *Udiskalk.*

Udalwig *(m)* althochdeutsch: *uodal* = Erbgut, Heimat; *wig* = Kampf; Nebenformen: *Odalwig, Oldwig, Oldvig.*

Udel *(w)* Koseform für Odilia.

Udelar *(m)* ältere Form von Adalar.

Udele *(w)* ältere Form von Adele.

Udiskalk *(m)* Nebenform zu Udalschalk.

Udo *(m)* niederdeutsche Form von Otto; allgemein: Kurzform für mit Udal- (althochdeutsch: uodal = Erbgut, Heimat) gebildete männliche Vornamen; Nebenformen: *Uto, Utto;* auch Nebenform zu Odo.

Persönlichkeiten:

Udo Jürgens, geboren 1934; österreichischer Schlagersänger und -komponist.

Udo Lindenberg, geboren 1946; deutscher Rockmusiker; Sänger und Schlagzeuger.

Ufe *(m)* Kurzform für mit Od- oder -ulf gebildete männliche Vornamen; Nebenformen: *Ufert, Uffe, Uffke, Uffo, Ufke, Ufko.*

Ufert *(m)* Nebenform zu Ufe.

Uffe *(m)* Nebenform zu Ufe.

Uffke *(m)* Nebenform zu Ufe.

Uffo *(m)* friesische Koseform für Udalfried; auch Nebenform zu Ufe.

Ufke *(m)* friesische Koseform für Udalfried; auch Nebenform zu Ufe.

Ufko *(m)* Nebenform zu Ufe.

Ugo *(m)* italienische Form von Hugo.

Ugolino *(m)* italienische Verkleinerungsform für Ugo (Hugo).

Uhde *(m)* Nebenform zu Ulrich.

Uhl *(m)* Kurz- und Koseform für Ulrich.

Uhland *(m)* Nebenform zu Uland.

Uhlig *(m)* Koseform für Ulrich.

Uhlmann *(m)* Nebenform zu Ulmann.

Ula *(w)* Nebenform zu Ulla (Ulrike, Ursula).

Uland *(m)* althochdeutsch: *uodal* = Erbgut, Heimat; *land* = Land; daher ältere Form: *Uodland;* Nebenform: *Uhland.*

Ulbe (m) friesische Koseform für Ulbert.

Ulbert *(m)* althochdeutsch: *uodal* = Erbgut, Heimat; *beraht* = glänzend; friesische Koseformen: *Ulbe, Ulbet.*

Ulbet *(m)* friesische Koseform für Ulbert.

Ulbrecht *(m)* Abwandlung von Albrecht.

Ulbrich *(m)* Nebenform zu Udalbert.

Ulbricht *(m)* Nebenform zu Udalbert.

Uldarico *(m)* italienische Form von Ulrich.

Ule *(m)* Nebenform zu Ole; auch friesische Kurz- und Koseform für Ulrich.

Ulerk *(m)* friesische Koseform für Ulrich.

Ulf *(m)* friesische Kurzform für mit Ulf- oder -ulf (= Wolf) gebildete männliche Vornamen; Nebenformen: *Ulfo, Ulw;* schwedische Form: *Ulv.*

Ulfart *(m)* friesische Form von Wolfhard.

Ulfhild *(w)* schwedische Form von Wolfhild.

Ulfilas *(m)* gräzisierte Form von Wulfila.

Ulfrid *(m)* Nebenform zu Udalfried.

Ulfried *(m)* Nebenform zu Udalfried.

Uli *(m)* Koseform für Ulrich.

Uli *(w)* Koseform für Ulrike.

Ueli *(m)* schweizerische Kurz- und Koseform für mit Ul- gebildete männliche Vornamen.

Ulisse *(m)* italienische Form von Ulixes (Odysseus).

Ulita *(w)* russische Form von Julietta (Julia); Nebenform: Ulitta.

Ulitta *(w)* Nebenform zu Ulita.

Ulixes *(m)* lateinische Form von Odysseus; Nebenform: *Ulysses;* italienische Form: *Ulisse.*

Uljana *(w)* russische Form von Juliana.

Uelk *(m)* Koseform für Ulrich.

Ulla *(w)* Kurz- und Koseform für Ulrike und Ursula.

Ulla-Britt *(w)* schwedischer Doppelname aus Ursula und Brigitte.

Ulli *(m)* Kurz- und Koseform für Ulrich.

Ulli *(w)* Kurz- und Kosename für Ulrike (Ulrich) und Ursula.

Ullmann *(m)* Nebenform zu Ulmann.

Ulmann *(m)* althochdeutsch: *uodal* = Erbgut, Heimat; *man* = Mann; Nebenformen: *Ullmann, Uhlmann;* niederdeutsch auch Koseform für Ulrich.

Ulrich *(m)* althochdeutsch: *uodal* = Erbgut, Heimat; *rihhi* = reich, mächtig; ältere Formen: *Odalrich, Uodalrich, Udalrich;* Kurz- und Koseformen: friesisch: *Ocko; Ulerk, Ule, Uli, Ulli, Uelk, Uhl, Uhlig, Utz, Uz, Udo, Rickel, Olrik;* niederdeutsch: *Ullmann, Ulmann, Uhlmann, Uhde, Ohlsen;* schwedische Form: *Ulrik;* italienisch: *Uldarico, Ulrico;* tschechisch: *Oldřich;* polnisch: *Ulrych.*

Persönlichkeiten der Geschichte:

Ulrich, 890 bis 973, Bischof von Augsburg, als Heiliger verehrt.

Ulrich von Hutten, 1488 bis 1523; deutscher Ritter und Humanist; strebte Reichsreform mit starkem Rittertum an.

Ulrich Schamoni, geboren 1939; deutscher Filmregisseur und Schriftsteller.

Ulrich Zwingli, 1484 bis 1531, schweizerischer Reformator.

Ulrico *(m)* italienische Form von Ulrich.

Ulrik *(m)* niederdeutsch-friesische und skandinavische Form von Ulrich.

Ulrika *(w)* Nebenform zu Ulrike.

Ulrike *(w)* die weibliche Form zu Ulrich; Nebenform: *Ulrika;* Kurz- und Koseformen: *Ula, Ulla, Ulli, Rike.*

Ulrych *(m)* polnische Form von Ulrich.

Ultima *(w)* lateinisch: ultima = die letzte (Tochter).

Ultimus *(m)* lateinisch: ultimus = der letzte (Sohn).

Ulv *(m)* schwedische Form von Ulf.

Ulw *(m)* Nebenform zu Ulf.

Umberto *(m)* italienische Form von Humbert.

Umma *(w)* friesische Kurzform für mit Od- oder Ot- gebildete weibliche Vornamen.

Umme *(m)* friesische Kurzform für mit Od- oder Ot- gebildete männliche Vornamen; Nebenform: *Ummo.*

Ummo *(m)* Koseform für Otmar; Nebenform zu Umme.

Una *(w)* englisch; von irisch: *Oona;* Bedeutung fraglich.

Undine *(w)* von lateinisch: *unda* = Welle; neulateinisch: *undina* = Nixe.

Persönlichkeit der Geschichte:

Undine, Wasserjungfrau (Nixe) des Märchens; ohne Seele sucht sie die Heirat mit einem Menschen, um dadurch beseelt zu werden.

Une *(m)* schwedische Form von Unno; Nebenform: *Uno.*

Unna *(w)* die weibliche Form zu Unno.

Unno *(m)* friesische Nebenform zu Onno.

Uno *(m)* schwedische Nebenform zu Une.

Uodland *(m)* ältere Form von Uland.

Uote *(w)* ältere Form von Uta (Oda).

Upton *(m)* englisch-amerikanisch.

Urania *(w)* griechisch: *uranos* = Himmel; Nebenformen: *Orane, Orania.*

Urbain *(m)* französische Form von Urban.

Urban *(m)* lateinisch: *urbanus* = städtisch, der Städter (aus Rom); lateinische Form: *Urbanus;* Kurz- und Koseformen: *Bahn, Bahne, Bahnes, Bohn;* englische Form: *Urban;* französisch: *Urbain;* italienisch: *Urbano;* ungarisch: *Orbán.*

Urbanus *(m)* lateinische Form von Urban.

Urd *(w)* schwedisch; nach germanischer Göttin des Schicksals dieses Namens; Nebenform: *Urda.*

Urda *(w)* Nebenform zu Urd.

Urho *(m)* finnisch; Bedeutung fraglich.

Persönlichkeit der Geschichte:

Urho Kekkonen, geboren 1900; finnischer Politiker; 1950 bis 1956 Minister-, 1956 bis 1982 Staatspräsident.

Uri *(m)* Kurzform für Uriel.

Urias *(m)* hebräisch: *uríja* = mein Licht (ist) Jahwe (Gott); ökumenische Form: *Urija.*

Uriel *(m)* hebräisch: uriel = Licht Gottes.

Urija *(m)* ökumenische Form von Urias.

Urmina *(w)* niederländische Nebenform zu Hermine.

Urs *(m)* Kurzform für Ursus.

Ursa *(w)* die weibliche Form zu Ursus.

Urschel *(w)* Koseform für Ursula.

Urschi *(w)* Koseform für Ursula.

Ursel *(w)* niederländische Form und deutsche Kurzform für Ursula.

Ursi *(w)* Koseform für Ursula.

Ursicin *(m)* Weiterbildung von Ursinus; lateinische Form: *Ursicinus.*

Ursicinus *(m)* lateinische Form von Ursicin.

Ursina *(w)* die weibliche Form zu Ursinus (Ursus); Nebenform: *Ursine.*

Ursine *(w)* Nebenform zu Ursina.

Ursinus *(m)* lateinisch; Weiterbildung von Ursus.

Ursio *(m)* italienische Form von Ursus.

Ursle *(w)* Koseform für Ursula.

Ursli *(w)* Koseform für Ursula.

Ursly *(w)* englische Koseform für Ursula.

Ursmar *(m)* erster Bestandteil fraglich; althochdeutsch: *mari* = berühmt.

Ursola *(w)* spanische Form von Ursula.

Ursula *(w)* von lateinisch: *ursus* = Bär; weibliche Verkleinerungsform; oder von germanisch: *hors* = *ors* = Schlachtroß (?); Kurz- und Koseformen: *Ursel, Ursi, Ürsi, Ursle, Ursli, Urschel, Urzili, Uschi, Nuschi;* schweizerisch: *Orseli, Orschel, Orscheli; Ula, Ulla, Ulli, Sula;* englische Form: *Ursula, Ursly;* französisch: *Ursule;* niederländisch: *Ursel, Orsel;* italienisch: *Orsola;* Nebenformen: *Orseline, Orsina, Orsine;* spanisch: *Ursola;* ungarisch: *Orsolya.*

Ursuline *(w)* Nebenform zu Ursula.

Ursus *(m)* lateinisch: *ursus* = Bär; Kurzform: *Urs;* Koseformen: *Durs, Dursli.*

Urte *(w)* Herkunft und Bedeutung fraglich; vielleicht litauische Kurzform für übernommene deutsche weibliche Vornamen, zum Beispiel: Ortrud.

Urzili *(w)* Koseform für Ursula.

Uschi *(w)* Koseform für Ursula.

Persönlichkeit:

Uschi Glas, geboren 1945; deutsche Bühnen- und Filmschauspielerin.

Usmar *(m)* Nebenform zu Osmar.

Uta *(w)* hochdeutsche Nebenform zu Oda; ältere Form: *Uote;* auch *Ute, Utta, Uda.*

Persönlichkeiten der Geschichte:

Uta (Ute), im Nibelungenlied die Mutter Kriemhilds.

Uta von Meißen, 11. Jahrhundert, Markgrafin. Bekannt als Stifterfigur im Naumburger Dom.

Ute *(w)* Nebenform zu Uta.

Uthelm *(m)* neugebildeter Doppelname aus Uto und Helmut; Nebenform: *Othelm.*

Utilie *(w)* Nebenform zu Ottilie.

Utlinde *(w)* Nebenform zu Otlinde.

Uto *(m)* Nebenform zu Udo.

Utz *(m)* Koseform für Ulrich und für mit Udal- (althochdeutsch: *uodal* = Erbgut, Heimat) oder Ul- gebildete männliche Vornamen.

Uve *(m)* Nebenform zu Uwe.

Uwe *(m)* friesische Kurzform für mit Udal- (althochdeutsch: *uodal* = Erbgut, Heimat) oder Ul- gebildete männliche Vornamen; Nebenformen: *Uve, Uwo, Uvo, Owe, Ove.*

V

Vaceslav *(m)* tschechische Nebenform zu Václav.

Václav *(m)* tschechische Form von Wenzel (Wenzeslaus); Nebenform: *Vaceslav.*

Persönlichkeit:

Václav Havel, geboren 1936; tschechischer Schriftsteller; von 1989 bis 1992 Staatspräsident der ČSFR, seit 1993 Präsident der Tschechischen Republik.

Val *(m)* Kurz- und Koseform für Valentin; auch englisch.

Valborg *(w)* skandinavische Form von Walburg.

Valdemar *(m)* dänische Form von Waldemar.

Valenta *(w)* italienische weibliche Form von Valente.

Valente *(m)* italienisch; von lateinisch: *valens* = kräftig, gesund.

Valentianus *(m)* lateinische erweiterte Form von Valentin.

Valentin *(m)* von lateinisch: *valens* = kräftig, gesund; lateinische Formen: *Valentinus, Valentianus, Valentius;* Kurz- und Koseformen: *Val, Valten, Valtin, Vältin, Valtl, Velten, Veltin, Veitl, Feltes, Fell;* englische Form: *Valentine;* Koseform: *Val;* französisch: *Valentin;* italienisch: *Valentino.*

Valentina *(w)* Nebenform zu Valentine.

Persönlichkeit:

Valentina Tereschkowa, geboren 1937; sowjetrussische Astronautin; umkreiste als erste Frau 1963 die Erde 29mal.

Valentine *(m)* englische Form von Valentin; Kurz- und Koseform: Val.

Valentine *(w)* die weibliche Form zu Valentin; Nebenform: *Valentina;* Kurz- oder Koseformen: *Val, Vali, Wally.*

Valentiniano *(m)* italienische Weiterbildung von Valentino (Valentin).

Valentino *(m)* italienische Form von Valentin.

Valentinus *(m)* lateinische Form von Valentin.

Valentius *(m)* lateinische Form von Valentin.

Valer *(m)* Kurzform für Valerius.

Valére *(m)* französische Form von Valerius.

Valeria *(w)* die weibliche Form zu Valerius; Nebenform: *Valerie;* Koseformen: *Walli, Wally;* englische Form: *Valeria;* Koseform: *Wally;* französische Form: *Valérie;* polnisch: *Waleska;* russisch: *Valerij.*

Persönlichkeit der Geschichte:

Valeria von Lorsch, gestorben 905; fromme Christin in Lorsch.

Valerian *(m)* lateinisch; Weiterbildung von Valerius; lateinische Form: *Valerianus;* französisch: *Valérien.*

Persönlichkeit der Geschichte:

Valerian, 3. Jahrhundert; legendärer Märtyrer mit seiner Braut Cäcilia.

Valeriana *(w)* Weiterbildung von Valeria; Nebenform: *Valeriane.*

Valeriane *(w)* Nebenform zu Valeriana.

Valerianus *(m)* lateinische Form von Valerian.

Valerie *(w)* Nebenform zu Valeria.

Persönlichkeit:

Valerie von Martens, geboren 1904; österreichische Filmschauspielerin; Gattin von Curt Goetz.

Valérie *(w)* französische Form von Valeria.

Valérien *(m)* französische Form von Valerian.

Valerij *(w)* russische Form von Valeria.

Valerio *(m)* italienische Form von Valerius.

Valerius *(m)* von lateinisch: *valere* = stark, gesund sein; aus dem altrömischen Geschlecht der Valerier stammend; Kurzform: *Valer;* französische Form: *Valére, Valéry;* italienisch: *Valerio.*

Valéry *(m)* französische Form von Valerius.

Persönlichkeit:

Valéry Giscard d'Estaing, geboren 1926; französischer Politiker; 1974 bis 1980 Staatspräsident.

Valeska *(w)* polnische Form von Valeria; auch Kurzform für Vladislavka; Nebenform: *Vlaska.*

Vali *(w)* Kurz- und Koseform für Valentine.

Valli *(w)* Kurz- und Koseform für Valentine.

Vally *(w)* Nebenform zu Wally.

Valten *(m)* Kurzform für Valentin.

Valtin *(m)* Kurzform für Valentin.

Vältin *(m)* Kurz- oder Koseform für Valentin.

Valtl *(m)* Koseform für Valentin.

Vanadis *(w)* aus der nordischen Mythologie.

Persönlichkeit der Geschichte:

Vanadis (Beiname), die germanische Göttin Freyja (Freia).

Vanda *(w)* italienische und schwedische Form von Wanda.

Vanessa *(w)* englisch; aus Scotts Roman »Cadenus und Vanessa«.

Persönlichkeit:

Vanessa Redgrave, geboren 1937; englische Filmschauspielerin.

Vania *(w)* romanische Form von Vanja.

Vanja *(w)* slawisch; gilt als weibliche Form zu Ivan (Iwan); romanische Form: *Vania.*

Vanna *(w)* italienische Kurzform für Giovanna.

Varinka *(w)* russische Form für Barbara; auch *Warenka.*

Varius *(m)* lateinisch; Weiterbildung von Varus.

Varus *(m)* lateinisch: varus = krumm- oder O-beinig.

Persönlichkeit der Geschichte:

Varus, Publius Quinctilius, römischer Feldherr; fiel im Kampf mit den Cheruskern 9 n. Chr.

Vaes *(m)* Kurz- und Koseform für Servatius.

Vasco *(m)* spanisch und portugiesisch: *vasco* = baskisch, Baske.

Persönlichkeit der Geschichte:

Vasco da Gama, um 1469 bis 1524; portugiesischer Seefahrer; entdeckte 1497 bis 1499 den Seeweg nach Indien um das Kap der Guten Hoffnung.

Vasile *(m)* rumänische Form von Basilius.

Vasilij *(m)* russische Nebenform zu Wassilij.

Vasja *(m)* russische Koseform für Vasilij (Wassilij).

Vaubert *(m)* französische Form von Waldbert.

Vaubourg *(w)* französische Form von Walburga.

Vavřinec *(m)* tschechische Form von Laurentius.

Ve *(w)* Koseform für Genoveva.

Vedast *(m)* Kurzform für Vedastus.

Vedastus *(m)* lateinische Form des flämischen Wadast; Kurzform: *Vadast;* französische Form: *Gaston.*

Veetrikki *(m)* finnische Form von Friedrich.

Vefe *(w)* Koseform für Genoveva.

Veidl *(m)* Koseform für Veit.

Veil *(m)* Koseform für Veit.

Veit *(m)* lateinische Herkunft; Bedeutung fraglich: vielleicht = Wido, althochdeutsch: *vidu* = *vitu* = Holz, Wald; Nebenform: *Vit;* Koseformen: *Veidl, Veitl, Veil;* neulateinische Form: *Vitus;* romanisiert: *Guido, Vito;* französisch: *Voit, Vit, Guy;* englisch: *Guy;*

schwedisch: *Witas;* tschechisch: *Vít;* russisch: *Vit, Veit;* ungarisch: *Vida.*

Persönlichkeit der Geschichte:

Veit Stoß, um 1445 bis 1533; deutscher Bildhauer, Bildschnitzer, Kupferstecher und Maler; bedeutender Künstler der spätgotischen Plastik.

Veitl *(m)* Koseform für Valentin.

Velten *(m)* Koseform für Valentin.

Veltin *(m)* Koseform für Valentin.

Veneta *(w)* Nebenform zu Venetia; bulgarische Form: *Vineta.*

Venetia *(w)* lateinisch: aus Venetien (Venedig) stammend; Nebenform: *Veneta.*

Venja *(m)* russische Koseform für verschiedene männliche Vornamen.

Venja *(w)* russische Koseform für verschiedene weibliche Vornamen.

Ventur *(m)* lateinisch: venturus = der kommen wird.

Ventura *(m)* Kurzform für Bonaventura.

Ver *(m)* Kurzform für Xaver.

Vera *(w)* lateinisch: *vera* = die Wahre; russisch: *wjera* = Glaube; auch Kurzform für Verena und Veronika; russische Form: *Wera;* Koseform: *Veruschka.*

Persönlichkeit:

Vera Tschechowa, geboren 1940; deutsche Schauspielerin der Bühne und des Films.

Veramaria *(w)* Doppelname aus Vera und Maria.

Vere *(m)* Kurz- und Koseform für Xaver.

Verena *(w)* ableitbar von lateinisch: *vereri* = besorgt sein, sich scheuen; oder: abgewandelt von Veronika über Verona; Kurz- und Koseformen: *Vera, Vreni, Vrenele, Vrein, Rena, Rene, Reni;* französische Form: *Vérène.*

Vérène (w) französische Form von Verena.

Vergie *(w)* englische Kurz- und Koseform für Virginia.

Vergil *(m)* lateinisch: zum altrömischen Geschlecht der Vergilier gehörig; lateinische Form: *Vergilius;* spätlateinische Formen: *Virgil, Virgilius.*

Persönlichkeit der Geschichte:

Vergil (Publius Vergilius Maro), 70 v. bis 19 n. Chr.; römischer Schriftsteller; von starker Nachwirkung.

Vergilius *(m)* lateinische Form von Vergil.

Verginius *(m)* lateinisch: aus dem altrömischen Adelsgeschlecht der Verginier stammend.

Verita *(w)* die weibliche Form zu Veritas.

Veritas *(m)* lateinisch: *veritas* = Wahrheit.

Verle *(m)* Kurz- und Koseform für Xaver.

Verlein *(m)* Koseform für Xaver.

Verner *(m)* schwedische Form von Werner.

Vernier *(m)* französische Form von Werner.

Veron *(w)* ungarische Form von Veronika.

Verona *(w)* Nebenform zu Veronika.

Veronika *(w)* von griechisch: *pherein* = bringen; *nike* = Sieg; *Pherenike;* Nebenformen: *Verona, Verone, Verena;* Kurz- und Koseformen: *Vron, Vrone, Vroni, Vronele, Vroneli, Vera, Vrein, Fron;* rheinisch: *Frönn, Fronika, Frenne, Frauke, Ronni, Ronny;* schweizerisch: *Vreneli;* französische Form: *Véronique;* ungarisch: *Veron.*

Veruschka *(w)* russische Koseform für Vera.

Vesta *(w)* lateinisch; griechisch: *Hestia.*

Persönlichkeit der Geschichte:

Vesta, in der römischen Mythologie Göttin des Herdfeuers, des häuslichen Herds, der Häuslichkeit und des Familienlebens.

Vester *(m)* Kurzform für Silvester.

Veva *(w)* Koseform für Genoveva.

Vevele *(w)* Koseform für Genoveva.

Vevi *(w)* Koseform für Genoveva.

Vibeke *(w)* dänische Form von Weibke.

Vicelin *(m)* Herkunft und Bedeutung fraglich; Nebenform: *Vizelin.*

Vicente *(m)* portugiesische Form von Vinzenz.

Vicki *(w)* englische Koseform für Victoria (Viktoria).

Persönlichkeit der Geschichte:

Vicki Baum, 1888 bis 1960; österreichische Schriftstellerin von Unterhaltungsromanen, Novellen und Erzählungen.

Vicky *(w)* englische Koseform für Victoria (Viktoria).

Vico *(m)* Kurzform für Ludovico (Ludwig) und für andere mit -vico gebildete männliche Vornamen; auch für Victor.

Persönlichkeit:

Vico Loriot (von Bülow), geboren 1923; deutscher Karikaturist; Buchillustrator und Filmemacher.

Victoire *(w)* französische Form von Viktoria.

Victor *(m)* lateinische Form von Viktor.

Persönlichkeiten der Geschichte:

Victor Hugo, 1802 bis 1885; französischer Schriftsteller und Dichter der französischen Romantik.

Victor de Kowa, 1904 bis 1973; deutscher Schauspieler und Regisseur; Charakterdarsteller.

Victoria *(w)* lateinische Nebenform und englische Form von Viktoria.

Victorian *(m)* lateinisch; Weiterbildung von Victor (Viktor); lateinische Form: *Victorianus;* Nebenform: *Viktorian;* französische Form: *Victorien.*

Victorianus *(m)* lateinische Form von Victorian.

Victorien *(m)* französische Form von Victorian.

Victorin *(m)* Weiterbildung von Victor (Viktor); Nebenform: *Viktorin;* lateinische Form: *Victorinus.*

Victorina *(w)* Nebenform zu Victorine.

Victorine *(w)* die weibliche Form zu Victorin; Nebenformen: *Victorina, Viktorina, Viktorine;* französische Form: *Victorine.*

Victorinus *(m)* lateinische Form von Victorin.

Victory *(w)* englische Form von Victoria (Viktoria).

Vida *(m)* ungarische Form von Veit; auch eine weibliche Form zu David.

Vidal *(m)* spanische Form von Vitalis.

Vidette *(w)* englische Weiterbildung von Vida.

Viegl *(m)* bayerische Koseform für Vigil.

Viggo *(m)* dänische Kurzform für mit Wig- gebildete männliche Vornamen; auch Kurzform für Victor (Viktor).

Vigil *(m)* von lateinisch: *vigilare* = wachen; lateinische Form: *Vigilius;* bayerische Kurz- und Koseformen: *Figl, Viegl.*

Vigilius *(m)* lateinische Form von Vigil.

Persönlichkeit der Geschichte:

Vigilius, gestorben um 405; Bischof von Trient; Glaubensbote im Etschtal; von Heiden zu Tod gesteinigt; Märtyrer.

Vike *(w)* Nebenform zu Fike; Koseform für Ludwiga, Sophie und Viktoria.

Viki *(w)* Koseform für Sophie und Viktoria.

Vikli *(w)* Koseform für Sophie und Viktoria.

Viktor *(m)* lateinisch: *victor* = Sieger; lateinische Nebenform: *Victor;* Kurz- und Koseformen: *Vico, Wikko;* rheinische Koseform: *Trienes;* französische Formen: *Victor, Victorien;* italienisch: *Vittorio, Vittore.*

Persönlichkeiten der Geschichte:

Viktor von Solothurn, gestorben um 302; legendärer Märtyrer der Thebaischen Legion; zusammen mit Urs und anderen Gefährten hingerichtet.

Viktor von Xanten, gestorben im 3. oder 4. Jahrhundert; Märtyrer in Xanten.

Viktor I., 189 bis 198 Papst; setzte die römische Primatialgewalt und im Osterfeststreit den römischen Brauch durch.

Viktor Emanuel II., 1820 bis 1878; seit 1861 erster König des geeinten Italien.

Viktoria *(w)* die weibliche Form zu Viktor; lateinisch: *victoria* = Sieg; Nebenform: *Victoria;* Koseformen: *Vike, Viki, Vikli, Vita, Fike, Fieke, Fikchen;* englische Formen: *Victoria, Victory, Vicky;* französisch: *Victoire;* italienisch: *Vittoria.*

Persönlichkeiten der Geschichte:

Viktoria von Córdoba, etwa 3. Jahrhundert; legendäre spanische Märtyrin zu Córdoba.

Viktoria, 1840 bis 1901; deutsche Kaiserin; Tochter Viktorias von England; Gattin Kaiser Friedrichs III.

Viktoria, 1819 bis 1901; Königin von Großbritannien und Irland; Kaiserin von Indien; Gattin von Prinz Albert von Sachsen-Coburg-Gotha; unter ihr Blüte Englands.

Viktorin *(m)* Nebenform zu Victorin.

Viktorina *(w)* Nebenform zu Victorine.

Viktorine *(w)* Nebenform zu Victorine.

Viktrizius *(m)* Weiterbildung von Viktor.

Vilém *(m)* tschechische Form von Wilhelm; Nebenform: *Vileme;* Koseform: *Minka.*

Vilema *(w)* tschechische Form von Wilhelma; Koseform: *Minka.*

Vileme *(m)* tschechische Nebenform zu Vilém (Wilhelm).

Vilgelmina *(w)* russische Form von Wilhelmine.

Viliana *(w)* russische Neubildung aus den Initialen Vladimir Lenins.

Vilja *(w)* finnisch und ungarisch: = Reichtum, Güte.

Vilma *(w)* die weibliche Form zu ungarisch Vilmos (Wilhelm); also ungarische Form von Wilhelmina.

Vilmar *(m)* althochdeutsch: *filu* = viel; *mari* = berühmt.

Vilmos *(m)* ungarische Form von Wilhelm.

Vincent *(m)* niederländische, englische, französische Form von Vinzenz.

Persönlichkeit der Geschichte:

Vincent van Gogh, 1853 bis 1890; niederländischer Maler, Zeichner und Lithograph; führte vom Impressionismus zum Expressionismus in Landschaften, Stilleben und Bildnissen.

Vincenta *(w)* Nebenform zu Vincentia; auch Vinzenta.

Vincentia *(w)* die weibliche Form zu Vinzenz; Nebenform: Vinzentia, Vincenta, Vinzenta; Kurz- und Koseformen: *Centa, Senda, Sens, Senta, Zenta, Zenzi.*

Vincentina *(w)* Weiterbildung von Vincentia; Nebenform: *Vinzentina.*

Vincentius *(m)* lateinische Form von Vinzenz; Nebenform: *Vinzentius.*

Vincenty *(m)* polnisch für Vinzenz.

Vincenz *(m)* Nebenform zu Vinzenz.

Vincenzo *(m)* italienisch für Vinzenz.

Vineta *(w)* bulgarische Form von Veneta (Venetia).

Vinz *(m)* Kurzform für Vinzenz.

Vinzent *(m)* Nebenform zu Vinzenz.

Vinzenta *(w)* Nebenform zu Vincenta (Vincentia).

Vinzentia *(w)* Nebenform zu Vincentia.

Vinzentina *(w)* Nebenform zu Vincentina.

Vinzentius *(m)* Nebenform zu Vincentius (Vinzenz).

Vinzenz *(m)* von lateinisch: *vincens* = siegend, Sieger; Nebenformen: *Vincenz, Vinzent;* Kurz- und Koseformen: *Vinz, Zenz, Zenzel;* lateinische Form: *Vincentius;* niederländisch, englisch und französisch: *Vincent;* italienisch: *Vincenzo;* portugiesisch: *Vicente;* polnisch: *Vincenty.*

Persönlichkeiten der Geschichte:

Vinzenz von Beauvais, 12./13. Jahrhundert; Dominikaner; Prediger, Schriftsteller und Erzieher am Hof Ludwigs IX. von Frankreich.

Vinzenz von Saragossa, gestorben 304; nach der Überlieferung Archidiakon in Saragossa; erlitt mit seinem Bischof in Valencia das Martyrium.

Vinzenz Pallotti, 1795 bis 1850; katholischer Theologe; Jugend-, Gefangenen-, Krankenseelsorger; Volksmissionar; gründete 1835 die Pallottiner sowie 1843 die Pallottinerinnen.

Viola *(w)* lateinisch: *viola* = Veilchen; englische Formen: *Violet, Violett;* italienisch: *Violetta;* französisch: *Violette.*

Violet *(w)* englische Form aus Viola; Nebenform: *Violett.*

Violett *(w)* englische Nebenform zu Violet (Viola).

Violetta *(w)* italienische Form aus Viola; Kurz- und Koseform: *Letta.*

Virgie *(w)* englische Kurz- und Koseform für Virginia.

Virgil *(m)* spätlateinische Form zu Vergil; lateinische Form: Virgilius.

Persönlichkeit der Geschichte:

Virgil, gestorben 784; irischer Glaubensbote in Karantanien (Kärnten); seit 743 war er Verwalter des Bistums Salzburg als Abt von Sankt Peter; seit 755 Bischof.

Virgilia *(w)* die weibliche Form zu Virgilius (Virgil).

Virgilius (m) lateinische Form von Virgil.

Virginia *(w)* lateinisch: *virgo* = Jungfrau; weibliche Form zu Virginius (Verginius); Nebenform: *Virginie;* englische Form: *Virginia;* Kurz- und Koseform: *Virgie, Vergie, Ginger, Ginnie;* französisch: *Virginie.*

Virginie *(w)* deutsche Nebenform und französische Form von Virginia.

Virginius *(m)* spätlateinische Form von Verginius.

Vit *(m)* Nebenform zu Veit; auch französische und russische Form von Veit.

Vita *(w)* lateinisch: *vita* = Leben; auch Kurzform für Viktoria.

Vital *(m)* Nebenform zu Vitalis.

Vitale *(m)* italienische Form von Vitalis.

Vitalis *(m)* lateinisch: *vitalis* = belebend, lebenerhaltend; Nebenform: *Vital;* italienische Form: *Vitale;* spanisch: *Vidal.*

Persönlichkeit der Geschichte:

Vitalis, gestorben vor 730; Bischof von Salzburg und Abt der Kirche von Sankt Peter; soll Glaubensbote im Pinzgau gewesen sein.

Vitellius *(m)* lateinische Weiterbildung von Vitulus.

Vito *(m)* italienische Form von Veit.

Vittore *(m)* italienische Form von Viktor.

Vittoria *(w)* italienische Form von Viktoria.

Vittorio *(m)* italienische Form von Viktor.

Persönlichkeiten der Geschichte:

Vittorio de Sabata, 1892 bis 1967; italienischer Dirigent und Komponist.

Vittorio de Sica, 1902 bis 1974; italienischer Schauspieler der Bühne und des Films sowie Filmregisseur.

Vitulja *(m)* russische Form von Viktor.

Vitulus *(m)* lateinisch: *vitulus* = das Kalb.

Vitus *(m)* lateinische Form von Veit; slawische Formen: *Fito, Fitko.*

Persönlichkeit der Geschichte:

Vitus Bering, 1680 bis 1741; dänischer Polar- und Asienforscher; umfuhr die asiatische Ostspitze; durchfuhr die Beringstraße; Erforscher Sibiriens.

Viv *(w)* englische Kurz- und Koseform für Viviane.

Viveka *(w)* neuere schwedische Form von Vivica (Wiebke).

Vivian *(m)* englische Form von Vivianus.

Viviana *(w)* Nebenform zu Viviane.

Viviane *(w)* die weibliche Form zu Vivianus; Nebenformen: *Viviana, Bibiana;* französische Formen: *Viviane, Vivienne, Bibiane;* englisch: *Viviane, Vivien, Viv.*

Vivianus *(m)* von lateinisch: *vivere* = leben; englische Form: *Vivian;* französisch: *Vivien;* portugiesisch: *Bibieno.*

Vivica *(w)* ältere schwedische Form für Vibeke (Wiebke).

Vivien *(m)* französische Form von Vivianus.

Vivien *(w)* englische Form von Viviane.

Persönlichkeit der Geschichte:

Vivien Leigh, 1913 bis 1967; englische Schauspielerin der Bühne und des Films.

Vivienne *(w)* französische Form von Viviane.

Vizelin *(m)* Nebenform zu Vicelin.

Vladimir *(m)* russische Form von Wladimir.

Persönlichkeit der Geschichte:

Vladimir Nabokov, 1899 bis 1977; russisch-amerikanischer Schriftsteller und Zoologe.

Vladislavka *(w)* polnische weibliche Form zu Wladimir.

Vlaska *(w)* polnische Nebenform zu Valeska.

Voit *(m)* französische Form von Veit.

Vojtěch *(m)* tschechische Form von Adalbert.

Vola *(w)* friesische Kurzform für mit Volk- gebildete weibliche Vornamen; Nebenform: *Volla.*

Volbert *(m)* Nebenform zu Volkbert.

Volch *(m)* Koseform für Volker.

Volhard *(m)* Nebenform zu Volkhard.

Volkart *(m)* Nebenform zu Volkhard.

Volkbert *(m)* althochdeutsch: *folk* = Volk; *beraht* = glänzend; Nebenformen: *Volkbrecht, Volbert, Volpert, Volprecht, Folbert, Fulbert.*

Volkberta *(w)* die weibliche Form zu Volkbert; Nebenform: *Fulberta.*

Volkbrand *(m)* althochdeutsch: *folk* = Volk; *brand* = Schwert, Feuer.

Volkbrecht *(m)* Nebenform zu Volkbert.

Volkenand *(m)* althochdeutsch: *folk* = Volk; *nand* = kühn.

Volker *(m)* althochdeutsch: *folk* = Volk; *hari* = Heer; Nebenformen: *Volkher, Folker, Folkher;* Kurz- und Koseformen: *Volko, Fulko, Folk, Folke, Volkmann, Volz, Volch, Fock, Fokko, Focko.*

Persönlichkeit:

Volker Schlöndorff, geboren 1939; deutscher Regisseur des zeitkritischen jungen deutschen Films.

Volkerdine *(w)* finnische weibliche Weiterbildung von Volkhard.

Volkert (m) Nebenform zu Volkhard.

Volkhard *(m)* althochdeutsch: *folk* = Volk; *harti* = stark; Nebenformen: *Volkhart, Volhard, Vollhard, Volkart, Volkert, Folkhard, Folkert.*

Volkhart *(m)* Nebenform zu Volkhard.

Volkher *(m)* Nebenform zu Volker.

Volkhild *(w)* althochdeutsch: *folk* = Volk; *hiltja* = Kampf; Nebenform: *Volkhilde; friesische Koseform: Folke.*

Volkhilde *(w)* Nebenform zu Volkhild.

Volkhold *(m)* Nebenform zu Volkwald.

Volkmann *(m)* althochdeutsch: *folk* = Volk; *man* = Mann; auch Koseform für Volker.

Volkmar *(m)* althochdeutsch: *folk* = Volk; *mari* = berühmt; Nebenformen: *Volkmer, Volmar, Folkmar.*

Volko *(m)* Koseform für Volker; allgemein: Kurzform für mit Volk- gebildete männliche Vornamen; Nebenformen: *Volch, Volz, Folk, Folke, Fulko.*

Volkrad *(m)* althochdeutsch: *folk* = Volk; *rat* = Rat, Ratgeber; Nebenformen: *Volkrat, Volrad, Vollrad, Vollrat, Volrat, Folkrad, Folkrat, Fullrad.*

Volkram *(m)* althochdeutsch: *folk* = Volk; *rhaban* = Rabe.

Volkrat *(m)* Nebenform zu Volkrad.

Volkwald *(w)* althochdeutsch: *folk* = Volk; *waltan* = walten, gebieten; Nebenform: *Volkhold.*

Volkward *(m)* althochdeutsch: *folk* = Volk; *ward* = Schutz.

Volkwin *(m)* althochdeutsch: *folk* = Volk; *wini* = Freund; Nebenformen: *Volquin, Folkwein.*

Volle *(w)* friesische Kurzform für mit Volk- gebildete weibliche Vornamen.

Vollhard *(m)* Nebenform zu Volkhard.

Vollina *(w)* friesische Kurzform für mit Volk- gebildete weibliche Vornamen.

Vollrad *(m)* Nebenform zu Volkrad.

Vollrat *(m)* Nebenform zu Volkrad.

Volmar *(m)* Nebenform zu Volkmar.

Volpert *(m)* Nebenform zu Volkbert.

Volprecht *(m)* Nebenform zu Volkbert.

Volquin *(m)* Nebenform zu Volkwin.

Volrad *(m)* Nebenform zu Volkrad.

Volrat *(m)* Nebenform zu Volkrad.

Völund *(m)* dänische Form von Wiland.

Völundar *(m)* altnordische Form von Wiland.

Volz *(m)* Koseform für Volker.

Vreda *(w)* niederdeutsche Form von Frieda.

Vrein *(w)* Koseform für Verena und Veronika.

Vrenele *(w)* Koseform für Verena.

Vreneli *(w)* schweizerische Koseform für Verena und Veronika.

Vreni *(w)* Kurz- und Koseform für Verena.

Vrone *(w)* Kurz- und Koseform für Veronika.

Vroneli *(w)* Kurz- und Koseform für Veronika.

W

Wachsmuth *(m)* althochdeutsch: *wahsan* = wachsen; *muot* = Sinn, Geist; Nebenformen: *Wachsmut, Wasmut, Wasmod, Wasmot, Wacharmund, Wachmund;* Kurz- und Koseformen: *Weske, Wesche.*

Wacker *(m)* germanisch: wachsamer Krieger; Nebenformen: *Wackher, Wachher, Wacher.*

Wackher *(m)* Nebenform zu Wacker.

Waclaw *(m)* polnische Form von Wenzeslaus.

Wadast *(m)* flämisch; Nebenformen: *Vaast, Vedast;* lateinische Form: *Vedastus;* französisch: *Gaston.*

Wala *(w)* Kurz- und Koseform für Walburg.

Walafrid *(m)* althochdeutsch: *wal* = Walstatt; *fridu* = Friede; Nebenformen: *Walafried, Walfried, Walfrid.*

Walafried *(m)* Nebenform zu Walafrid.

Waland *(m)* Nebenform zu Wiland.

Walarich (m) althochdeutsch: *wal* = Walstatt; *rihhi* = reich, mächtig.

Walber *(w)* estnische Form von Walburg.

Walbert *(m)* althochdeutsch: *waltan* = walten, gebieten; *beraht* = glänzend; Nebenformen: *Waldbert, Waldebert;* französische Form: *Vaubert.*

Walborg *(w)* deutsche Form des schwedischen Valborg (Walburg).

Walburg *(w)* althochdeutsch: *wal* = Walstatt; *burg* = Burg, Schutz, Zuflucht; Nebenformen: *Walburga, Walburge, Walpurga, Walpurgis;* ältere Formen: *Waldburg, Waldburga;* Kurz- und Koseformen: *Waberl, Wala, Walli, Wally, Wobbe, Burga, Burge;* schwedische Form: *Valborg;* französisch: *Vaubourg;* estnisch: *Valber.*

Persönlichkeit der Geschichte:

Walburg von Heidenheim, gestorben 770; angelsächsische Ordensfrau; wurde Äbtissin des Doppelklosters Heidenheim; wirkte missionarisch unter dem teils noch heidnischen Volk.

Walburga *(w)* Nebenform zu Walburg.

Walburge *(w)* zu Walburg.

Walda *(w)* Kurzform für mit Wald- oder Walde- gebildete weibliche Vornamen; Nebenform: *Welda.*

Waldbert *(m)* Nebenform zu Walbert.

Waldburg *(w)* ältere Form von Walburg.

Walburga *(w)* ältere Form von Walburg.

Waldebert *(m)* Nebenform zu Walbert.

Waldeberta *(w)* die weibliche Form zu Waldebert (Walbert).

Waldegund *(w)* althochdeutsch: *waltan* = walten, gebieten; *gund* = Kampf; Nebenform: *Waldegunde.*

Waldel *(m)* Kurz- und Koseform für Waldemar.

Waldemar *(m)* althochdeutsch: *waltan* = walten, gebieten; *mari* = berühmt; Nebenformen: *Waldomar;* niederdeutsch: *Waldel, Waldl, Waldo;* dänische Form: *Valdemar;* polnisch: *Wlodzimierz;* russisch: *Wladimir, Vladimir.*

Waldfried *(m)* althochdeutsch: *waltan* = walten; *fridu* = Friede.

Waldi *(m)* Kurzform für mit Wald- (althochdeutsch: *waltan*) gebildete männliche Vornamen; Nebenform: *Waldo.*

Waldl *(m)* bayerische Kurz- und Koseform für Willibald; auch Koseform für Waldemar.

Waldmann *(m)* Koseform für mit Wald- oder -wald gebildete männliche Vornamen; Nebenform: *Waltmann.*

Waldo *(m)* Nebenform zu Waldi.

Waldomar *(m)* Nebenform zu Waldemar.

Waldrada *(w)* althochdeutsch: *waltan* = walten, gebieten; *rat* = Rat, Beratung.

Waldtraut *(w)* Nebenform zu Waltrud.

Waleska *(w)* polnische Form von Valeria.

Walfrid *(m)* Nebenform zu Walafrid und Waltfrid.

Walfried *(m)* Nebenform zu Walafrid und Waltfrid.

Wallram *(m)* Nebenform zu Waltram.

Wally *(w)* Kurz- und Koseform für Valentine, Valeria und Walburg; entspricht Walli; Nebenform: *Vally.*

Walo *(m)* Kurzform für mit Wal- oder Wald- gebildete männliche Vornamen.

Walpurga *(w)* Nebenform zu Walburg.

Walpurgis *(w)* Nebenform zu Walburg.

Walram *(m)* Nebenform zu Waltram.

Walt *(m)* englische Kurzform für Walter.

Persönlichkeit der Geschichte:

Walt Disney, 1901 bis 1966; amerikanischer Trickfilmzeichner, Filmregisseur und -produzent von Dokumentarfilmen.

Waltel *(m)* Kurz- und Koseform für Willibald.

Walter *(m)* althochdeutsch: *waltan* = walten, gebieten; *hari* = *heri* = Heer; ältere Formen: *Walthari, Waltheri, Walther;* schweizerisch: *Wälti;* niederdeutsch: *Wolter, Wolt, Wold, Woltje;* Kurz- und Koseformen: *Welter, Welti, Walz, Watt, Watty;* englische Formen: *Walter, Walt, Watty, Wat;* niederländisch: *Wauter, Wouter, Wout;* französisch: *Gautier, Gauthier;* italienisch: *Gualterio, Gualtiero.*

Persönlichkeiten der Geschichte:

Walter Eucken, 1891 bis 1950; deutscher Nationalökonom; begründete den Neoliberalismus.

Walter Gropius, 1883 bis 1969; deutscher Architekt; Gründer und 1919 bis 1928 Leiter des Bauhauses in Weimar; Förderer modernen Bauens.

Walter Hallstein, 1901 bis 1982; deutscher christdemokratischer Politiker; 1958 bis 1967 Präsident der Kommission der Europäischen Wirtschaftsgemeinschaft, 1968 bis 1974 der Europäischen Bewegung.

Walter Jens, geboren 1923, deutscher Schriftsteller, klassischer Philologe.

Walter Scott, 1771 bis 1832, englischer Erzähler.

Walter Ulbricht, 1893 bis 1973; deutscher kommunistischer Politiker; Mitgründer der Kommunistischen Partei Deutschlands; 1960 bis 1973 Vorsitzender des Staatsrats der Deutschen Demokratischen Republik.

Waltfrid *(m)* althochdeutsch: *waltan* =walten, gebieten; *fridu* = Friede; Nebenformen: *Walfrid, Walfried.*

Walthart *(m)* Nebenform zu Walthard.

Waltheide *(w)* althochdeutsch: *waltan* = walten, gebieten; *heit* = Wesen.

Walther *(m)* ältere Form von Walter.

Persönlichkeiten der Geschichte:

Walther von der Vogelweide, etwa 1170 bis 1229; mittelhochdeutscher Minnesänger und Spruchdichter; einer der Vollender des höfischen Minnesangs.

Walther Rathenau, 1867 bis 1922, deutscher Politiker und Staatsmann.

Waltheri *(m)* ältere Form von Walter.

Walthert *(m)* Nebenform zu Waltrad.

Walthild *(w)* althochdeutsch: *waltan* =

walten, gebieten; *hiltja* = Kampf; Nebenform: Walthilde.

Walthilde *(w)* Nebenform zu Walthild.

Waltmann *(m)* Nebenform zu Waldmann.

Waltrad *(m)* althochdeutsch: *waltan* = walten, gebieten; *rat* = Rat, Ratgeber; Nebenformen: *Waltrat, Walthert.*

Waltram *(m)* althochdeutsch: *waltan* = walten, gebieten; *hraban* = Rabe; Nebenformen: *Walram, Wallram, Walraf;* Kurz- und Koseformen: *Rab, Raff, Ram, Rapp.*

Waltrat *(m)* Nebenform zu Waltrad.

Waltraud *(w)* Nebenform zu Waltrud.

Waltraut *(w)* Nebenform zu Waltrud.

Waltrud *(w)* althochdeutsch: *wal* = Walstatt, Kampfplatz; *trud* = stark, kräftig, zuverlässig; Nebenformen: *Waltrude, Waltrudis, Waltraud, Waltraut, Waldtraut.*

Waltrude *(w)* Nebenform zu Waltrud.

Waltrudis *(w)* Nebenform zu Waltrud.

Waltrun *(w)* althochdeutsch: *waltan* = walten, gebieten; *runa* = Geheimnis, Zauber.

Walty *(m)* englische Kurz- und Koseform für Walter.

Walz *(m)* Koseform für Walter.

Wambold *(m)* Nebenform zu Warmbold.

Wamoda *(w)* Nebenform zu Wandelmoda.

Wanda *(w)* Kurzform für Wendelgard; auch polnisch; Bedeutung fraglich; oder: slawisch: Wendin, Wandalin (?); italienische und schwedische Form: *Vanda.*

Wandelgard *(w)* Nebenform zu Wendelgard.

Wandeline *(w)* Erweiterungsform von Wanda.

Wandelmoda *(w)* *wandel* = vom Stamm der Vandalen; germanisch: *moda* = althochdeutsch: *muot* = Geist, Sinn; Nebenform: *Wamoda.*

Wander *(m)* Koseform für Wendelin.

Wandilbert *(m)* Nebenform zu Wendelbert.

Wandilmar *(m)* Nebenform zu Wendelmar.

Wando *(m)* Kurzform für Wandregisil.

Wandregisil *(m)* althochdeutsch: *gisel* = Pfeil, Speer; oder *gisal* = Geisel; Kurzform: *Wando.*

Wangeline *(w)* Herkunft und Bedeutung fraglich.

Wanja *(m)* russische Koseform für Iwan.

Wanko *(m)* bulgarische Koseform für Iwan.

Waramund *(m)* ältere Form von Warmund.

Warand *(m)* althochdeutsch: *warjan* = wehren, verteidigen; Nebenformen: *Warant, Werant, Weriand, Weriant.*

Warant *(m)* Nebenform zu Warand.

Warenka *(w)* russische Koseform für Barbara.

Warimunt *(m)* ältere Form von Warmund.

Warin *(m)* germanisch: *warm* = vom Stamm der Warnen; Nebenform zu Guarin; auch *Werin.*

Warinbald *(m)* Nebenform zu Warmbold.

Warja *(w)* russische Koseform für Warwara (Barbara).

Warmbold *(m)* *warm* = vom Stamm der Warnen; althochdeutsch: *bald* = kühn; Nebenformen: *Warinbald, Werinbald, Werenbolt, Wambold.*

Warmund (m) germanisch: *warjan* = wehren, verteidigen; althochdeutsch: *munt* = Schutz; ältere Form:

Waramund und Warimunt; Nebenform: *Garimund.*

Warnart *(m)* friesische Form von Wernhard.

Warner *(m)* schlesische Nebenform zu Werner.

Warnert *(m)* friesische Form von Wernhard.

Warnfried *(m)* Nebenform zu Wernfried.

Warwara russische Form von Barbara; Koseform: *Warja.*

Washington *(m)* englisch-amerikanisch; ursprünglich Familienname.

Wasil *(m)* slawische Kurzform für Basilius.

Wasja *(m)* russische Koseform für Wassilij.

Wasmod *(m)* Nebenform zu Wachsmuth.

Wasmot *(m)* Nebenform zu Wachsmuth.

Wasmut *(m)* Nebenform zu Wachsmuth.

Wassili *(m)* Nebenform zu Wassilij.

Wassilij *(m)* russische Form von Basilius; Nebenformen: *Wassili, Vasilij;* Koseformen: *Wasil, Wasja, Vasja.*

Persönlichkeit der Geschichte:

Wassilij Kandinsky, 1866 bis 1944; russisch-deutscher Maler, Graphiker und Kunsthistoriker; begründete die abstrakte Malerei.

Wastel *(m)* bayerische Kurz- und Koseform für Sebastian; Nebenformen: *Wastl, Watschel.*

Wastl *(m)* bayerische Nebenform zu Wastel (Sebastian).

Wat *(m)* englische Koseform für Walter.

Watschel *(m)* bayerische Nebenform zu Wastel (Sebastian).

Watt *(m)* Kurz- und Koseform für Walter.

Watty *(m)* Koseform für Walter.

Wätzold *(m)* Nebenform zu Werner.

Wauter *(m)* niederländische Form von Walter.

Wawerl *(w)* Kurz- und Koseform für Barbara.

Wayland *(m)* englische Form von Wiland.

Wazlaw *(m)* Kurzform für Wenzeslaus; deutsche Schreibweise für tschechisch Václav und polnisch Waclaw.

Weda *(w)* friesische Kurzform für mit Wig- gebildete weibliche Vornamen; Nebenformen: *Wedeke, Wedis, Weeda.*

Wedeke *(w)* Nebenform zu Weda.

Wedekind *(m)* niederdeutsche Nebenform zu Widukind.

Wedigo *(m)* niederdeutsch-friesische Kurzform für mit Wede- oder Widu- (althochdeutsch: *witu* = Holz, Wald) gebildete männliche Vornamen; auch Nebenform zu Wittiko.

Weeko *(m)* friesische Kurzform für mit Wede- gebildete männliche Vornamen; Nebenform: *Weeke.*

Weerd *(m)* Nebenform zu Weert.

Weert *(m)* niederdeutsch-friesische Kurzform für Wighard; Nebenform: *Weerd.*

Weerta *(w)* die weibliche Form zu Weert.

Wega *(w)* friesische Kurzform für mit Wig- gebildete weibliche Vornamen; Nebenform: *Wege.*

Wehrhart *(m)* Nebenform zu Wernhard.

Weichert *(m)* Nebenform zu Wighard.

Weigand *(m)* Nebenform zu Wigand.

Weigert *(m)* Nebenform zu Wighard.

Weike *(w)* friesische Kurzform für mit Wich- gebildete weibliche Vornamen.

Weiland *(m)* Nebenform zu Wiland.

Weimann *(m)* Nebenform zu Wichmann und Wighard.

Weimar *(m)* Nebenform zu Wigmar und Winimar.

Weimer *(m)* Nebenform zu Wigmar und Winimar.

Weinand *(m)* Nebenform zu Wigand.

Weinreich *(m)* Nebenform zu Winrich.

Weinrich *(m)* Nebenform zu Winrich.

Weiprecht *(m)* Nebenform zu Wigbert.

Weirich *(m)* Nebenform zu Winrich und Wirich.

Weke *(m)* friesische Kurzform für mit Wede- gebildete männliche Vornamen; Nebenform: *Weko.*

Weko *(m)* Nebenform zu Weke.

Welda *(w)* Nebenform zu Walda.

Welf *(m)* althochdeutsch: *welf* = wildes junges Tier; Kurzform für Welfhard.

Welfhard *(m)* althochdeutsch: *welf* = wildes Junges; *harti* = stark; auch Nebenform zu Wolfhard; Kurzform: *Welf.*

Wella *(w)* Herkunft und Bedeutung fraglich.

Wellem *(m)* rheinische, niederdeutsche und niederländische Form von Wilhelm.

Wellemina *(w)* rheinische und friesische Form von Wilhelmine.

Welmer *(m)* friesische Form von Wilmar.

Welmot *(m)* friesische Form von Wilmut.

Wencke *(w)* niederdeutsche Kurzform für mit Wern- oder -wine gebildete weibliche Vornamen; Nebenform: *Weneke;* auch norwegischer weiblicher Vorname.

Wendel *(m)* Kurzform für mit Wendel- gebildete männliche Vornamen; so für Wendelin.

Wendelbert *(m)* *wendel* = vom Stamm der Vandalen; althochdeutsch: *beraht* = glänzend; Nebenform: *Wandilbert.*

Wendelburg *(w)* *wendel* = vom Stamm der Vandalen; althochdeutsch: *burg* = Burg, Schutz.

Wendelgard *(w)* *wendel* = vom Stamm der Vandalen; althochdeutsch: *gard* = Zaun, Schützerin; Nebenformen: *Wandelgard, Windelgard.*

Wendelin *(m)* althochdeutsch: Verkleinerungsform von Wendel; lateinische Form: *Wendelinus;* Kurz- und Koseformen: *Wendel, Wendig, Wendling, Wennig, Wander.*

Wendeline *(w)* die weibliche Form zu Wendelin.

Wendelinus *(m)* lateinische Form von Wendelin.

Wendelmar *(m)* *wendel* = vom Stamm der Vandalen; althochdeutsch: *mari* = berühmt; Nebenform: *Wandilmar.*

Wendi *(w)* Kurzform für mit Wend- oder Wendel- gebildete weibliche Vornamen; Nebenformen: *Wendy, Wendula.*

Wendling *(m)* Kurzform für Wendelin.

Wendula *(w)* Nebenform zu Wendi.

Wendy *(w)* Nebenform zu Wendi.

Wenemar *(m)* Nebenform zu Winimar.

Wennemar *(m)* Nebenform zu Winimar.

Wennig *(m)* Kurz- und Koseform für Wendelin.

Wenz *(m)* Kurz- und Koseform für Werner.

Wenzel *(m)* Kurzform für Wenzeslaus.

Persönlichkeit der Geschichte:

Wenzel, etwa 904 bis 930; Böhmenherzog; seit 921 König; förderte die Ausbreitung des Christentums in Böhmen und den Anschluß seines Landes an die deutsche Kulturgemeinschaft; ermordet.

Wenzeslaus *(m)* slawisch: *vjenez* = Kranz; *slawa* = berühmt; Kurz- und Koseformen: *Wenzel, Ceslaus, Wazlaw;* tschechische Formen: *Václav, Vaceslav;* polnisch: *Waclaw;* russisch: *Wjatscheslaw.*

Weprecht *(m)* Nebenform zu Wigbert.

Wera *(w)* russisch: *wjera* = Glaube; Koseform: *Veruschka;* lateinische Form: *Vera.*

Werant *(m)* Nebenform zu Warand.

Werburg *(w)* Nebenform zu Wernburg.

Werenbolt *(m)* Nebenform zu Warmbold.

Werhart *(m)* Nebenform zu Wernhard.

Weriand *(m)* Nebenform zu Warand.

Weriant *(m)* Nebenform zu Warand.

Werin *(m)* Nebenform zu Warin.

Werinbald *(m)* Nebenform zu Warmbold.

Werinber *(m)* ältere Form von Werner.

Werna *(w)* Kurzform für verschiedene mit Wern- gebildete weibliche Vornamen.

Wernburg *(w)* vom Stamm der Warnen; oder althochdeutsch: *warjan* = wehren, verteidigen; *burg* = Burg, Zuflucht, Schützerin.

Werner *(m)* vom germanischen Stamm der Warnen; oder althochdeutsch: *warjan* = wehren, verteidigen; *hari* = heri = Heer; ältere Formen: *Wernher, Werinher;* Kurzform niederdeutsch: *Warner;* friesisch: *Wessel;* schlesisch: *Wetz, Wetzel, Wätzold;* Kurz- und Koseformen: *Wernt, Wernz, Widsel, Witzel;* skandinavische Form: *Verner;* französisch: *Garnier, Guernard, Vernier;* italienisch: *Guernerio, Guarniero.*

Persönlichkeiten der Geschichte:

Werner Egk, 1901 bis 1983; deutscher Ballett-, Opern- und Orchesterkomponist.

Werner Finck, 1902 bis 1978; deutscher Schauspieler, Kabarettist und Schriftsteller.

Werner Heisenberg, 1901 bis 1976; deutscher Physiker; Mitbegründer der Quantenmechanik; Atomphysiker.

Werner Hinz, 1903 bis 1985; deutscher Bühnen- und Filmschauspieler; Charakterdarsteller.

Werner Krauß, 1884 bis 1959; deutscher Bühnen- und Filmschauspieler; Charakterdarsteller.

Werner von Siemens, 1816 bis 1892; deutscher Elektrotechniker; erfand die Starkstromtechnik.

Wernfried *(m)* althochdeutsch: *warjan* = wehren, verteidigen; *fridu* = Friede.

Werngard *(w)* althochdeutsch: *warjan* = wehren, verteidigen; *gard* = Zaun, Schutz.

Wernhard *(m)* althochdeutsch: *warjan* = wehren, verteidigen; *harti* = stark; Nebenformen: *Wehrhart, Werhart;* Kurzform: *Wernt.*

Wernher *(m)* ältere Form von Werner.

Persönlichkeit der Geschichte:

Wernher von Braun, 1912 bis 1977; deutsch-amerikanischer Physiker und Raketenforscher namentlich in der Entwicklung der Raumfahrt.

Wernhild *(w)* althochdeutsch: *warjan* = wehren, verteidigen; *hiltja* = Kampf; Nebenform: *Wernhilde.*

Wernhilde *(w)* Nebenform zu Wernhild.

Werno *(m)* Kurzform für mit Wern- gebildete männliche Vornamen.

Wernt *(m)* Kurzform für Wernhard und Werner.

Wernz *(m)* Kurz- und Koseform für Werner.

Wessel *(m)* friesische Koseform für Werner.

Wetti *(w)* Koseform für Barbara.
Wetz *(m)* oberdeutsche Kurzform für Werner.
Wetzel *(m)* oberdeutsche Nebenform zu Werner; Kurzform: *Wetz.*
Weyland *(m)* Nebenform zu Wiland.
Weynmar *(m)* Nebenform zu Winimar.
Wiard *(m)* Nebenform zu Wiardo.
Wiardo *(m)* friesische Form von Wighard; Nebenformen: *Wiard, Wiart;* latinisiert: *Wiardus.*
Wiardus *(m)* latinisierte Form von Wiardo.
Wiart *(m)* Nebenform zu Wiardo (Wighard).
Wiba *(w)* friesische Kurzform für mit Wib- oder Wig- gebildete weibliche Vornamen; Nebenformen: *Wibeke, Wibke, Wieba, Wiebke.*
Wibald *(m)* Nebenform zu Wigbald.
Wibeke *(w)* Nebenform zu Wiba.
Wiber *(m)* Koseform für Wigbert.
Wibert *(m)* Nebenform zu Wigbert.
Wiberta *(w)* Nebenform zu Wigberta.
Wibke *(w)* Koseform für Wigberta; Nebenform zu Wiba und Wiebke.
Wibo *(m)* Kurzform für mit Wig- gebildete männliche Vornamen.
Wibold *(m)* friesische Nebenform zu Wigbald.
Wibrand *(m)* Nebenform zu Wigbrand.
Wibranda *(w)* Nebenform zu Wibrande.
Wibrande *(w)* die weibliche Form zu Wibrand (Wigbrand); Nebenform: *Wibranda.*
Wiburg *(w)* Nebenform zu Wigburg.
Wichard *(m)* Nebenform zu Wighard.
Wichert *(m)* Nebenform zu Wighard.
Wichhard *(m)* Nebenform zu Wighard.
Wichmann *(m)* althochdeutsch: *wig* = Kampf; man = Mann; Nebenformen: Wigmann, Wiegmann, Wiemann, Weimann.
Wichold *(m)* Nebenform zu Wigbald.
Wichram *(m)* Nebenform zu Wigram.
Wickel *(m)* Koseform für Ludwig.
Wickes *(m)* Koseform für Ludwig.
Wiclef *(m)* althochdeutsch: *wig* = Kampf; *lef* = Nachkomme, Erbe; Nebenform: *Wiclif.*
Wiclif *(m)* Nebenform zu Wiclef.
Wide *(m)* friesische Kurzform für mit Wede- oder Wide- gebildete männliche Vornamen.
Wide *(w)* friesische Kurzform für mit Wede- oder Wide- gebildete weibliche Vornamen.
Wido *(m)* Kurzform für mit Wid- oder Wit- (althochdeutsch: *witu* = Holz, Wald) gebildete männliche Vornamen; Nebenform: *Wito;* romanisierte Form: *Guido;* französisch und englisch: *Guy.*
Widsel *(m)* Koseform für Werner.
Widukind *(m)* althochdeutsch: *witu* = Holz, Wald; *kind* = Kind; Nebenformen: *Wittekind, Wiedekind, Wedekind.*
Widuwalt *(m)* ältere Form von Witold.
Wieba *(w)* Nebenform zu Wiba.
Wiebke *(w)* niederdeutsche Kurz- und Koseform für mit Wig- gebildete weibliche Vornamen; Nebenformen: *Wibke, Wobke, Wübke;* dänische Form: *Vibeke;* schwedisch: *Vivica,* neuer: *Viveka;* ungarisch: *Vivike.*
Wiebo *(m)* friesische Form von Wigbert.
Wiedekind *(m)* Nebenform zu Widukind.
Wiegand *(m)* Nebenform zu Wigand.
Wiegel *(m)* Kurzform für Wigand.
Wiegmann *(m)* Nebenform zu Wichmann.

Wieka *(w)* Kurzform für mit Wig-, -wiga, -wita gebildete weibliche Vornamen; Nebenformen: *Wieke, Wika, Wike.*

Wieke *(w)* Nebenform zu Wieka.

Wieland *(m)* Nebenform zu Wiland.

Persönlichkeit der Geschichte:

Wieland Wagner, 1917 bis 1966; deutscher Regisseur; betrieb mit seinem Bruder Wolfgang die Wiederaufnahme der Bayreuther Festspiele; ab 1951 deren künstlerischer Leiter.

Wiemann *(m)* Nebenform zu Wichmann.

Wiemar *(m)* Nebenform zu Wigmar und Winimar.

Wiemer *(m)* Nebenform zu Wigmar und Winimar.

Wigand *(m)* althochdeutsch: *wigant* = Kämpfender; Nebenformen: *Wiegand, Weigand, Wignand, Wienand, Winand, Weinand;* Kurzform: *Wiegel;* niederdeutsche Koseform: *Wineke;* französische Form: *Guinand.*

Wigbald *(m)* althochdeutsch: *wig* = Kampf; *bald* = kühn; Nebenformen: *Wichold, Wigbold, Wibald, Wibold, Wibolt, Wilbelt, Wippold.*

Wigbern *(m)* althochdeutsch: wig = Kampf; bero = Bär; friesische Kurzform: Wybren.

Wigbers *(m)* Koseform für Wigbert.

Wigbert *(m)* althochdeutsch: *wig* = Kampf; *beraht* = glänzend; Nebenformen: *Wigbrecht, Wibert, Wipert, Wiprecht, Weprecht, Weiprecht;* Kurz- und Koseformen: *Wibo, Wippo, Wigbers, Wiber;* friesisch: *Wiebo;* französische Form: *Guibert.*

Wigberta *(w)* die weibliche Form zu Wigbert; Koseform: *Wibke;* Nebenform: *Wiberta.*

Wigbold *(m)* Nebenform zu Wigbald.

Wigbrand *(m)* althochdeutsch: *wig* = Kampf; *brand* = Schwert, Feuer; Nebenform: *Wibrand.*

Wigburg *(w)* althochdeutsch: *wig* = Kampf; *burg* = Burg, Schutz; Nebenform: *Wigburga, Wiburg.*

Wigburga *(w)* Nebenform zu Wigburg.

Wigel *(w)* Koseform für Hedwig.

Wigerich *(m)* ältere Form von Wirich.

Wigfrid *(m)* althochdeutsch: *wig* = Kampf; *fridu* = Friede.

Wiggel *(m)* Koseform für Ludwig.

Wiggel *(w)* Koseform für Hedwig.

Wigger *(m)* friesische Kurzform für mit Wig- gebildete männliche Vornamen.

Wiggerl *(m)* Koseform für Ludwig.

Wiggl *(m)* Koseform für Ludwig.

Wiggo *(m)* friesische Kurzform für mit Wig- gebildete männliche Vornamen.

Wighard *(m)* althochdeutsch: *wig* = Kampf; *harti* = stark; Nebenformen: *Wighart, Wichard, Wichhard, Wichert, Wikhart, Weikhard, Weichert, Weigert;* Kurz- und Koseformen: *Weigel, Weimann, Wiemann;* niederdeutsch-friesische Formen: *Wiardo, Wiart, Weert;* französische Form: *Guichard.*

Wighart *(m)* Nebenform zu Wighard.

Wigmann *(m)* Nebenform zu Wichmann.

Wigmund *(m)* althochdeutsch: *wig* = Kampf; *munt* = Schutz, Schützer.

Wignand *(m)* Nebenform zu Wigand.

Wigo *(m)* Kurzform für mit Wig- gebildete männliche Vornamen; Nebenform: *Wiho.*

Wigoleis *(m)* Nebenform zu Vigoleis.

Wigram *(m)* althochdeutsch: *wig* = Kampf; *hraban* = Rabe; Nebenformen: *Wichram, Wikram.*

Wiho *(m)* Nebenform zu Wigo.

Wika *(w)* Nebenform zu Wieka.

Wike *(w)* Nebenform zu Wieka.

Wil *(m)* Kurzform für mit Wil- oder Will- gebildete männliche Vornamen.

Wiland *(m)* althochdeutsch: *waland* = kunstfertig; Nebenformen: *Wieland, Weiland, Wergland;* ältere Form: *Waland;* altnordisch: *Völundar;* dänisch: *Völund;* französisch: *Galland;* englisch: *Wayland.*

Wilbert *(m)* Nebenform zu Wigbald.

Wilbert *(m)* althochdeutsch: *willo* = willio = Wille; *beraht* = glänzend; Nebenformen: *Wilbrecht, Willibert, Willbrecht;* französische Form: *Guilbert.*

Wilbet *(m)* Kurzform für Willibald.

Wilbrand *(m)* althochdeutsch: *willo* = willio = Wille; *brand* = Schwert, Feuer; Nebenform: *Willibrand;* Kurzform: *Brand.*

Wilbrecht *(m)* Nebenform zu Wilbert.

Wilburg *(w)* althochdeutsch: *willo* = willio = Wille; *burg* = Burg, Schutz.

Wildfried *(m)* althochdeutsch: *wildi* = wild; *fridu* = Friede.

Wilfer *(m)* Nebenform zu Wilfrid.

Wilfert *(m)* Nebenform zu Wilfrid.

Wilfling *(m)* Koseform für Wolfgang.

Wilfrid *(m)* althochdeutsch: *willo* = Wille; *fridu* = Friede; Nebenformen: *Wilfried, Willifrid, Wilfert, Wilfer;* englische Form: *Wilfred.*

Wilfried *(m)* Nebenform zu Wilfrid.

Wilfrieda *(w)* die weibliche Form zu Wilfried (Wilfrid); Nebenform: *Wilfriede.*

Wilfriede *(w)* Nebenform zu Wilfrieda.

Wilgard *(w)* althochdeutsch: *willo* = willio = Wille; *gard* = Zaun, Schutz.

Wilgund *(w)* althochdeutsch: *willo* = willio = Wille; *gund* = Kampf; Nebenform: *Wilgunde.*

Wilhard *(m)* althochdeutsch: *willo* = willio = Wille; *harti* = stark; Nebenformen: *Willard, Willhart, Willehard;* englische Form: *Willard;* niederländisch: *Willaert;* französisch: *Guillard.*

Wilhelm *(m)* althochdeutsch: *willo* = willio = Wille; *helm* = Helm, Schutz; Nebenform: *Willehalm;* Kurz- und Koseformen: *Wille, Willi, Willy, Wilke, Wilko, Wiltz, Wim;* niederdeutsch: *Wilm, Helmes, Helmet, Helmi;* niederländische Form: *Willem;* englisch: *William;* Koseformen: *Will, Bill, Billy, Bile, Bili;* tschechisch: *Vilém, Vileme;* ungarisch: *Vilmos;* latinisiert: *Guilelmus;* italienisch: *Guglielmo;* französisch: *Guillaume;* spanisch: *Guillermo.*

Persönlichkeiten der Geschichte:

Wilhelm II. von Preußen, 1859 bis 1941, der letzte deutsche Kaiser.

Wilhelm Backhaus, 1884 bis 1969, deutscher Pianist.

Wilhelm Busch, 1832 bis 1908; deutscher humoristischer Schriftsteller, Maler und Zeichner.

Wilhelm Canaris, 1887 bis 1945; deutscher Admiral; 1935 bis 1944 Chef der deutschen Abwehr; wegen Verbindung zur Widerstandsbewegung verhaftet und hingerichtet.

Wilhelm Furtwängler, 1886 bis 1954; deutscher Dirigent und Komponist.

Wilhelm Grimm, 1786 bis 1859; deutscher Sprachwissenschaftler und Schriftsteller; Mitarbeiter seines Bruders Jacob.

Wilhelm Hauff, 1802 bis 1827; deutscher Schriftsteller von Romanen, Novellen, Märchen und Volksliedern.

Wilhelm von Humboldt, 1767 bis 1835; deutscher Gelehrter, Politiker und Diplomat.

Wilhelm Keitel, 1882 bis 1946; deutscher General; unterzeichnete 1945 die Kapitulation; 1946 im Nürnberger Prozeß zum Tod verurteilt und hingerichtet.

Wilhelm Kempff, 1895 bis 1991, deutscher Pianist, berühmter Beethoven-Interpret.

Wilhelm von Mauser, 1834 bis 1882; deutscher Waffenkonstrukteur.

Wilhelm Maybach, 1846 bis 1929; deutscher Ingenieur; erfand den Spritzdüsenvergaser und das Wechselgetriebe für Kraftfahrzeugbau.

Wilhelm Pieck, 1876 bis 1960; deutscher kommunistischer Politiker; seit 1946 mit Grotewohl Vorsitzender der Sozialistischen Einheitspartei Deutschlands; ab 1949 Staatspräsident der ehemaligen Deutschen Demokratischen Republik.

Wilhelm Raabe, 1831 bis 1910, deutscher Erzähler.

Wilhelm C. Röntgen, 1845 bis 1923; deutscher Physiker; entdeckte 1895 die Röntgenstrahlen.

Wilhelma *(w)* die weibliche Form zu Wilhelm; Kurz- und Koseformen: *Helma, Helmi, Hemma, Hilma, Wilma;* friesisch: *Wemke;* englische Formen: *Willa, Wilma;* tschechisch: *Vilema, Minka;* ungarisch: *Vilma.*

Wilhelmina *(w)* Nebenform zu Wilhelmine.

Wilhelmine *(w)* Weiterbildung von Wilhelma; Nebenform: *Wilhelmina;* rheinisch und friesisch: *Wellemina;* Kurz- und Koseformen *Helmina, Helmine, Mina, Mine, Minna;* englische Form: *Willamina, Willa;* italienisch: *Guglielmina;* polnische Koseform: *Minka;* französisch: *Minette;* spanisch: *Guillerma;* russisch: *Vilgelmina.*

Persönlichkeiten der Geschichte:

Wilhelmine, Markgräfin von Bayreuth, 1709 bis 1758, Schwester Friedrichs des Großen.

Wilhelmine, Königin der Niederlande, 1880 bis 1962.

Wilja *(w)* Kurz- und Koseform für mit Wil- gebildete weibliche Vornamen; Nebenformen: *Willa, Willia.*

Wilke *(m)* niederdeutsch-friesische Kurzform für mit Wil- oder Will- gebildete männliche Vornamen; Nebenformen: *Wilken, Wilko.*

Wilken *(m)* Nebenform zu Wilke.

Wilko *(m)* Nebenform zu Wilke.

Will *(m)* Kurzform für mit Wil- oder Will- gebildete männliche Vornamen; auch englische Kurzform für William (Wilhelm).

Persönlichkeit:

Will Quadflieg, geboren 1914; deutscher Schauspieler der Bühne und des Films; Regisseur; Helden- und Charakterdarsteller.

Willa *(w)* Nebenform zu Wilja; englische Kurzform für Willamina (Wilhelmine).

Willbrecht *(m)* Nebenform zu Wilbert.

Willdor *(m)* Nebenform zu Wildor.

Wille *(m)* Kurzform für Wilhelm.

Willebald *(m)* niederländische Form von Willibald.

Willebold *(m)* Nebenform zu Willibold (Willibald).

Willeger *(m)* Nebenform zu Willigis.

Willegis *(m)* Nebenform zu Willigis.

Willehad *(m)* althochdeutsch: *willo* = willio = Wille; *hadu* = Kampf.

Willehalm *(m)* ältere Nebenform zu Wilhelm.

Willehard *(m)* Nebenform zu Wilhard.

Willeich *(m)* lateinisch: *Willeicus.*

Willeicus *(m)* lateinische Form von Willeich.

Willem *(m)* niederdeutsche und niederländische Form von Wilhelm.

Willerad *(m)* althochdeutsch: *willo* = *willio* = Wille; *rat* = Rat, Ratgeber; Nebenformen: *Willirad, Wilrad;* friesische Form: *Wilrath.*

Willhart *(m)* Nebenform zu Wilhard.

Willi *(m)* Kurzform für Wilhelm; allgemein für mit Wil- oder Will- gebildete männliche Vornamen.

Persönlichkeiten der Geschichte:

Willi Fritsch, 1901 bis 1973; deutscher Filmschauspieler schon der Stummfilmzeit.

Willi Stoph, geboren 1914; deutscher kommunistischer Politiker; 1973 bis 1976 Vorsitzender des Staatsrats der ehemaligen Deutschen Demokratischen Republik.

William *(m)* englische Form von Wilhelm; Kurz- und Koseform: *Will, Bill, Billy.*

Persönlichkeiten der Geschichte:

William Count Basie, 1904 bis 1984; afroamerikanischer Jazzmusiker und Pianist.

William E. Boeing, 1881 bis 1956; amerikanischer Flugzeug-, Flugkörper- und Raketenkonstrukteur.

William Booth, 1829 bis 1912; Gründer der Heilsarmee 1878; ihr erster General.

William Faulkner, 1897 bis 1962; amerikanischer Schriftsteller sozialkritischer realistischer Romane.

William Somerset Maugham, 1874 bis 1965; englischer Schriftsteller psychologisch-realistischer Romane und gesellschaftskritischer Komödien.

William Penn, 1644 bis 1718; französischer »Vater« der Quäker; Prediger in Europa; 1863 Gründer von Philadelphia.

William Shakespeare, 1564 bis 1616; englischer Dichter; Gipfel des dramatischen Schaffens Europas und einer der größten Dramatiker der Weltliteratur in seinen Tragödien und Komödien.

William H. Talbot, 1800 bis 1877; englischer Chemiker und Physiker.

Willibald *(m)* althochdeutsch: *willo* = *willio* = Wille; *bald* = kühn; Nebenformen: *Willbold, Willibold, Willebold;* Kurz- und Koseformen: *Wilbet, Waltel;* bayerisch: *Waldl, Balde;* niederländische Form: *Willebald.*

Persönlichkeit der Geschichte:

Willibald Pirckheimer, 1470 bis 1530, deutscher Humanist, Ratsherr von Nürnberg, gehörte zum Umfeld Luthers.

Willibernd *(m)* Doppelname aus Wilhelm und Bernhard.

Willibert *(m)* Nebenform zu Wilbert.

Willibrand *(m)* Nebenform zu Wilbrand.

Willibrord *(m)* englisch; aus angelsächsisch: *willa* = Wille; *brord* = Spitze, Speer.

Willimar *(m)* Nebenform zu Wilmar.

Willirad *(m)* Nebenform zu Willerad.

Williram *(m)* althochdeutsch: *willo* = *willio* = Wille; *hraban* = Rabe.

Willis *(m)* amerikanisch.

Willmann *(m)* Koseform für Wilhelm.

Willmar *(m)* Nebenform zu Wilmar.

Willo *(m)* friesische Kurzform für mit Wil- gebildete männliche Vornamen.

Willy *(m)* Kurzform für Wilhelm.

Persönlichkeiten der Geschichte:

Willy Birgel, 1891 bis 1973; deutscher Schauspieler der Bühne und des Films; Helden- und Charakterdarsteller.

Willy Brandt, 1913 bis 1992; deutscher sozialdemokratischer Politiker; 1969 bis 1975 Bundeskanzler; seit 1976 Präsident der Sozialistischen Internationale, seit 1977 auch der Nord-Süd-Kommission.

Willy Messerschmitt, 1898 bis 1978; deutscher Flugzeugkonstrukteur.

Wilm *(m)* niederdeutsche Kurz- und Koseform für Wilhelm.

Wilma *(w)* deutsche und englische Kurzform für Wilhelma.

Wilmar *(m)* althochdeutsch: *willo* = *willio* = Wille; *mari* = berühmt; Nebenformen: *Willmar, Willemar, Willimar, Welmer, Wulmar.*

Wilmont *(m)* althochdeutsch: *willo* = *willio* = Wille; *munt* = Schutz, Schützer.

Wilmut *(m)* althochdeutsch: *willo* = *willio* = Wille; *muot* = Sinn, Geist; friesische Formen: *Welmot, Welmuth.*

Wilrad *(m)* Nebenform zu Willerad.

Wilrath *(m)* friesische Nebenform zu Willerad.

Wilrun *(w)* althochdeutsch: *willo* = *willio* = Wille; *runa* = Geheimnis, Zauber.

Wiltraud *(w)* Nebenform zu Wiltrud.

Wiltraut *(w)* Nebenform zu Wiltrud.

Wiltrud *(w)* althochdeutsch: *willo* = *willio* = Wille; *trud* = stark; Nebenformen: *Wiltrude, Wiltrudis, Wiltrut, Wiltraud, Wiltraut.*

Persönlichkeiten der Geschichte:

Wiltrud von Ardei, 12. Jahrhundert; gründete nach der Überlieferung die Prämonstratenserpropstei Scheda in Westfalen mit Frauenkloster, in das sie später eintrat.

Wiltrud von Bergen, etwa 920 bis 990; gründete das Frauenkloster Bergen und wurde dessen Äbtissin; kunstfertige Paramentenstickerin.

Wiltrude *(w)* Nebenform zu Wiltrud.

Wiltrudis *(w)* Nebenform zu Wiltrud.

Wiltrut *(w)* Nebenform zu Wiltrud.

Wiltz *(m)* Kurz- und Koseform für Wilhelm.

Wim *(m)* Kurzform für Wilhelm.

Wimar *(m)* Nebenform zu Wigmar.

Wimmer *(m)* Kurz- und Koseform für Winimar.

Wina *(w)* Koseform für Ludwina, Sabine und Winfriede.

Winald *(m)* althochdeutsch: *wini* = Freund; *waltan* = walten, gebieten; Nebenformen: *Winold, Winhold;* französische Form: *Guinard.*

Winand *(m)* Nebenform zu Wigand.

Windelgard *(w)* Nebenform zu Wendelgard.

Wineke *(m)* niederdeutsche Koseform für Wigand.

Winemar *(m)* Nebenform zu Winimar.

Winfred *(m)* englische Form von Winfrid.

Winfrid *(m)* althochdeutsch: *wini* = Freund; *fridu* = Friede; Nebenformen: *Winfried, Winifried, Winnefred;* englische Form: *Winfred.*

Winfried *(m)* Nebenform zu Winfrid.

Winfrieda *(w)* Nebenform zu Winfriede.

Winfriede *(w)* die weibliche Form zu Winfrid; Nebenformen: *Winfrieda, Winifrid;* Kurzform: *Wina;* englische Form: *Winifred.*

Winhold *(m)* Nebenform zu Winald.

Winibald *(m)* althochdeutsch: *wini* = Freund; bald = kühn.

Winibert *(m)* althochdeutsch: *wini* = Freund; *beraht* = glänzend.

Winifred *(w)* englische Form von Winfriede; Kurz- und Koseform: *Winnie.*

Winifrid *(w)* Nebenform zu Winfriede.

Winifried *(m)* Nebenform zu Winfrid.

Winimar *(m)* althochdeutsch: *wini* = Freund; *mari* = berühmt; Nebenformen: *Winmar, Winemar, Winnemar, Wenemar, Wennemar, Wemmer, Wiemar, Wiemer, Weimar, Weimer.*

Winirich *(m)* Nebenform zu Winrich.

Winmar *(m)* Nebenform zu Winimar.

Winnefred *(m)* Nebenform zu Winfrid.

Winnemar *(m)* Nebenform zu Winimar.

Winnetou *(m)* indianisch: *wintu* =

Indianer (?); standesamtlich zugelassen nach Karl Mays Winnetou-Abenteuerromanen.

Winnie *(w)* englische Kurzform für Winifred.

Winrich *(m)* althochdeutsch: *wini* = Freund; *rihhi* = reich, mächtig; Nebenformen: *Weinreich, Weinrich, Winirich, Weirich, Wierich.*

Winston *(m)* englisch.

Persönlichkeit der Geschichte:

Winston Churchill, 1874 bis 1965; englischer konservativer Politiker und Schriftsteller; 1940 bis 1945 und 1951 bis 1955 Premierminister.

Wintrud *(w)* althochdeutsch: *wini* = Freund; *trud* = Kraft.

Wipert *(m)* Nebenform zu Wigbert.

Wippo *(m)* Kurzform für mit Wig- gebildete männliche Vornamen.

Wippold *(m)* Nebenform zu Wigbald.

Wiprecht *(m)* Nebenform zu Wigbert.

Wirich *(m)* althochdeutsch: *wig* = Kampf; *rihhi* = reich, mächtig; ältere Form: Wigerich; Nebenformen: *Weirich, Wyrich.*

Wisa *(w)* Koseform für Aloisia.

Wise *(w)* Koseform für Aloisia und Luise.

Wisele *(w)* Koseform für Luise; Nebenform: *Wisli.*

Wisgard *(w)* althochdeutsch: *wisi* = weise; *gard* = Zaun, Schutz.

Wisgund *(w)* althochdeutsch: *wisi* = weise; *gund* = Kampf; Nebenform: *Wisgunde.*

Wisgunde *(w)* Nebenform zu Wisgund.

Wishard *(m)* althochdeutsch: *wisi* = weise; *harti* = stark; Nebenform: *Wishart;* französische Form: *Guiscard.*

Wishart *(m)* Nebenform zu Wishard.

Wisinto *(m)* althochdeutsch: *wisi* = weise.

Witas *(m)* schwedische Form von Veit.

Witiko *(m)* Kurzform für mit althochdeutsch witu (= Holz, Wald) gebildete männliche Vornamen; Nebenformen: *Wittiko, Wito.*

Wito *(m)* Nebenform zu Wido und Witiko.

Witold *(m)* althochdeutsch: *witu* = Holz, Wald; *waltan* = walten, gebieten; ältere Form: *Widuwalt;* Nebenformen: *Widold, Widolt; polnische Form: Witold.*

Witta *(w)* die weibliche Form zu Witte.

Witte *(m)* friesisch; althochdeutsch: *witu* = Holz, Wald; Nebenform: *Witta.*

Wittekind *(m)* Nebenform zu Widukind.

Wittich *(m)* Nebenform zu Wittig.

Wittig *(m)* Kurzform für mit Widu- (althochdeutsch: *witu* = Wald) gebildete männliche Vornamen; Nebenform: *Wittich.*

Wittiko *(m)* Nebenform zu Witiko.

Witzel *(m)* Koseform für Werner.

Wladimir *(m)* slawisch: *wladeti* = herrschen; *mir* = Friede; Nebenform: *Vladimir;* italienisch: *Valdimiro.*

Persönlichkeiten der Geschichte:

Wladimir Horowitz, 1903 bis 1989; russisch-amerikanischer Pianist; Liszt-, Tschaikowskij- und Rachmaninow-Interpret.

Wladimir Iljitsch Lenin, 1870 bis 1924; russischer Politiker, Führer der Oktoberrevolution.

Wladislaw *(m)* slawisch: *wladeti* = herrschen; *slawa* = Ruhm; latinisierte Form: *Ladislaus;* polnisch: *Wladislaw;* ungarisch: *László.*

Persönlichkeit der Geschichte:

Wladislaw Gomulka, 1905 bis 1982; polnischer kommunistischer Politiker.

Wlodzimierz *(m)* polnische Form von Waldemar.

Woitech *(m)* Nebenform zu Wojciech.

Wojciech *(m)* polnische Form von Adalbert; Nebenform: *Woitech.*

Wold *(m)* Koseform für Theobald; Kurzform für mit Wold- (althochdeutsch: *waltan* = walten, gebieten) oder wald-, -bald gebildete männliche Vornamen; Nebenformen: *Wolt, Wolder.*

Woldemar *(m)* niederdeutsche Nebenform zu Waldemar.

Wolder *(m)* Nebenform zu Wold.

Wolf *(m)* Kurzform für mit Wolf- gebildete männliche Vornamen; auch *Wulf;* skandinavisch: *Ulf.*

Wolfbald *(m)* althochdeutsch: *wolf* = Wolf; *bald* = kühn.

Wolfbert *(m)* althochdeutsch: *wolf* = Wolf; *beraht* = glänzend.

Wolfdieter *(m)* Nebenform zu Wolfdietrich.

Wolfdietrich *(m)* Doppelname aus Wolf(gang) und Dietrich; Nebenformen: *Wolfdieter, Wulfdietrich.*

Wölfel *(m)* Verkleinerungsform von Wolf.

Wolfer *(m)* althochdeutsch: *wolf* = Wolf; *hari* = Heer; ältere Form: *Wolfhari.*

Wolfgang *(m)* althochdeutsch: *wolf* = Wolf; *gang* = Gang, Angriff; Kurz- und Koseformen: *Wolflein, Wölflein, Wölfle, Wülfke, Wülfken, Wilfling, Wolf, Wulf, Gangel.*

Persönlichkeiten der Geschichte:

Wolfgang Borchert, 1921 bis 1947; deutscher Schriftsteller der jungen Kriegsgeneration.

Wolfgang Leonhard, geboren 1921; österreichisch-deutscher Sowjetologe und Schriftsteller.

Wolfgang Menzel, 1798 bis 1873, deutscher Literaturhistoriker, Kritiker und Geschichtsschreiber.

Wolfgang Amadeus Mozart, 1756 bis 1791; österreichischer Komponist; mit Beethoven und Haydn bedeutendster Komponist der Klassik.

Wolfgang Sawallisch, geboren 1923; deutscher Dirigent.

Wolfgang Schneiderhan, geboren 1916, Violinvirtuose.

Wolfgang Wagner, geboren 1911, Regisseur, Leiter der Bayreuther Festspiele.

Wolfger *(m)* althochdeutsch: *wolf* = Wolf; *ger* = Speer.

Wolfgerd *(m)* Doppelname aus Wolf und Gerhard.

Wolfgisbert *(m)* Doppelname aus Wolf und Gisbert.

Wolfgund *(w)* althochdeutsch: *wolf* = Wolf; *gund* = Kampf; Nebenform: *Wolfgunde.*

Wolfgunde *(w)* Nebenform zu Wolfgund.

Wolfgünter *(m)* Doppelname aus Wolf und Günter.

Wolfhard *(m)* althochdeutsch: *wolf* = Wolf; *harti* = stark; Nebenformen: *Wolfhart, Welfhard, Wulfhard, Gualfard;* friesische Formen: *Ulfart, Ulferd, Ulfert, Olfert.*

Wolfhari *(m)* ältere Form von Wolfer.

Wolfhart *(m)* Nebenform zu Wolfhard.

Wolfheinrich *(m)* Doppelname aus Wolf und Heinrich.

Wolfhelm *(m)* althochdeutsch: *wolf* = Wolf; *helm* = Helm, Schutz.

Persönlichkeit der Geschichte:

Wolfhelm, gestorben 1091; Benediktiner in Trier und Köln; 1065 Abt in Brauweiler.

Wolfhild *(w)* althochdeutsch: *wolf* = Wolf; *hiltja* = Kampf; Nebenformen: *Wolfhilde, Wulfhild, Wulfhilde;* Kurz- und Koseformen: *Wolfa, Wulfa;* schwedische Form: *Ulfhild.*

Wolfhilde *(w)* Nebenform zu Wolfhild.

Wolfhold *(m)* althochdeutsch: *wolf* = Wolf; *waltan* = walten, gebieten.

Wolfhorst *(m)* Doppelname aus Wolf und Horst.

Wolfilo *(m)* Verkleinerungsform von Wolf.

Wölfle *(m)* Koseform für Wolfgang.

Wolflein *(m)* Koseform für Wolfgang.

Wölflein *(m)* Koseform für Wolfgang.

Wölflin *(m)* Verkleinerungsform von Wolf.

Wolfrad *(m)* althochdeutsch: *wolf* = Wolf; *rat* = Rat, Ratgeber; Nebenform: *Wolfrat.*

Wolfram *(m)* althochdeutsch: *wolf* = Wolf; *hraban* = Rabe.

Persönlichkeit der Geschichte:

Wolfram von Eschenbach, etwa 1170 bis 1220; mittelhochdeutscher Dichter der höfischen Epik mit »Parzival«, »Willehalm« und »Titurel«.

Wolfrat *(m)* Nebenform zu Wolfrad.

Wolfrid *(m)* althochdeutsch: *wolf* = Wolf; *fridu* = Friede; Nebenform: *Wolfried.*

Wolfried *(m)* Nebenform zu Wolfrid.

Wolfrun *(w)* althochdeutsch: *wolf* = Wolf; *runa* = Geheimnis, Zauber.

Wolftraud *(w)* Nebenform zu Wolftrud.

Wolftrud *(w)* althochdeutsch: *wolf* = Wolf; *trud* = Kraft; Nebenformen: *Wolftrude, Wolftraud, Wulftrud.*

Wolftrude *(w)* Nebenform zu Wolftrud.

Wolt *(m)* niederdeutsche Kurzform für Wolter (Walter); auch Koseform für Theobald; Nebenform zu Wold.

Wolter *(m)* niederdeutsche Form von Walter; Kurzform: *Wolt.*

Woltje *(m)* Koseform für Walter.

Wonnebald *(m)* Nebenform zu Wunibald.

Woody *(m)* amerikanisch.

Persönlichkeit:

Woody Allen, geboren 1935; amerikanischer Filmschauspieler (Komiker) und -regisseur; Drehbuchautor.

Wotan *(m)* germanisch; Nebenform: *Wodan; Odin.*

Wout *(m)* niederländische Kurzform für Wouter (Walter).

Wouter *(m)* niederländische Form von Walter.

Wübke *(w)* Nebenform zu Wiebke.

Wulf *(m)* Nebenform zu Wolf; Kurzform für Wolfgang.

Wulfdietrich *(m)* Nebenform zu Wolfdietrich.

Wulfhard *(m)* Nebenform zu Wolfhard.

Wulfhild *(w)* Nebenform zu Wolfhild.

Wulfhilde *(w)* Nebenform zu Wolfhild.

Wulfila *(m)* Verkleinerungsform von Wulf = Wolf (althochdeutsch: *wolf*); gräzisierte Form: *Ulfilas.*

Wülfke *(m)* Koseform für Wolfgang.

Wülfken *(m)* Koseform für Wolfgang.

Wulftrud *(w)* Nebenform zu Wolftrud.

Wulmar *(m)* Nebenform zu Wilmar.

Persönlichkeit der Geschichte:

Wulmar (Wilmar), gestorben Anfang 8. Jahrhundert; erst Einsiedler; gründete das Mönchskloster Samer und das Frauenkloster Wierre-aux-bois und leitete sie.

Wunibald *(m)* althochdeutsch: *wunna* = Wonne, Freude; *bald* = kühn; Nebenformen: *Wunnibald, Wonnebald, Wunnebald.*

Wunibert *(m)* althochdeutsch: *wunna* = Wonne, Freude; *beraht* = glänzend;

Nebenformen: *Wunnebert, Wunnebrecht.*

Wunna *(w)* Kurzform für mit althochdeutsch: *wunna* (= Freude), gebildete weibliche Vornamen.

Wunnebald *(m)* Nebenform zu Wunibald.

Wunnebert *(m)* Nebenform zu Wunibert.

Wybren *(m)* friesische Form für Wigbern und Wigbrand.

Wyn *(m)* friesische Kurzform für mit Win- oder Wini- gebildete männliche Vornamen; Nebenformen: *Wyne, Wyneke.*

Wyne *(m)* Nebenform zu Wyn.

Wyneke *(m)* Nebenform zu Wyn.

Wyrich *(m)* Nebenform zu Wirich.

X/Y

Xaver *(m)* nach dem spanischen Schloß Xavier (heute Javier) in Navarra; latinisiert: *Xaverius;* Kurz- und Koseformen: *Xaverl, Verlein, Verle, Vere, Ver;* englische Form: *Xavier;* irische Koseform: *Savy;* französisch: *Xavier;* italienisch: *Saverio;* spanisch: *Javier;* polnisch: *Xavery.*

Xaveria *(w)* die weibliche Form zu Xaver; Nebenform: *Xaverine.*

Xaverine *(w)* Nebenform zu Xaveria.

Xaverius *(m)* lateinische Form von Xaver.

Xaverl *(m)* Koseform für Xaver.

Xavery *(m)* polnische Form von Xaver.

Xavier *(m)* englische und französische Form von Xaver.

Xenia *(w)* griechisch: *xenios* = gastfreundlich; Kurzform für auf -xenia endende slawische und griechische weibliche Vornamen.

Xeno *(m)* englische Nebenform zu Xenos.

Xenophon *(m)* griechisch: *xenos* = Fremder, Gast; *phainesthai* = scheinen, leuchten; italienische Form: *Senofonte; spanisch: Genofonte.*

Xerxes *(m)* griechische Form des altpersischen Königsnamens Ahasver (hebräisch); englische Formen: Xerus, Xeres; spanisch: Jerez, Jerges.

Xiste *(m)* französische Form von Sixtus.

Yannic *(m)* bretonische Form von Jean (Johann); schweizerische Form: *Yannick, Yanneck;* dänisch: *Jannik.*

Yannick *(m)* schweizerische Form von Yannic.

Yannis *(m)* griechische Form von Johann.

Yehudi *(m)* Nebenform zu Jehudi.
Persönlichkeit:
Yehudi Menuhin, geboren 1916; amerikanischer Geigenvirtuose russisch-jüdischer Herkunft.

Yola *(w)* Kurz- und Koseform für Jolanthe.

York *(m)* dänische Form von Georg; Nebenform: Yorck; englische Formen: *Yorick, Yorrick.*

Yorrick *(m)* englische Form von York.

Yso *(m)* Nebenform zu Iso.

Yul *(m)* schwedische Form von Yule.
Persönlichkeit:
Yul Brynner, 1920 bis 1985; amerikanischer Filmschauspieler russischer Herkunft.

Yule *(m)* schottisch und nordenglisch: *yule* = Weihnacht; schwedische Form: *Yul.*

Yvan *(m)* Nebenform zu Iwan.

Yves *(m)* französische Form von Ivo.
Persönlichkeit:
Yves Montand, 1921 bis 1991; französischer Chansonsänger und Filmschauspieler.

Zachariah *(m)* englische Form von Zacharias.

Zacharias *(m)* hebräisch: *sekar'jahu* = es gedenkt Jahwe (Gott); Kurz- und Koseformen: *Zacherl, Zacher, Zaches, Zach, Zoch;* ökumenische Form: *Sacharja;* englische Formen: *Zachariah, Zachary;* Koseform: *Zach;* russisch und jüdisch: *Sachar, Sacher.*

Persönlichkeit der Geschichte:

Zacharias, in der Bibel Gatte Elisabeths und Vater des Johannes des Täufers.

Zachary *(m)* englische Form von Zacharias.

Zachäus *(m)* hebräisch: = der Gerechte, Unschuldige.

Persönlichkeit der Geschichte:

Zachäus, im Neuen Testament jüdischer Oberzöllner, den Jesus besuchte und als Jünger berief.

Zacher *(m)* Kurzform für Zacharias.

Zacherl *(m)* Koseform für Zacharias.

Zaches *(m)* Koseform für Zacharias.

Zaida *(w)* arabisch: Gebieterin.

Zamel *(m)* niederländische Form von Samuel.

Zander *(m)* Kurz- und Koseform für Alexander.

Zara *(w)* Nebenform zu Sara.

Zarah *(w)* Nebenform zu Sara.

Persönlichkeit der Geschichte:

Zarah Leander, 1907 bis 1981; schwedische Sängerin und Schauspielerin der Bühne und des Films.

Zarin *(m)* bulgarisch: *zar* = Zar; Nebenform: *Zarjo.*

Zarina *(w)* bulgarische weibliche Form zu Zarin.

Zarjo *(m)* Nebenform zu Zarin.

Zdenka *(w)* tschechische Form von Sidonie.

Zdenko *(m)* tschechische Form von Sidonius.

Zelda *(w)* englische Kurzform für Griselda.

Zella *(w)* Kurzform für Marcella.

Zelma *(w)* englisch-amerikanische Form von Selma.

Zena *(w)* englische Kurzform für Zenobia.

Zeno *(m)* griechisch; Kurzform für mit Zeno- gebildete männliche Vornamen.

Zenobia *(w)* die weibliche Form zu Zenobio; englische Kurzform: *Zena.*

Zenobio *(m)* italienisch-spanisch; griechischen Ursprungs: aus *Zeus* und *bios* = Leben.

Zenodotus *(m)* griechisch: = Geschenk des Zeus.

Zens *(m)* Nebenform zu Zenz.

Zenta *(w)* Kurzform für Vincenta; Koseform für Innozentia und Kreszentia.

Zenz *(m)* Kurzform für Innozenz und Vinzenz; Nebenform: *Zens.*

Zenz *(w)* Koseform für Innozentia und Vincentia.

Zenze *(w)* Koseform für Kreszentia.

Zenzi *(w)* Koseform für Kreszentia.

Zephyrin *(m)* von griechisch: *zephyros* = Westwind; latinisiert: *Zephyrinus.*

Zephyrinus *(m)* lateinische Form von Zephyrin.

Zerves *(m)* Kurzform für Servatius.

Zeus *(m)* griechisch; ursprünglich: *djeus* = Tag, lichter Himmel.

Persönlichkeit der Geschichte:

Zeus, der höchste Gott in der griechischen Mythologie; teilte die Weltherrschaft mit Poseidon und Hades.

Zigi *(w)* Kurzform für Lucia.

Zilge *(w)* Kurz- und Koseform für Cäcilia.

Zilla *(w)* Koseform für Cäcilia.

Zillchen *(w)* Koseform für Cäcilia.

Zilli *(w)* Koseform für Cäcilia.

Zilly *(w)* Koseform für Cäcilia.

Zirves *(m)* Koseform für Servatius.

Ziska *(w)* Kurzform für Franziska.

Ziskus *(m)* Kurzform zu Franziskus (Franz).

Zisl *(w)* Koseform für Franziska.

Zissi *(w)* Koseform für Franziska.

Zita *(w)* Kurzform für Felizitas; Nebenformen: *Cita, Sita.*

Zlatko *(m)* slawische Kurzform für mit Zlato- gebildete männliche Vornamen.

Zoch *(m)* Kurz- und Koseform für Zacharias.

Zofia *(w)* polnische Form von Sophie.

Zoffi *(w)* Koseform für Sophie.

Zölestin *(m)* Nebenform zu Cölestin.

Zölestine *(w)* Nebenform zu Cölestine.

Zölestinus *(m)* Nebenform zu Cölestin.

Zora *(w)* Sanskrit: = Aurora.

Zosel *(w)* Koseform für Susanne.

Zsigmond *(m)* ungarische Form von Siegmund.

Zsuzsi *(w)* ungarische Form von Susanne.